High Top

1권

화학 Ⅰ

Structure

이 책의 구성과 특징

지금껏 선생님들과 학생들로부터 고등 과학의 바이블로 명성을 이어온 하이탑의 자랑거리는 바로,

- 기초부터 심화까지 이어지는 튼실한 내용 체계
- 백과사전처럼 자세하고 빈틈없는 개념 설명
- 내용의 이해를 돕기 위한 풍부한 자료
- 과학적 사고를 훈련시키는 논리정연한 문장

이었습니다. 이러한 전통과 장점을 이 책에 이어 담았습니다.

1 개념과 원리를 익히는 단계

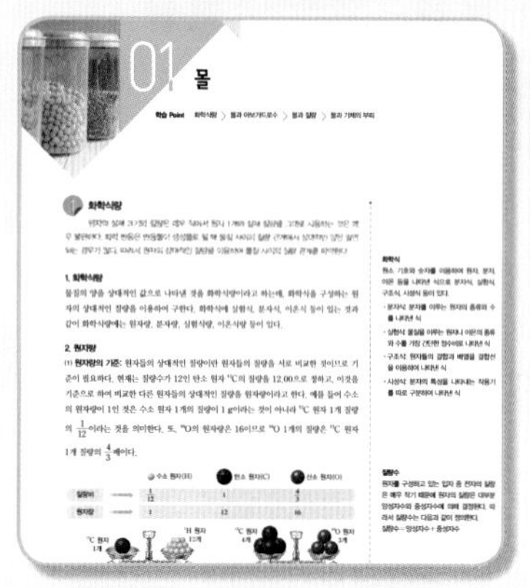

●개념 정리

여러 출판사의 교과서에서 다루는 개념들을 체계적으로 다시 정리하여 구성하였습니다.

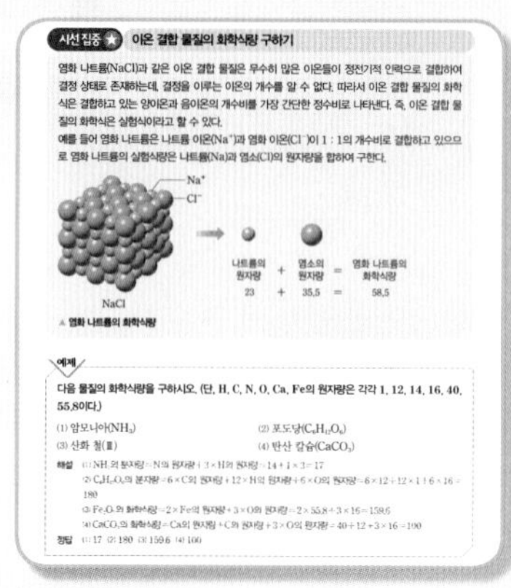

●시선 집중

중요한 자료를 더 자세히 분석하거나 개념을 더 잘 이해할 수 있도록 추가로 설명하였습니다.

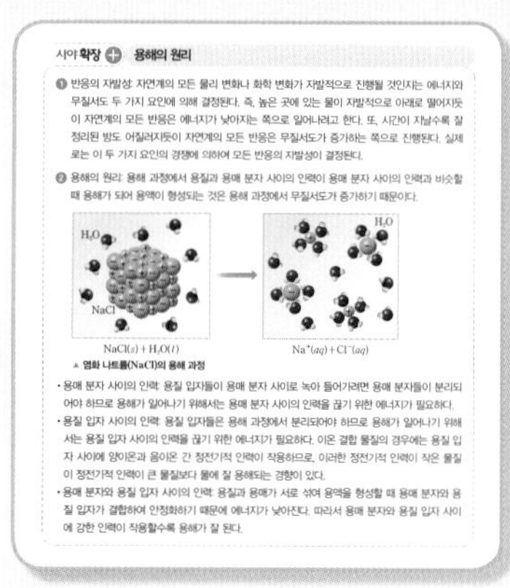

●시야 확장

심도 깊은 내용을 이해하기 쉽도록 원리나 개념을 자세히 설명하였습니다.

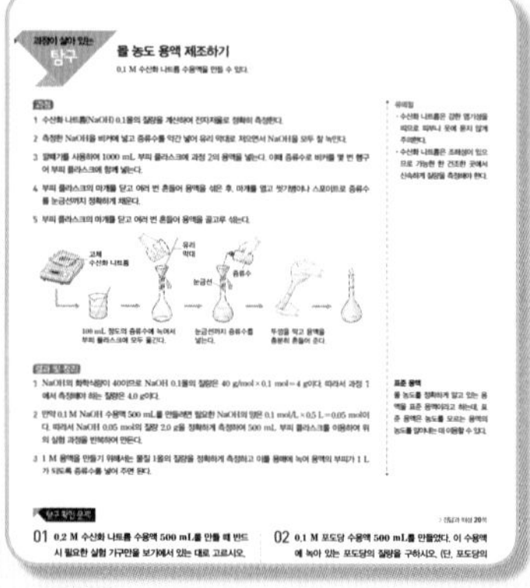

●탐구

교과서에서 다루는 탐구 활동 중에서 가장 중요한 주제를 선별하여 수록하고, 과정과 결과를 철저히 분석하였습니다.

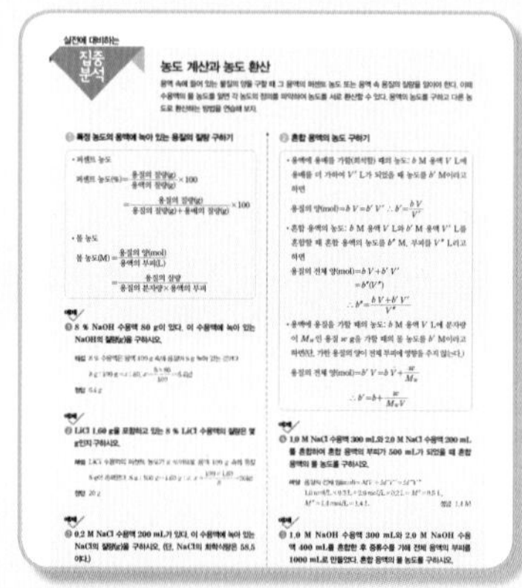

●집중 분석

출제 빈도가 높은 주요 주제를 집중적으로 분석하고, 유제를 통해 실제 시험에 대비할 수 있도록 하였습니다.

●심화

깊이 있게 이해할 필요가 있는 개념은 따로 발췌하여 심화 학습할 수 있도록 자세히 설명하고 분석하였습니다.

다양한 유형과 수준별 문제로 실력을 확인하는 단계

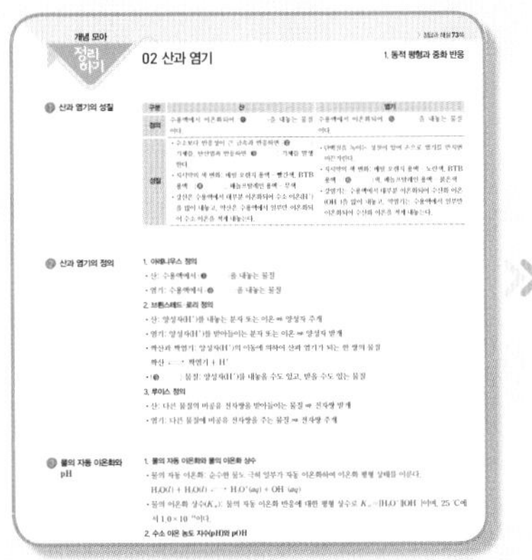

● 개념 모아 정리하기

각 단원에서 배운 핵심 내용을 빈칸에 채워 나가면서 스스로 정리하는 코너입니다.

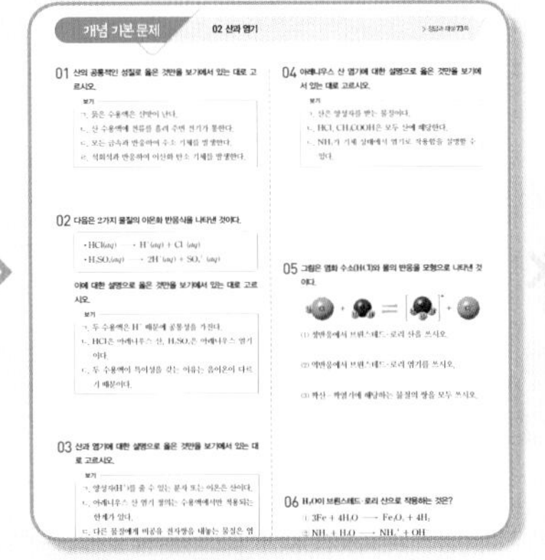

● 개념 기본 문제

각 단원의 기본적이고 핵심적인 내용의 이해 여부를 평가하기 위한 코너입니다.

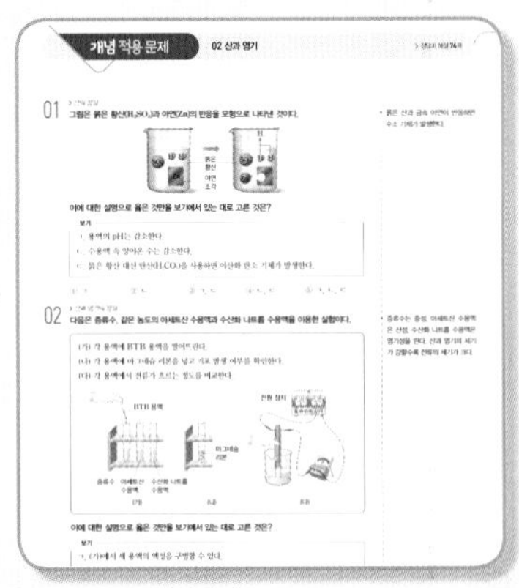

● 개념 적용 문제

기출 문제 유형의 문제들로 구성된 코너입니다. '고난도 문제'도 수록하였습니다.

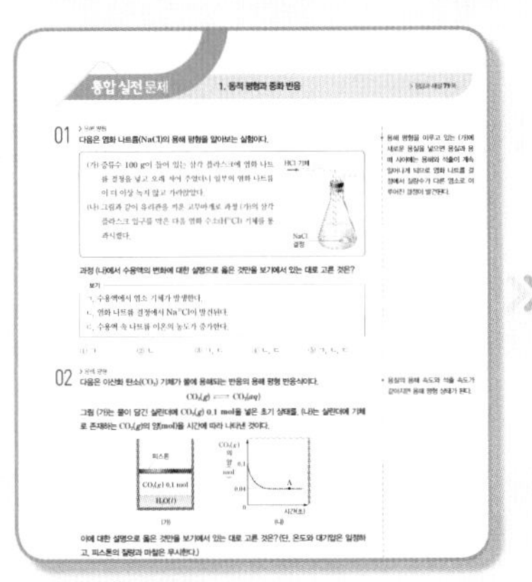

● 통합 실전 문제

중단원별로 통합된 개념의 이해 여부를 확인함으로써 실전을 대비할 수 있도록 구성하였습니다.

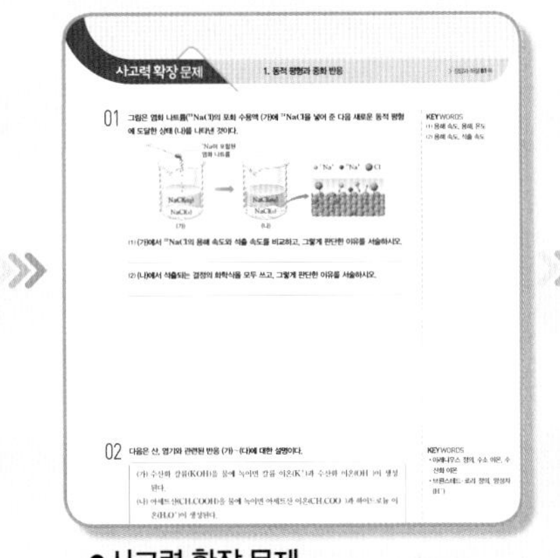

● 사고력 확장 문제

창의력, 문제 해결력 등 한층 높은 수준의 사고력을 요하는 서술형 문제들로 구성하였습니다.

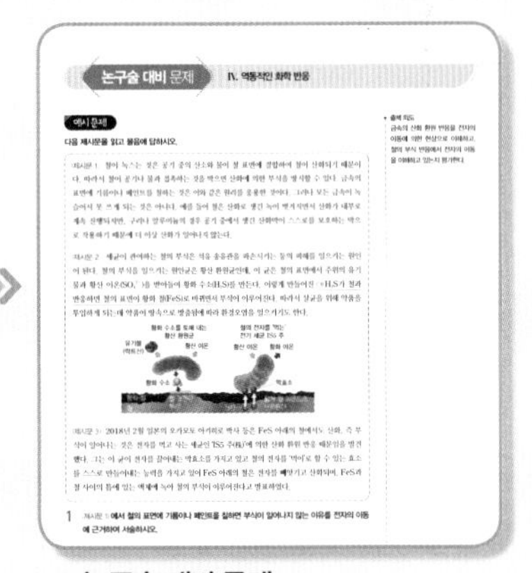

● 논구술 대비 문제

논구술 시험에 출제되었거나, 출제 가능성이 높은 예상 문제로서, 답변 요령 및 예시 답안과 함께 제시하였습니다.

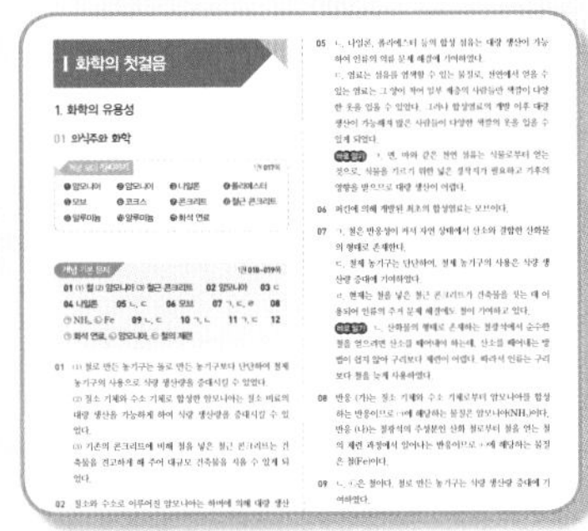

● 정답과 해설

정답과 오답의 이유를 쉽게 이해할 수 있도록 자세하고 친절한 해설을 담았습니다.

"

하이탑은
과학에 대한 열정을 지닌 독자님의
실력이 더욱 향상되길 기원합니다.

"

Contents

이 책의 차례 - 화학

"자세하고 짜임새 있는 설명과 수준 높은 문제로 실력의 차이를 만드는 High Top"

1권

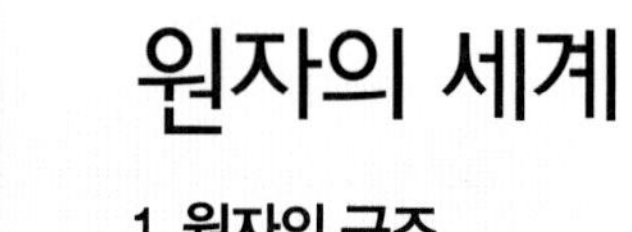

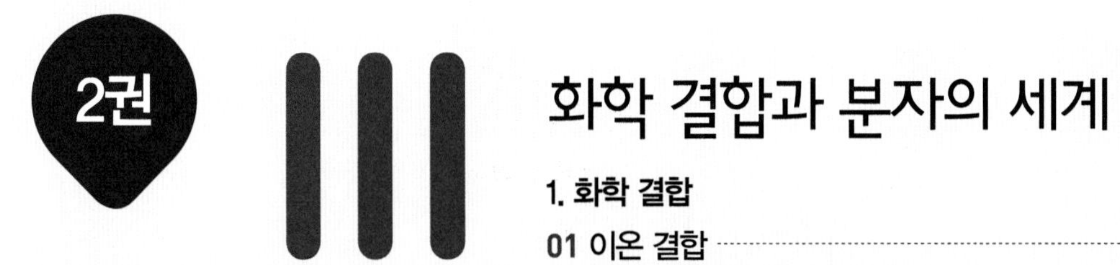

화학 결합과 분자의 세계

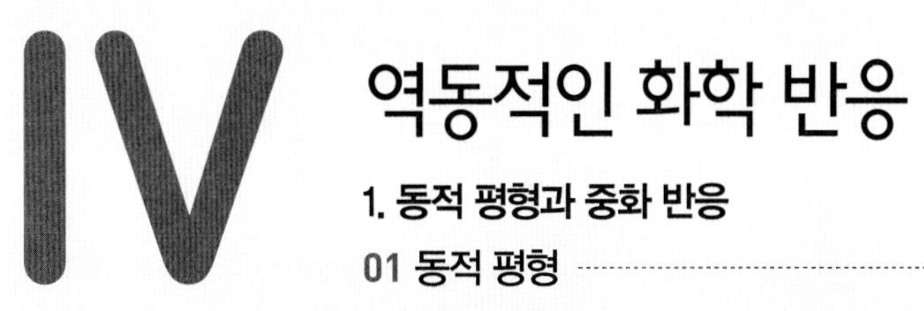

역동적인 화학 반응

3권

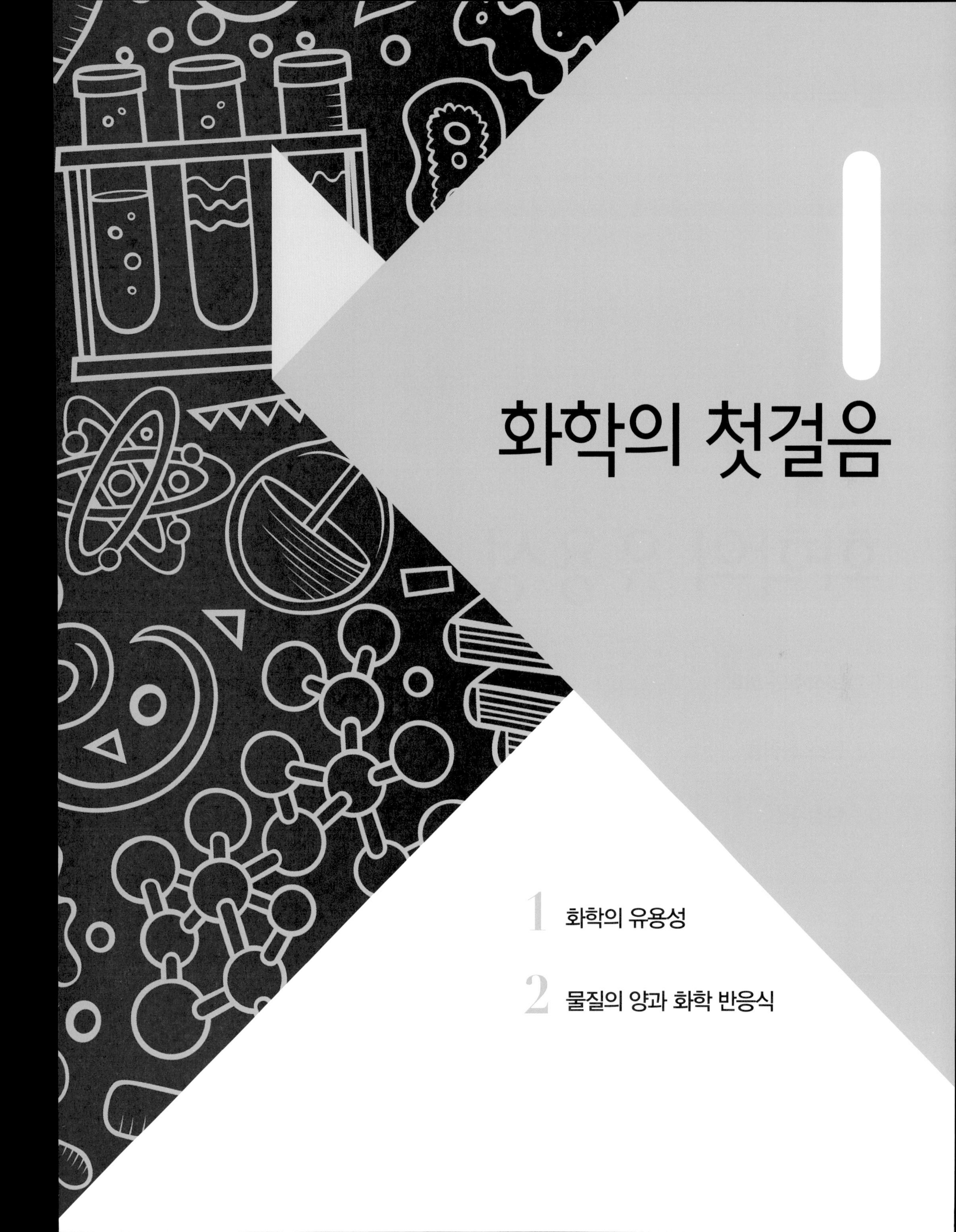

I 화학의 첫걸음

1 화학의 유용성

2 물질의 양과 화학 반응식

1
화학의 유용성

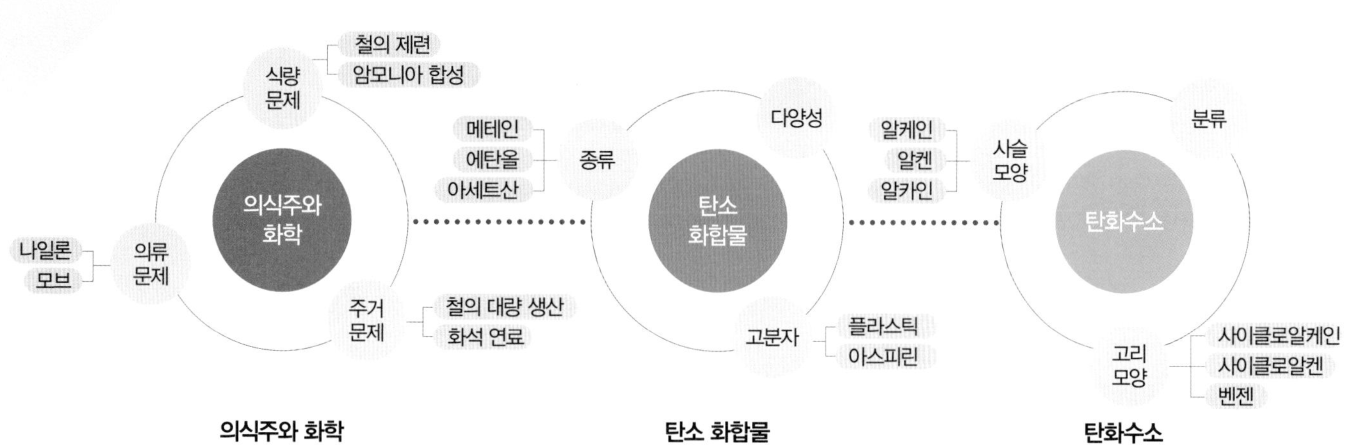

의식주와 화학

탄소 화합물

탄화수소

01 의식주와 화학

학습 Point 불의 발견, 철의 제련, 암모니아 합성 > 합성 섬유(나일론) 개발 > 다양한 건축 자재 개발, 화석 연료 이용

1 식량 문제 해결에 기여한 화학

원시 인류는 사냥, 채집을 통해 식량을 얻다가 농업을 통해 식량을 수확하게 되었다. 처음 농사를 지을 때는 주로 돌로 만든 도구를 이용하였고, 이후 불을 이용하여 광석에서 구리를 추출하여 청동을 만들었다. 또, 철의 제련으로 더 단단한 농기구를 만들게 되어 식량 생산량이 증대하였다.

1. 불의 발견과 이용

인류는 불을 사용하여 농경지를 개간하고, 높은 온도에서 흙을 구어 곡물 저장에 필요한 토기를 만들었다. 또, 불을 사용하여 광석에서 금속을 추출하여 농사에 필요한 도구를 만들어 사용하게 되었다.

불의 발견과 식생활
불은 물질의 연소 과정에서 발생하는 에너지이다. 불을 이용하여 음식을 익혀 먹게 되면서 영양소의 섭취 효율이 높아지고, 부패한 음식물로 인한 질병의 위험이 줄어들게 되었다.

2. 철의 이용

철(Fe)은 녹는점이 1538 ℃이며, 지각에 약 5 % 함유되어 있다. 철은 강도가 높고 여러 가지 형태로 가공할 수 있으며, 다른 금속 원소나 비금속 원소와 혼합하여 다양한 종류의 합금을 만들어 사용할 수 있다. 철의 이용 시기는 B.C. 3000년 경으로, 구리의 이용 시작 시기에 비해 2000년 정도 늦다. 지각의 매장량이 철보다 적은 구리가 철보다 빨리 이용될 수 있었던 것은 구리는 철에 비해 녹는점이 낮고, 반응성이 작아 광석으로부터 순수한 금속을 얻기 더 쉬웠기 때문이다.

3. 철의 제련과 식량 생산량 증대

(1) 철은 반응성이 커서 자연 상태에서 원소 상태로 존재하지 않고 산소와 결합한 산화 철 형태로 존재하며, 녹는점이 높아 산화 철이 주성분인 철광석에서 순수한 철을 분리해내기 어렵다. 따라서 산화 철에서 철을 얻는 제련법이 발견된 후에야 본격적으로 사용되었다.

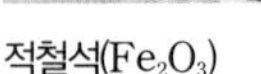
적철석(Fe_2O_3)

자철석(Fe_3O_4)

▲ **적철석과 자철석** 반응성이 큰 철(Fe)은 자연에서 붉은빛이 나는 적철석과 자성을 지닌 자철석 형태의 광석으로 주로 산출된다.

제련
금속 화합물의 형태인 광석으로부터 순수한 금속을 얻는 과정을 제련이라고 한다.

(2) **초기 철의 제련법:** 철광석을 목탄불 속에 넣어 녹여서 철을 얻은 다음, 계속 두드려 더 단단한 철을 얻었다. 이렇게 얻은 철은 단단하여 청동을 대신해 농기구 제작에 이용되었으며, 철제 농기구의 사용은 농경지 확대와 농업 생산성을 향상시켜 이전보다 식량 생산량을 증대시킬 수 있었다.

(3) 철의 제련법

① 용광로에 철광석과 코크스(주성분: C), 석회석($CaCO_3$)을 함께 넣고 아래에서 뜨거운 공기를 불어 넣어 주면 용융 상태의 철을 얻을 수 있다.

② 용광로에서 얻어지는 철에는 탄소를 비롯하여 불순물이 포함되어 있는데, 이를 선철이라고 한다. 선철은 강도가 낮아 그대로 사용하기 어렵다.

③ 선철에서 탄소의 함량을 줄인 것을 강철이라고 한다. 강철은 강도가 높아 강판이나 공구, 자동차의 차체 등에 이용된다.

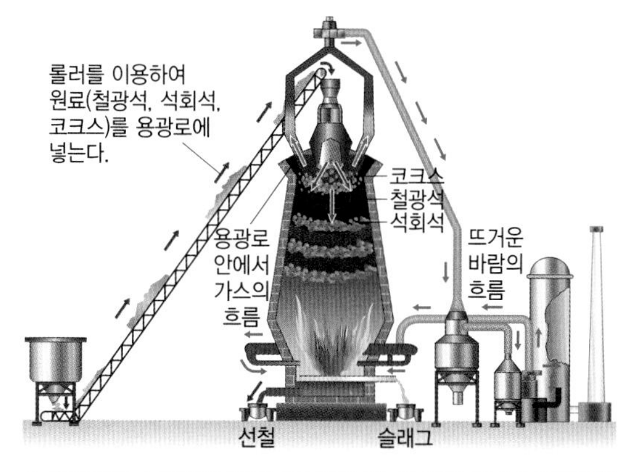

▲ **철의 제련** 철광석이 환원되어 생성된 녹은 철은 밀도가 커 아래쪽으로 분리되어 나오고, 슬래그는 밀도가 작아 위쪽에서 분리되어 나온다.

4. 비료의 대량 생산과 식량 혁명

(1) 질소의 중요성

① 단백질은 근육, 효소, 호르몬 등을 이루는 성분으로 생물의 생존과 성장에 필수적인 물질이며, 핵산은 유전과 관련된 중요 물질이다. 이러한 단백질과 핵산을 이루는 주요 성분 원소 중 하나가 질소이다. 그런데 대부분의 생물체는 공기 중의 질소(N_2) 기체를 직접 흡수하여 이용하지 못하므로 질소는 생물체가 이용할 수 있는 형태로 전환되어야 한다.

② 공기 중 질소의 일부는 번개에 의해 산소와 반응하여 물에 녹을 수 있는 물질이 되거나 콩과식물의 뿌리혹박테리아에 의해 생물이 사용할 수 있는 형태로 변환(질소 고정)된다.

③ 식물은 토양 속의 물에 녹아 암모늄 이온(NH_4^+)이나 질산 이온(NO_3^-)의 형태로 고정된 질소를 흡수하여 생장에 이용한다.

시야 확장 ⊕ 질소 고정과 질소 순환

❶ **질소 고정**: 공기 중의 질소 분자를 생물체가 활용할 수 있는 형태의 질소 화합물로 변화시키는 과정이다. 질소 고정은 번개나 질소 고정 세균 또는 화학 공업적 방법에 의해 이루어진다.

❷ **질소 순환**: 공기 중의 질소가 고정되어 생물체에 이용된 다음 다시 공기로 되돌아가는 일련의 과정이다.

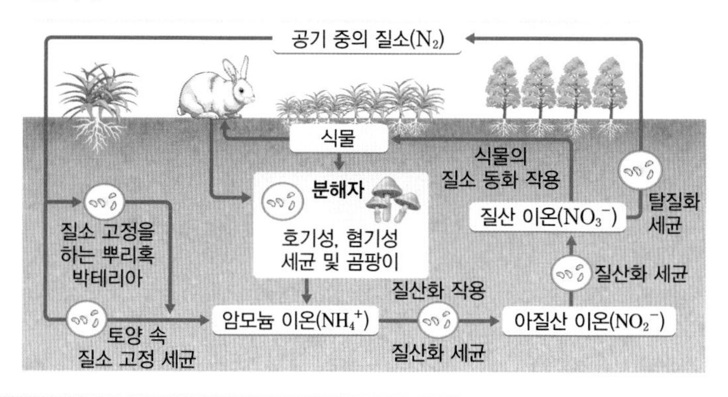

코크스
탄소 함량이 높고 불순물이 미량인 연료의 일종으로, 석탄을 원료로 만든다.

산화와 환원
- 산화: 물질이 산소를 얻거나 전자를 잃는 반응이다.
- 환원: 물질이 산소를 잃거나 전자를 얻는 반응이다.

용광로에서의 화학 반응
- 코크스의 불완전 연소로 일산화 탄소가 생성된다.
  $2C + O_2 \longrightarrow 2CO$
- 산화 철(Ⅲ)과 일산화 탄소의 산화 환원 반응에 의해 철광석의 산화 철(Ⅲ)이 철로 환원된다.
  $Fe_2O_3 + 3CO \longrightarrow 2Fe + 3CO_2$
- 철광석 중의 불순물인 이산화 규소는 석회석과 반응하여 슬래그로 된다.
  $CaCO_3 \longrightarrow CaO + CO_2$
  $CaO + SiO_2 \longrightarrow CaSiO_3$(슬래그)

슬래그
철의 제련 과정에서 철을 분리하고 남은 찌꺼기로, 시멘트나 벽돌 제조에 이용된다.

(2) **식량 문제와 질소 비료:** 산업 혁명 이후 급격한 인구 증가로 인해 식량 부족 문제가 대두되었다. 질소는 식물의 성장에 영향을 주는 주요 성분으로, 토양에 질소를 충분히 공급해야 식량 생산량을 증대시킬 수 있다. 당시에는 식물의 퇴비나 동물의 분뇨 등과 같은 천연 비료와 칠레 초석이라고 부르는 질산 칼륨(KNO_3)을 질소 공급원으로 사용하였으나, 이러한 방법으로 질소를 토양에 충분히 공급하는 데는 한계가 있었다.

(3) **하버에 의한 암모니아 합성법 개발**

① 20세기 초 독일의 화학자 하버(Harber, F., 1868~1934)는 공기 중의 질소 기체와 수소 기체를 반응시켜 질소 비료의 원료가 되는 암모니아를 합성하였다.

- 질소 기체와 수소 기체가 반응하여 암모니아가 생성되는 반응은 질소(N_2)에서 질소 원자 사이의 결합이 3중 결합으로 매우 강하여 일어나기가 쉽지 않다.
- 하버와 보슈는 400~600 ℃의 온도와 200~400기압의 압력에서 촉매를 사용하여 암모니아를 대량으로 합성하는 방법을 알아내었다.

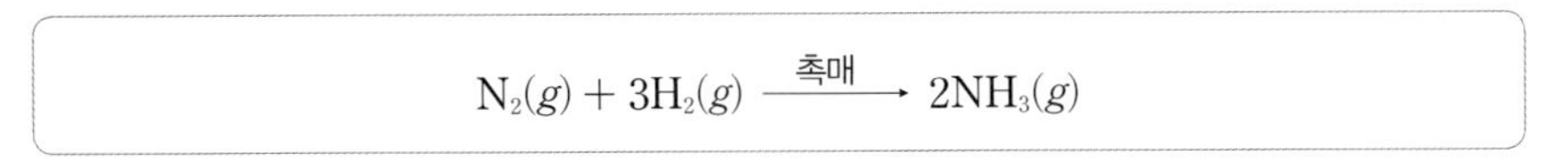

$$N_2(g) + 3H_2(g) \xrightarrow{\text{촉매}} 2NH_3(g)$$

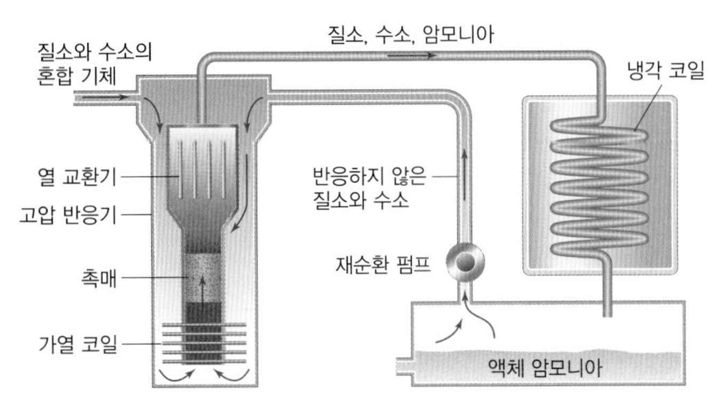

▲ **암모니아의 합성 과정** 고압의 반응 용기에서 질소와 수소로부터 암모니아가 합성되며, 질소, 수소, 암모니아의 혼합 기체는 냉각 코일을 거치면서 끓는점이 높은 암모니아는 액화되고, 반응하지 않은 질소와 수소 기체는 다시 반응 용기로 돌아가 재사용된다. 또, 생성된 암모니아를 제거하여 생산 효율을 높인다.

② 암모니아를 대량 생산하게 되면서 충분한 양의 질소 비료를 얻을 수 있게 되었고, 그 결과 식량 생산량이 획기적으로 증대되었다.

5. 어업을 통한 식량 생산량 증대 노력

인류는 초기에 식물 넝쿨과 같은 천연 소재로 그물이나 작살을 만들어 물고기를 사냥하는 데 이용하였으나, 천연 소재로 만든 그물은 무겁고 물에 젖으면 쉽게 망가지는 단점이 있었다. 근대에 들어서면서 가볍고 질기며 물을 흡수하지 않는 합성 섬유가 그물의 소재로 사용되기 시작하였다. 이러한 합성 섬유 소재 도구들은 질기고 가벼워 여러 번 사용할 수 있으며, 크게 만들어 사용하면 물고기를 대량으로 잡을 수 있어 식량 생산량을 늘릴 수 있었다.

6. 화학 물질을 이용한 식량 생산량 증대 노력

근대에 이르러 다양한 화학 물질의 합성이 가능해지면서 살충제, 제초제, 복합 비료 등을 만들어 농업에 이용하여 농산물의 질이 향상되고 식량 생산량이 증대되었다.

암모니아와 질소 비료
암모니아는 실온에서 기체이며 독성이 강해 비료로 땅에 뿌리기에는 적합하지 않으므로 요소나 질산 암모늄 등으로 만들어 사용한다. 암모니아에 질산이나 황산을 가하면 질산 암모늄이나 황산 암모늄이 얻어지는데, 이것이 현재 가장 많이 사용되는 질소 비료이다.

촉매
화학 반응에 참여하여 반응 속도를 조절하는 물질을 말한다. 하버는 암모니아 합성에서 산화 철을 촉매로 사용하였다.

살충제와 제초제
살충제는 벌레를 죽이는 화학 물질이고, 제초제는 원하지 않는 식물을 죽이는 화학 물질이다.

2 의류 문제 해결에 기여한 화학

인류는 자연에서 얻은 재료를 이용하여 옷을 만들어 입었으나, 천연 섬유는 질기지 않고 색깔이 단조로우며 대량 생산이 어려웠다. 근대에 와서 개발된 합성 섬유는 천연 섬유의 단점을 보완하고 다양한 특성을 지니고 있으면서도 대량 생산이 가능하였다. 합성 섬유와 합성염료의 개발로 많은 사람들이 다양한 소재와 색깔의 옷을 입을 수 있게 되었다.

1. 천연 소재와 의류 문제

인류가 처음으로 입었던 옷은 동물의 가죽이나 식물의 잎으로 만든 것이었다. 이후 면이나 마, 또는 실크나 모와 같은 식물이나 동물로부터 얻은 천연 섬유로 옷을 만들어 입었다. 그런데 천연 섬유는 동식물로부터 얻기 때문에 농작물이나 동물을 기를 넓은 땅이 필요하다. 또, 생산량이 일정하지 않고 생산 과정에 많은 시간과 노력이 들어 대량 생산이 어려울 뿐만 아니라 구김이 잘 가고 수명이 길지 않으며, 색깔이 단조롭고 열과 물에 약하다는 단점이 있다.

천연 섬유와 흡습성
면, 마와 같은 천연 섬유를 구성하는 분자에는 물과 상호 작용을 잘 하는 하이드록시기(—OH)가 많아 흡습성이 좋다.

2. 합성 섬유의 개발

(1) 나일론의 합성

① 최초의 합성 섬유인 나일론은 1935년 미국의 과학자 캐러더스(Carothers, W. H., 1896~1937)가 고분자 화합물을 연구하던 중 합성법을 발견하였다.

② 나일론은 실크보다 질기고 값이 싸기 때문에 초기에는 여성들이 신던 실크 스타킹을 대체하였다.

③ 나일론은 질기고 강도가 크나 흡습성이 작아 땀을 잘 흡수하지 못하고, 열에 약하며 마찰에 의해 정전기가 잘 발생한다.

▲ **캐러더스와 나일론 합성** 캐러더스는 고분자 물질을 연구하던 중에 질긴 합성 섬유인 나일론을 합성하였다.

고분자 화합물
- 분자량이 10000 이상인 화합물이다.
- 단백질, 탄수화물, 핵산 등은 천연 고분자 화합물이다.
- 플라스틱, 합성 섬유, 합성 고무 등은 화학 반응을 이용하여 합성한 합성 고분자 화합물이다.

④ 최근에는 가방, 밧줄, 칫솔, 카펫, 그물, 전선 절연 재료 등 다양한 분야의 소재로 이용된다.

(2) 다양한 합성 섬유의 개발: 나일론의 합성 이후 다양한 합성 섬유가 개발되어 의류뿐만 아니라 다양한 분야에 사용되고 있다.

① **폴리에스터:** 폴리에스터는 1941년 영국에서 처음 개발되었는데, 질기고 잘 구겨지지 않으며 빨리 마르는 특징이 있어 면의 대용으로 많이 사용된다. 질감과 탄성이 좋아 와이셔츠, 블라우스 등 다양한 의류용 섬유로 사용된다.

② **폴리아크릴로나이트릴:** 모와 비슷한 보온성을 가지면서도 모에 비해 훨씬 질기다. 스웨터나 양말, 겨울 내의 등의 소재로 사용된다.

③ **다양한 기능의 합성 섬유의 개발과 이용:** 최근에는 첨단 기능을 지닌 합성 섬유가 개발되어 이용되고 있다. 물은 스며들지 않으나 수증기는 통과시키는 기능이 있는 고어텍스는 등산복에, 총알에도 뚫리지 않는 케블라 섬유는 방탄복 등에 이용되고 있다.

고어텍스
고어텍스는 섬유를 만들 때 사용되는 나일론이나 폴리에스터와 같은 고분자에 다공성 고분자의 얇은 막을 화학적으로 결합한 소재로, 방수성과 투습성이라는 상반된 특성을 동시에 지닌 최초의 소재이다.

3. 합성염료의 개발

(1) **천연 염료의 사용:** 합성염료가 개발되기 전에는 색을 내기 위해 광물이나 곤충, 식물을 이용하였다. 붉은색을 내기 위해서는 산화 철이나 연지벌레, 붉은 잎 식물에서 색소를 추출하여 염료로 사용하였다. 천연 염료는 얻기 어렵고 귀해 일부 사람들만 다양한 색깔의 옷을 입을 수 있었다.

(2) **합성염료의 개발과 이용:** 영국의 화학자 퍼킨(Perkin, W. H., 1838~1907)은 말라리아 치료제를 연구하던 중 우연히 보라색 염료인 모브를 발견하여 이를 합성하였다. 최초의 합성염료인 모브를 대량 생산하게 되면서 많은 사람들이 다양한 색깔의 옷을 입게 되었다. 합성염료는 섬유 염색뿐만 아니라 가죽, 종이 등 다양한 곳에 사용되고 있다.

염료
- 실이나 천, 종이 등을 물들이는 색소로, 물이나 기름, 알코올에 녹지 않는 안료와 구별된다.
- 퍼킨은 말라리아 치료제인 키니네를 합성하는 도중 우연히 선명하게 착색되는 색소를 발견했는데, 이것은 비단을 자색으로 착색시킬 수 있었다. 그 후 퍼킨은 이 염료를 개량하여 모브라는 합성염료를 개발하였다.

주거 문제 해결에 기여한 화학

인류는 다양한 소재를 개발하고, 이를 이용하여 견고하고 다양한 건축물을 만들어 주거 문제를 해결하였다.

1. 인류 초기의 주거

인류는 정착 생활을 시작하면서 나무, 짚, 흙과 같은 천연 재료로 집을 지었다. 하지만 천연 재료로 지은 집은 견고하지 않아 오래 사용할 수 없었다. 또, 연료가 충분하지 않아 추운 겨울을 지내는 데 어려움이 있었다. 산업 혁명 이후 인구가 급격히 증가하면서 주거 공간이 부족해졌으며, 천연 재료만으로는 주거 공간을 확보하는 데 한계가 있었다.

2. 다양한 건축 자재의 개발

(1) **철강의 대량 생산:** 철기 시대부터 사용되던 철은 18세기 말 제련 기술의 개발로 대량 생산이 가능해졌다. 뿐만 아니라 철의 강도가 개선되어 건축물에 활용되었다.

(2) **철근 콘크리트의 개발**

① **콘크리트의 사용:** 시멘트에 모래와 자갈 등을 섞어 물로 반죽한 다음 건조시킨 콘크리트를 이용하여 집을 짓게 되었다. 이러한 콘크리트는 나무나 벽돌보다는 내구성이 좋지만 인장 강도가 작은 단점이 있다.

② **철근 콘크리트의 사용:** 콘크리트에 철근을 넣어 만든 것으로, 기존 콘크리트의 단점을 보완한 재료이다. 콘크리트가 철근을 감싸는 형태로 되어 있어 철근에 공기가 접촉하는 것을 막아 철근의 부식을 막아주므로 수명이 길고 매우 단단하다. 철근 콘크리트가 개발되면서 크고 높은 건물과 다리, 댐 등과 같은 대규모 건축물을 지을 수 있게 되었다.

▲ 철근 콘크리트로 공사 중인 건물

(3) **알루미늄의 이용:** 현재는 철근 콘크리트 외에도 다양한 건축 재료가 건물을 짓는 데 이용되는데, 대표적인 예로 알루미늄이 있다.

① 알루미늄은 가볍고 단단한 성질이 있어 창틀이나 건축 외벽 등에 이용된다.

② 알루미늄은 알루미늄 제련을 통해 얻는다.

탄소 비율에 따른 철의 이용
- 연철: 탄소 비율이 약 0.3 % 이하인 저탄소강으로, 비교적 연하여 가공이 쉬운 편이다. 철판, 철사, 못 등에 이용된다.
- 강철: 탄소 비율이 0.5~1.7 %인 고탄소강으로, 대부분의 불순물이 제거되어 강도가 크며 가공이 쉬운 편이다. 강판, 공구, 레일, 자동차의 차체 등에 이용된다.
- 선철: 용광로에서 분리되어 나오는 철로, 탄소 비율이 약 4 %로 높아 단단하지만 깨지거나 녹기 쉽다. 주물 등에 이용된다.

인장 강도
물체가 잡아당기는 힘에 견딜 수 있는 최대한의 능력을 말한다.

- 알루미늄 제련법: 보크사이트를 정제하여 얻은 순수한 산화 알루미늄(Al_2O_3)을 가열하여 녹인 후 전기 분해하여 얻는다.
- 산화 알루미늄의 녹는점은 2054 ℃로 매우 높지만 빙정석(Na_3AlF_6)을 넣으면 녹는점이 960 ℃ 정도로 낮아진다.
- 탄소 전극((−)극)에서 알루미늄 이온(Al^{3+})이 전자를 얻어 알루미늄으로 환원되어 순수한 알루미늄을 얻는다.

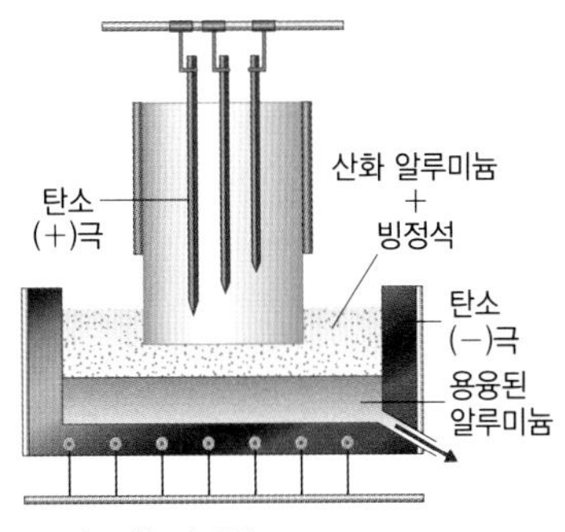

▲ 알루미늄의 제련

3. 화석 연료

(1) **인류 초기의 연료:** 인류가 처음으로 사용한 연료는 나무였다. 이후 석탄이 채굴되어 에너지원으로 사용되면서 산업 혁명이 일어났고, 현재는 석유와 천연가스를 사용하면서 생활에 큰 변화가 생겼다.

(2) **화석 연료의 종류**

① 석탄: 매장량이 풍부하지만 고체이므로 갱을 파서 직접 채굴해야 하며, 연소 후 재가 남고, 연소할 때 공기 오염 물질을 배출한다.

② 석유: 액체 상태의 탄화수소 혼합물로, 분별 증류로 분리하여 사용한다.

(3) **화석 연료의 이용:** 화석 연료를 연소시켜 발생하는 에너지를 이용하여 가정에서 난방과 조리를 하고, 발전소에서 전기 에너지를 생산한다.

시야 확장 ⊕ 원유의 분별 증류

❶ 원유는 바다에 살던 생물의 사체가 땅속에 묻혀 오랜 기간 동안 분해되어 만들어진 물질로, 대부분 가스 성분과 함께 매장되어 있어 분별 증류를 통해 분리하여 사용한다.

❷ 원유의 분별 증류로 분리된 물질은 대부분 연료로 사용되지만, 플라스틱, 합성 섬유, 의약품 등 생활에 필요한 많은 물질의 원료로도 사용된다.

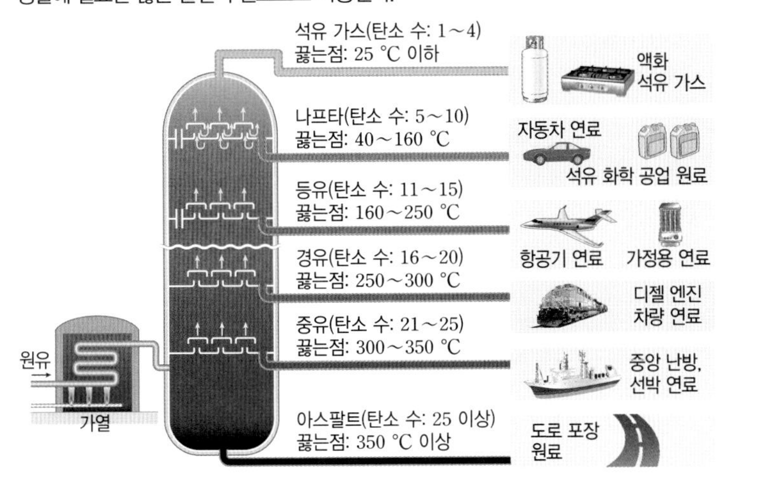

▲ **원유의 분별 증류** 원유를 분별 증류할 때 증류탑의 위쪽에서 분리되는 물질일수록 끓는점이 낮고 탄소 수가 작다.

알루미늄의 성질과 이용

- 알루미늄은 지각에 가장 많이 존재하는 금속으로, 반응성이 커서 자연 상태에서 산화물의 형태로 존재한다.
- 알루미늄 광석인 보크사이트(주성분 Al_2O_3)는 알루미늄과 산소가 강하게 결합하고 있어 제련하기 어려워 존재량이 많음에도 불구하고 구리나 철보다 늦게 이용되었다.
- 알루미늄은 밀도가 작은 금속으로, 알루미늄에 구리, 마그네슘, 망가니즈 등을 넣어 만든 합금인 두랄루민은 가볍고 단단하여 비행기, 자전거, 자동차의 부품 등에 이용된다.

화석 연료

화석 연료는 지각에 묻힌 동식물의 유해가 오랫동안 높은 압력과 열을 받아 복잡한 화학 반응을 거쳐 생성된 것으로, 주로 탄소 화합물로 이루어져 있다.

석유

원유와 원유를 정제하여 얻은 물질을 통틀어 일컫는다. 즉, 원유는 정제하지 않은 자연 상태의 석유이다.

고분자 화합물

인류의 의류 문제 해결에 기여한 합성 섬유는 고분자 화합물이다. 고분자 화합물은 어떤 물질이며, 최초의 합성 섬유인 나일론과 최근 널리 사용되고 있는 폴리에스터는 어떤 과정으로 만들어지는지 알아보자.

① 고분자 화합물

고분자 화합물은 분자량이 10000 이상인 탄소 화합물을 말한다. 일상생활에서 사용하는 물질 중에는 고분자 화합물이 많은데, 우리가 입고 있는 옷, 음식, 생활용품 등이 있다. 고분자 화합물은 자연 상태에서 얻을 수 있는 천연 고분자와 인공적으로 합성한 합성 고분자로 분류할 수 있다.

② 고분자 화합물의 합성

고분자 화합물은 분자량이 작은 단위체가 수없이 많이 결합하여 만들어진다. 이때 단위체가 결합하여 고분자 화합물을 만드는 반응을 중합 반응이라고 한다. 중합 반응에는 첨가 중합과 축합 중합이 있다.

(1) **첨가 중합:** 탄소 원자 사이에 2중 결합(C=C)을 가진 단위체가 연속적으로 첨가 반응하여 고분자를 만드는 반응이다. 폴리에틸렌은 첨가 중합 반응으로 만들어진 고분자 화합물이다.

$$\cdots \underset{\text{에틸렌}}{H_2C{=}CH_2} + \underset{\text{에틸렌}}{H_2C{=}CH_2} \cdots \xrightarrow{\text{첨가 중합}} \underset{\text{폴리에틸렌}}{\left[-CH_2-CH_2-CH_2-CH_2- \right]_n}$$

▲ **폴리에틸렌의 합성** 에틸렌에서 탄소 원자 사이의 2중 결합 중 하나가 끊어지면서 에틸렌 분자들이 연결되는 첨가 중합 반응으로 폴리에틸렌이 생성된다.

(2) **축합 중합:** 단위체 분자에 있는 특정한 부분에서 물과 같은 간단한 분자가 빠져나가면서 고분자 화합물을 만드는 반응이다. 나일론과 폴리에스터는 축합 중합 반응으로 만들어진 고분자 화합물이다.

단위체
고분자 화합물에서 반복되는 기본 단위의 작은 분자

중합체
단위체가 결합되어 만들어진 고분자 화합물

나일론의 합성

$$n\underset{\text{헥사메틸렌다이아민}}{H-NH(CH_2)_6NH-H} + n\underset{\text{아디프산}}{HO-CO(CH_2)_4CO-OH} \xrightarrow[-\text{물}]{\text{축합 중합}} \underset{\text{6, 6-나일론}}{\left[-NH(CH_2)_6NH-CO(CH_2)_4CO- \right]_n}$$

헥사메틸렌다이아민과 아디프산이 결합하면서 물이 빠져나가는 축합 중합 반응으로 나일론이 합성된다.

폴리에스터의 합성

$$n\underset{\text{테레프탈산}}{HOOC-C_6H_4-COOH} + n\underset{\text{에틸렌글리콜}}{HOCH_2CH_2OH} \xrightarrow[-\text{물}]{\text{축합 중합}} \underset{\text{테릴렌(폴리에스터)}}{\left[-CO-C_6H_4-CO-O-CH_2-CH_2-O- \right]_n}$$

테레프탈산과 에틸렌글리콜이 결합하면서 물이 빠져나가는 축합 중합 반응으로 폴리에스터가 합성된다.

정답과 해설 03쪽

개념 모아 정리하기

01 의식주와 화학

1 식량 문제 해결에 기여한 화학

1. 철의 제련

- 철은 반응성이 커서 산화물의 형태인 철광석으로부터 순수한 철을 얻기 어려워 구리보다 이용 시기가 늦었다.
- 철의 제련법이 발견되어 철제 농기구를 만들어 사용하게 되면서 식량 생산량이 증대하였다.

2. 질소 비료의 대량 생산

- 하버의 (❶) 합성: 하버와 보슈는 공기 중의 질소 기체와 수소 기체를 이용하여 질소 비료의 원료가 되는 (❷)를 합성하는 방법을 개발하여 인류의 식량 부족 문제 해결에 크게 기여하였다.

$$N_2(g) + 3H_2(g) \xrightarrow{\text{촉매}} 2NH_3(g)$$

2 의류 문제 해결에 기여한 화학

1. 합성 섬유의 개발

- (❸)은 캐러더스가 개발한 최초의 합성 섬유로, 스타킹, 밧줄 등의 소재로 이용된다.
- (❹)는 구김이 잘 가지 않는 합성 섬유로, 와이셔츠, 블라우스 등의 소재로 이용된다.
- 최근에는 첨단 기능을 지닌 합성 섬유가 개발되어 등산복, 불에 타지 않는 소방복, 총알에도 뚫리지 않는 방탄복 등에 이용되고 있다.

2. 합성염료의 개발

- 영국의 화학자 퍼킨은 말라리아 치료제를 연구하던 중 우연히 보라색 염료인 (❺)를 발견하여 이를 합성하였다.
- 합성염료는 의복뿐만 아니라 가죽, 종이 등 다양한 곳에 사용되고 있다.

3 주거 문제 해결에 기여한 화학

1. 철강의 대량 생산

- 18세기 말 철의 제련 기술이 개발되어 철의 대량 생산이 가능해졌다.
- 철광석, (❻), 석회석을 용광로에 넣어 철을 얻는 제련 기술을 통해 철의 대량 생산이 가능해졌다.

2. 철근 콘크리트의 개발

- 시멘트에 모래와 자갈 등을 섞어 만든 (❼)를 개발하여 다양한 건축물을 지을 수 있었다.
- 콘크리트에 철근을 넣어 만든 (❽)가 개발되면서 크고 높은 건물과 다리, 댐 등과 같은 대규모 건축물을 지을 수 있게 되었다.

3. (❾)의 이용 보크사이트를 정제해 얻은 산화 알루미늄을 가열하여 녹인 후 전기 분해하여 얻은 (❿)은 가볍고 단단하여 창틀, 건축 외벽 등에 이용된다.

4. 화석 연료의 사용 석유, 천연가스 등의 (⓫)를 가정용 난방과 조리 등에 이용하면서 안락한 주거 생활이 가능하게 되었다.

01 다음에서 설명하는 물질을 쓰시오.

(1) 단단한 농기구의 제작을 가능하게 하여 식량 생산량 증대에 기여하였다.

(2) 질소 기체와 수소 기체로부터 합성되며 질소 비료의 원료로 사용된다.

(3) 콘크리트에 철근을 넣어 만든 재료로 고층 빌딩의 건축이 가능하게 되었다.

02 다음은 인류의 식량 문제 해결에 기여한 어떤 물질에 대한 설명이다. 이 물질이 무엇인지 쓰시오.

- 질소 화합물이다.
- 질소 비료의 원료로 사용된다.
- 하버에 의해 대량 생산 방법이 개발되었다.

03 화학이 인류의 식량 문제 해결에 기여한 사례에 대한 설명으로 옳은 것만을 보기에서 있는 대로 고르시오.

보기

ㄱ. 철 대신 구리 농기구를 농사에 이용하면서 식량 생산량이 증가하였다.

ㄴ. 천연 소재로 만든 그물은 합성 섬유보다 가볍고 견고하여 어업 생산량을 증대시키는 데 기여하였다.

ㄷ. 암모니아 합성법의 발견은 질소 비료의 대량 생산을 가능하게 하였다.

04 다음은 인류의 의류 문제 해결에 기여한 어떤 물질에 대한 설명이다. 이 물질이 무엇인지 쓰시오.

- 최초의 합성 섬유이다.
- 캐러더스가 합성법을 발견하였다.
- 천연 섬유에 비해 질기고 수명이 오래 간다.

05 화학이 인류의 의류 문제 해결에 기여한 사례에 대한 설명으로 옳은 것만을 보기에서 있는 대로 고르시오.

보기

ㄱ. 면, 마와 같은 천연 소재를 대량 생산할 수 있는 방법을 고안하였다.

ㄴ. 다양한 합성 섬유를 만들어 대량 생산을 가능하게 하였다.

ㄷ. 염료의 합성법을 개발하여 다양한 색깔의 옷을 입을 수 있게 하였다.

06 다음은 인류의 의류 문제 해결에 기여한 어떤 물질에 대한 설명이다. 이 물질이 무엇인지 쓰시오.

- 최초의 합성염료이다.
- 퍼킨이 말라리아 치료제를 연구하던 중 발견하였다.
- 많은 사람들이 다양한 색깔의 옷을 입을 수 있게 하였다.

07 철에 대한 설명으로 옳은 것만을 보기에서 있는 대로 고르시오.

보기
ㄱ. 반응성이 커서 자연 상태에서 산화물의 형태로 존재한다.
ㄴ. 철광석에서 철을 얻어내기 쉬워 구리보다 먼저 사용되었다.
ㄷ. 농기구를 만들어 이용하면서 식량 생산량이 증대되었다.
ㄹ. 현재는 건축물의 재료로도 이용된다.

[08~09] 다음은 2가지 화학 반응식이다.

(가) $N_2 + 3H_2 \longrightarrow 2$ ㉠
(나) $Fe_2O_3 + 3CO \longrightarrow 2$ ㉡ $+ 3CO_2$

08 ㉠과 ㉡에 해당하는 물질의 화학식을 각각 쓰시오.

09 ㉠과 ㉡에 대한 설명으로 옳은 것만을 보기에서 있는 대로 고르시오.

보기
ㄱ. ㉠의 대량 생산으로 인류는 의류 문제를 해결할 수 있었다.
ㄴ. ㉡으로 만든 농기구는 식량 생산량 증대에 기여하였다.
ㄷ. ㉡을 넣은 콘크리트의 개발로 대규모 건축물을 지을 수 있게 되었다.

10 화석 연료에 대한 설명으로 옳은 것만을 보기에서 있는 대로 고르시오.

보기
ㄱ. 석탄, 석유, 천연가스 등이 있다.
ㄴ. 가정용 난방에 이용하여 쾌적한 주거 생활이 가능해졌다.
ㄷ. 연소할 때 환경 오염 물질을 발생하지 않는다.

11 화학이 인류의 의식주 문제 해결에 기여한 사례에 대한 설명으로 옳은 것만을 보기에서 있는 대로 고르시오.

보기
ㄱ. 암모니아 합성은 식량 생산량 증대에 기여하였다.
ㄴ. 폴리에스터는 최초의 합성 섬유로 의류 문제 해결에 기여하였다.
ㄷ. 알루미늄은 가볍고 단단하여 창틀, 건축물의 외장재로 사용된다.

12 다음은 인류의 의식주 문제 해결에 기여한 물질 또는 화학 반응에 대한 설명이다.

(가) ㉠ 는 지질 시대 생물의 사체가 땅속에서 오랜 시간에 걸쳐 높은 압력과 열을 받아 만들어진 것이다.
(나) ㉡ 의 합성법 발견으로 질소 비료의 대량 생산이 가능해져 인류의 식량 문제 해결에 기여하였다.
(다) ㉢ 으로 순수한 철을 얻을 수 있게 되었으며, 철을 이용한 농기구 사용으로 식량 생산량이 증대되었고, 현재는 주거 문제 해결에 도움이 되었다.

㉠~㉢이 무엇인지 각각 쓰시오.

> 정답과 해설 04쪽

01

> 암모니아의 합성

다음은 암모니아의 합성 반응에 대한 자료이다.

20세기 초, 하버는 촉매 존재하에 ㉠질소와 수소를 반응시켜 ㉡암모니아를 대량으로 합성하는 방법을 개발하였다.

이에 대한 설명으로 옳은 것만을 보기에서 있는 대로 고른 것은?

보기

ㄱ. 암모니아는 실온에서 질소와 수소로부터 쉽게 얻을 수 있다.

ㄴ. ㉠과 관련된 반응은 $N_2 + 3H_2 \longrightarrow 2NH_3$이다.

ㄷ. ㉡은 인류의 식량 부족 문제를 해결하는 데 기여하였다.

① ㄱ ② ㄴ ③ ㄱ, ㄴ ④ ㄱ, ㄷ ⑤ ㄴ, ㄷ

공기 중의 질소 기체는 매우 안정한 물질이다. 고온, 고압의 조건에서 촉매를 넣고 질소와 수소를 반응시켜 암모니아를 합성한다.

02

> 철의 제련

다음은 철의 제련에 대한 설명이다.

용광로에 철광석과 [㉠], ㉡석회석을 넣고 뜨거운 공기를 불어 넣어 주면 [㉠]가 일산화 탄소(CO)로 된다. 이때 발생한 일산화 탄소가 산화 철을 [㉢]로 환원시킨다.

이에 대한 설명으로 옳은 것만을 보기에서 있는 대로 고른 것은?

보기

ㄱ. ㉠은 코크스(C)이다.

ㄴ. ㉡은 철광석의 불순물을 슬래그로 제거한다.

ㄷ. ㉢으로 만든 농기구의 사용은 식량 생산량 증대에 기여하였다.

① ㄱ ② ㄴ ③ ㄱ, ㄴ ④ ㄴ, ㄷ ⑤ ㄱ, ㄴ, ㄷ

철광석의 주성분은 철이 산소와 결합한 산화 철이므로 용광로에서 철광석을 환원시켜 철을 얻는다.

03

> 인류의 의식주 문제 해결

다음은 인류의 의식주 문제 해결에 기여한 3가지 물질에 대한 설명이다.

(가) 하버에 의해 합성법이 개발되어 질소 비료의 대량 생산이 가능해져 인류의 식량 문제를 해결하는 데 기여하였다.
(나) 캐러더스에 의해 합성된 섬유로, 질기고 대량 생산이 가능하여 의류 문제를 해결하는 데 기여하였다.
(다) 코크스를 이용한 제련 기술이 개발되어 대량 생산이 가능해지고, 이것을 넣은 콘크리트가 개발되어 대규모 건축물을 지을 수 있게 되었다.

(가)~(다)에 해당하는 물질을 옳게 짝 지은 것은?

	(가)	(나)	(다)
①	요소	폴리에스터	철
②	요소	나일론	알루미늄
③	암모니아	모브	구리
④	암모니아	나일론	철
⑤	암모니아	나일론	알루미늄

• 화학의 발달로 인류는 의식주 문제를 해결하는 물질과 합성법을 발견하였다.

04

> 의류 문제 해결

다음은 인류의 의류 문제 해결에 대한 세 학생의 대화 내용이다.

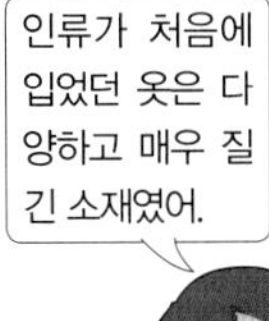

인류가 처음에 입었던 옷은 다양하고 매우 질긴 소재였어.
합성 섬유는 천연 섬유에 비해 대량 생산이 어려워 소수의 사람들만 사용할 수 있었어.
합성염료의 개발은 많은 사람들이 다양한 색깔의 옷을 입을 수 있게 했지.
학생 A
학생 B
학생 C

옳게 말한 학생만을 있는 대로 고르면?

① A ② C ③ A, B ④ A, C ⑤ A, B, C

• 동물의 가죽이나 식물의 잎으로 만든 옷은 단조로웠으며, 견고하지 않았다. 합성 섬유는 대량 생산이 가능하다.

05

> 화석 연료

다음은 인류의 의식주 문제 해결에 영향을 준 어떤 물질에 대한 설명이다.

- 가정용 난방이나 자동차와 항공기의 연료로 사용된다.
- 합성 섬유의 원료로 사용된다.

이에 해당하는 가장 적절한 물질은?

① 석유　② 질소　③ 암모니아
④ 철　⑤ 나일론

화석 연료는 연소할 때 많은 열이 방출되므로 가정용 난방이나 자동차, 항공기 등의 연료로 사용된다.

06

> 의식주 문제 해결에 기여한 화학 반응

다음은 인류의 의식주 문제 해결에 기여한 화학 반응을 나타낸 것이다.

- A의 합성: 질소 + 수소 ⟶ A
- B의 연소: B + 산소 ⟶ 이산화 탄소 + 물

이에 대한 설명으로 옳은 것만을 보기에서 있는 대로 고른 것은?

보기
ㄱ. A의 합성은 인류의 식량 부족 문제 해결에 기여하였다.
ㄴ. B에는 탄소와 수소가 들어 있다.
ㄷ. B에는 천연가스가 해당된다.

① ㄱ　② ㄴ　③ ㄱ, ㄷ　④ ㄴ, ㄷ　⑤ ㄱ, ㄴ, ㄷ

암모니아는 질소 비료의 대량 생산을 가능하게 하고, 화석 연료는 에너지원으로 이용된다.

07

> 철의 제련, 암모니아의 합성

다음은 철의 제련과 암모니아의 합성에 대한 설명이다.

- 용광로 속에서 철광석을 ㉠일산화 탄소와 반응시키면 철이 얻어진다.
- 하버는 공기 중의 A와 수소를 반응시켜 ㉡암모니아를 대량으로 합성하는 방법을 개발하였다.

이에 대한 설명으로 옳은 것만을 보기에서 있는 대로 고른 것은?

보기

ㄱ. ㉠은 산화 철을 환원시킨다.
ㄴ. A는 질소(N_2)이다.
ㄷ. ㉡은 질소 비료의 원료로 사용된다.

① ㄱ ② ㄴ ③ ㄱ, ㄷ ④ ㄴ, ㄷ ⑤ ㄱ, ㄴ, ㄷ

철의 제련 과정에서 철광석과 함께 넣어 준 코크스가 불완전 연소하여 생성된 일산화 탄소는 산화 철에서 산소를 떼어내어 철로 만든다.

08

> 철과 알루미늄의 제련

다음은 2가지 금속을 얻는 반응의 화학 반응식이다.

(가) $Fe_2O_3 + 3CO \longrightarrow 2Fe + 3CO_2$

(나) $2Al_2O_3 \xrightarrow{\text{전기 분해}} 4\boxed{\text{ X }} + 3O_2$

이에 대한 설명으로 옳은 것만을 보기에서 있는 대로 고른 것은?

보기

ㄱ. (가)의 반응은 실온에서 쉽게 일어난다.
ㄴ. (나)의 반응은 용광로에 코크스를 함께 넣고 반응시켜도 일어난다.
ㄷ. 금속 X는 가볍고 단단하여 창틀이나 건물 외벽 등에 이용된다.

① ㄱ ② ㄷ ③ ㄱ, ㄴ ④ ㄱ, ㄷ ⑤ ㄴ, ㄷ

철은 반응성이 비교적 큰 금속으로, 산화 철에서 산소를 떼어내기 어려워 고온 상태에서 제련해야 철을 얻을 수 있다. 알루미늄은 철보다 반응성이 더 커서 코크스를 이용하여 제련할 수 없다.

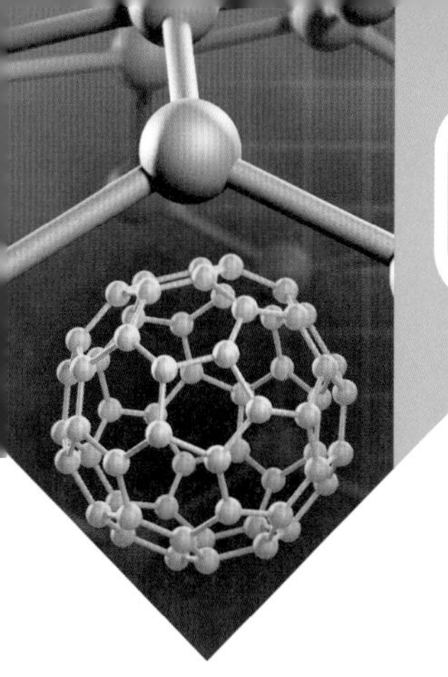

02 탄소 화합물

학습 Point 탄소 화합물의 다양성 > 메테인, 에탄올, 아세트산의 성질 > 플라스틱, 의약품(아스피린)

1 탄소 화합물

지금까지 알려진 천만 종의 화합물 중에서 90 % 이상이 탄소 화합물로 분류된다. 우리가 사용하는 연료, 플라스틱, 식품, 의약품, 의복 등을 이루는 물질의 대부분은 탄소 화합물이다.

1. 탄소 화합물의 다양성

탄소 화합물은 살아 있는 유기체 내에서만 만들어진다고 하여 유기 화합물이라고 하였다. 그러나 1828년 독일의 뵐러가 무기 화합물인 사이안산 암모늄(NH_4OCN)으로부터 오줌의 성분인 요소(H_2NCONH_2)를 합성하는 데 성공하면서 유기 화합물이라는 용어 대신 탄소 화합물이라고 부르게 되었다.

유기 화합물
구조의 기본 골격이 탄소 원자인 화합물을 통틀어 유기 화합물이라고 한다.
그러나 CO, CO_2와 같은 산화물, KCN과 같은 사이안화물, $CaCO_3$과 같은 탄산염은 탄소를 포함하고 있지만 무기 화합물로 분류한다.

(1) **탄소 화합물:** 탄소(C) 원자 사이의 결합을 기본 골격으로 하여 수소(H), 산소(O), 질소(N), 황(S), 인(P), 할로젠(F, Cl, Br, I) 등의 원자가 결합하여 만들어진 물질이다. 탄소 화합물을 이루는 구성 원소의 종류는 적지만 화합물의 종류는 매우 많다. 이는 탄소 원자의 원자가 전자가 4개로 다른 탄소 원자와 다양한 방법으로 결합할 수 있고, H, O, N, S, P 등의 다른 원자와 공유 결합을 형성할 수 있기 때문이다.

(2) **탄소 원자 사이의 결합**

① 탄소 원자는 다른 탄소 원자와 공유 결합을 하는데, 이때 결합은 강한 편이다. 탄소로 이루어진 물질은 대체로 화학적으로 안정하여 실온에서 다른 물질과 쉽게 반응하지 않는다.

② 탄소 원자는 다른 탄소 원자와 연속적으로 공유 결합을 형성할 수 있다. 이때 탄소 원자의 배열이 서로 달라 성질이 다른 동소체가 다양하게 존재한다.

동소체
흑연, 다이아몬드와 같이 한 종류의 같은 원소로 이루어져 있으나 성질과 모양이 서로 다른 물질을 동소체라고 한다.

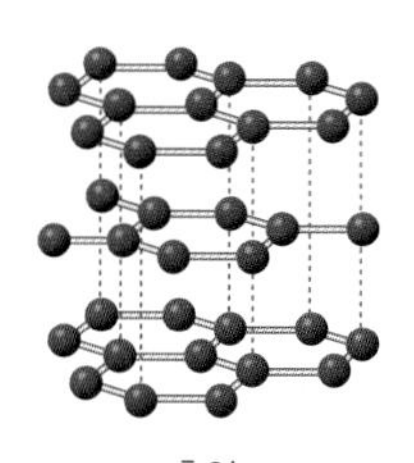

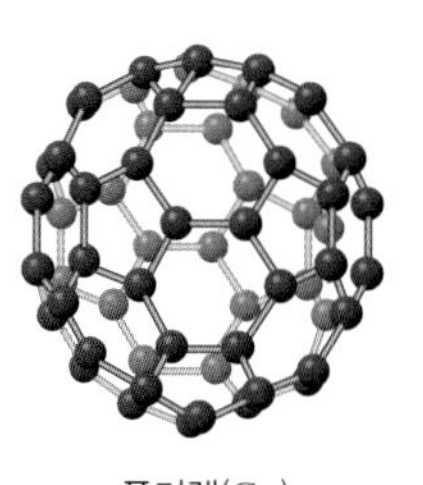

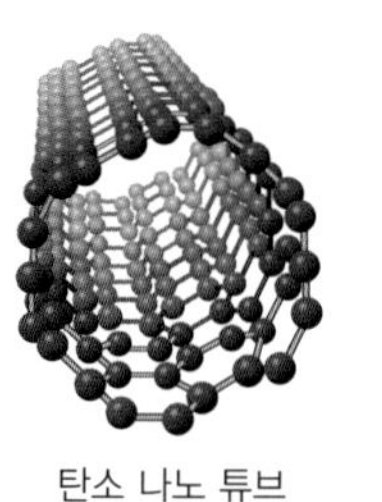

▲ **탄소 동소체** 흑연, 다이아몬드, 풀러렌, 탄소 나노 튜브는 모두 탄소로만 이루어진 물질이다.

③ 탄소 원자는 다른 탄소 원자와 결합하여 사슬 모양, 가지 달린 사슬 모양, 고리 모양 등 다양한 골격을 형성할 수 있을 뿐만 아니라 탄소 원자 사이에 2중 결합, 3중 결합 등을 형성할 수 있다.

풀러렌
풀러렌(C_{60})은 탄소 원자 60개가 정오각형과 정육각형이 연결된 축구공 모양으로 배열된 분자이다.

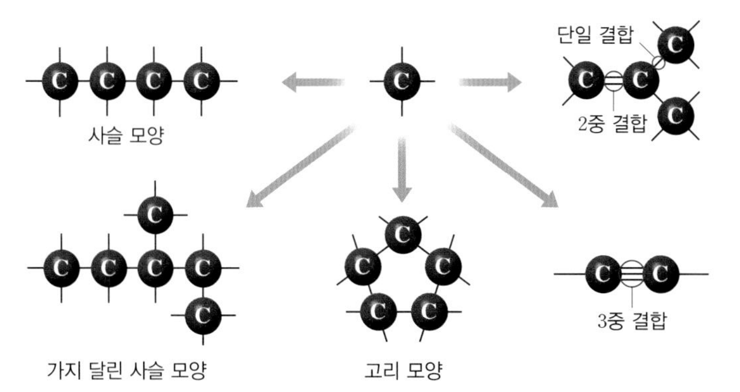

▲ **탄소 원자의 여러 가지 결합 방법** 탄소 원자는 최대 4개의 다른 원자들과 결합할 수 있으며, 같은 수의 탄소 원자라도 다른 방식으로 결합할 수 있다.

④ 탄소 원자는 주로 탄소 원자나 수소 원자와 공유 결합을 형성하며, 그 밖에도 산소, 질소, 할로젠 등과 공유 결합을 형성하여 분자를 만들 수 있다.

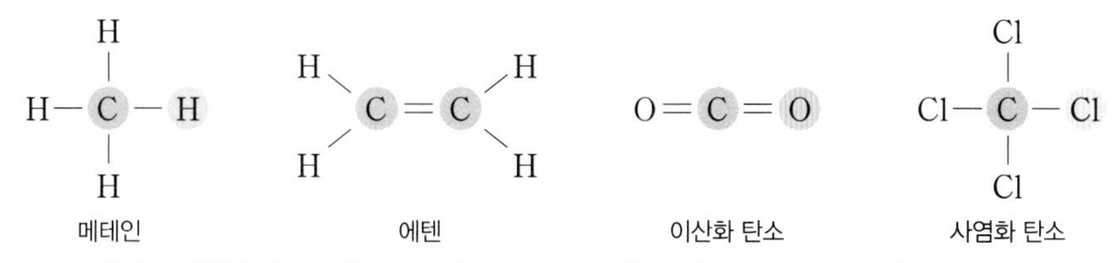

▲ **탄소 원자를 포함한 분자** 탄소 원자는 다양한 원자와 공유 결합을 형성하여 분자를 만든다.

탄소 화합물에서 공유 결합

- 탄소 원자는 4개의 공유 결합을 형성하며, 탄소 원자 사이에는 단일 결합, 2중 결합, 3중 결합이 형성될 수 있다.
- 수소나 할로젠(F, Cl, Br, I) 원자는 1개의 공유 결합을 형성한다.
  $-H$, $-X$
- 산소 원자는 2개의 공유 결합을 형성한다.
  $-O-$, $=O$
- 질소 원자는 3개의 공유 결합을 형성한다.
  $-N-$, $=N-$, $\equiv N$

2 여러 가지 탄소 화합물

탄소 화합물의 종류는 매우 많으며, 연료로 쓰이는 메테인, 술의 주성분인 에탄올, 식초의 주성분인 아세트산 등도 모두 탄소 화합물이다.

1. 메테인

(1) 분자식과 분자의 구조

① 메테인은 가장 간단한 탄소 화합물로, 탄소와 수소로만 이루어진 분자이며 분자식은 CH_4이다.

② 중심에 있는 탄소 원자 1개에 수소 원자 4개가 결합하여 정사면체 구조를 이룬다.

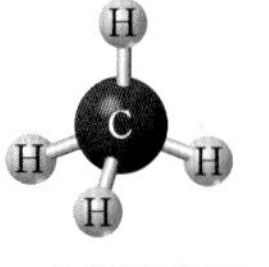

▲ **메테인의 구조**

(2) 메테인의 성질과 이용

① 냄새와 색깔이 없으며 실온에서 기체 상태로 존재한다.

② 무극성 분자로, 물에 거의 녹지 않는다.

③ 자연적으로 유기물이 물속에서 부패, 발효할 때 생성되며, 늪지대의 바닥 등에서 발생한다.

④ 액화 천연가스(LNG)의 주성분이며 연소할 때 많은 열을 발생하므로 연료로 주로 사용된다. 탄소와 수소로 이루어져 있어 연소할 때 이산화 탄소와 물을 생성한다.

분자식

분자식은 구성 원소를 원소 기호를 이용하여 나타내고, 한 분자에 각각의 원소에 해당하는 원자가 몇 개씩 존재하는지를 숫자로 나타낸 화학식이다.

메테인의 정사면체 구조

탄소 원자가 4개의 수소 원자와 단일 결합을 할 때 탄소를 중심으로 정사면체 구조를 이루며, 이때의 결합각은 109.5°이다.

2. 에탄올

(1) 화학식과 분자의 구조

① 탄화수소에서 H 원자 1개가 하이드록시기(−OH)로 치환된 탄소 화합물을 알코올이라고 한다. 에탄올은 C 원자 2개를 포함한 알코올로, 화학식은 C_2H_5OH이다.

② 각 C 원자 1개에 결합한 4개의 원자들이 사면체로 배열된 구조이다.

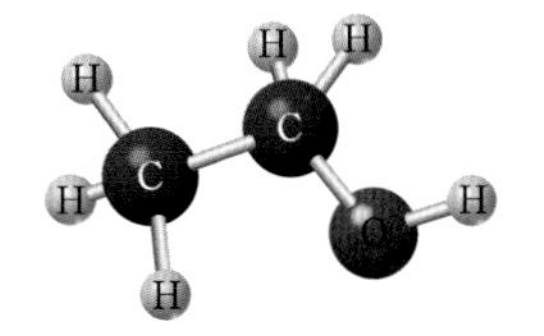

▲ 에탄올의 분자 구조

(2) 에탄올의 성질과 이용

① 특유의 냄새와 맛이 있고, 실온에서 무색의 액체 상태로 존재한다.

② 극성 분자로 물에 잘 녹으며, 다른 알코올이나 에테르 등에도 녹을 수 있다.

③ 에탄올은 단백질을 응고시키므로 소독 및 살균 작용이 있어 손 소독제에 사용된다. 또, 증기는 폭발성이 있어 내연 기관의 연료로 사용하기도 한다.

④ 포도당 발효를 통해 에탄올을 제조하여 술을 만든다.

3. 아세트산

(1) 화학식과 분자의 구조

① 탄화수소에서 H 원자 1개가 카복시기(−COOH)로 치환된 탄소 화합물을 카복실산이라고 한다. 아세트산은 C 원자 2개를 포함한 카복실산으로, 화학식은 CH_3COOH이다.

② C 원자 1개에 결합한 4개의 원자들은 사면체로 배열되고, C 원자 1개에 결합한 3개의 원자들은 평면 삼각형으로 배열되어 있다.

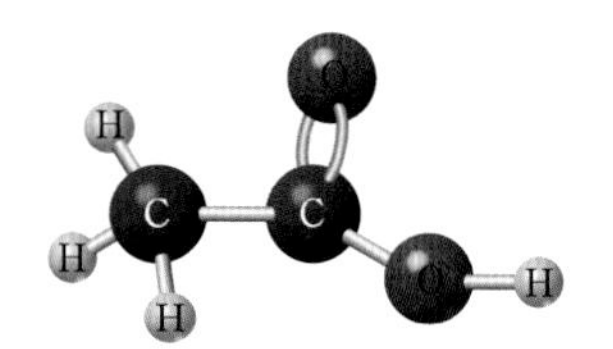

▲ 아세트산의 분자 구조

(2) 아세트산의 성질과 이용

① 자극적인 냄새와 신맛이 있고, 실온에서 무색의 액체 상태로 존재한다.

② 물에 녹아 수소 이온(H^+)을 내놓는 산성 물질로, 식초의 주성분이다. 어는점이 16.7 ℃로, 이보다 낮은 온도에서는 고체 상태로 존재하므로 빙초산이라고도 한다.

③ 극성 분자로 물에 잘 녹고, 에탄올이나 에테르 등에 잘 섞이므로 용매로 사용된다.

④ 아세트산은 에탄올을 산화시켜 얻을 수 있다.

3 탄소 화합물과 우리 생활

일상생활에서 사용되는 탄소 화합물의 종류는 매우 많은데, 특히 생활용품의 대부분은 탄소 화합물인 플라스틱이다. 또, 에너지를 얻기 위해 섭취하는 식품과 질병을 치료하고 예방하는 데 사용되는 의약품도 탄소 화합물이다.

1. 플라스틱

플라스틱은 주로 원유에서 분리한 나프타를 원료로 하여 합성하는 탄소 화합물로, 미국의 과학자 베이클랜드가 최초로 발명하였다.

탄화수소
탄소 화합물 중 탄소와 수소로만 이루어진 물질을 탄화수소라고 한다.

알코올
탄소와 수소로만 이루어진 탄화수소의 수소 원자가 하이드록시기로 치환된 물질로, 메탄올, 에탄올 등이 있다.

작용기와 시성식
알코올에는 하이드록시기(−OH), 카복실산에는 카복시기(−COOH)가 공통으로 들어 있어 비슷한 성질을 나타내는데, 이와 같이 탄소 화합물의 성질을 결정하는 부분을 작용기라고 한다. 또, 어떤 물질을 이루는 분자의 특성을 알 수 있도록 작용기를 따로 구분하여 나타낸 화학식을 시성식이라고 한다. 예를 들어 에탄올의 분자식은 C_2H_6O이나 시성식은 C_2H_5OH이다.

카복실산
탄화수소의 수소 원자가 −COOH(카복시기)로 치환된 물질로, 대표적인 카복실산에는 폼산(HCOOH)과 아세트산이 있다.

나프타
원유를 분별 증류할 때 40~160 ℃에서 얻어지는 탄화수소 혼합물이다.

(1) **플라스틱의 종류**

① **폴리에틸렌(PE):** 가장 널리 사용되는 플라스틱으로, 투명하고 부드러워 랩이나 포장용 봉투 등으로 많이 이용된다.

② **폴리프로필렌(PP):** 단단하고 쉽게 마모되지 않아 플라스틱 용품의 이음새나 뚜껑에 많이 이용된다.

③ **폴리스타이렌(PS):** 폴리스타이렌에 발포제를 넣어 팽창시켜 만든 스타이로폼은 가벼우며 단열성이 뛰어나 단열재나 전자제품, 과일 등의 포장재로 많이 이용된다.

④ **폴리(염화 바이닐)(PVC):** 기름이나 유기 용매에 잘 녹지 않으며 전기 절연성이 있어 하수도 배관용 파이프나 샤워 커튼, 전선 피복 등에 이용된다.

⑤ **페놀 수지:** 열에 강하고 전기 절연성이 뛰어나 주방 기구의 손잡이, 전기 소켓 등에 이용된다.

합성수지
화학적인 방법으로 만든 고분자 물질인 플라스틱을 합성수지라고도 한다.

합성 섬유와 합성 고무
- 합성 섬유: 실 모양의 분자로 구성된 합성 고분자 물질이다. 나일론, 폴리에스터 등이 있다.
- 합성 고무: 천연 고무의 단점을 보완하기 위해 만든 합성 고분자 물질이다. 부나－S 고무, 네오프렌 고무 등이 있다.

시야 확장 ⊕ 열을 가할 때 나타나는 성질에 따른 플라스틱의 구분

❶ 열을 가할 때 나타나는 성질에 따라 열가소성 수지와 열경화성 수지로 구분하기도 한다.

❷ **열가소성 수지:** 분자 구조가 긴 사슬 모양으로 되어 있어 열을 가하면 쉽게 변형되는 플라스틱을 말하며, 폴리에틸렌, 폴리(염화 바이닐) 등이 있다.

❸ **열경화성 수지:** 분자 구조가 그물 모양으로 되어 있어 열을 가해도 쉽게 변형되지 않는 플라스틱을 말하며, 페놀 수지, 요소 수지 등이 있다.

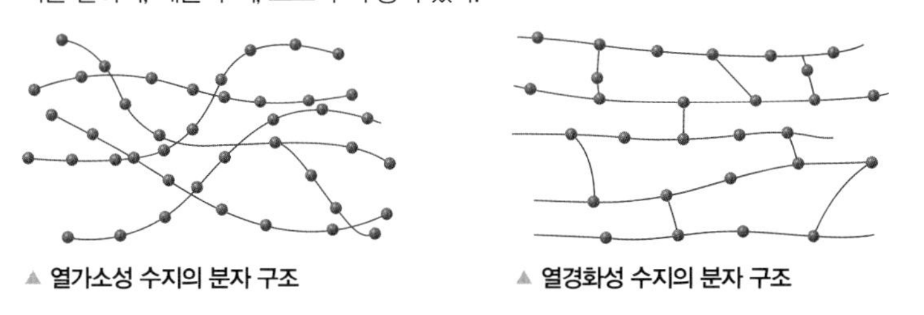

▲ **열가소성 수지의 분자 구조** ▲ **열경화성 수지의 분자 구조**

(2) **플라스틱의 성질과 이용:** 가볍고 외부의 힘과 충격에 강하며, 열과 전기가 잘 통하지 않는다. 또, 녹슬지 않고 투명하게 만들거나 원하는 색을 낼 수 있으며, 다양한 모양의 제품을 만들기 쉬우므로 가전제품, 생활용품, 건축 자재 등에 다양하게 이용된다.

2. 의약품

(1) **아스피린의 합성:** 기원전부터 버드나무 껍질에서 추출한 차를 해열제로 사용하였다. 독일의 과학자 호프만은 버드나무 껍질의 해열 성분인 살리실산의 단점을 보완하여 탄소 화합물인 아세틸살리실산(아스피린)을 합성하는 데 성공하였다.

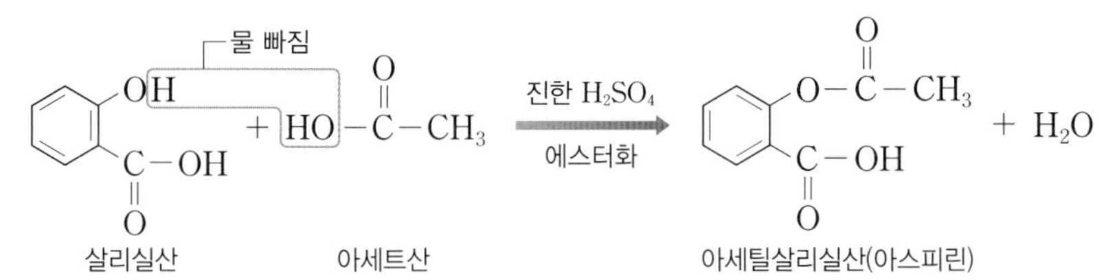

▲ **아스피린의 합성** 살리실산과 아세트산을 반응시키면 물이 빠져나오면서 아세틸살리실산이 생성된다.

(2) **아스피린의 효능:** 아스피린은 최초의 합성 의약품으로, 진통제, 해열제로 사용된다.

살리실산과 아스피린
살리실산은 맛이 좋지 않고 먹으면 구역질이 나기 때문에 복용하기 매우 어려운 약이었다. 류머티즘을 앓고 있던 아버지가 이 약을 먹느라 고생하는 모습을 본 과학자 호프만은 1897년 실험실에서 살리실산과 아세트산을 섞어서 복용이 쉽도록 한 새로운 약을 합성하고, 그 이름을 '아스피린'(aspirin)이라고 지어 1899년부터 판매하였다. 아스피린은 위 점막에 자극을 주어 위장 장애가 생길 수 있으므로 아스피린을 복용하기 전에 음식을 약간 먹는 것이 좋다.

탄소 화합물의 활용

일상생활에서 사용되는 탄소 화합물은 종류와 수가 매우 많다. 플라스틱과 의약품 외에 일상생활에 활용되고 있는 탄소 화합물의 예와 성질에 대해 알아보자.

❶ 식품

생활하는 데 필요한 에너지를 얻고, 몸을 구성하고 물질대사를 조절하기 위해 섭취하는 식품에는 여러 가지 탄소 화합물이 포함되어 있는데, 대표적으로 탄수화물, 단백질 등이 있다.

(1) **탄수화물**: 탄소, 수소, 산소로 이루어진 물질로, $C_m(H_2O)_n$으로 나타낼 수 있다. 탄수화물에는 포도당, 녹말, 셀룰로스 등이 있다.

① **포도당($C_6H_{12}O_6$)**: 녹색 식물의 광합성으로 합성된다. 식품으로 섭취한 탄수화물은 체내에서 포도당으로 분해된다.

- 포도당을 물에 녹이면 3가지 구조가 존재하는데, 1번, 4번 탄소에 결합된 $-OH$가 같은 쪽에 있으면 $\alpha-$포도당, 반대쪽에 있으면 $\beta-$포도당이다.

$\alpha-$포도당　　사슬 모양 포도당　　$\beta-$포도당

▲ 수용액에서 포도당의 3가지 구조

② **녹말**: $\alpha-$포도당이 축합 중합하여 만들어진 고분자 화합물이다. $\alpha-$포도당의 축합 중합으로 생긴 $-O-$ 결합이 같은 방향에 위치한다. 녹말은 따뜻한 물에는 녹지만 찬물에는 잘 녹지 않는다.

③ **셀룰로스**: $\beta-$포도당이 축합 중합하여 만들어진 고분자 화합물이다. $\beta-$포도당의 축합 중합으로 생긴 $-O-$ 결합이 번갈아 가면서 다른 방향에 교대로 위치한다. 셀룰로스는 식물 세포벽의 주성분이며, 물에 잘 녹지 않는다.

녹말

셀룰로스

▲ 녹말과 셀룰로스의 분자 구조

천연 고분자 물질
녹말, 셀룰로스, 단백질 등은 자연에 존재하거나 생물에 의해 만들어지는 천연 고분자 물질로, 생명 현상에서 매우 중요한 역할을 한다.

합성 고분자 물질
인공적으로 합성한 고분자 물질로 대부분 석유를 원료로 하여 만들어진다.

(2) **단백질:** 생물체의 몸을 구성하고, 세포 내의 다양한 화학 반응의 생체 촉매 역할을 하는 효소와 호르몬의 주성분 물질이다. 또, 항체를 형성하고 면역을 담당하는 등 생명 활동에서 매우 중요한 물질이다. 단위체인 아미노산이 연속적으로 축합 중합하여 만들어진다.

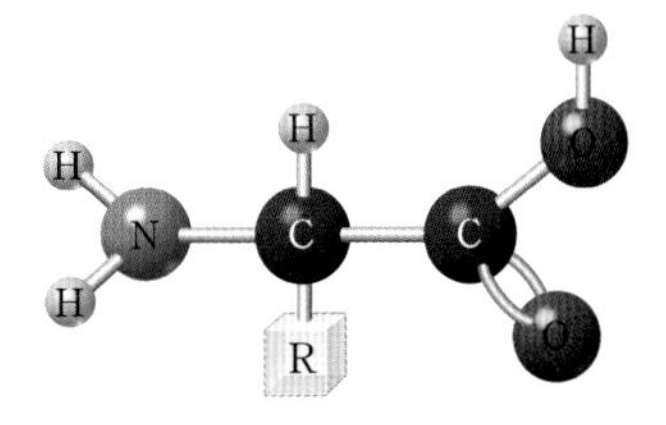

▲ 아미노산의 구조

① **아미노산:** 분자 내에 카복시기($-COOH$)와 아미노기($-NH_2$)를 가진 물질이다. 탄소 원자에 결합된 곁사슬(R)의 종류에 따라 아미노산의 종류가 결정된다.

② **단백질:** 이웃한 아미노산 분자 내의 카복시기와 아미노기의 축합 중합 반응으로 생성된 펩타이드 결합($-NH-CO-$)이 반복되는 구조를 가지는 폴리펩타이드 사슬이 4차 구조를 이루어 고유한 기능을 갖게 된 것을 단백질이라고 한다.

③ **단백질의 변성:** 단백질이 물리적인 요인(가열, 건조, 압력, X선, 초음파 등)이나 화학적인 요인(산, 염기, 유기 용매 등)에 의해 입체 구조가 변하여 단백질의 본래 성질이 변하는 현상이다.

단백질의 형성

단백질은 많은 수의 아미노산이 결합하여 만들어진 고분자 물질이다. 한 아미노산의 카복시기($-COOH$)와 이웃한 아미노산의 아미노기($-NH_2$) 사이에서 물(H_2O) 분자가 빠져나가는 축합 중합으로 단백질이 만들어진다.

$H_2N-C(R_1)(H)-COOH$ + (카복시기) 아미노산

$H_2N-C(R_2)(H)-COOH$ + (아미노기) 아미노산

축합 중합 ↓ −물

$\cdots-N(H)-C(R_1)(H)-C(=O)-N(H)-C(R_2)(H)-C(=O)-\cdots$ (펩타이드 결합)

단백질

❷ 합성 고무

고탄성을 가지고 있으며 열과 약품 등에 강한 성질이 있어 고무장갑, 타이어, 벨트, 전선 피복 등에 다양하게 이용된다.

(1) **천연 고무:** 고무나무의 수액인 라텍스에 아세트산을 가해 응고시킨 것으로, 아이소프렌이 첨가 중합하여 생성된 고분자 화합물이다.

$$n\,CH_2=C(CH_3)-CH=CH_2 \xrightarrow{\text{첨가 중합}} \left[-CH_2-C(CH_3)=CH-CH_2-\right]_n$$

아이소프렌 → 천연 고무

▲ 천연 고무의 합성

(2) **합성 고무:** 단위체를 중합 반응시켜 얻는데, 단위체의 종류에 따라 구분된다.

① **부나-S 고무:** 대표적인 합성 고무로, 합성 고무 생산량의 대부분을 차지한다. 뷰타다이엔과 스타이렌이 교대로 첨가 중합 반응하여 합성되는 고분자 화합물이다. 천연 고무에 비해 수명이 길고 내열성이 크지만 탄성이 다소 떨어진다. 구두창이나 타이어 등에 이용된다.

$$n\,CH_2=CH-CH=CH_2 + n\,CH_2=CH(C_6H_5) \xrightarrow{\text{혼성 중합}} \left[-CH_2-CH=CH-CH_2-CH_2-CH(C_6H_5)-\right]_n$$

뷰타다이엔 스타이렌 부나-S 고무(SBR)

▲ 부나-S 고무의 합성

② **네오프렌 고무:** 클로로프렌이 첨가 중합하여 합성되는 고분자 화합물이다. 클로로프렌은 천연 고무에서 아이소프렌의 메틸기($-CH_3$)가 염소 원자로 바뀐 것이다. 수명이 길고 기후 변화에 잘 견디며 내열성이 커 전선 피복, 차량의 공기 용수철, 토목 공사용 고무벨트 등에 이용된다.

02 탄소 화합물

1 탄소 화합물

1. 탄소 화합물 (❶) 원자를 중심으로 수소, 산소, 질소, 황, 할로젠 원소의 원자가 결합하여 만들어진 물질이다.

2. 탄소 원자 사이의 결합

- 탄소 원자는 다른 원자와 최대 (❷)개의 공유 결합을 할 수 있다.
- 탄소 원자끼리 연속적으로 공유 결합을 형성할 수 있으며, 탄소로만 이루어진 동소체의 종류가 다양하다.
- 탄소 원자들은 사슬 모양, 가지 달린 사슬 모양, 고리 모양 등의 다양한 탄소 골격을 형성할 수 있다.
- 탄소 원자는 다른 탄소 원자와 단일 결합, 2중 결합, 3중 결합을 할 수 있다.

2 여러 가지 탄소 화합물

메테인	에탄올	아세트산
• 탄소 원자 1개에 수소 원자 4개가 결합하여 (❸) 구조를 갖는다. • 도시가스의 주성분으로, 주로 연료로 사용되며, 연소하여 (❹)와 물을 생성한다.	• 분자 내에 (❺)를 가지고 있는 탄소 화합물이다. • 물과 잘 섞이고 살균 작용이 있어 소독용 의약품, 용매로 사용된다. • 포도당을 발효시켜 얻으며 술의 주성분이다.	• 분자 내에 (❻)를 가지고 있는 탄소 화합물이다. • 물과 잘 섞이며, 에탄올, 에테르 등과도 잘 섞인다. • 물에 녹아 H^+을 내놓는 산성 물질로 식초의 주성분이다. • 알코올을 산화시켜 얻는다.
▲ 메테인의 분자 구조	▲ 에탄올의 분자 구조	▲ 아세트산의 분자 구조

3 탄소 화합물과 우리 생활

1. 플라스틱

- 작은 분자인 (❼)를 연속적으로 결합시켜 얻은 고분자 화합물이다.
- 가볍고, 외부의 힘과 충격에 강하며, 열과 전기를 잘 통하지 않는다.
- 가전제품, 생활용품, 건축 자재 등에 이용된다.

2. 의약품

- 아스피린: 버드나무 껍질에서 추출한 (❽)의 단점을 보완하여 합성한 최초의 합성 의약품으로, 진통제, 해열제로 사용된다.

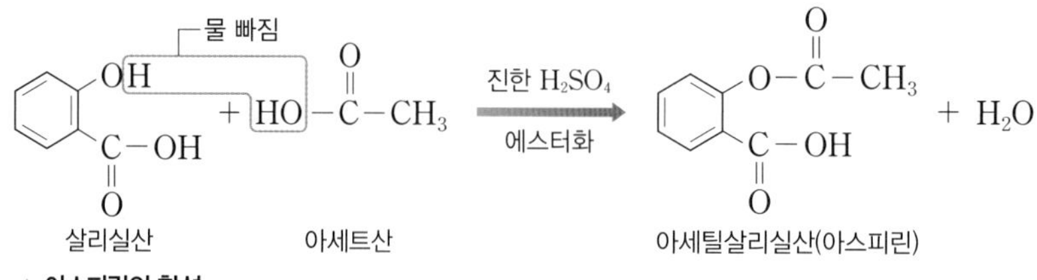

▲ 아스피린의 합성

01 탄소와 탄소의 결합에 대한 설명으로 옳은 것만을 보기에서 있는 대로 고르시오.

보기
ㄱ. 탄소의 원자가 전자 수는 4이다.
ㄴ. 다른 원자와 최대 4개의 공유 결합을 할 수 있다.
ㄷ. 탄소 원자 사이의 결합은 약해서 탄소로만 이루어진 물질은 실온에서 반응을 잘 한다.

02 탄소 화합물에 대한 설명으로 옳은 것만을 보기에서 있는 대로 고르시오.

보기
ㄱ. 탄소로만 이루어진 물질이다.
ㄴ. 물은 대표적인 탄소 화합물의 예이다.
ㄷ. 일상생활에서 사용되는 탄소 화합물에는 비누, 밥, 플라스틱 등이 있다.

03 표는 3가지 탄소 화합물에 대한 자료이다. ㉠~㉢에 알맞은 내용을 쓰시오.

물질	화학식	이용
메테인	㉠	가정용 연료
㉡	C_2H_5OH	손 소독제
아세트산	CH_3COOH	㉢

04 다음은 일상생활에 이용되는 어떤 탄소 화합물에 대한 설명이다. 이 물질이 무엇인지 쓰시오.

- 원유에서 분리되는 나프타를 원료로 합성한다.
- 작은 분자인 단위체를 연속적으로 결합시켜 만든다.
- 가볍고 외부의 힘과 충격에 강하며, 열과 전기를 잘 통하지 않는다.
- 가전제품, 생활용품, 건축 자재 등에 다양하게 이용된다.

05 다음 보기 중 탄소 화합물인 것만을 있는 대로 고르시오.

보기
ㄱ. 녹말　　ㄴ. 아스피린
ㄷ. 스테인리스　　ㄹ. 나일론

06 다음은 어떤 탄소 화합물에 대한 설명이다. 이 물질의 이름을 쓰시오.

- 버드나무 껍질에서 추출한 살리실산과 아세트산을 반응시켜 얻는다.
- 최초의 합성 의약품이다.
- 해열제, 진통제로 사용된다.

01

> 탄소 화합물의 성질

일상생활에서 주로 사용되는 식품, 섬유, 플라스틱, 의약품, 연료 등은 탄소가 주성분인 탄소 화합물이다. 이와 관련된 설명으로 옳지 않은 것은?

① 탄소 원자 사이의 결합이 강하다.
② 탄소는 지구상에 존재량이 가장 많은 원소이다.
③ 많은 수의 탄소 원자가 연속적으로 결합할 수 있다.
④ 탄소 원자들끼리 결합하여 다양한 배열을 할 수 있다.
⑤ 분자식이 같지만 구조식이 다른 화합물이 존재한다.

• 탄소는 원자가 전자가 4개로, 다른 원자와 최대 4개까지 결합을 할 수 있다.

02

> 탄소 원자의 결합 방법

그림은 탄소 원자의 결합 방법을 모형으로 나타낸 것이다.

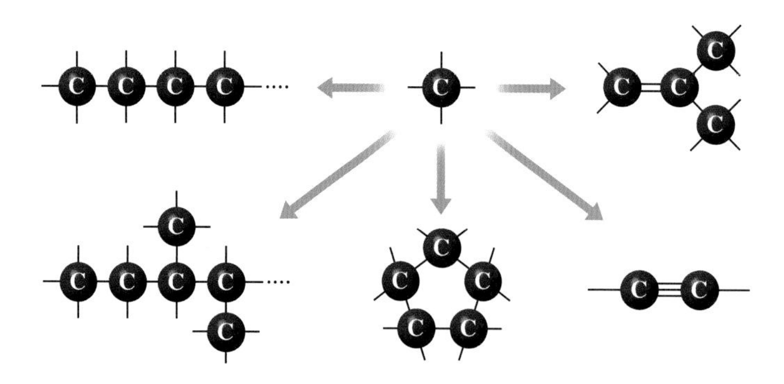

이에 대한 설명으로 옳은 것만을 보기에서 있는 대로 고른 것은?

보기
ㄱ. 탄소 원자는 최대 4개의 원자와 결합할 수 있다.
ㄴ. 탄소 원자 사이에는 단일 결합, 2중 결합, 3중 결합이 형성될 수 있다.
ㄷ. 탄소 원자들이 결합하여 사슬 모양이나 고리 모양의 다양한 골격을 형성할 수 있다.

① ㄱ ② ㄴ ③ ㄱ, ㄷ ④ ㄴ, ㄷ ⑤ ㄱ, ㄴ, ㄷ

• 탄소는 원자가 전자가 4개이며, 탄소 원자 사이에 공유 결합을 형성할 수 있다.

03

> 탄소 화합물의 구조와 성질

그림은 탄소 화합물 X의 구조를 모형으로 나타낸 것이다. X에 대한 설명으로 옳은 것만을 보기에서 있는 대로 고른 것은?

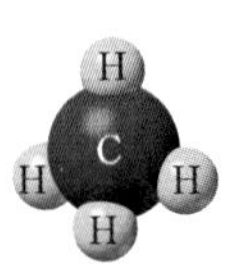

X는 탄소 원자 1개가 수소 원자 4개와 결합하여 형성된 탄소 화합물이다.

보기

ㄱ. 탄소(C) 원자와 수소(H) 원자 사이에 공유 결합을 한다.
ㄴ. 분자를 구성하는 모든 원자가 같은 평면에 존재한다.
ㄷ. 산소와 반응하여 열과 빛을 내는 연소 반응을 한다.

① ㄱ ② ㄴ ③ ㄱ, ㄴ ④ ㄱ, ㄷ ⑤ ㄴ, ㄷ

04

> 에탄올, 아세트산

그림 (가)와 (나)는 각각 에탄올과 아세트산의 분자 구조 모형을 순서 없이 나타낸 것이다.

에탄올과 아세트산은 탄소를 중심으로 수소, 산소가 결합한 탄소 화합물이다.

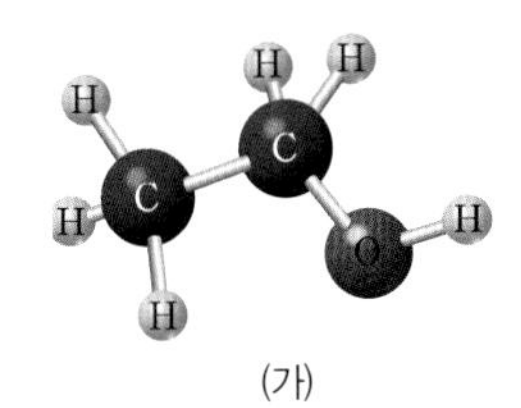

(가)

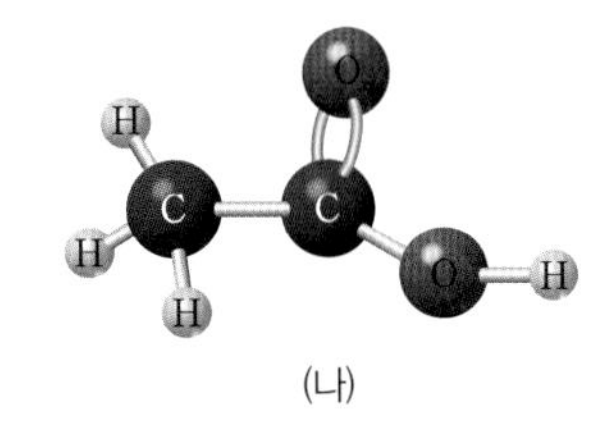

(나)

(가)와 (나)에 대한 설명으로 옳은 것만을 보기에서 있는 대로 고른 것은?

보기

ㄱ. (가)는 에탄올이고, (나)는 아세트산이다.
ㄴ. (가)는 손 소독제로 이용되고, (나)는 식초의 원료로 이용된다.
ㄷ. (가)와 (나)는 모두 수용액에서 전류가 흐른다.

① ㄱ ② ㄷ ③ ㄱ, ㄴ ④ ㄴ, ㄷ ⑤ ㄱ, ㄴ, ㄷ

05

> 아스피린

다음은 아스피린의 합성을 화학 반응식으로 나타낸 것이다.

아스피린은 버드나무 껍질에서 추출한 살리실산과 아세트산을 반응시켜 얻은 최초의 합성 의약품이다.

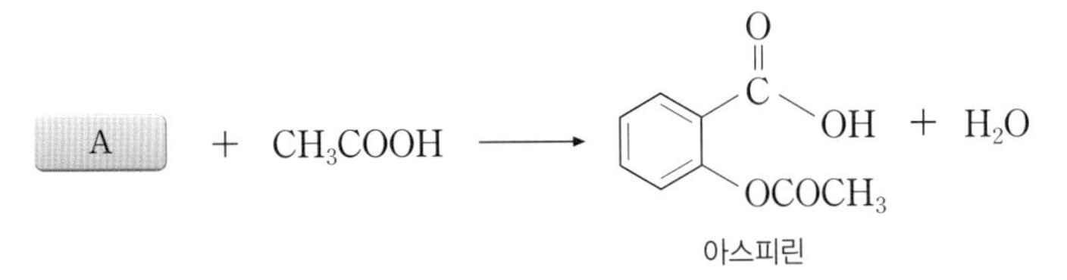

아스피린

이에 대한 설명으로 옳은 것만을 보기에서 있는 대로 고른 것은?

보기

ㄱ. A는 살리실산이다.
ㄴ. 아스피린은 탄소 화합물이다.
ㄷ. 아스피린은 해열제, 진통제로 사용된다.

① ㄱ ② ㄴ ③ ㄱ, ㄷ ④ ㄴ, ㄷ ⑤ ㄱ, ㄴ, ㄷ

03 탄화수소

학습 Point 탄화수소의 분류 방법 > 사슬 모양 탄화수소의 종류와 성질 > 고리 모양 탄화수소의 종류와 성질

탄화수소의 분류

연료로 쓰이는 탄소 화합물인 메테인, 프로페인, 뷰테인 등은 탄소와 수소로만 이루어진 물질이다. 이러한 물질들은 탄소 원자 사이의 결합과 구조에 따라 여러 가지로 분류할 수 있다.

1. 탄화수소

탄소 화합물 중 탄소와 수소로만 이루어진 물질을 탄화수소라고 한다. 탄화수소는 구성 원소의 종류가 2가지뿐이지만 탄소 원자의 결합 방식이 다양하여 그 화합물의 종류가 매우 많다. 탄화수소는 다음과 같은 3가지 방법으로 분류할 수 있다.

(1) **사슬 모양 탄화수소와 고리 모양 탄화수소:** 탄화수소 내 탄소 원자 사이의 결합 모양에 따라 사슬 모양과 고리 모양으로 분류한다.

(2) **포화 탄화수소와 불포화 탄화수소:** 탄소 원자 사이의 결합의 종류에 따라 탄소 원자 사이의 결합이 단일 결합으로만 이루어져 있는 것을 포화 탄화수소라 하고, 탄소 원자 사이의 결합에 다중 결합(2중 결합, 3중 결합)이 있는 것을 불포화 탄화수소라고 한다.

(3) **지방족 탄화수소와 방향족 탄화수소:** 벤젠 고리의 유무에 따라 벤젠 고리를 가지고 있지 않은 것을 지방족 탄화수소라 하고, 벤젠 고리를 가지고 있는 것을 방향족 탄화수소라고 한다. 방향족 탄화수소의 경우 예전에는 향기가 나는 물질을 의미했으나, 현재는 벤젠 고리를 가지고 있거나 그와 유사한 화학적 성질을 지니고 있는 것을 의미한다.

벤젠
6개의 탄소 원자가 같은 평면에 있는 평면 육각형 고리 모양을 하고 있는 탄화수소이다.

H
H C H
C C
C C
H C H
H

2. 탄화수소의 분류

탄화수소를 위 3가지 방법으로 분류하면 다음과 같다.

2 사슬 모양 탄화수소

탄소 원자 사이의 결합이 사슬 모양을 이루고 있는 탄화수소는 탄소 원자 사이의 결합수에 따라 알케인, 알켄, 알카인으로 분류할 수 있다.

1. 알케인(alkane)

알케인은 사슬 모양 탄화수소 중 탄소 원자들이 단일 결합만으로 연결된 포화 탄화수소이다.

(1) 일반식과 이름: 알케인은 탄소 원자 수가 n일 때 수소 원자 수는 $2n+2$이므로 C_nH_{2n+2}의 일반식을 가진다. 알케인 중 가장 간단한 분자는 탄소 원자 수가 1인 메테인(CH_4)이다. 알케인의 이름은 탄소 원자 수를 나타내는 그리스어 접두사에 '에인'을 붙여 부른다. 예를 들면 탄소 원자 수가 5인 알케인은 5를 의미하는 '펜타(penta)' 뒤에 '에인'을 붙여 펜테인이라고 부른다.

(2) 분자 구조

① 알케인에서 탄소 원자 주위에는 4개의 단일 결합이 존재한다. 메테인(CH_4)의 경우 탄소를 중심으로 4개의 수소 원자가 결합되어 있고, 4개의 전자쌍은 가능한 한 서로 멀리 떨어져 반발을 최소화하려 하므로 메테인은 정사면체 구조를 갖고 결합각은 109.5°이다.

② 탄소 수가 많은 알케인에서도 각 탄소 원자에 결합한 4개의 원자가 정사면체로 배열하므로 결합각은 약 109.5°를 이룬다.

③ 알케인을 구성하는 탄소 원자들의 입체 구조를 나타내는 것은 어렵기 때문에 탄소 골격을 보통 직선으로 표시된 구조식으로 나타낸다. 그런데 구조식은 원자들의 결합 방식만을 나타내고 실제 3차원 공간에서 분자 구조를 나타내지 못하므로 공 – 막대기 모형을 많이 사용한다. 공 – 막대기 모형에서 검은 색 공은 탄소 원자를, 흰색 작은 공은 수소 원자를 각각 의미하고, 짧은 막대는 결합을 의미한다. 예를 들어 검은색 공 1개에 흰색 공 4개가 짧은 막대로 연결된 것이 메테인을 공 – 막대기 모형으로 나타낸 것이다.

화합물	구조식	공 – 막대기 모형
메테인(CH_4)	H–C(H)(H)–H	109.5°
에테인(C_2H_6)	H–C(H)(H)–C(H)(H)–H	
프로페인(C_3H_8)	H–C(H)(H)–C(H)(H)–C(H)(H)–H	
뷰테인(C_4H_{10})	H–C(H)(H)–C(H)(H)–C(H)(H)–C(H)(H)–H	

그리스어 접두사

수	수를 셀 때	물질 이름
1	mono	metha
2	di/bi	etha
3	tri	propa
4	tetra	buta
5	penta	penta
6	hexa	hexa
7	hepta	hepta
8	octa	octa
9	nona	nona
10	deca	deca

분자 구조와 전자쌍

분자를 구성하는 원자들의 3차원적 공간 배열을 의미하는 분자 구조는 중심 원자 주위에 존재하는 전자쌍의 종류와 개수에 의해 결정된다. 이는 전자쌍은 같은 음전하를 띠고 있어 서로 반발하므로 가능한 한 가장 멀리 떨어져 반발을 최소화하려고 하기 때문이다.

결합각

분자에서 중심 원자의 원자핵과 중심 원자에 결합한 원자의 원자핵을 선으로 연결했을 때, 이 선들이 이루는 각을 결합각이라고 한다.

(3) 알케인의 곧은 사슬 구조와 가지 달린 사슬 구조

① 탄소 원자가 각각 1~3개인 CH_4, C_2H_6, C_3H_8은 한 가지의 배열 구조만 가능하다.

CH_4	C_2H_6	C_3H_8
H │ H−C−H │ H	H H │ │ H−C−C−H │ │ H H	H H H │ │ │ H−C−C−C−H │ │ │ H H H

② 탄소 원자가 4개인 뷰테인(C_4H_{10})은 곧은 사슬 구조와 가지가 1개 달린 사슬 구조의 2가지 배열 구조가 존재한다. 이때 곧은 사슬 구조를 갖는 것을 노말뷰테인, 가지 달린 사슬 구조를 갖는 것을 아이소뷰테인이라고 한다.

화합물	노말뷰테인	아이소뷰테인
분자 모형		
구조식	H H H H │ │ │ │ H−C−C−C−C−H │ │ │ │ H H H H	H │ H−C−H H │ H │ │ │ H−C−C−C−H │ │ │ H H H
녹는점(°C)	−138	−160
끓는점(°C)(1기압)	−0.5	−12

③ 구조 이성질체: 노말뷰테인과 아이소뷰테인은 분자식이 C_4H_{10}으로 같지만 원자들이 결합한 방식이 달라 구조가 서로 다르다. 또, 분자의 구조가 다르므로 녹는점, 끓는점 등의 성질도 서로 다르다. 이와 같이 분자식은 같지만 구조가 다른 화합물을 구조 이성질체라고 한다.

• 분자식이 C_5H_{12}인 펜테인은 구조가 서로 다른 3가지 구조 이성질체가 존재한다.

화합물	노말펜테인	아이소펜테인	네오펜테인
구조식	H H H H H │ │ │ │ │ H−C−C−C−C−C−H │ │ │ │ │ H H H H H	H │ H−C−H H │ H H │ │ │ │ H−C−C−C−C−H │ │ │ │ H H H H	H │ H−C−H H │ H │ │ │ H−C−C−C−H │ │ │ H │ H H−C−H │ H
끓는점(°C)	36	28	10

• 수백만 가지 이상의 탄소 화합물이 존재할 수 있는 이유 중의 하나는 이와 같이 탄소 화합물에 이성질체가 존재하기 때문이다.

이성질체

분자의 구성 원자의 종류와 수가 같아서 분자식은 같지만, 물리적, 화학적 성질이 서로 다른 화합물을 이성질체라고 한다.

알케인의 구조 이성질체 수

알케인	구조 이성질체 수
뷰테인	2
펜테인	3
헥세인	5
헵테인	9

알케인의 구조 이성질체의 수는 탄소 수가 증가할수록 급격히 증가한다. 이는 탄소 사슬이 길어질수록 가지가 붙을 수 있는 위치의 경우의 수가 많아지기 때문이다.

(4) 알케인의 녹는점과 끓는점

① **탄소 원자 수에 따른 노말알케인의 상태:** 곧은 사슬 구조의 알케인 중 탄소 원자 수가 1~4개인 것은 1기압, 25 ℃에서 기체 상태이고, 탄소 원자 수가 5~17개인 것은 1기압, 25 ℃에서 액체 상태이며, 탄소 원자 수가 18개 이상인 노말알케인은 1기압, 25 ℃에서 고체 상태이다.

② 노말알케인을 구성하는 탄소 원자 수가 증가할수록 녹는점과 끓는점이 대체로 증가하는 경향이 있다. 이는 알케인의 분자량이 증가할수록 분자의 표면적이 증가하여 분자 사이에 작용하는 힘인 분산력이 커지기 때문이다. 가지 달린 사슬 구조의 알케인은 곧은 사슬 구조의 알케인보다 분산력이 작아 끓는점이 낮다.

③ 펜테인은 3가지 구조 이성질체가 존재하는데, 이들의 끓는점을 비교하면 가지가 2개 달린 네오펜테인의 끓는점이 가장 낮은 것을 알 수 있다. 이는 가지가 많이 달릴수록 분자의 표면적이 작아져 분산력이 작아지기 때문이다.

화합물	구조식	끓는점(℃)
노말펜테인	$CH_3CH_2CH_2CH_2CH_3$	36
아이소펜테인 (2 - 메틸뷰테인)	$CH_3CHCH_2CH_3$ (2번 탄소에 CH_3)	28
네오펜테인 (2, 2 - 다이메틸프로페인)	CH_3-C-CH_3 (중앙 탄소에 CH_3 2개)	10

알케인의 물리적 성질
분자의 성질은 분자 구조나 분자 내에 존재하는 원자들의 배열에 따라 정해진다. 따라서 알케인의 물리적 성질은 탄소 사슬의 길이, 즉 분자 내 탄소 원자 수에 의해 달라진다.

알케인의 분자식	녹는점 (℃)	끓는점 (℃)
CH_4	−183	−164
C_2H_6	−182	−89
C_3H_8	−188	−42
C_4H_{10}	−138	−0.5
C_5H_{12}	−130	36
C_6H_{14}	−95	69
C_7H_{16}	−91	98
C_8H_{18}	−57	126
C_9H_{20}	−51	151
$C_{10}H_{22}$	−30	174

펜테인 분자의 배열 비교
가지 달린 사슬 구조의 네오펜테인은 곧은 사슬 구조의 노말펜테인보다 분자의 표면적이 작다.

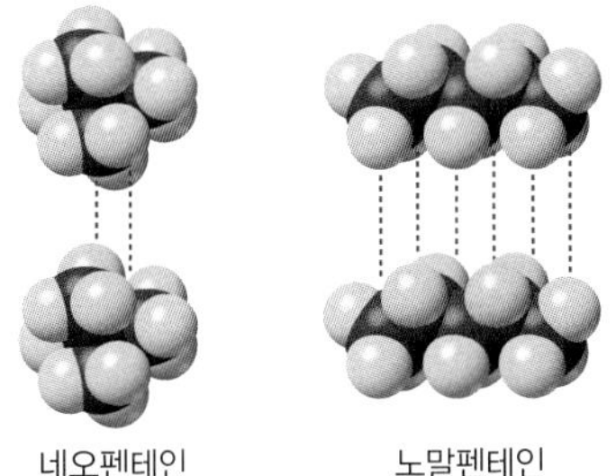

시야 확장 + 분산력과 끓는점

❶ 끓는점은 일정한 압력에서 액체 상태의 물질이 기체로 될 때의 온도이다. 물질마다 끓는점이 다른 이유는 분자 사이에 작용하는 힘이 다르기 때문이다. 물의 끓는점은 1기압에서 100 ℃로 매우 높은데, 이는 물 분자 사이에 수소 결합력이 작용하기 때문이다.

❷ 탄화수소와 같은 무극성 분자 사이에서도 힘이 작용한다. 전자들은 끊임없이 운동하고 있기 때문에 무극성 분자 내에서 어느 순간 전자들이 한쪽으로 치우쳐 짧은 시간 동안 전하를 띠게 되는데, 이를 순간 쌍극자라고 한다. 순간 쌍극자가 형성된 분자는 이웃한 분자의 전하 분포에 영향을 주어 또다른 쌍극자를 유발하는데 이를 유발 쌍극자라고 하며, 순간 쌍극자와 유발 쌍극자 사이에 작용하는 힘을 분산력이라고 한다. 분산력은 순간 쌍극자가 생성되기 쉬운 분자일수록 크다. 즉, 분산력은 분자량이 클수록, 분자의 표면적이 클수록 증가한다. 분산력이 클수록 무극성 분자의 끓는점은 높아진다.

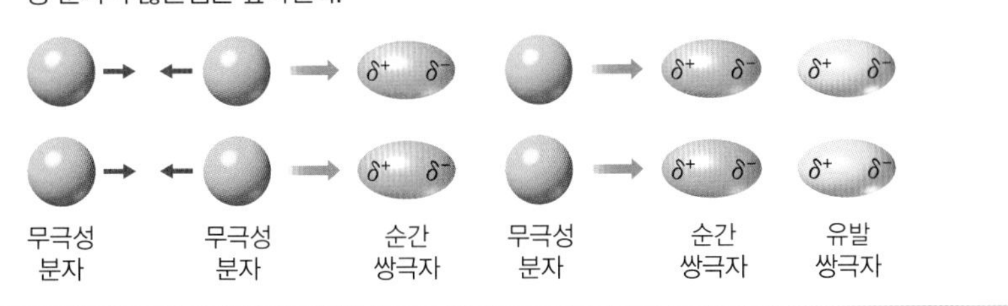

무극성 분자
서로 다른 두 원자가 공유 결합을 할 때 전자쌍을 끌어당기는 능력인 전기 음성도가 서로 달라 결합 내에서 전자쌍의 치우침에 의해 결합의 극성이 생긴다. 그러나 분자의 구조가 결합의 극성을 상쇄할 수 있는 대칭 구조를 가지면 무극성 분자가 된다.

(5) **알케인의 용해도:** 알케인은 무극성 분자이므로 물에 거의 녹지 않는다. 액체 상태의 알케인끼리는 서로 잘 섞이며, 사염화 탄소, 벤젠 등과 같은 무극성 용매에 잘 섞인다.

2. 알켄(alkene)과 알카인(alkyne)

탄소 원자 사이에 2중 결합이 1개 있는 사슬 모양의 불포화 탄화수소를 알켄이라고 한다. 알켄의 일반식은 C_nH_{2n}이며 이름은 '-엔'으로 끝난다. 또, 탄소 원자 사이에 3중 결합이 1개 있는 사슬 모양의 불포화 탄화수소를 알카인이라고 한다. 알카인의 일반식은 C_nH_{2n-2}이며 이름은 '-아인'으로 끝난다. 탄소 원자 사이의 단일 결합이 2중 결합, 3중 결합으로 되면 탄소 원자에 결합하는 수소 원자가 2개, 4개씩 적어진다.

알케인, 알켄, 알카인

구분	일반식	예
알케인	C_nH_{2n+2}	C_4H_{10}(뷰테인)
알켄	C_nH_{2n}	C_4H_8(뷰텐)
알카인	C_nH_{2n-2}	C_4H_6(뷰타인)

(1) 알켄과 알카인의 일반적인 성질

① 알켄과 알카인의 물리적 성질은 탄소 원자 수가 같은 알케인의 성질과 비슷하다. 탄소 원자가 2~4개인 알켄이나 알카인은 25 ℃, 1기압에서 기체 상태이고, 탄소 원자가 5~18개인 알켄이나 알카인은 25 ℃, 1기압에서 액체 상태이며, 탄소 원자가 19개 이상인 알켄이나 알카인은 25 ℃, 1기압에서 고체 상태이다.

② 알켄과 알카인은 탄소 원자 사이의 2중 결합이나 3중 결합에 다른 물질이 첨가되는 첨가 반응이 잘 일어나므로 플라스틱, 합성 섬유, 합성 고무 등의 단위체로 이용되어 다양한 종류의 탄소 화합물을 생성할 수 있다.

③ 알켄과 알카인은 무극성 분자이므로 무극성 용매와 잘 섞인다.

불포화 탄화수소

알켄과 알카인을 불포화 탄화수소라고 하는 이유는 수소를 더 첨가시킬 수 있기 때문이다. 불포화 탄화수소는 포화 탄화수소가 될 때까지 첨가 반응을 한다. 에텐(C_2H_4)은 H_2 한 분자가 첨가되어 에테인(C_2H_6)으로 되고, 에타인(C_2H_2)은 H_2 두 분자가 첨가되어 에테인(C_2H_6)으로 된다.

$C_2H_4 + H_2 \longrightarrow C_2H_6$

$C_2H_2 + 2H_2 \longrightarrow C_2H_6$

(2) 알켄

① 에텐(C_2H_4): 가장 간단한 알켄으로, 에틸렌이라고도 한다. 분자식은 C_2H_4이며, 다음과 같이 나타내기도 한다.

H:C::C:H (H, H) 또는 H₂ 구조식 $\begin{matrix} H & & H \\ & C=C & \\ H & & H \end{matrix}$ 또는 $H_2C=CH_2$

• 분자 구조: 2개의 탄소 원자와 탄소 원자에 결합된 4개의 수소 원자가 모두 동일 평면에 존재하는 평면 구조를 이루고 있는데, 각각의 탄소 원자에 결합한 3개의 원자가 평면 삼각형으로 배열하고 있기 때문이다. 결합각(∠HCC)은 약 120°이다.

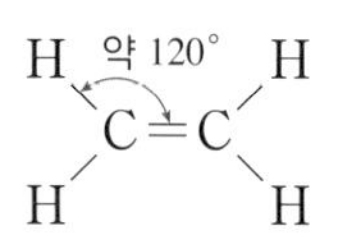

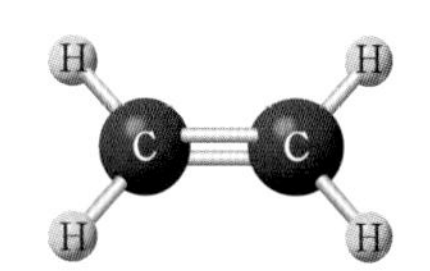

▲ 에텐의 구조식과 분자 모형

에텐(에틸렌)의 제법

에탄올과 진한 황산의 혼합물을 170 ℃ 정도로 가열할 때 발생하는 기체가 에텐이다. 에텐은 물에 잘 녹지 않으므로 수상 치환으로 포집할 수 있다. 에탄올과 진한 황산의 혼합물을 130~140 ℃로 가열하면 다이에틸 에테르가 생성된다.

• 3개의 탄소로 이루어진 알켄인 프로펜(C_3H_6)은 2중 결합을 이루는 탄소 원자에 결합한 3개의 원자들은 평면 삼각형으로 배열되지만, 단일 결합을 이루는 탄소 원자에 결합한 4개의 원자들은 사면체로 배열하고 있다. 즉, 프로펜에서 모든 원자는 같은 평면에 존재하지 않는 입체 구조를 이룬다.

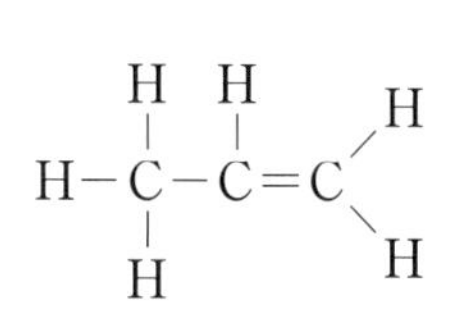

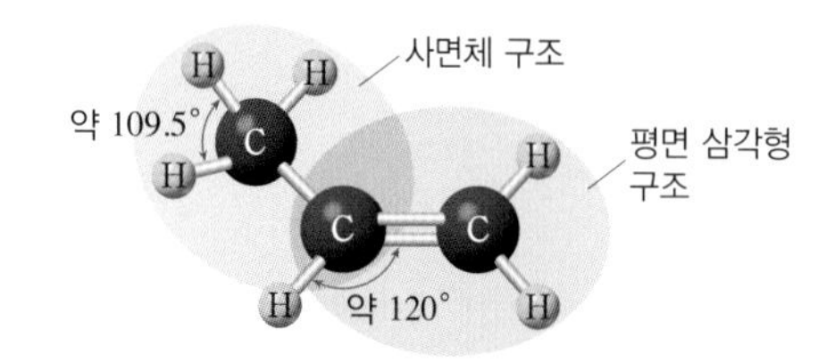

▲ 프로펜의 구조식과 분자 모형

에텐(에틸렌)의 특성과 이용

에틸렌은 식물에서 묘목의 성장과 열매의 숙성을 조절하는 호르몬으로, 과일에서 방출되는 에틸렌은 과일을 익게 만든다. 공업적으로는 폴리에틸렌이라는 플라스틱을 생산하는 원료가 된다.

② 알켄의 반응: 알켄은 불포화 탄화수소이므로 탄소 원자 사이의 2중 결합(C=C)에 수소 원자나 할로젠 원자가 첨가되어 포화 탄화수소로 되는 첨가 반응을 잘 한다. 이는 탄소 원자 사이의 2중 결합의 세기가 똑같이 강한 것이 아니라 1개의 결합은 강한 반면 다른 1개의 결합은 상대적으로 약한 결합이기 때문이다. 즉, 약한 결합이 끊어지면서 다른 원자가 첨가되는 반응이 일어나게 된다.

프로펜(프로필렌)의 제법
휘발유를 만드는 과정에서 부산물로 생성되며, 석유를 분해하여 에텐을 만드는 과정에서 부산물로 생성된다.

프로펜(프로필렌)의 특성과 이용
플라스틱의 한 종류인 폴리프로필렌, 용매로 사용되는 아이소프로필 알코올 등을 만드는 데 사용된다.

불포화 탄화수소 → 포화 탄화수소

$$H_2C=CH_2 + H-H \longrightarrow H_3C-CH_3$$

에텐(에틸렌) → 에테인

• 브로민수 탈색 반응: 에텐을 적갈색을 띠는 브로민수에 통과시키면 에텐의 탄소 원자 사이의 2중 결합에 브로민이 첨가되는 반응이 일어나면서 브로민수의 적갈색이 사라지는 탈색 반응이 일어난다.

$$H_2C=CH_2 + Br_2 \longrightarrow H-CHBr-CHBr-H$$

Br_2: 적갈색, 생성물: 무색

시야확장 ⊕ 브로민수 탈색 반응

탄소 원자 사이에 2중 결합(C=C)이나 3중 결합(C≡C)을 가진 불포화 탄화수소에 할로젠 원소인 브로민이 첨가되는 반응이다. 브로민(Br_2)은 적갈색을 띠고 있어 첨가 반응이 일어나면 Br_2이 소모되므로 적갈색이 탈색된다. 이러한 성질을 이용하여 어떤 물질이 불포화 결합을 가지고 있는지 확인할 수 있다. 그러나 브로민수 탈색 반응으로 알켄인지 알카인인지는 확인할 수 없다. 또, 탄소와 산소의 2중 결합인 C=O에는 브로민 첨가 반응이 일어나지 않는다.

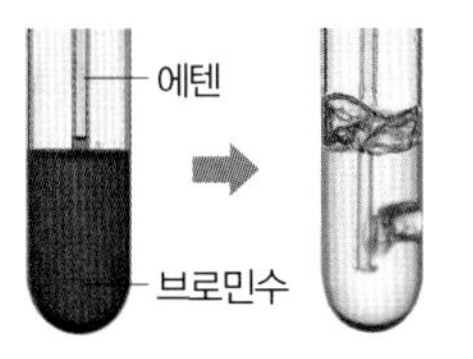

▲ **에텐의 브로민수 탈색 반응**

• 에텐을 산 촉매 하에서 물과 반응시키면 첨가 반응이 일어나서 에탄올이 생성된다.

$$H_2C=CH_2 + H_2O \xrightarrow{H^+} H-CH_2-CH(OH)-H$$

에탄올

③ 알켄의 구조 이성질체: 탄소 원자 수가 4 이상인 알켄에서는 구조 이성질체가 존재한다. 에텐과 프로펜의 경우는 2중 결합의 위치가 한 가지만 가능하지만 탄소 원자 수가 4인 뷰텐에서는 2중 결합의 위치에 따라 2가지의 구조 이성질체가 존재한다.

$$H-\underset{1}{C}H=\underset{2}{C}H-\underset{3}{C}H_2-\underset{4}{C}H_2-H \qquad H-\underset{1}{C}H_2-\underset{2}{C}H=\underset{3}{C}H-\underset{4}{C}H_2-H$$

1-뷰텐　　　2-뷰텐

▲ **뷰텐의 구조 이성질체** 2중 결합이 있는 탄소 원자가 작은 번호가 되도록 탄소 원자에 번호를 붙이고, 2중 결합이 시작되는 가장 작은 탄소 번호를 나타내어 구조 이성질체를 구분한다.

(3) 알카인

① 에타인: 가장 간단한 알카인으로 아세틸렌이라고도 하며, 분자식은 C_2H_2이다. 칼슘 카바이드(CaC_2)를 물과 반응시킬 때 생성된다.

- 분자 구조: 2개의 탄소 원자와 탄소 원자에 결합된 2개의 수소 원자가 모두 같은 직선상에 존재하는 선형 구조를 이루고 있다. 결합각(∠HCC)은 180°이다.

▲ 에타인의 구조식과 분자 모형

에타인의 생성 반응

$$CaC_2 + 2H_2O \longrightarrow HC{\equiv}CH + Ca(OH)_2$$

에타인(아세틸렌)

- 3개의 탄소로 이루어진 알카인인 프로파인(C_3H_4)은 3중 결합을 이루는 탄소 원자에 결합한 2개의 원자들은 직선형으로 배열되지만, 단일 결합을 이루는 탄소 원자에 결합한 4개의 원자들은 사면체로 배열하고 있다. 즉, 프로파인에서 모든 원자는 같은 직선상에 존재하지 않는 입체 구조를 이룬다. 이때 3개의 탄소 원자는 모두 같은 직선상에 존재한다.

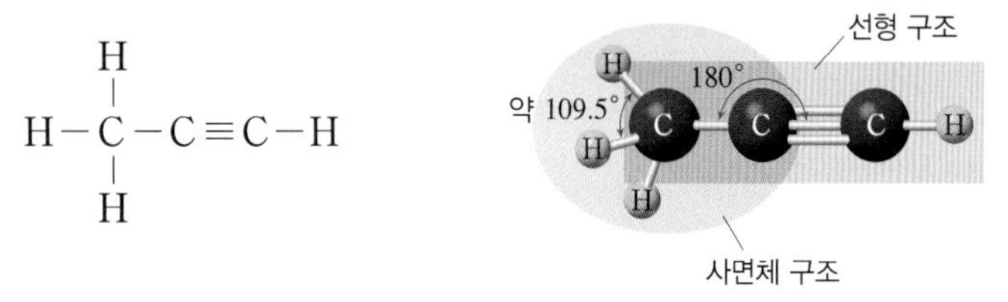

▲ 프로파인의 구조식과 분자 모형

알카인의 명명법

알카인의 명명법은 알켄의 경우와 비슷하며, 같은 탄소 원자 수의 알케인에서 '−에인' 대신 '−아인'을 붙여서 나타낸다. 또한 3중 결합의 위치를 나타내기 위하여 숫자를 사용하는데, 3중 결합이 있는 탄소 원자에 작은 번호가 붙도록 한다.

$$H{-}\underset{1}{CH_2}{-}\underset{2}{C}{\equiv}\underset{3}{C}{-}\underset{4}{CH}(CH_3){-}\underset{5}{CH_2}{-}H$$

(180°, 180°)

4−메틸−2−펜타인

② 알카인의 반응: 알카인의 3중 결합($C{\equiv}C$) 중 1개는 강한 결합이고, 2개의 결합은 약한 결합이다. 따라서 약한 결합이 끊어지면서 다른 원자가 첨가되는 첨가 반응이 잘 일어난다. 알카인에 첨가 반응이 한 번 일어나면 2중 결합이 형성되므로 첨가 반응이 한 번 더 일어날 수 있다.

$$HC{\equiv}CH \xrightarrow[\text{촉매}]{H_2} H_2C{=}CH_2$$

$$H_2C{=}CH_2 \xrightarrow[\text{촉매}]{H_2} CH_3{-}CH_3$$

▲ **에타인의 수소 첨가 반응** 에타인에 수소 분자(H_2)를 반응시키면 에텐이 되고, 에텐에 H_2를 반응시키면 에테인이 된다.

- 알켄에 브로민이 첨가 반응하여 브로민수 탈색 반응이 일어나는 것처럼 알카인도 브로민(Br_2) 등의 할로젠 분자(X_2)와 첨가 반응을 한다.

$$\underset{\text{에타인(아세틸렌)}}{H{-}C{\equiv}C{-}H} \xrightarrow[\text{(할로젠 분자)}]{X_2} XHC{=}CHX \xrightarrow[\text{(할로젠 분자)}]{X_2} H{-}CX_2{-}CX_2{-}H$$

▲ 에타인의 할로젠 분자 첨가 반응

아세틸렌을 이용한 금속의 용접

산소를 충분히 공급하면서 아세틸렌을 연소시키면 3000 ℃ 이상의 불꽃이 생기므로 금속을 자르거나 용접할 때 이용된다.

- 에타인을 산 촉매 하에서 물과 반응시키면 아세트알데하이드가 생성된다.

$$\underset{\text{에타인(아세틸렌)}}{H{-}C{\equiv}C{-}H} + \underset{\text{물}}{H_2O} \xrightarrow{H^+} \underset{\text{아세트알데하이드}}{CH_3{-}\overset{O}{\overset{\|}{C}}H}$$

▲ 에타인과 물의 반응

3 고리 모양 탄화수소

탄화수소 중에는 알케인, 알켄, 알카인과 같은 사슬 모양 탄화수소뿐만 아니라 고리 모양 탄화수소도 존재한다. 사슬 모양 탄화수소와 마찬가지로 고리 모양 탄화수소에도 포화 탄화수소와 불포화 탄화수소가 존재한다.

1. 고리 모양 탄화수소

탄소 화합물 중에는 탄소 원자들이 고리 모양으로 연결되어 있는 것들이 있다. 탄수화물, DNA와 RNA를 구성하는 뉴클레오타이드, 해열제로 사용되는 아스피린, 커피에 들어 있는 카페인 등은 모두 고리 모양 탄소 화합물이다.

아세틸살리실산(아스피린)　　카페인

▲ **아스피린과 카페인의 구조식**

2. 사이클로알케인과 사이클로알켄

① 사이클로알케인: 탄소 원자 사이의 결합이 단일 결합만으로 이루어진 고리 모양 탄화수소로 $-CH_2-$의 고리로 구성되며, 일반식은 C_nH_{2n}으로 사슬 모양 불포화 탄화수소인 알켄과 같다. 사이클로알케인은 보통 결합선만을 나타낸 정다각형으로 표시한다. 이때 선은 탄소 원자 사이의 결합을 의미한다. 사이클로알케인에서 각 탄소 원자에 결합한 4개의 원자들이 사면체로 배열하므로 입체 구조이다.

사이클로알케인과 알켄
사이클로알케인과 알켄은 일반식이 C_nH_{2n}으로 같으므로 탄소 수가 같은 경우 서로 구조 이성질체 관계이다.
예 사이클로헥세인과 헥센

구분	사이클로프로페인 (C_3H_6)	사이클로뷰테인 (C_4H_8)	사이클로펜테인 (C_5H_{10})
결합선 구조식			
구조식			
결합각(∠CCC)	60°	약 90°	약 108°

결합선 구조식
탄소 화합물의 구조식에서 탄소 – 수소 결합은 생략하고, 탄소 – 탄소 결합만 선으로 나타내어 탄소와 수소를 제외한 다른 종류의 원자들만 원소 기호로 나타낸 구조식이다. 결합선 구조식을 사용하면 탄소 수가 많은 화합물을 간단하게 표현할 수 있다.

• 사이클로헥세인: 사이클로알케인 중에서 가장 안정한 화합물이다. 탄소 원자 6개가 고리 모양으로 결합하여 의자 형태와 보트 형태를 이루고 있는데, 결합각(∠CCC)이 109.5°를 이루고 있어 안정한 입체 구조를 갖는다.

사이클로알케인의 구조와 안정성
탄소 원자가 4개의 원자와 결합한 경우에는 결합각이 109.5°를 이루어 정사면체 구조를 이루어야 안정하다. 그런데 탄소 수가 3과 4인 사이클로프로페인과 사이클로뷰테인은 결합각이 각각 60°와 약 90°로 작기 때문에 매우 불안정하다.

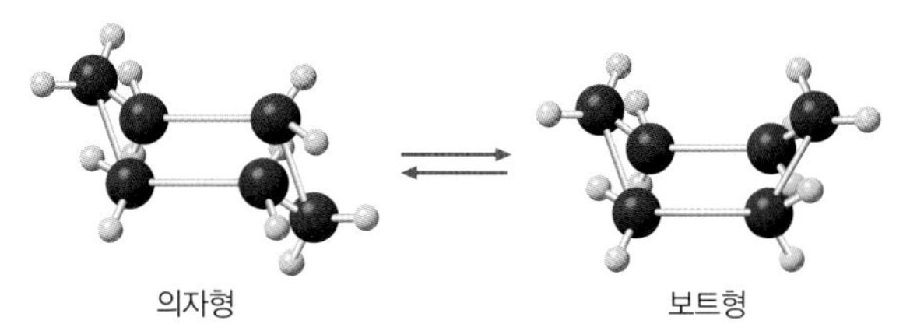

▲ **사이클로헥세인의 구조** 의자형과 보트형의 2가지 구조는 서로 전환될 수 있으며, 보트형보다는 의자형 구조일 때 원자들이 서로 엇갈려 있어서 더 안정하다.

② **사이클로알켄**: 탄소 원자 사이에 2중 결합이 1개 있는 고리 모양 탄화수소이다.

- 사이클로헥센: 분자식이 C_6H_{10}으로 2중 결합이 1개 있는 고리 모양 탄화수소이다. 사이클로헥센에서 2중 결합을 이루는 탄소 원자에 결합한 원자들은 평면 삼각형으로 배열하고 있지만, 단일 결합을 이루는 탄소 원자에 결합한 원자들은 사면체로 배열하고 있다.

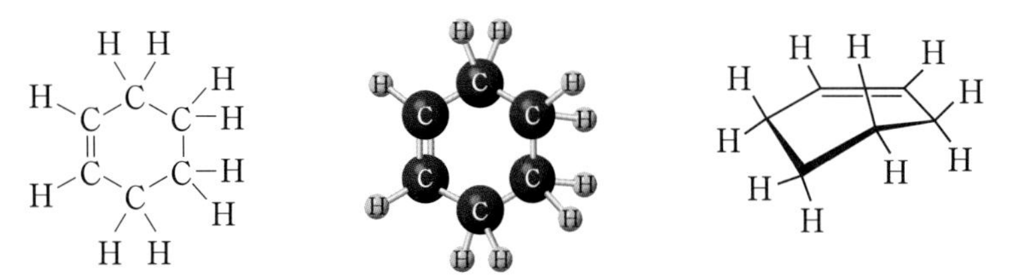

▲ 사이클로헥센의 구조식과 분자 모형

사이클로알켄과 알카인
사이클로알켄과 알카인은 일반식이 C_nH_{2n-2}으로 같으므로 탄소 수가 같은 경우 서로 구조 이성질체 관계이다.
예 사이클로헥센과 헥사인

3. 방향족 탄화수소

벤젠 고리를 포함한 탄화수소로, 독특한 향이 나기 때문에 방향족 탄화수소라고 한다. 벤젠, 톨루엔, 나프탈렌 등이 있다.

(1) **벤젠(C_6H_6)**: 방향족 탄화수소의 기본이 되는 화합물로, 불포화 탄화수소이지만 알켄이나 알카인과는 성질과 반응성이 매우 다르다.

① **벤젠의 공명 구조**: 다음 (가) 또는 (나)와 같이 6개의 탄소 원자가 고리를 이루며 각 탄소 원자에 1개의 수소 원자가 결합한 구조를 이루고 있다.

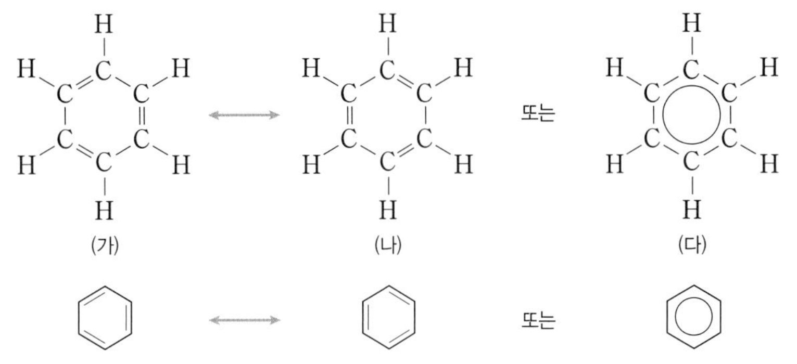

▲ 벤젠의 구조식

- (가) 또는 (나)의 구조식에서 벤젠은 2중 결합과 단일 결합이 교대로 있는 것처럼 보이지만, 실제로는 (가)와 (나)가 모두 같은 분자를 나타내며, 벤젠의 실제 구조는 (가)와 (나)가 혼합된 것이 아니라 두 구조의 평균에 해당하는 혼성 구조이다.
- 탄소-탄소 결합은 단일 결합과 2중 결합의 중간 정도의 결합으로 6개의 탄소 원자 사이의 결합은 모두 동일하다. 이것은 전자들이 어느 한 탄소 원자핵에 고정되어 있는 것이 아니라 고리 전체에 퍼져 있기 때문이다. 이와 같이 (가)와 (나)의 구조가 혼합된 혼성 구조를 갖는 것을 공명이라고 한다. 벤젠과 같이 공명 구조를 갖는 분자는 안정하다.
- 수소 원자를 나타내지 않을 때는 정육각형의 고리와 원으로 벤젠을 표시한다. 이때 정육각형의 꼭짓점은 탄소 원자를 나타내고, 고리 안의 원은 위치가 정해지지 않은 6개의 전자를 나타낸다.
- 벤젠에서 모든 원자는 동일한 평면에 존재하며, 탄소 원자 사이의 결합 길이는 모두 140 pm로 동일하고, 결합각(∠CCC)은 모두 120°로 같다.

케쿨레가 제안한 벤젠의 분자 구조
독일의 화학자 케쿨레(Kekule, F. A., 1829~1896)는 벤젠이 1, 3, 5-사이클로헥사트라이엔의 가능한 두 구조가 매우 빠르게 서로 전환되는 구조라고 하였다. 벤젠의 구조가 케쿨레가 제안한 분자 구조와 같다면 탄소 원자 간 결합 길이가 3개는 짧고, 3개는 길어야 하며 첨가 반응을 잘 해야 하는데, 실제 벤젠의 성질은 그렇지 않았다.

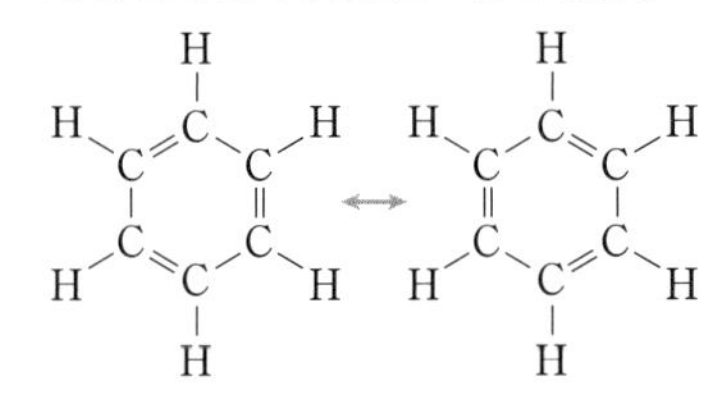

케쿨레가 제안한 구조가 실제 벤젠의 구조는 아니지만, 벤젠이 육각형의 고리 모양을 가졌다는 것을 제안한 점에서 큰 의의가 있다.

② 벤젠의 치환 반응: 벤젠은 안정한 공명 구조를 가지고 있어 실온에서 첨가 반응을 하지 않고, 탄소 원자에 결합한 수소 원자가 떨어지면서 다른 원자나 작용기가 결합하는 치환 반응을 주로 한다.

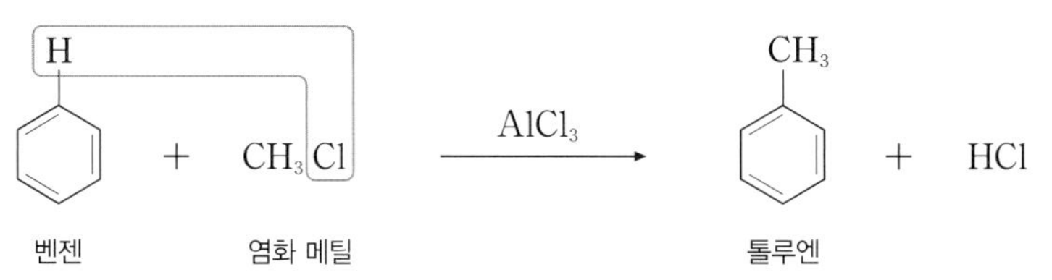

▲ **벤젠의 치환 반응** 벤젠의 수소 원자가 메틸기($-CH_3$)로 치환되면 톨루엔이 생성된다.

톨루엔의 이용
톨루엔은 벤젠보다는 독성이 작아서 벤젠 대신 유기 용매로 많이 이용된다.

(2) 방향족 탄화수소의 종류

① 벤젠이나 톨루엔과 같이 탄소와 수소로만 이루어진 방향족 화합물을 방향족 탄화수소라고 한다.

② 2개 이상의 벤젠 고리가 붙어 있는 나프탈렌, 안트라센, 페난트렌 등의 화합물은 모두 방향족 탄화수소이다. 이러한 화합물에서 벤젠 고리가 접하고 있는 탄소 원자에는 수소 원자가 결합되어 있지 않다.

방향족 화합물
벤젠 고리를 가지고 있는 화합물을 의미한다.

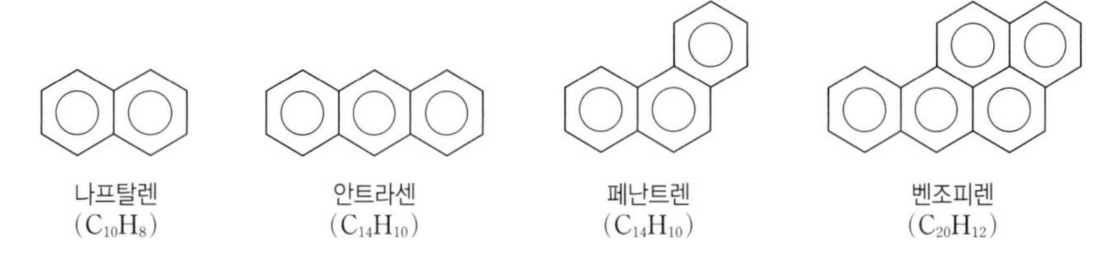

- 나프탈렌은 승화성 물질로, 좀약으로 이용된다.
- 안트라센과 페난트렌은 구조 이성질체이다.
- 벤조피렌은 담배 연기에 존재하며 발암 물질로 알려져 있다.

(3) 방향족 화합물의 구조 이성질체

① 벤젠 고리는 평면 구조이므로 벤젠의 수소 원자 2개 이상이 다른 원자나 작용기로 치환되는 경우에는 치환기의 상대적인 위치에 따라 구조 이성질체가 존재한다.

② 벤젠 고리의 수소 원자 2개가 치환되는 경우에는 3가지 이성질체가 가능하며, 치환기들이 1, 2 탄소 원자에 결합되면 오쏘-(o-), 1, 3 탄소 원자에 결합되면 메타-(m-), 1, 4 탄소 원자에 결합되면 파라-(p-)라는 접두사를 사용하여 구분한다. 예를 들어 메틸기($-CH_3$) 2개가 치환된 화합물인 자일렌에는 다음과 같은 3가지 이성질체가 있다.

자일렌의 이용
자일렌은 염료, 살충제, 의약품을 만드는 데 이용된다.

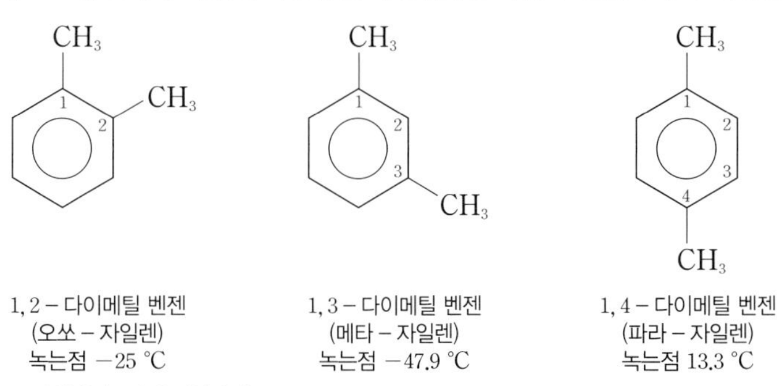

▲ **자일렌의 3가지 이성질체**

탄화수소 유도체

탄화수소에서 수소 원자 대신에 다른 원자나 원자단이 결합한 탄소 화합물이 탄화수소 유도체이다. 탄화수소 유도체에서 수소 원자 대신 결합한 원자나 원자단을 작용기라고 하는데, 작용기의 종류에 따라 탄화수소 유도체의 성질이 달라진다. 일상생활에서 많이 사용되는 몇 가지 탄화수소 유도체에 대해 알아보자.

❶ 알코올(alcohol)

탄화수소의 수소 원자가 하이드록시기(−OH)로 치환된 물질이다. 탄소 원자 수가 같은 알케인의 이름에서 '−에인'을 '−안올'로 바꾸어 부른다.

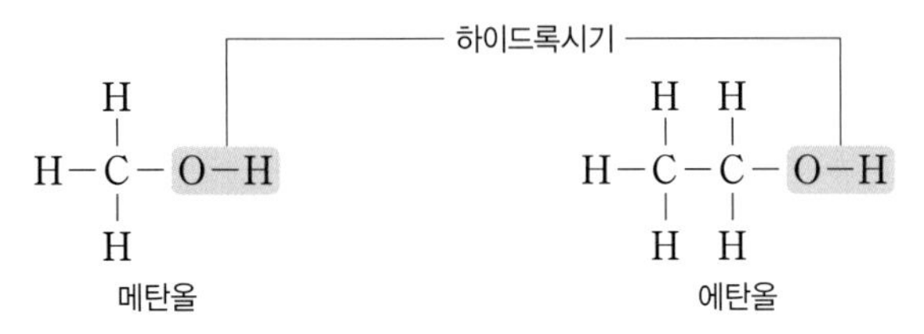

(1) 알코올의 성질

① 알코올은 물과 친화력이 작은 친유성 부분인 알킬기(−R)와 물과 친화력이 큰 친수성 부분인 하이드록시기(−OH)로 구성되어 있다.

$CH_3-CH_2-CH_2-CH_2-OH$

친유성기 ← → 친수성기

② 탄소 원자에 결합한 −OH는 물에서 이온화하지 않으므로 비전해질이고 수용액의 액성은 중성이다.

③ 알코올의 −OH는 분자 사이에 수소 결합을 형성하므로 탄소 원자 수가 같은 탄화수소에 비해 끓는점이 높다.

④ 알코올은 친수성 부분인 −OH가 있어 탄소 원자 수 3개까지의 알코올은 물에 대한 용해도가 크다. 탄소 원자 수가 증가할수록 친수성 부분에 비해 친유성 부분이 커져 물에 대한 용해도는 감소하고 무극성 용매에 대한 용해도가 증가한다.

⑤ 알코올의 끓는점은 탄소 수가 증가할수록 높아지는데, 이것은 분자량 증가에 따른 분산력의 영향이 커지기 때문이다.

(2) 메탄올과 에탄올

① 메탄올(CH_3OH): 가장 간단한 알코올로, 25 ℃, 1기압에서 무색의 액체 상태이다. 공업적으로는 일산화 탄소와 수소를 고온, 고압 조건에서 촉매와 함께 반응시켜 얻는다. 주로 연료와 화학 공업의 원료로 이용된다.

$$CO + 2H_2 \xrightarrow[\text{고온, 고압}]{\text{촉매}} CH_3OH$$

② 에탄올(C_2H_5OH): 술의 주성분으로, 곡류와 과일 등의 녹말이나 포도당에 효모를 넣고 발효시키거나 에텐에 물을 첨가시켜 얻을 수 있다. 연료나 용매, 약품의 원료로 사용된다.

알코올의 분류

하이드록시기가 결합해 있는 탄소에 결합된 알킬기 수에 따라 1차(1°), 2차(2°), 3차(3°) 알코올로 분류한다.

알킬기

1차 알코올: H, CH_3−C−OH, H

2차 알코올: CH_3, CH_3−C−OH, H

3차 알코올: CH_3, CH_3−C−OH, CH_3

수소 결합

전기 음성도가 큰 F, O, N 원자에 직접 결합된 H 원자와 이웃한 분자의 F, O, N 원자에 있는 비공유 전자쌍 사이에는 비교적 강한 정전기적 인력이 작용하는데, 이를 수소 결합이라고 한다.

$C_2H_5-\ddot{O}:\cdots\cdots H-\ddot{O}:$ (수소 결합) H, C_2H_5

▲ 에탄올 분자 사이의 수소 결합

메탄올의 분자 모형

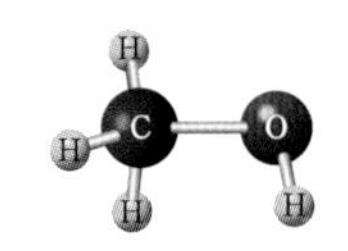

에탄올의 분자 모형

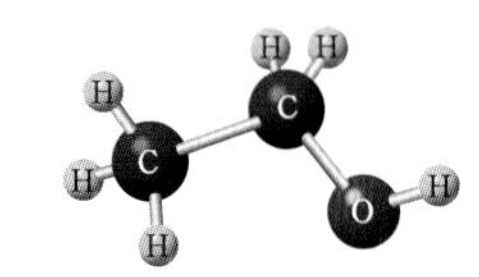

❷ 에테르(ether)

알코올의 하이드록시기(−OH)의 수소 원자 대신에 알킬기가 치환된 물질이다. 에테르를 구성하는 두 알킬기의 이름 끝에 '에테르'를 붙여서 부른다.

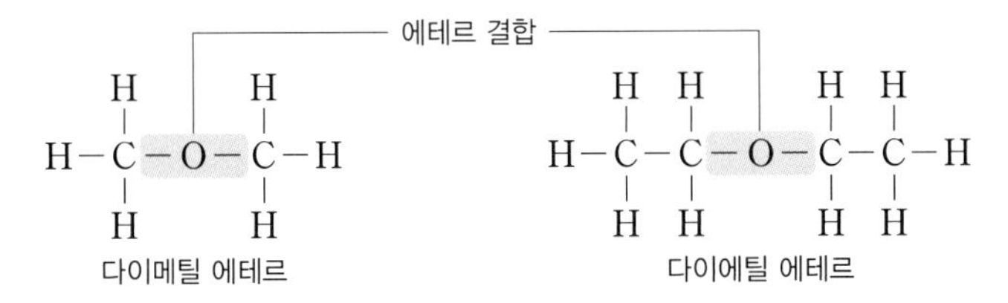

다이메틸 에테르　　　다이에틸 에테르

다이에틸 에테르의 분자 모형

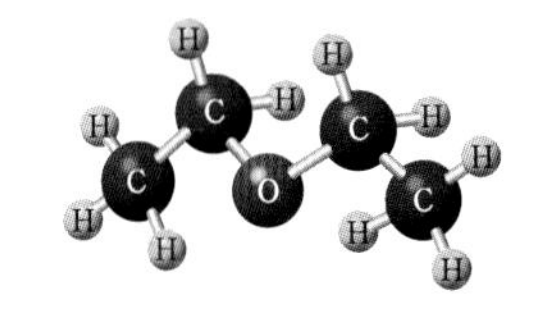

(1) 에테르의 성질

① 에테르는 수소 결합을 형성하지 않으므로 분자량이 같은 알코올에 비해 끓는점이 낮다. 그러나 굽은 형 분자 구조로 약간의 극성이 있어 분자량이 비슷한 탄화수소보다는 끓는점이 높다.

② 에테르는 물보다 밀도가 작고, 휘발성이 크며 특유의 냄새를 가진다.

③ 에테르에는 에테르 결합(−O−)이 있어 극성이 있지만 그 정도가 매우 작아 물과 잘 섞이지 않는다.

(2) **에테르와 알코올**: 에테르는 탄소 원자 수가 같은 알코올과 서로 이성질체 관계이다.

구분	에탄올	다이메틸 에테르
분자식	C_2H_6O	C_2H_6O
구조식	H　H H−C−C−O−H H　H	H　　H H−C−O−C−H H　　H
끓는점(℃)	78	−23.6
성질	• 수소 결합을 하므로 끓는점이 높다. • 알칼리 금속과 반응하여 수소 기체를 발생한다.	• 수소 결합을 하지 않으므로 끓는점이 낮다. • 알칼리 금속과 반응하지 않는다.

❸ 알데하이드(aldehyde)

탄화수소의 수소 원자가 포밀기(−CHO)로 치환된 화합물이다. 탄소 원자 수가 같은 알케인의 이름에 '−알'을 붙여서 부르는데, 탄소 수가 작은 알데하이드는 관용명으로 많이 불린다.

예 HCHO: 메탄알(폼알데하이드), CH_3CHO: 에탄알(아세트알데하이드)

폼알데하이드의 분자 모형

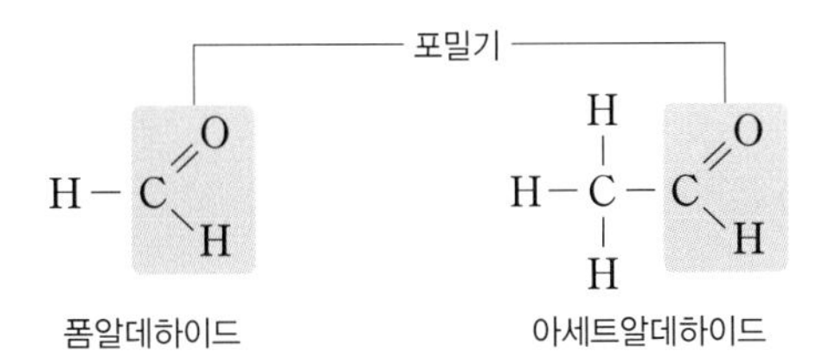

폼알데하이드　　　아세트알데하이드

• 알데하이드의 성질

① 극성 물질로 탄소 수가 작은 알데하이드는 물에 잘 녹지만, 탄소 원자 수가 증가할수록 친유성 부분인 탄소 사슬이 길어지므로 탄소 원자 수가 4 이상인 알데하이드는 물과 잘 섞이지 않는다.

② 알데하이드는 쉽게 산화되어 카복실산이 되므로 다른 물질을 환원시키는 성질이 크다.

③ 폼알데하이드(HCHO): 자극성이 있는 기체이며 물에 잘 녹는다. 플라스틱의 단위체로 사용되며, 30~40 % 수용액인 포르말린은 생물 표본병의 방부제로 쓰인다.

④ 알데하이드는 산화되면 카복실산이 되고, 환원되면 1차 알코올이 된다.

$$\underset{\text{1차 알코올}}{RCH_2OH} \xleftarrow[+2H]{\text{환원}} \underset{\text{알데하이드}}{RCHO} \xrightarrow[+O]{\text{산화}} \underset{\text{카복실산}}{RCOOH}$$

❹ 케톤(ketone)

알데하이드의 수소 원자가 알킬기로 치환되어 카보닐기(>C=O)에 알킬기 2개가 결합된 화합물이다. 탄소 원자 수가 같은 알케인의 이름 끝에 '-온'을 붙여서 부르는데, 탄소 수가 작은 케톤은 관용명으로 많이 불린다.

예 CH_3COCH_3: 2-프로판온(아세톤), $CH_3COC_2H_5$: 2-뷰탄온(에틸 메틸 케톤)

카보닐기

$$CH_3-\overset{\overset{\Large O}{\|}}{C}-CH_3 \qquad CH_3CH_2-\overset{\overset{\Large O}{\|}}{C}-CH_3$$

아세톤 　　 에틸 메틸 케톤

아세톤의 분자 모형

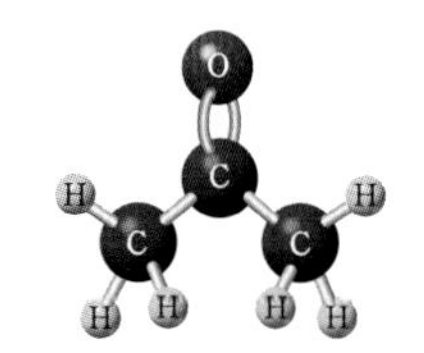

(1) 케톤의 성질

① 독특한 냄새가 나는 액체로, 2차 알코올을 산화시켜 얻는다.

② 탄소 원자 수가 작은 케톤은 물에 잘 녹는다. 아세톤은 물과 잘 섞이며, 유기 용매와도 잘 섞인다.

③ 케톤은 산화되지 않으므로 환원성이 없어 은거울 반응을 하지 않는다.

(2) 케톤과 알데하이드: 케톤은 탄소 원자 수가 같은 알데하이드와 이성질체 관계이다.

구분	프로판알(알데하이드)	아세톤(케톤)
분자식	C_3H_6O	C_3H_6O
구조식	CH_3-CH_2-CHO (H−C(H)(H)−C(H)(H)−C(=O)−H)	$CH_3-CO-CH_3$ (H−C(H)(H)−C(=O)−C(H)(H)−H)
끓는점(°C)	48.8	56.3
성질	은거울 반응을 한다.	은거울 반응을 하지 않는다.

은거울 반응

암모니아성 질산 은 용액에 알데하이드를 가하면 용액 속의 은 이온(Ag^+)이 환원되어 은(Ag)으로 석출된다. 이때 석출된 은이 시험관 벽에 달라붙어 거울이 만들어지므로 은거울 반응이라고 한다.

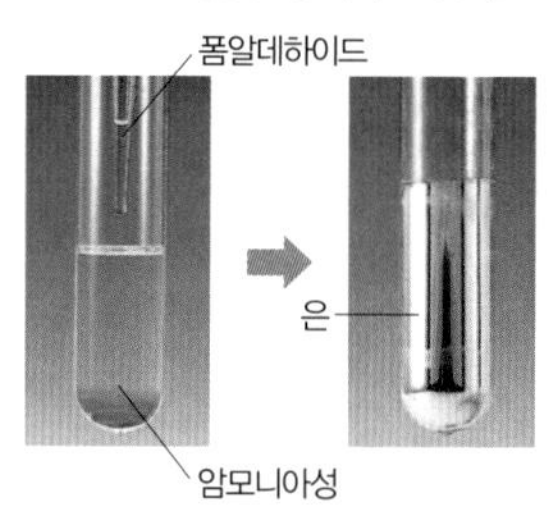

❺ 카복실산(carboxylic acid)

탄화수소의 수소 원자가 카복시기(-COOH)로 치환된 화합물이다. 탄소 원자 수가 같은 알케인의 이름 끝에 '-산'을 붙여서 부른다.

(1) 카복실산의 성질

① 수소 결합을 할 수 있어 탄소 원자 수가 비슷한 다른 탄소 화합물에 비해 끓는점이 높다.

② 탄소 원자 수가 4 이하인 카복실산은 물에 잘 녹는다.

③ 물에 녹아 이온화하여 수소 이온(H^+)을 내놓으므로 약한 산성을 나타낸다.

(2) 카복실산의 반응

① 1차 알코올이 산화되어 생성된 알데하이드를 다시 산화시켜 얻을 수 있다.

② 금속과 반응하여 수소 기체를 발생한다.

$$2M + 2RCOOH \longrightarrow 2RCOOM + H_2\uparrow$$

③ 염기와 중화 반응을 한다.

④ 산 촉매 하에 알코올과 반응하여 에스터를 생성한다. ➡ 에스터화 반응

$$RCO\boxed{OH + H}OR' \longrightarrow RCOOR' + \boxed{H_2O}$$

카복실산의 에스터화 반응
카복실산이 알코올과 반응하여 에스터가 생성될 때 물 한 분자가 빠져나오므로 에스터화 반응은 일종의 축합 반응이다. 또, 에스터와 물이 산 또는 염기 조건에서 반응하면 다시 카복실산과 알코올이 생성되는 반응이 일어나는데 이것을 가수 분해 반응이라고 한다.

(3) 폼산과 아세트산

① 폼산(HCOOH): 가장 간단한 카복실산으로, 개미산이라고도 한다. 자극성 냄새가 나는 액체로 분자 내에 포밀기와 카복시기를 모두 가지므로 알데하이드와 카복실산의 성질을 모두 가진다.

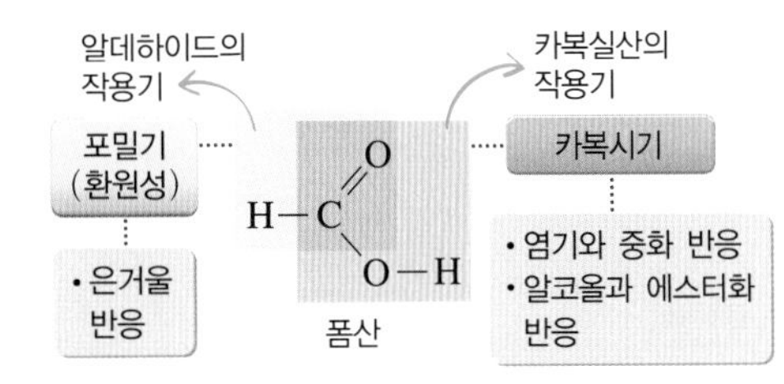

② 아세트산(CH_3COOH): 무색의 액체이며, 녹는점이 16.6 ℃로 높아 겨울철에는 고체로 존재하므로 빙초산이라고도 부른다.

아세트산의 분자 모형

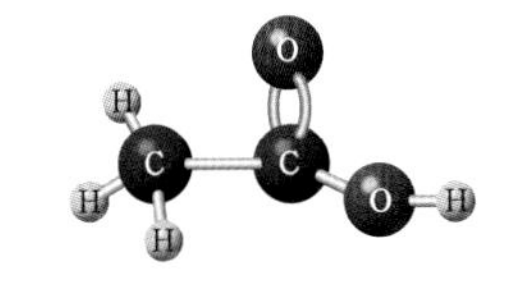

❻ 에스터(ester)

카복실산의 수소 원자가 알킬기로 치환되어 에스터 결합(−COO−)을 가지고 있는 화합물이다. 카복실산의 이름 뒤에 알킬기의 이름을 붙여서 부른다.

아세트산의 이합체
아세트산을 무극성 용매인 벤젠에 녹이면 아세트산 분자끼리 수소 결합을 이루므로 두 분자가 모인 이합체를 형성한다.

수소 결합

(1) 에스터의 성질

① 대부분 물에 잘 녹지 않고 특유의 향을 내므로 향료의 원료로 이용된다.

② 수소 결합을 하지 않으므로 탄소 수가 같은 카복실산보다 끓는점이 낮다.

③ 에스터는 카복실산과 알코올의 에스터화 반응에서 물이 빠지면서 생성되며, 반대로 에스터가 가수 분해하면 카복실산과 알코올이 생성된다.

$$\underset{\text{카복실산}}{R-\overset{O}{\overset{\|}{C}}-\boxed{OH}} + \underset{\text{알코올}}{R'O\boxed{H}} \underset{\text{가수 분해}}{\overset{\text{에스터화}(H^+)}{\rightleftarrows}} \underset{\text{에스터}}{R-\overset{O}{\overset{\|}{C}}-OR'} + \underset{\text{물}}{H_2O}$$

(2) 카복실산과 에스터: 에스터는 탄소 원자 수가 같은 카복실산과 이성질체 관계이다.

구분	아세트산(카복실산)	폼산 메틸(에스터)
분자식	$C_2H_4O_2$	$C_2H_4O_2$
구조식	CH_3-COOH (H−C(H)(H)−C(=O)−O−H)	$H-\overset{O}{\overset{\|}{C}}-O-CH_3$
끓는점(℃)	118.1	32
성질	•산성이고, 은거울 반응을 하지 않는다. •알코올과 에스터화 반응을 한다.	•중성이고, 포밀기가 있어 은거울 반응을 한다. •가수 분해 반응을 한다.

폼산에스터(HCOOR)
폼산에스터는 분자 내에 포밀기(−CHO)와 에스터 결합(−COO−)을 모두 가지므로 알데하이드와 에스터의 성질을 모두 나타낸다.

포밀기 ⇨ 알데하이드의 성질 ⇨ 환원성
에스터 결합 ⇨ 에스터의 성질

03 탄화수소

① 탄화수소의 분류

1. **탄화수소** 탄소 화합물 중 탄소 원자와 (❶) 원자로만 이루어진 물질이다.

2. **탄화수소의 분류**

- 탄소 원자들의 결합 모양에 따라 사슬 모양 탄화수소와 (❷) 모양 탄화수소로 분류한다.
- 탄소 원자 간 결합의 종류에 따라 포화 탄화수소와 (❸) 탄화수소로 분류한다.
- 벤젠 고리를 포함한 (❹) 탄화수소와 벤젠 고리를 포함하지 않은 (❺) 탄화수소로 분류한다.

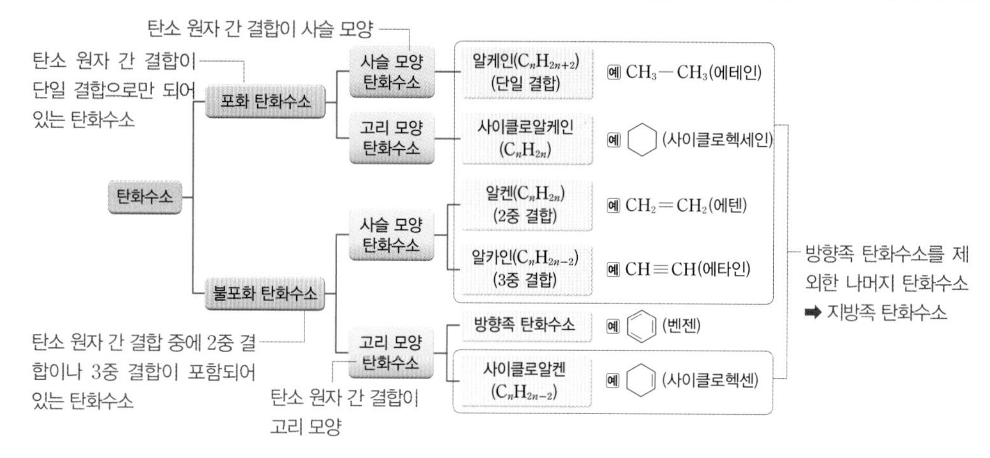

② 사슬 모양 탄화수소

1. **알케인** 사슬 모양의 (❻) 탄화수소로, (❼)부터 구조 이성질체가 존재한다.
2. **알켄** 사슬 모양의 (❽) 탄화수소로, 탄소 원자 사이에 2중 결합이 1개 존재한다.
3. **알카인** 사슬 모양의 (❾) 탄화수소로, 탄소 원자 사이에 3중 결합이 1개 존재한다.

알케인(C_nH_{2n+2})	알켄(C_nH_{2n})	알카인(C_nH_{2n-2})
탄소 원자 간 결합이 모두 단일 결합	탄소 원자 간 2중 결합이 1개 존재	탄소 원자 간 3중 결합이 1개 존재
예 메테인(CH_4) 109.5° 정사면체 구조(결합각: 109.5°)	예 에텐(C_2H_4) 약 120° 탄소 원자를 기준으로 평면 삼각형 구조 (결합각: 약 120°)	예 에타인(C_2II_2) 180° 선형 구조(결합각: 180°)

③ 고리 모양 탄화수소

1. **고리 모양 탄화수소** 사이클로알케인, 사이클로알켄, 방향족 탄화수소가 포함된다.
2. **사이클로헥세인** 분자식이 (❿)인 사이클로알케인으로 안정한 고리 모양의 포화 탄화수소이며, 탄소 원자 간 결합각이 (⓫)인 입체 구조를 이룬다.
3. **사이클로헥센** 분자식이 (⓬)인 사이클로알켄으로 고리 모양의 불포화 탄화수소이며, 탄소 원자 간 (⓭) 결합이 1개 있다.
4. **벤젠** 분자식이 (⓮)인 고리 모양의 방향족 탄화수소이며, 각 탄소 원자에는 1개의 수소 원자가 결합되어 있고 (⓯) 구조를 이루고 있어 탄소 원자 사이의 결합 길이가 모두 같다.

01 그림은 탄화수소의 분류를 나타낸 것이다. A~F로 적절한 말을 쓰시오.

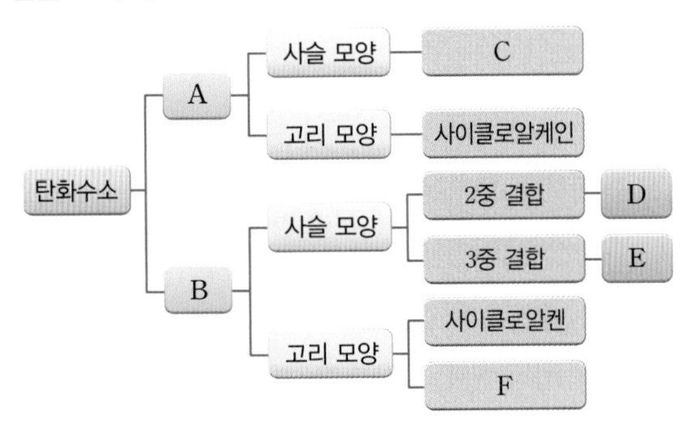

02 다음은 탄화수소 X에 대한 자료이다. X의 분자식을 쓰시오.

- 탄소 원자들이 사슬 모양으로 결합하고 있다.
- 탄소 원자 사이의 결합은 모두 단일 결합이다.
- 구조 이성질체의 수가 2이다.

03 알케인의 성질에 대한 설명으로 옳은 것만을 보기에서 있는 대로 고르시오.

보기
ㄱ. 물과 잘 섞이지 않는다.
ㄴ. 탄소 원자 사이의 결합이 사슬 모양이다.
ㄷ. 탄소 원자 수가 증가할수록 끓는점이 낮아진다.
ㄹ. 탄소 원자 수가 증가할수록 구조 이성질체의 수는 감소한다.

04 다음은 3가지 사슬 모양 탄화수소의 분자식을 나타낸 것이다.

(가) C_2H_4 (나) C_3H_6 (다) C_4H_8

(가)~(다)의 공통점으로 옳은 것만을 보기에서 있는 대로 고르시오.

보기
ㄱ. 탄소 원자 사이에 2중 결합이 1개 있다.
ㄴ. 분자의 구성 원자가 모두 같은 평면에 있다.
ㄷ. 결합각(∠HCC)은 109.5°이다.

05 그림은 4가지 탄화수소를 기준 (가)~(다)에 따라 분류한 것이다.

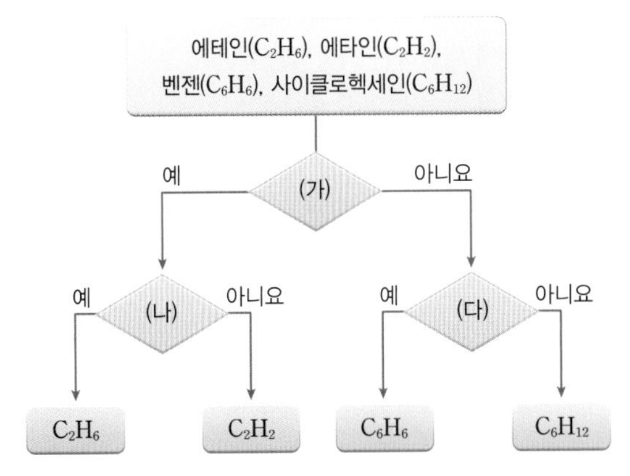

분류 기준 (가)~(다)로 적절한 것을 각각 보기에서 골라 짝 지으시오.

보기
ㄱ. 평면 구조인가?
ㄴ. 포화 탄화수소인가?
ㄷ. 사슬 모양 탄화수소인가?
ㄹ. 고리 모양 탄화수소인가?

06 그림은 탄화수소 X의 구조식을 나타낸 것이다. 이 물질에 대한 설명으로 옳은 것만을 보기에서 있는 대로 고르시오.

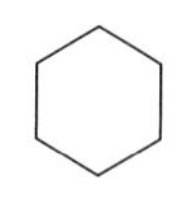

보기
ㄱ. 포화 탄화수소이다.
ㄴ. 탄소 원자가 정육각형 모양으로 결합한다.
ㄷ. 결합각(∠CCC)은 120°이다.

07 표는 사슬 모양 포화 탄화수소에 대한 자료이다.

탄소 수	화학식	녹는점(°C)	끓는점(°C)
1	CH_4	−183	−164
2	C_2H_6	−182	−89
3	C_3H_8	−188	㉡
4	㉠	−138	−0.5

(1) ㉠에 해당하는 화학식을 쓰시오.
(2) ㉡의 값의 범위를 쓰시오.

08 다음은 탄화수소 X에 대한 자료이다. X의 이름을 쓰시오.

- 탄소 원자의 결합 모양은 고리 모양이다.
- 탄소 원자 1개에 결합한 수소 원자가 1개이다.
- 모든 구성 원자가 같은 평면에 존재한다.
- 분자를 구성하는 탄소 원자 사이의 결합 길이가 모두 같다.

09 그림은 벤젠의 구조식을 나타낸 것이다.

(가) ⟷ (나)

이에 대한 설명으로 옳은 것만을 보기에서 있는 대로 고르시오.

보기
ㄱ. 탄소 원자 간 결합 길이가 모두 같다.
ㄴ. 결합각은 120°이다.
ㄷ. (가)와 (나) 구조를 빠르게 전환한다.

10 그림은 탄화수소 (가)~(라)의 구조식을 나타낸 것이다. 다음 설명에 해당하는 탄화수소를 있는 대로 골라 기호를 쓰시오.

(가) (나) H−C≡C−H (다) (라)

(1) 입체 구조이다.
(2) 브로민 첨가 반응을 한다.

11 그림은 고리 모양 탄화수소 (가)~(다)의 구조식을 나타낸 것이다. 다음 설명에 해당하는 탄화수소를 있는 대로 골라 기호를 쓰시오.

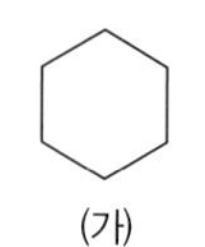
(가)

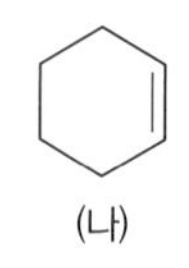
(나)

(다)

(1) 탄소 원자 사이의 결합 길이가 모두 같다.
(2) 구성 원자가 모두 같은 평면에 존재한다.

01 > 탄화수소의 구조

다음은 탄소 원자 수가 2인 탄화수소 (가)~(다)에 대한 자료이다.

- (가)에는 2중 결합이 있다.
- 수소 원자 수는 (나)>(다)이다.

(가)~(다)에 대한 설명으로 옳은 것만을 보기에서 있는 대로 고른 것은?

보기
ㄱ. 분자 1개에 포함된 수소 원자 수는 (가)>(다)이다.
ㄴ. (나)에서 탄소 원자 사이의 결합은 단일 결합이다.
ㄷ. (다)의 분자 모양은 선형이다.

① ㄱ ② ㄴ ③ ㄱ, ㄷ ④ ㄴ, ㄷ ⑤ ㄱ, ㄴ, ㄷ

• 탄소 원자 수가 2인 탄화수소에는 에테인(C_2H_6), 에텐(C_2H_4), 에타인(C_2H_2)이 있다.

02 > 탄화수소의 구조

표는 분자 내 탄소 원자 사이의 공유 전자쌍 수의 합이 3인 탄화수소 (가)~(다)에 대한 자료이다.

탄화수소	분자 내 탄소 원자 수	분자 모양
(가)	2	사슬 모양
(나)	3	사슬 모양
(다)	3	고리 모양

이에 대한 설명으로 옳은 것만을 보기에서 있는 대로 고른 것은?

보기
ㄱ. (가)는 브로민 첨가 반응을 한다.
ㄴ. (나)는 포화 탄화수소이다.
ㄷ. 분자를 구성하는 원자 수는 (나)가 (다)보다 크다.

① ㄱ ② ㄴ ③ ㄱ, ㄷ ④ ㄴ, ㄷ ⑤ ㄱ, ㄴ, ㄷ

• 탄소 원자 사이에 공유 전자쌍 수가 3이면서 탄소 원자 수가 2 또는 3인 탄화수소에는 에타인(C_2H_2), 프로펜(C_3H_6), 사이클로프로페인(C_3H_6)이 있다.

03

> 탄화수소의 분류

그림은 4가지 탄화수소를 주어진 기준에 따라 분류한 것이다.

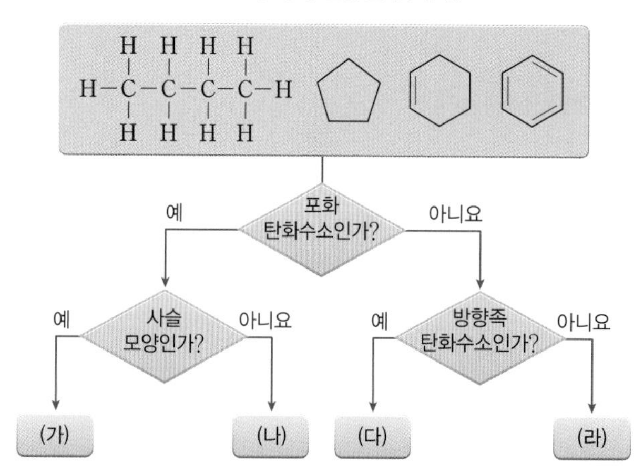

(가)~(라)에 대한 설명으로 옳은 것만을 보기에서 있는 대로 고른 것은?

보기

ㄱ. (가)는 구조 이성질체를 갖는 분자이다.
ㄴ. (나)와 (라)를 구성하는 수소 원자 수는 같다.
ㄷ. (다)에서 탄소 원자 사이의 결합 길이는 모두 같다.

① ㄱ ② ㄴ ③ ㄱ, ㄷ ④ ㄴ, ㄷ ⑤ ㄱ, ㄴ, ㄷ

• 주어진 탄화수소 중 탄소 원자 사이의 결합이 모두 단일 결합인 포화 탄화수소는 사슬 모양인 노말뷰테인과 고리 모양인 사이클로펜테인이다. 또, 불포화 탄화수소는 사이클로헥센과 방향족 탄화수소인 벤젠이다.

04

> 탄화수소의 제법과 성질

다음은 탄화수소 X의 제법과 연소 반응의 화학 반응식이다.

• $CaC_2 + 2H_2O \longrightarrow Ca(OH)_2 + \boxed{X}$
• $a\boxed{X} + 5O_2 \longrightarrow bCO_2 + cH_2O$ (단, a~c는 반응 계수)

이에 대한 설명으로 옳은 것만을 보기에서 있는 대로 고른 것은?

보기

ㄱ. X에는 2중 결합이 있다.
ㄴ. X의 구성 원자는 모두 같은 직선상에 있다.
ㄷ. $\frac{b+c}{a}=2$이다.

① ㄱ ② ㄴ ③ ㄱ, ㄷ ④ ㄴ, ㄷ ⑤ ㄱ, ㄴ, ㄷ

• 화학 반응식에서 반응물과 생성물을 이루는 원자의 종류와 수가 같도록 하면 탄화수소 X와 반응 계수 a~c를 알 수 있다.

05

> 고리 모양 탄화수소

그림은 탄화수소 (가)~(다)의 구조식을 나타낸 것이다.

(가) (나) (다)

(가)~(다)의 공통점으로 옳은 것만을 보기에서 있는 대로 고른 것은?

보기

ㄱ. 포화 탄화수소이다.

ㄴ. $\frac{\text{수소 원자 수}}{\text{탄소 원자 수}}$가 같다.

ㄷ. 완전 연소하면 이산화 탄소와 물이 생성된다.

① ㄱ ② ㄷ ③ ㄱ, ㄴ ④ ㄴ, ㄷ ⑤ ㄱ, ㄴ, ㄷ

• 모두 고리 모양으로 탄소 원자 사이의 결합이 단일 결합만으로 이루어진 탄화수소이다. (가)는 사이클로프로페인, (나)는 사이클로뷰테인, (다)는 사이클로펜테인이다.

06

> 탄화수소의 분류

그림은 4가지 탄화수소를 주어진 기준에 따라 분류한 것이다. A ~ D는 주어진 4가지 탄화수소 중 하나이다.

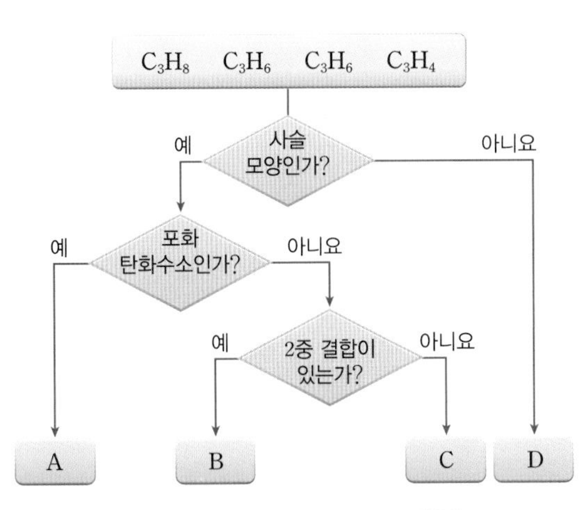

이에 대한 설명으로 옳은 것만을 보기에서 있는 대로 고른 것은?

보기

ㄱ. B와 D는 분자식이 같다.

ㄴ. A와 B는 브로민 첨가 반응을 한다.

ㄷ. C 분자 1개에 수소 분자 1개를 첨가하면 A가 된다.

① ㄱ ② ㄷ ③ ㄱ, ㄴ ④ ㄴ, ㄷ ⑤ ㄱ, ㄴ, ㄷ

• 사슬 모양이면서 포화 탄화수소인 것은 프로페인이고, 불포화 탄화수소 중 2중 결합이 있는 것은 프로펜이며, 3중 결합이 있는 것은 프로파인이다. 또, 고리 모양인 것은 사이클로프로페인이다.

07

> 탄화수소의 구조와 분류

표는 서로 다른 탄화수소 (가)~(라)를 분류한 것이다. (가)~(라)는 각각 벤젠(C_6H_6), 헥센(C_6H_{12}), 사이클로헥세인(C_6H_{12}), 헥세인(C_6H_{14}) 중 하나이다.

구분	포화 탄화수소	불포화 탄화수소
사슬 모양 탄화수소	(가)	(나)
고리 모양 탄화수소	(다)	(라)

(가)~(라)를 옳게 짝 지은 것은?

	(가)	(나)	(다)	(라)
①	헥세인	헥센	사이클로헥세인	벤젠
②	헥세인	헥센	벤젠	사이클로헥세인
③	헥세인	벤젠	사이클로헥세인	헥센
④	헥센	사이클로헥세인	헥세인	벤젠
⑤	사이클로헥세인	헥센	벤젠	헥세인

• 사슬 모양 불포화 탄화수소인 헥센과 고리 모양 포화 탄화수소인 사이클로헥세인은 분자식이 같고 구조식이 다르다.

고난도

08

> 탄화수소의 구조와 분류

그림은 사슬 모양 탄화수소 (가)~(다)에서 분자를 구성하는 탄소 수와 한 분자당 최대로 첨가될 수 있는 수소 분자 수를 나타낸 것이다.

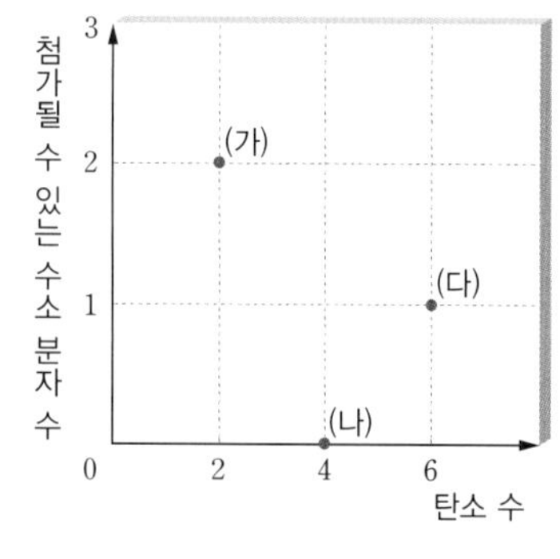

(가)~(다)에 대한 설명으로 옳은 것만을 보기에서 있는 대로 고른 것은?

보기
ㄱ. (가)의 분자 구조는 선형이다.
ㄴ. (나)는 구조식이 다른 2가지 분자가 존재한다.
ㄷ. (다)와 분자식이 같은 고리 모양 탄화수소는 브로민 첨가 반응을 한다.

① ㄱ　② ㄷ　③ ㄱ, ㄴ　④ ㄴ, ㄷ　⑤ ㄱ, ㄴ, ㄷ

• 사슬 모양 탄화수소에서 2중 결합이 1개 있을 때 첨가될 수 있는 수소 분자(H_2) 수는 1이고, 3중 결합이 1개 있을 때 첨가될 수 있는 수소 분자(H_2) 수는 2이다.

09

> 탄화수소의 구조

(가)~(다)는 서로 다른 탄화수소를 나타낸 것이다.

CH_2CH_2 (가)　　$CH_3CH_2CH_3$ (나)　　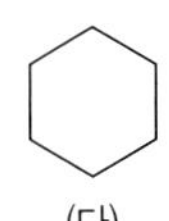 (다)

(가)~(다)에 대한 설명으로 옳은 것만을 보기에서 있는 대로 고른 것은?

보기

ㄱ. 결합각(∠HCC)은 (가)가 (나)보다 크다.
ㄴ. (다)는 평면 구조이다.
ㄷ. (가)~(다)는 모두 포화 탄화수소이다.

① ㄱ　② ㄴ　③ ㄱ, ㄷ　④ ㄴ, ㄷ　⑤ ㄱ, ㄴ, ㄷ

• (가)는 에텐, (나)는 프로페인, (다)는 사이클로헥세인이다.

고난도 10

> 탄화수소의 구조와 분류

표는 탄화수소 (가)~(라)에 대한 자료의 일부이다. (가)~(라)는 각각 에텐, 에타인, 벤젠, 사이클로헥세인 중 하나이다.

탄화수소	탄소 원자 수	$\frac{\text{수소 원자 수}}{\text{탄소 원자 수}}$	결합각(∠HCC)	분자 모양
(가)	2	1	—	사슬 모양
(나)	㉠	1	120°	고리 모양
(다)	2	2	—	사슬 모양
(라)	6	2	—	고리 모양

이에 대한 설명으로 옳은 것은?

① ㉠은 3이다.
② (가)의 결합각(∠HCC)은 120°이다.
③ (나)에서 모든 원자는 같은 평면에 있다.
④ (다)에는 3중 결합이 있다.
⑤ (라)는 불포화 탄화수소이다.

• (가)는 에타인, (나)는 벤젠, (다)는 에텐, (라)는 사이클로헥세인이다.

11

> 탄화수소의 분류

그림은 4가지 탄화수소를 다음의 기준에 따라 분류하는 과정을 나타낸 것이다.

[분류 기준]
- 사슬 모양인가?
- 포화 탄화수소인가?
- 3중 결합이 있는가?

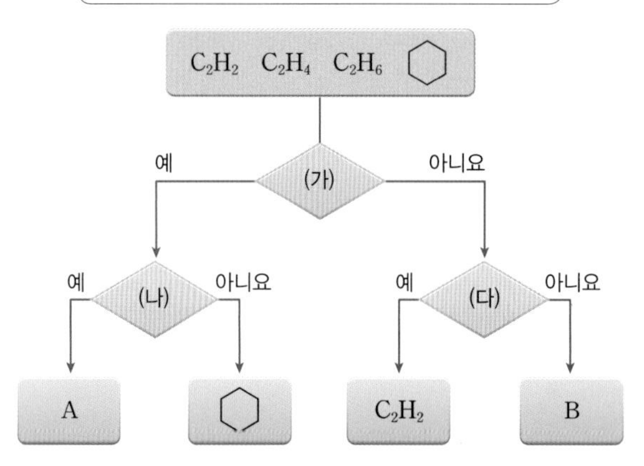

이에 대한 설명으로 옳은 것만을 보기에서 있는 대로 고른 것은?

보기
ㄱ. (가)는 '포화 탄화수소인가?'이다.
ㄴ. (나)는 '3중 결합이 있는가?'이다.
ㄷ. B 분자 1개에 수소 분자 1개를 첨가하면 A가 된다.

① ㄱ　② ㄴ　③ ㄱ, ㄷ　④ ㄴ, ㄷ　⑤ ㄱ, ㄴ, ㄷ

- 분류 기준 (가)에 사이클로헥세인이 적용되므로 (가)는 '사슬 모양인가?'가 될 수 없다. 또, (다)에 적용되는 에타인에는 3중 결합이 있다.

12

> 탄화수소의 구조

표는 서로 다른 탄화수소 (가)~(라)에 대한 자료이다.

탄화수소	(가)	(나)	(다)	(라)
분자식	C_5H_{10}	C_5H_{12}	C_5H_{12}	C_5H_{12}
H 원자 3개와 결합한 C 원자 수	0	2	㉠	4

이에 대한 설명으로 옳은 것만을 보기에서 있는 대로 고른 것은?

보기
ㄱ. ㉠은 3이다.
ㄴ. 고리 모양인 것은 (가)이다.
ㄷ. (라)에는 H 원자와 결합하지 않은 C 원자가 1개 있다.

① ㄱ　② ㄷ　③ ㄱ, ㄴ　④ ㄴ, ㄷ　⑤ ㄱ, ㄴ, ㄷ

- (가)는 H 원자 3개와 결합한 C 원자가 없으므로 사이클로펜테인이고, (나)는 노말펜테인, (다)는 가지가 1개 있는 아이소펜테인, (라)는 가지가 2개 있는 네오펜테인이다.

읽을거리 나일론과 비운의 과학자 캐러더스

20세기 초 화학 기술의 발달로 비단과 같은 부드럽고 아름다운 실을 만들고자 하는 염원은 커져갔다. 비단은 누에가 뱉어 낸 끈끈한 액이 공기 중에서 굳어진 것이므로, 그와 같은 인공의 액을 만들어 내면 된다는 생각에서였다. 처음에는 식물 세포막의 주성분인 셀룰로스를 아세트산과 질산의 혼합액에 담갔을 때 만들어지는 나이트로 셀룰로스로부터 뽑아낸 콜로지온이라는 물질에 주목했다.

에디슨의 협력자였던 스완은 전구의 필라멘트를 만들려고 콜로지온을 연구하다 가는 관을 통과한 콜로지온을 약품으로 처리하여 실과 직물을 만들어 냈다. 이 인공 비단 실은 1885년 런던에서 개최된 발명 박람회에서 큰 주목을 받았다. 파스퇴르의 제자인 샤르도네 역시 1884년 콜로지온으로 만든 인견인 레이온에 대해 특허를 얻어, 1889년 파리에서 열린 만국 박람회에 이 레이온을 출품해 큰 주목을 받고 레이온을 생산하기 시작했다. 그러나 샤르도네의 레이온은 불에 타기 쉬워 생산이 일시 중단되기도 하였으며, 천연 셀룰로스를 원료로 사용했기 때문에 대량 생산이나 품질면에서 한계가 있었다.

레이온과 같이 자연계에서 만들어진 분자를 이용해 섬유를 만드는 것과 달리, 인간의 손으로 섬유 합성에 성공한 사람은 캐러더스였다. 캐러더스는 비단을 조사하여 이것이 카복실산과 아민으로 이루어진 고분자라는 것을 밝혀내었다. 캐러더스는 연구소에 있는 카복실산과 아민을 체계적으로 반응시켜 마침내 아디프산과 헥사메틸렌다이아민의 조합이 자신이 찾고 있던 것임을 알게 되었다.

1938년 9월 21일 캐러더스가 근무하던 미국의 듀퐁사는 '석탄과 공기와 물로 만든 섬유', '거미줄보다도 가늘고 강철보다 질긴 기적의 실'이라는 대대적인 광고문구와 함께 나일론의 발명을 공식적으로 발표하였다.

1940년 5월, 뉴욕에서 여성용 나일론 스타킹의 판매가 시작되자 많은 여성들이 구름처럼 몰려들만큼 값싸고 질 좋은 나일론 스타킹의 인기는 폭발적이었다. 그러나 정작 이 제품의 개발자 캐러더스는 자신의 발명품의 화려한 비상을 보지도 못하고 허무하게 인생을 마감하게 된다.

그는 불행히도 자기가 완전하지 못함을 비관하는 우울증에 시달리다 1937년 41세의 나이로 필라델피아의 어느 호텔방에서 자살로 생을 마감했다. 나일론이라는 명칭이 허무(Nihil)라는 단어에서 따왔다는 주장이 나올만큼 캐러더스는 의생활에 큰 변화를 남기고 허무하게 세상을 등진 것이다.

스타킹

밧줄

그물

▲ **나일론의 이용** 나일론은 강하고 질긴 성질이 있어 스타킹, 밧줄, 그물, 전선, 전열재 등에 이용된다.

01

> 철, 암모니아, 나일론

다음은 인류의 의식주 문제 해결에 기여한 물질 (가)~(다)에 대한 설명이다.

(가) 질소 기체와 수소 기체를 반응시켜 합성한 물질이며, 질소 비료의 원료로 사용되어 농업 생산력 증대에 기여하였다.
(나) 코크스를 이용한 제련 기술 개발로 대량 생산이 가능해졌고, 콘크리트에 이것을 넣어 만든 재료로 대규모 건축물을 지을 수 있게 되었다.
(다) 석탄, 공기, 물로 만든 최초의 합성 섬유로, 촉감이 실크와 비슷하여 발명 초기에는 실크 스타킹을 대체하는 데 사용되었다.

(가)~(다)를 옳게 짝 지은 것은?

	(가)	(나)	(다)
①	철	나일론	암모니아
②	철	암모니아	나일론
③	나일론	철	암무니아
④	암모니아	철	나일론
⑤	암모니아	나일론	철

• 암모니아의 합성, 철의 제련 기술 발달, 나일론의 합성은 인류의 의식주 문제 해결에 크게 기여하였다.

02

> 암모니아, 합성염료, 플라스틱

다음은 화학이 실생활의 문제 해결에 기여한 사례이다.

• 질소 비료의 원료로 사용되는 ㉠ 합성법의 개발은 인류의 식량 문제를 해결하는 데 기여하였다.
• ㉡ 의 합성을 통해 많은 사람들이 다양한 색깔의 옷을 입을 수 있게 되었다.
• 석유로부터 얻은 원료로 만들어지는 ㉢ 은 음료수병, 생활용품, 각종 포장재 등에 이용된다.

㉠~㉢에 대한 설명으로 옳은 것만을 보기에서 있는 대로 고른 것은?

보기
ㄱ. ㉠의 합성 반응식은 $N_2 + 3H_2 \longrightarrow 2NH_3$이다.
ㄴ. 최초로 합성된 ㉡은 나일론이다.
ㄷ. ㉢은 탄소 화합물의 일종이다.

① ㄱ ② ㄴ ③ ㄱ, ㄴ ④ ㄱ, ㄷ ⑤ ㄴ, ㄷ

• 질소 비료의 원료는 암모니아이다. 염료는 섬유나 플라스틱 등에 다양한 색을 나타나게 하는 물질이다.

03

> 메테인, 에탄올, 아세트산

그림은 탄소 화합물 (가)~(다)의 구조를 모형으로 나타낸 것이다.

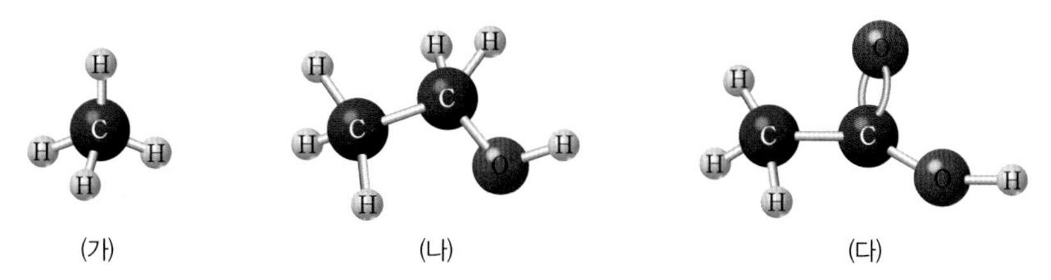

(가)~(다)에 대한 설명으로 옳은 것만을 보기에서 있는 대로 고른 것은?

보기

ㄱ. (가)는 가정용 도시가스의 주성분이다.
ㄴ. (나)는 식초의 원료로 사용된다.
ㄷ. (다)는 물과는 잘 섞이지 않지만 벤젠, 에테르 등과는 잘 섞인다.

① ㄱ　② ㄴ　③ ㄱ, ㄴ　④ ㄱ, ㄷ　⑤ ㄴ, ㄷ

• (가)는 탄화수소인 메테인, (나)는 알코올인 에탄올, (다)는 카복실산인 아세트산이다.

04

> 메테인, 에탄올, 아세트산

다음은 탄소 화합물 (가)~(다)에 대한 자료이다.

(가) 탄소 원자가 1개인 가장 간단한 탄화수소이다.
(나) 포도주의 성분으로, 살균 효과가 있어 손 소독제로 사용된다.
(다) 식초의 성분이며, 아스피린과 같은 의약품을 합성하는 데 이용된다.

(가)~(다)에 대한 설명으로 옳은 것만을 보기에서 있는 대로 고른 것은?

보기

ㄱ. (가) 한 분자에 들어 있는 수소 원자 수는 4이다.
ㄴ. (다)는 물에 녹아 H^+을 내놓는 산성 물질이다.
ㄷ. (가)~(다)는 모두 탄화수소이다.

① ㄱ　② ㄴ　③ ㄱ, ㄴ　④ ㄱ, ㄷ　⑤ ㄴ, ㄷ

• (가)는 메테인, (나)는 에탄올, (다)는 아세트산이다.

05

> 에탄올과 아세트산

그림은 포도당으로부터 탄소 화합물 A와 B가 생성되는 과정을 모식적으로 나타낸 것이다.

이에 대한 설명으로 옳은 것만을 보기에서 있는 대로 고른 것은?

보기
ㄱ. A는 물에 녹아 염기성을 띤다.
ㄴ. B는 물에 녹아 산성을 띤다.
ㄷ. 한 분자당 산소 원자 수는 B에서가 A에서보다 크다.

① ㄱ ② ㄴ ③ ㄱ, ㄷ ④ ㄴ, ㄷ ⑤ ㄱ, ㄴ, ㄷ

• 포도당에 효모를 넣어 발효시키면 에탄올이 생성되고, 에탄올을 산화시키면 아세트산이 생성된다.

06

> 플라스틱

그림은 포장용 필름으로 사용되는 물질 A의 합성 과정을 모식적으로 나타낸 것이다.

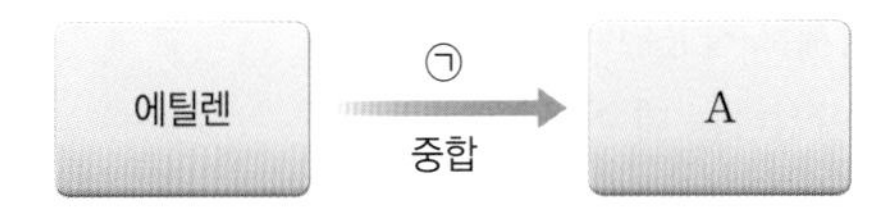

이에 대한 설명으로 옳은 것만을 보기에서 있는 대로 고른 것은?

보기
ㄱ. ㉠으로 '첨가'가 적절하다.
ㄴ. 에틸렌에는 탄소 원자 사이의 2중 결합이 있다.
ㄷ. A는 플라스틱이다.

① ㄱ ② ㄷ ③ ㄱ, ㄴ ④ ㄴ, ㄷ ⑤ ㄱ, ㄴ, ㄷ

• 에틸렌과 같은 작은 분자가 연속적으로 반응하여 고분자 화합물 중의 하나인 플라스틱이 생성된다.

07

> 아스피린

다음은 최초의 의약품인 아스피린의 합성 과정을 나타낸 것이다.

살리실산 + A ⟶ 아스피린 + B

(살리실산: 벤젠 고리에 COOH와 OH가 결합 / 아스피린: 벤젠 고리에 COOH와 $OCOCH_3$가 결합)

살리실산　　　　아스피린

이에 대한 설명으로 옳은 것만을 보기에서 있는 대로 고른 것은?

보기

ㄱ. A의 수용액은 산성이다.
ㄴ. A와 B에 들어 있는 산소 원자 수는 같다.
ㄷ. 아스피린은 진통제로 이용된다.

① ㄱ　② ㄴ　③ ㄱ, ㄷ　④ ㄴ, ㄷ　⑤ ㄱ, ㄴ, ㄷ

- 아스피린은 살리실산과 아세트산을 반응시켜 얻는 탄소 화합물로, 살리실산의 단점을 보완한 것이다.

08

> 탄화수소의 구조

표는 탄소 수가 4인 포화 탄화수소 (가)~(다)에 대한 자료이다.

탄화수소	(가)	(나)	(다)
H 원자 1개와 결합한 C 원자 수	0	0	1
H 원자 2개와 결합한 C 원자 수	2	4	0
H 원자 3개와 결합한 C 원자 수	2	0	3

(가)~(다)에 대한 설명으로 옳은 것만을 보기에서 있는 대로 고른 것은?

보기

ㄱ. 수소 원자 수는 (가)>(나)이다.
ㄴ. 결합각(∠CCC)은 (나)>(다)이다.
ㄷ. (가)와 (다)는 구조 이성질체 관계이다.

① ㄱ　② ㄴ　③ ㄱ, ㄷ　④ ㄴ, ㄷ　⑤ ㄱ, ㄴ, ㄷ

- 탄소 수가 4이고 포화 탄화수소인 것은 사슬 모양의 뷰테인과 고리 모양의 사이클로뷰테인이 있다.

09

> 탄화수소의 분류

그림은 탄소 수가 5인 서로 다른 탄화수소를 주어진 기준에 따라 분류한 것이다. A~E는 각각 제시된 5개의 탄화수소 중 하나이다.

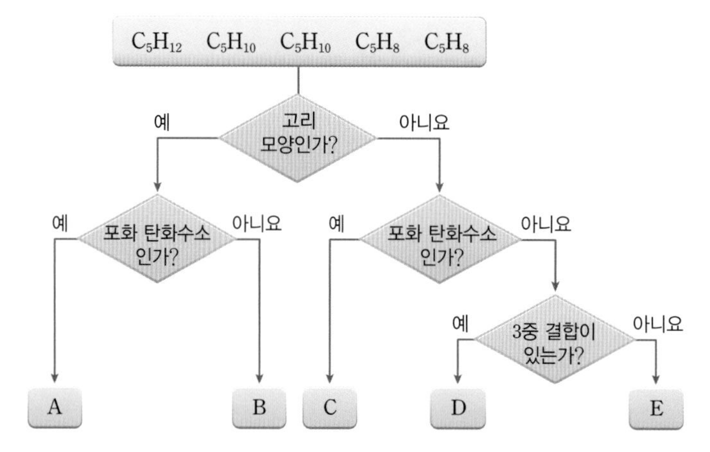

A~E에 대한 설명으로 옳은 것만을 보기에서 있는 대로 고른 것은?

보기
ㄱ. A와 E는 분자식은 같지만 구조식은 다르다.
ㄴ. B와 D는 첨가 반응을 한다.
ㄷ. C는 3개의 구조 이성질체를 갖는다.

① ㄱ ② ㄴ ③ ㄱ, ㄷ ④ ㄴ, ㄷ ⑤ ㄱ, ㄴ, ㄷ

• C_nH_{2n+2}는 알케인이고, C_nH_{2n}은 알켄과 사이클로알케인의 이성질체를 가지며, C_nH_{2n-2}는 알카인과 사이클로알켄의 이성질체를 갖는다.

10

> 탄화수소의 종류

다음은 사슬 모양 탄화수소 X~Z에 대한 자료이다. X, Y, Z는 각각 C_3H_4, C_3H_6, C_4H_{10} 중 하나이다.

- X~Z에는 모두 H 원자 1개와 결합한 C 원자가 있다.
- 결합각(∠CCC)은 Y가 X보다 크다.
- H 원자 3개와 결합한 C 원자($-CH_3$) 수는 X와 Y가 같다.

X~Z에 대한 설명으로 옳은 것만을 보기에서 있는 대로 고른 것은?

보기
ㄱ. H 원자 1개와 결합한 C 원자 수는 X와 Y가 같다.
ㄴ. Y에서 C 원자는 모두 같은 직선상에 있다.
ㄷ. Z에서 H 원자 3개와 결합한 C 원자($-CH_3$) 수는 3이다.

① ㄱ ② ㄷ ③ ㄱ, ㄴ ④ ㄴ, ㄷ ⑤ ㄱ, ㄴ, ㄷ

• 사슬 모양이면서 분자식이 C_3H_4인 것은 3중 결합이 있는 프로파인이고, C_3H_6인 것은 2중 결합이 있는 프로펜이다.

11

> 고리 모양 탄화수소

그림은 탄소 원자 수가 같은 고리 모양 탄화수소의 구조식을 나타낸 것이다.

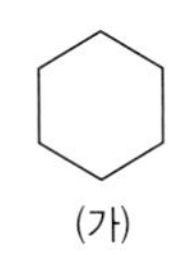
(가)

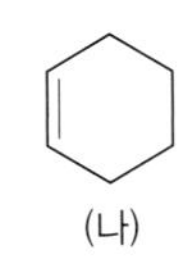
(나)

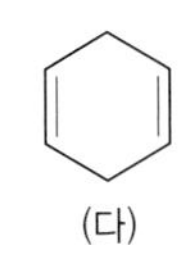
(다)

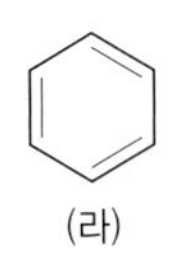
(라)

(가)~(라)에 대한 설명으로 옳은 것만을 보기에서 있는 대로 고른 것은?

보기

ㄱ. 한 분자가 완전 연소할 때 생성되는 물 분자 수는 (나)>(다)이다.

ㄴ. 탄소 원자 사이의 결합 길이가 모두 같은 것은 (가)와 (라)이다.

ㄷ. 브로민 첨가 반응을 하는 것은 (나), (다), (라)이다.

① ㄱ ② ㄴ ③ ㄱ, ㄴ ④ ㄴ, ㄷ ⑤ ㄱ, ㄴ, ㄷ

• 벤젠은 공명 구조를 가지므로 탄소 원자 사이의 결합 길이가 모두 같고, 첨가 반응보다는 치환 반응을 잘 한다.

12

> 고리 모양 탄화수소

다음은 고리 모양의 서로 다른 탄화수소 (가)~(다)의 분자식 또는 구조식을 나타낸 것이다.

C_3H_6 (가)

C_4H_8 (나)

H_2C
| $\rangle CH-CH_3$
H_2C
(다)

(가)~(다)에 대한 설명으로 옳은 것만을 보기에서 있는 대로 고른 것은?

보기

ㄱ. H 원자 2개와 결합한 C 원자 수는 (나)>(가)이다.

ㄴ. (가)~(다)에서 탄소 원자 사이의 결합은 모두 단일 결합이다.

ㄷ. (나)와 (다)는 구조 이성질체 관계이다.

① ㄱ ② ㄴ ③ ㄱ, ㄷ ④ ㄴ, ㄷ ⑤ ㄱ, ㄴ, ㄷ

• 고리 모양 포화 탄화수소의 일반식은 C_nH_{2n}이다. 분자식이 같고 구조식이 다른 두 분자는 서로 구조 이성질체 관계이다.

01 다음은 분자의 구조와 용해도에 대한 자료이다.

> (가) 분자의 극성은 분자를 구성하는 원자들의 전기 음성도 차와 분자 구조에 의해 결정된다. 예를 들면 CF_4 분자의 경우 플루오린(F)이 탄소(C)보다 전기 음성도가 크기 때문에 탄소 원자와 플루오린 원자 사이에는 전자가 플루오린 원자 쪽으로 치우치는 극성 공유 결합을 형성한다. 또, 중심 원자인 탄소는 4개의 공유 전자쌍을 가지고 있는데, 4개의 전자쌍이 3차원 공간에서 정전기적 반발력을 최소화할 수 있는 구조가 정사면체이므로 CF_4 분자는 정사면체 구조를 갖는다. CF_4 분자는 극성 공유 결합의 극성이 상쇄되는 대칭 구조를 가지므로 무극성 분자이다.
>
> (나) 두 액체 물질이 서로 섞이는 정도는 물질의 극성과 관련이 있다. 예를 들면 물과 벤젠은 서로 섞이지 않고 두 층으로 분리되지만, 물과 에탄올은 잘 섞인다. 물과 에탄올은 극성 분자이고, 벤젠은 무극성 분자이다. 즉, 극성 분자는 극성 분자와 잘 섞이고, 무극성 분자는 무극성 분자와 잘 섞인다. 극성 분자와 무극성 분자는 잘 섞이지 않는다.

KEY WORDS
(1) 메테인, 아세트산, 분자 구조, 결합의 극성
(2) 무극성 분자, 극성 분자

(1) 그림은 메테인과 아세트산의 분자 구조를 모형으로 나타낸 것이다. 메테인과 아세트산 분자의 극성 유무를 판단하시오.

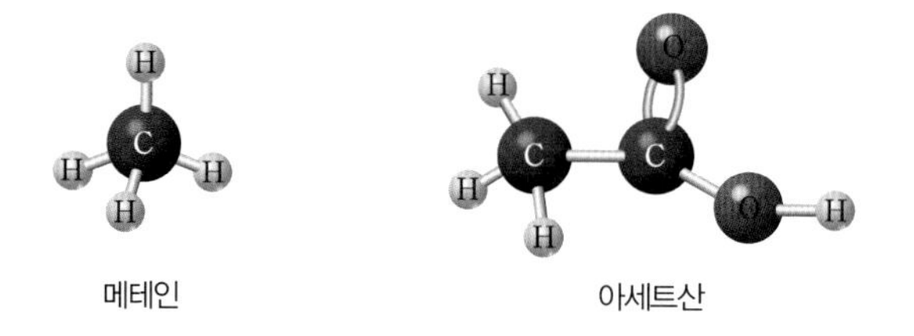

메테인 아세트산

(2) 메테인과 아세트산의 물에 대한 용해도를 서술하시오.

02 그림은 질소 비료에 대한 내용이다.

> 질소는 단백질이나 핵산을 이루는 원소로, 생물체가 살아가는 데 필요한 성분 중 하나이다. 대부분의 생물은 공기 중의 질소를 직접 흡수하지 못하므로 질소는 생물이 흡수할 수 있는 형태로 전환되어야 한다.

KEY WORDS
• 질소, 3중 결합, 용해도

공기 중에는 질소(N_2) 기체가 약 78 %를 차지하지만 식물에 필요한 질소 성분은 질소 비료로 제공해야 한다. 그 이유를 결합과 용해도를 이용하여 서술하시오.

03 다음은 탄소 수가 2인 서로 다른 탄화수소 A～C의 성질을 알아보기 위한 실험이다.

[실험 과정]
적갈색의 브로민수가 들어 있는 3개의 시험관에 기체 A, B, C를 통과시키면서 브로민수의 색 변화를 관찰한다.

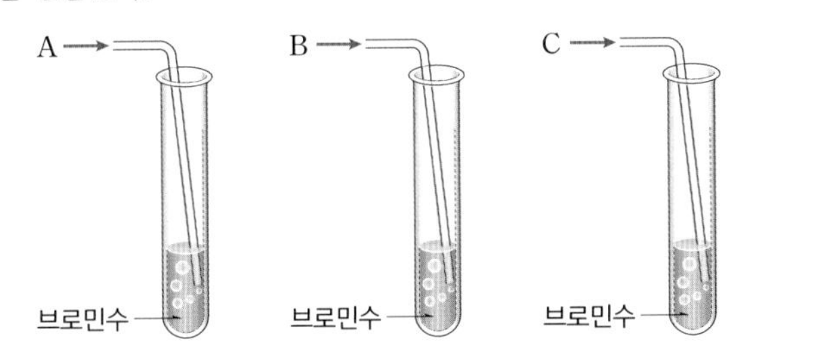

[실험 결과]
A와 B를 통과시킨 시험관은 무색으로 변하였고, C를 통과시킨 시험관에서는 색 변화가 없었다.

(1) A～C를 포화 탄화수소와 불포화 탄화수소로 분류하고, 그 이유를 서술하시오.

(2) 실험 결과로부터 A～C에 해당하는 물질을 확인할 수 있는지, 없다면 추가적으로 필요한 방법을 한 가지만 서술하시오.

KEY WORDS
(1) 브로민 첨가 반응, 불포화 탄화수소, 포화 탄화수소
(2) 에테인, 에텐, 에타인, 첨가 반응, 수소 분자 수

04 다음은 탄소 원자 수가 3인 탄화수소 (가)～(다)에 대한 자료이다.

• 다중 결합을 가진 탄화수소는 한 가지이고, 3중 결합이 1개 있다.
• (가)～(다)에서 $\frac{\text{탄소 원자 수}}{\text{수소 원자 수}}$는 오른쪽 그림과 같다.

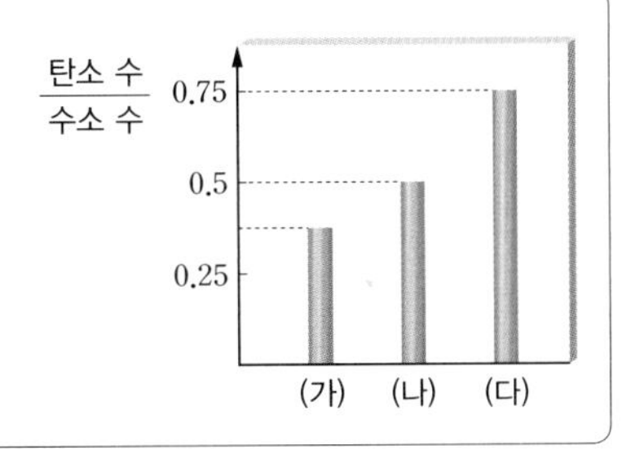

(1) (가)～(다)의 탄화수소가 고리 모양인지 사슬 모양인지 쓰시오.

(2) (가)～(다)의 구조식을 그리고, 이를 이용하여 결합각(∠CCC)의 크기를 비교하시오.

KEY WORDS
(2) 구조식, 분자 구조, 결합각, 원자 수

물질의 양과 화학 반응식

01 몰

02 화학 반응식

03 몰 농도

단원 Preview

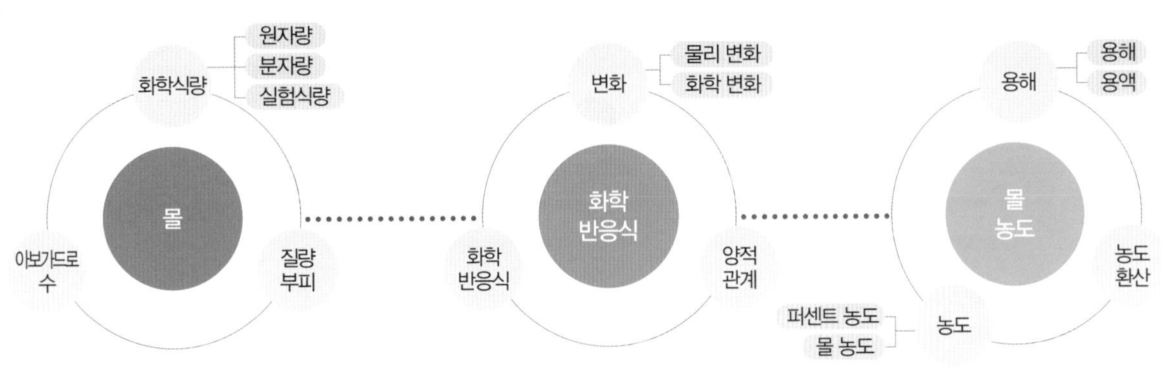

몰　　　화학 반응식　　　몰 농도

01 몰

학습 Point 화학식량 > 몰과 아보가드로수 > 몰과 질량 > 몰과 기체의 부피

1 화학식량

원자의 실제 크기와 질량은 매우 작아서 원자 1개의 실제 질량을 그대로 사용하는 것은 매우 불편하다. 화학 반응은 반응물이 생성물로 될 때 물질 사이의 질량 관계에서 상대적인 양만 알면 되는 경우가 많다. 따라서 원자의 상대적인 질량을 이용하여 물질 사이의 질량 관계를 파악한다.

1. 화학식량

물질의 양을 상대적인 값으로 나타낸 것을 화학식량이라고 하는데, 화학식을 구성하는 원자의 상대적인 질량을 이용하여 구한다. 화학식에 실험식, 분자식, 이온식 등이 있는 것과 같이 화학식량에는 원자량, 분자량, 실험식량, 이온식량 등이 있다.

화학식
원소 기호와 숫자를 이용하여 원자, 분자, 이온 등을 나타낸 식으로 분자식, 실험식, 구조식, 시성식 등이 있다.
- 분자식: 분자를 이루는 원자의 종류와 수를 나타낸 식
- 실험식: 물질을 이루는 원자나 이온의 종류와 수를 가장 간단한 정수비로 나타낸 식
- 구조식: 원자들의 결합과 배열을 결합선을 이용하여 나타낸 식
- 시성식: 분자의 특성을 나타내는 작용기를 따로 구분하여 나타낸 식

2. 원자량

(1) **원자량의 기준:** 원자들의 상대적인 질량이란 원자들의 질량을 서로 비교한 것이므로 기준이 필요하다. 현재는 질량수가 12인 탄소 원자 ^{12}C의 질량을 12.00으로 정하고, 이것을 기준으로 하여 비교한 다른 원자들의 상대적인 질량을 원자량이라고 한다. 예를 들어 수소의 원자량이 1인 것은 수소 원자 1개의 질량이 1 g이라는 것이 아니라 ^{12}C 원자 1개 질량의 $\frac{1}{12}$이라는 것을 의미한다. 또, ^{16}O의 원자량은 16이므로 ^{16}O 1개의 질량은 ^{12}C 원자 1개 질량의 $\frac{4}{3}$배이다.

질량수
원자를 구성하고 있는 입자 중 전자의 질량은 매우 작기 때문에 원자의 질량은 대부분 양성자수와 중성자수에 의해 결정된다. 따라서 질량수는 다음과 같이 정의한다.
질량수 = 양성자수 + 중성자수

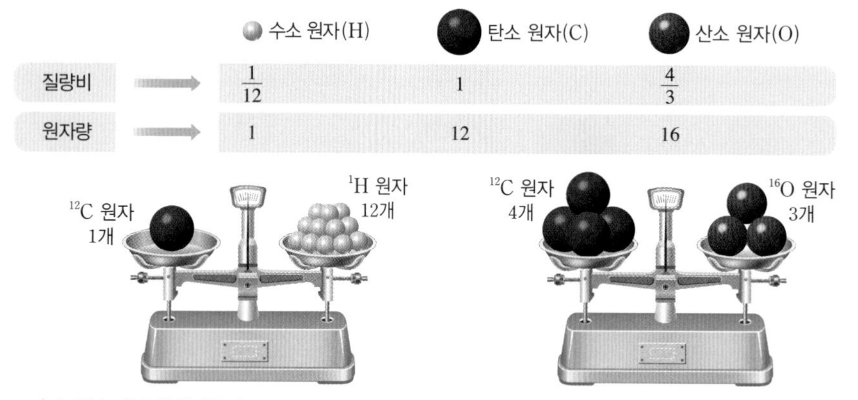

▲ 수소, 탄소, 산소의 원자량 비교

(2) **원자량의 단위:** 원자량은 상대적인 질량을 나타내는 값이므로 g이나 kg과 같은 단위를 붙이지 않는다.

(3) 평균 원자량

① 자연계에는 같은 원소이지만 질량수가 다른 동위 원소가 존재한다. 평균 원자량은 이러한 동위 원소의 존재 비율을 고려하여 구한 원자량인데, 주기율표에 나타낸 원자량은 평균 원자량을 의미한다.

② 동위 원소는 양성자수가 같아서 원자 번호가 같고 전자 수도 같지만, 중성자수가 다른 원소이다. 평균 원자량은 이러한 동위 원소의 존재 비율을 고려하여 구한 원자량이다. 동위 원소가 존재하는 원소의 평균 원자량을 구할 때는 각 동위 원소의 원자량에 존재 비율을 곱한 다음 각각의 값을 더해서 평균 원자량을 구한다.

- 탄소의 평균 원자량: 자연계에서 탄소의 동위 원소는 원자량이 12.000인 ^{12}C가 98.892 %, 원자량이 13.003인 ^{13}C가 1.108 % 존재하므로 탄소의 평균 원자량은 다음과 같다.

  탄소의 평균 원자량 $=12.000\times\frac{98.892}{100}+13.003\times\frac{1.108}{100}\fallingdotseq 12.011$

원소	원자 번호	동위 원소	질량수	원자량	존재 비율(%)	평균 원자량
수소	1	^{1}H	1	1.008	99.985	1.008
		^{2}H	2	2.014	0.015	
탄소	6	^{12}C	12	12.000	98.892	12.011
		^{13}C	13	13.003	1.108	
산소	8	^{16}O	16	15.995	99.762	15.999
		^{17}O	17	16.995	0.038	
		^{18}O	18	17.999	0.200	
염소	17	^{35}Cl	35	34.969	75.77	35.453
		^{37}Cl	37	36.966	24.23	

▲ 몇 가지 원소의 동위 원소의 존재 비율과 평균 원자량

예제

자연계에 존재하는 염소에는 원자량이 34.97인 ^{35}Cl가 75.77 %, 원자량이 36.97인 ^{37}Cl가 24.23 % 포함되어 있다. 염소의 평균 원자량을 구하시오.

해설 염소의 평균 원자량 $=34.97\times\frac{75.77}{100}+36.97\times\frac{24.23}{100}\fallingdotseq 35.45$ **정답** 약 35.45

(4) 질량수와 원자량: 질량수는 원자핵을 구성하는 양성자수와 중성자수의 합이다. 질량수가 클수록 원자의 질량이 크므로 질량수는 원자의 상대적 질량을 대략적으로 알려주지만 질량수와 원자량이 반드시 같은 것은 아니다. 예를 들어 ^{12}C는 ^{2}H에 비해 질량수가 6배이므로 ^{2}H의 원자량은 2로 생각할 수 있다. 그러나 실제로 ^{2}H의 원자량은 2.014로 단순히 구성 입자들의 합과는 조금 다르다. 이는 양성자, 중성자, 전자들이 결합하여 원자를 구성할 때 에너지가 방출되기 때문이며, 에너지가 방출되면 아인슈타인의 질량 에너지 등가 원리에 의해 질량이 약간 감소하기 때문이다.

원소 기호	양성자수	중성자수	전자 수	질량수	원자량
^{2}H	1	1	1	2	2.014
^{12}C	6	6	6	12	12.000

▲ ^{2}H와 ^{12}C 원자의 질량수와 원자량

동위 원소

양성자수는 같아서 원자 번호는 동일하지만 중성자수가 달라서 질량수가 다른 원소이다. 질량이 다르지만 같은 종류의 원소이므로 화학적 성질이 같아서 실제 화학 반응에서는 동일하게 반응한다.

예 수소 원자에는 $^{1}_{1}H$, $^{2}_{1}H$, $^{3}_{1}H$의 3가지 동위 원소가 존재한다.

원자의 구성 입자

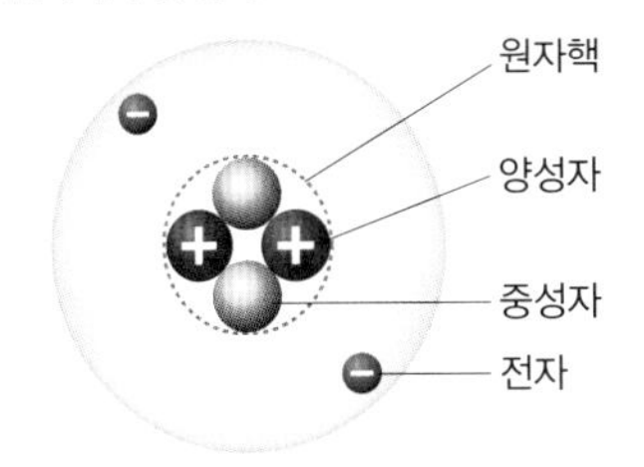

원자량과 그램원자량

원자량은 상대적인 값이므로 단위를 붙이지 않는다. 그렇지만 실제 화학 반응에서 질량을 계산할 때는 단위가 필요하기 때문에 원자량에 g을 붙인 그램원자량을 사용한다.

그램원자량 = 원자량(g)

질량 에너지 등가 원리

아인슈타인이 주장한 특수 상대성 이론에 따르면 질량과 에너지는 서로 전환되는 양이며, 어떤 질량의 물질이 갖는 에너지(E)는 질량(m)에 빛의 속도(c)의 제곱을 곱한 값과 같다.

$E=mc^2$

3. 분자량

분자는 원자들이 결합하여 이루어지므로 분자 1개의 질량도 원자 1개의 질량과 같이 매우 작다. 따라서 원자량과 마찬가지로 분자의 질량도 상대적인 질량인 분자량을 사용하여 나타낸다. 분자량은 분자를 이루는 모든 원자들의 원자량을 합한 값이다. 따라서 분자식과 분자를 이루는 원자들의 원자량을 알면 그 분자의 분자량을 구할 수 있다. 원자량이 상대적 질량으로 단위가 없는 것과 마찬가지로 분자량도 원자량을 합하여 구한 값이므로 단위가 없다.

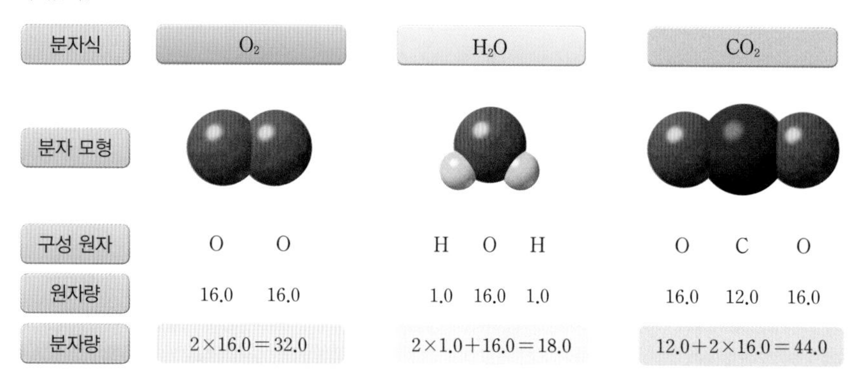

분자식
O_2
H_2O
CO_2
분자 모형
구성 원자
O O
H O H
O C O
원자량
16.0 16.0
1.0 16.0 1.0
16.0 12.0 16.0
분자량
2×16.0=32.0
2×1.0+16.0=18.0
12.0+2×16.0=44.0

▲ **분자식과 분자량** 분자식은 분자 1개를 구성하는 원자의 종류와 수를 원소 기호와 숫자로 나타낸 것이며, 분자량은 분자식을 구성하는 원자들의 원자량의 합과 같다.

18족 원소의 원자량과 분자량
헬륨, 네온, 아르곤과 같은 18족 원소는 화학 결합을 거의 하지 않고 원자 하나가 분자 상태로 존재하므로 원자량과 분자량이 같다.

4. 실험식량

(1) **실험식:** 실험식은 물질을 이루는 원자나 이온의 종류와 수를 가장 간단한 정수비로 나타낸 식이다. 예를 들면 아세트산의 분자식은 $C_2H_4O_2$인데, 구성 원자 수의 가장 간단한 정수비가 C : H : O=1 : 2 : 1이므로 아세트산의 실험식은 CH_2O이다.

(2) **실험식량:** 실험식을 이루는 원자들의 원자량을 합하여 구한다. 예를 들어 아세트산의 실험식은 CH_2O이므로 아세트산의 실험식량은 다음과 같다.

아세트산의 실험식량 = 탄소의 원자량 + 2×수소의 원자량 + 산소의 원자량

30 = 12 + 2×1 + 16

분자식과 실험식량
분자로 이루어진 물질의 경우 분자식을 가장 간단한 정수비로 나타낸 것이 실험식이다. 따라서 분자식으로부터 분자량과 실험식량을 모두 구할 수 있다.
예 에틸렌의 화학식량
에틸렌의 분자식: C_2H_4 ⟩ ×2
에틸렌의 실험식: CH_2
에틸렌의 분자량: 2×12+4×1=28 ⟩ ×2
에틸렌의 실험식량: 12+2×1=14

5. 실험식, 분자식, 실험식량, 분자식량의 관계

실험식을 알고 있는 물질의 분자식을 구하려면 분자량을 알아야 하는데, 그 과정은 다음과 같다.

분자식=실험식×n ······ ①

$n=\dfrac{\text{분자량}}{\text{실험식량}}$ ············ ②

②식에서 실험식량은 실험식을 이루는 원자들의 원자량의 합이므로 분자량을 알면 n을 구할 수 있다. 이 n 값을 ①식에 대입하면 분자식이 얻어진다.

6. 이온식량

이온의 상대적 질량은 이온식을 이루는 원자의 원자량과 같다. 이온식량을 구할 때 원자가 이온으로 될 때 얻거나 잃은 전자의 질량은 고려하지 않는데, 이는 전자의 질량이 원자의 질량에 비해 매우 작아서 무시할 수 있기 때문이다.

예 나트륨 이온(Na^+)의 이온식량은 나트륨(Na)의 원자량과 같은 23.0이다.

양성자, 중성자, 전자의 상대적 질량
전자 1개의 질량은 9.109×10^{-28} g으로, 양성자 1개의 질량이 1.673×10^{-24} g, 중성자 1개의 질량이 1.675×10^{-24} g인 것에 비해 매우 작다. 예를 들어 ^{12}C의 원자량 12.00을 기준으로 할 때 양성자, 중성자, 전자의 상대적 질량은 다음과 같다.

입자	상대적 질량
양성자	0.999131
중성자	1.000325
전자	0.000544
^{12}C	12.00000

시선 집중 ★ 이온 결합 물질의 화학식량 구하기

염화 나트륨(NaCl)과 같은 이온 결합 물질은 무수히 많은 이온들이 정전기적 인력으로 결합하여 결정 상태로 존재하는데, 결정을 이루는 이온의 개수를 알 수 없다. 따라서 이온 결합 물질의 화학식은 결합하고 있는 양이온과 음이온의 개수비를 가장 간단한 정수비로 나타낸다. 즉, 이온 결합 물질의 화학식은 실험식이라고 할 수 있다.
예를 들어 염화 나트륨은 나트륨 이온(Na^+)과 염화 이온(Cl^-)이 1 : 1의 개수비로 결합하고 있으므로 염화 나트륨의 화학식량은 나트륨(Na)과 염소(Cl)의 원자량을 합하여 구한다.

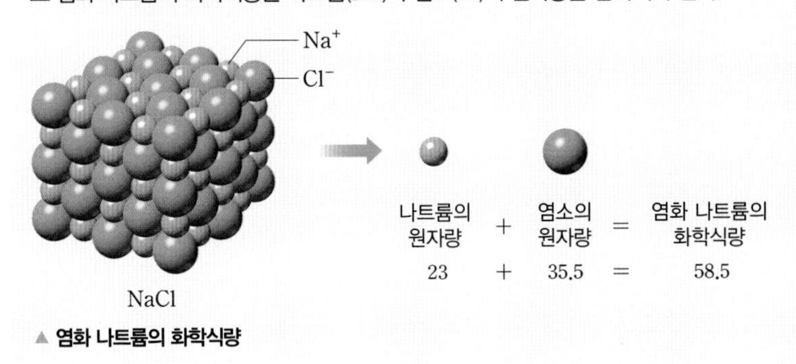

▲ 염화 나트륨의 화학식량

예제

다음 물질의 화학식량을 구하시오. (단, H, C, N, O, Ca, Fe의 원자량은 각각 1, 12, 14, 16, 40, 55.8이다.)

(1) 암모니아(NH_3) (2) 포도당($C_6H_{12}O_6$)
(3) 산화 철(Ⅲ)(Fe_2O_3) (4) 탄산 칼슘($CaCO_3$)

해설 (1) NH_3의 분자량=N의 원자량+3×H의 원자량=14+3×1=17
(2) $C_6H_{12}O_6$의 분자량=6×C의 원자량+12×H의 원자량+6×O의 원자량=6×12+12×1+6×16=180
(3) Fe_2O_3의 화학식량=2×Fe의 원자량+3×O의 원자량=2×55.8+3×16=159.6
(4) $CaCO_3$의 화학식량=Ca의 원자량+C의 원자량+3×O의 원자량=40+12+3×16=100

정답 (1) 17 (2) 180 (3) 159.6 (4) 100

2 몰과 아보가드로수

일상생활에서 많은 개수를 다룰 때 연필 12자루는 한 다스, 달걀 30개는 한 판 등 묶음 단위를 쓰면 편리하다. 원자, 분자, 이온들은 크기가 매우 작은 입자이므로 소량의 물질 속에 들어 있는 입자들의 실제 개수는 매우 많다. 따라서 화학 반응에서는 '몰'이라는 묶음 단위를 사용한다.

1. 몰

(1) **몰 단위의 필요성:** 화학은 주로 물질과 물질 사이의 변화를 다룬다. 물질은 원자, 분자, 이온 등의 매우 작은 입자로 이루어져 있다. 이러한 입자들은 질량이 작더라도 그 속에는 매우 많은 개수의 입자들이 들어 있으므로 실제 개수를 나타내기 어렵다. 따라서 이러한 작은 입자들의 수량을 편리하게 나타내기 위해 묶음 단위로 '몰'을 사용한다.
(2) **몰:** 1몰은 원자나 분자, 이온 등의 입자 6.02×10^{23}개의 묶음이다. 즉, 원자나 분자, 이온 또는 전자 1몰은 각각 그 입자가 6.02×10^{23}개임을 의미한다. 몰을 단위로 사용할 때는 '몰' 또는 'mol'로 쓴다.

몰
라틴어로 큰 덩어리라는 의미를 지닌 말로, 원자, 분자, 이온 등의 작은 입자를 한 덩어리로 묶어 개수를 나타내기 편리하게 만든 단위이다. 화학에서의 양적인 관계는 몰 단위를 중심으로 이루어진다.

2. 아보가드로수

(1) **아보가드로수:** 원자, 분자, 이온 등과 같은 작은 입자를 다룰 때는 6.02×10^{23}개의 묶음을 1몰로 하는 단위 '몰'을 사용한다. 이때 1몰의 개수인 6.02×10^{23}을 아보가드로수라고 한다. 그렇다면 이 아보가드로수는 어떻게 정해진 것일까?

입자 수가 매우 많을 때는 개수를 세는 것보다 질량을 재는 것이 더 편리하기 때문에 19세기 화학자들은 산소 16 g에 들어 있는 산소 원자 수를 1몰로 정하였다. 현재는 질량수가 12인 탄소 원자(^{12}C) 12 g에 들어 있는 탄소 원자 수를 1몰로 정의하고 있으며, 그 값은 6.0221438×10^{23}이다. 그리고 이 값을 아보가드로수라고 하며, 보통 6.02×10^{23}으로 사용한다.

▲ **탄소 원자 1몰의 질량** 질량수가 12인 탄소 원자(^{12}C) 12 g에 들어 있는 탄소 원자 수를 '1몰'로 정하였으며, 탄소 12 g에 6.02×10^{23}개의 탄소 원자가 들어 있다. 이때 6.02×10^{23}이라는 수를 아보가드로수라고 한다.

원자량에 따른 아보가드로수의 변화
현재는 아보가드로수를 질량수가 12인 탄소 원자 12 g에 들어 있는 원자 수로 정하고 있다. 그러나 19세기에는 산소(^{16}O)의 원자량을 100으로 정하였으며, 이 경우 탄소(^{12}C)의 원자량은 $\frac{100}{16} \times 12 = 75$가 되고 탄소($^{12}C$) 75 g에 들어 있는 탄소 원자의 수가 아보가드로수가 된다. ^{12}C 1개의 실제 질량이 1.99×10^{-23} g이므로 이 경우 아보가드로수는 $\frac{75}{1.99 \times 10^{-23}} = 3.77 \times 10^{24}$(개)가 된다.

(2) **아보가드로수의 측정**

① 최초의 아보가드로수는 기체 분자 운동론을 바탕으로 1 cm^3에 들어 있는 기체 분자 수를 계산에 의해 구한 것으로 현재 알려진 값과는 차이가 있었다. 이후 브라운 운동을 고려하여 보다 정확한 아보가드로수를 구할 수 있었다.

② 1909년 미국의 물리학자 밀리컨은 전자의 전하를 결정한 뒤 전기 분해를 이용하여 아보가드로수를 6.02×10^{23}까지 정확히 측정하였다. 현재는 나트륨, 다이아몬드, 염화 나트륨과 같은 결정에 들어 있는 원자나 이온 사이의 거리를 X선 회절법으로 측정하여 아보가드로수를 정확히 측정하고 있다.

아보가드로수의 측정
아보가드로수는 1몰의 물질 속에 들어 있는 입자 수라고 정의할 수 있지만 그 수를 측정하는 데는 오랜 세월이 걸렸다. 아보가드로수는 아보가드로가 측정한 것이 아니라, 후에 아보가드로의 업적을 기리기 위해 붙여진 이름이다.

3. 몰과 입자 수

(1) **몰과 입자 수:** 모든 입자 1몰에는 그 입자가 아보가드로수($=6.02 \times 10^{23}$개)만큼 들어 있다.

- 원자 1몰(mol)=원자 6.02×10^{23}개
- 분자 1몰(mol)=분자 6.02×10^{23}개
- 이온 1몰(mol)=이온 6.02×10^{23}개
- 전자 1몰(mol)=전자 6.02×10^{23}개

따라서 물질의 양과 입자 수 사이에는 다음과 같은 관계식이 성립한다.

- 1몰(mol)=입자 6.02×10^{23}개
- 입자 수=물질의 양(mol)×6.02×10^{23}(개/mol)

X선 회절법
고체 결정에 X선을 통과시키면 결정 내의 원자들에 의해 X선이 회절되어 사진 건판에 전형적인 회절 무늬가 나타난다.

(2) 화합물의 양(mol)과 구성 입자 수

① **공유 결합 물질:** 물(H_2O)과 같이 구성 원자가 공유 결합을 하여 분자 상태로 존재하는 물질에서 분자의 양(mol)을 알면 그 분자를 구성하는 원자의 양(mol)과 개수를 알 수 있다. 즉, 물(H_2O) 분자는 산소 원자 1개와 수소 원자 2개로 이루어져 있으므로 물 분자 1몰에는 산소 원자 1몰과 수소 원자 2몰이 들어 있으며, 물 분자 2몰에는 산소 원자 2몰과 수소 원자 4몰이 들어 있다.

▲ 물 분자와 물 분자를 구성하는 원자의 양(mol)

② **이온 결합 물질:** 염화 나트륨(NaCl)과 같이 양이온과 음이온이 결합한 이온 결합 물질의 화학식으로부터 양이온과 음이온의 개수비를 알 수 있다. 즉, 염화 나트륨 1몰에는 Na^+ 1몰과 Cl^- 1몰이 각각 들어 있다. 마찬가지로 염화 칼슘($CaCl_2$) 1몰에는 Ca^{2+} 1몰과 Cl^- 2몰이 각각 들어 있다.

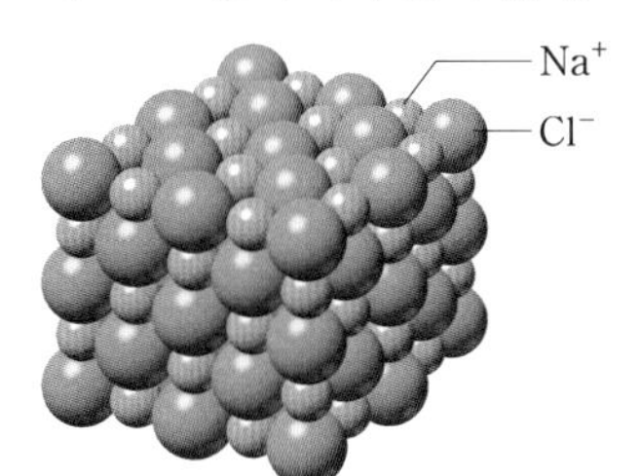

NaCl 1개 ➡ Na^+ 1개 + Cl^- 1개
NaCl 1몰 ➡ Na^+ 1몰 + Cl^- 1몰

▲ 염화 나트륨과 염화 나트륨을 구성하는 이온의 양(mol)

③ 분자성 물질과 이온성 물질은 각각 구성 성분이 일정한 수의 원자나 이온으로 이루어져 있으므로 각 물질의 양(mol)을 알면 분자나 이온성 물질을 구성하는 원자 또는 이온의 양(mol)을 구할 수 있다.

예
- 물(H_2O) 1몰 ⟶ H_2O 분자 1몰 ⟶ H 원자 2몰과 O 원자 1몰
- 산소(O_2) 기체 1몰 ⟶ O_2 분자 1몰 ⟶ O 원자 2몰
- 염화 마그네슘($MgCl_2$) 1몰 ⟶ Mg^{2+} 1몰과 Cl^- 2몰
- 황산 암모늄($(NH_4)_2SO_4$) 1몰 ⟶ NH_4^+ 2몰과 SO_4^{2-} 1몰
- 산화 알루미늄(Al_2O_3) 1몰 ⟶ Al^{3+} 2몰과 O^{2-} 3몰

아보가드로수의 크기

1개의 부피가 0.4 cm^3인 완두콩을 아보가드로수만큼 한반도에 쌓으면 높이가 얼마나 될까? 완두콩 6.02×10^{23}개의 부피는 약 2.4×10^{23} cm^3($=2.4\times10^8$ km^3)이고 한반도의 면적은 약 2.2×10^5 km^2이므로 완두콩을 아보가드로수만큼 한반도에 쌓으면 그 높이는 약 1100 km$\left(=\frac{2.4\times10^8\ km^3}{2.2\times10^5\ km^2}\right)$가 된다.

예제

다음 물음에 각각 답하시오.

(1) 수소 분자 3몰은 수소 분자 몇 개인지 구하시오.

(2) 염화 수소(HCl) 분자 9.03×10^{23}개는 염화 수소 분자 몇 몰인지 구하시오.

(3) 물(H_2O) 분자 5몰 속에 들어 있는 수소 원자 수와 산소 원자 수는 각각 몇 개인지 구하시오.

해설 (1) 수소 분자 3몰의 분자 수(개)$=3\times6.02\times10^{23}$개$=1.806\times10^{24}$개

(2) 염화 수소 분자의 양(몰)$=\dfrac{9.03\times10^{23}}{6.02\times10^{23}}=1.5$(몰)

(3) 물 분자 1개는 수소 원자 2개와 산소 원자 1개로 이루어져 있다.

수소 원자 수$=5\times2\times6.02\times10^{23}$개$=6.02\times10^{24}$개

산소 원자 수$=5\times6.02\times10^{23}$개$=3.01\times10^{24}$개

정답 (1) 1.806×10^{24}개 (2) 1.5몰 (3) 수소 원자: 6.02×10^{24}개, 산소 원자: 3.01×10^{24}개

3 몰과 질량

원자량은 질량수가 12인 탄소 원자(^{12}C)의 질량을 12로 하여 정한 상댓값이고, 1몰은 ^{12}C 12 g에 들어 있는 탄소 원자 수로 정한 값이므로 화학식량과 몰 사이에는 서로 관련이 있다.

1. 물질의 화학식량과 1몰의 질량

(1) 원자량, 분자량, 이온식량 등의 화학식량에 그램(g) 단위를 붙인 양은 원자, 분자, 이온 등의 1몰의 질량과 같다. 따라서 어떤 물질 1몰의 질량은 그 물질을 이루는 입자 6.02×10^{23}(=아보가드로수)개의 질량과 같다.

- 원자 1몰(mol)의 질량=원자량에 그램(g)을 붙인 값
- 분자 1몰(mol)의 질량=분자량에 그램(g)을 붙인 값
- 이온 1몰(mol)의 질량=이온식량에 그램(g)을 붙인 값

(2) 어떤 물질의 화학식량 뒤에 g을 붙인 질량만큼의 양에는 그 물질을 이루는 입자가 아보가드로수(=6.02×10^{23}개)만큼 들어 있다. 즉, 물질의 질량과 양(mol) 사이에는 다음과 같은 관계식이 성립한다.

물질의 질량(g)=물질의 양(mol)×1몰의 질량(g/mol)

예를 들어 원자량이 12인 탄소(C) 12 g에는 C 원자가 1몰, 즉 6.02×10^{23}개 들어 있고, 분자량이 18인 물(H_2O) 18 g에는 H_2O 분자가 1몰, 즉 6.02×10^{23}개 들어 있다.
물질 1몰의 질량은 물질을 구성하는 원자의 종류와 수에 따라 달라진다.

원자 또는 분자	수소(H)	탄소(C)	산소(O)	물(H_2O)	포도당 ($C_6H_{12}O_6$)
원자량 또는 분자량	1	12	16	18	180
1몰의 개수	6.02×10^{23}개	6.02×10^{23}개	6.02×10^{23}개	6.02×10^{23}개	6.02×10^{23}개
1몰의 질량	1 g	12 g	16 g	18 g	180 g

▲ 몇 가지 물질 1몰의 질량

그램화학식량
그램원자량이나 그램분자량 등은 원자량이나 분자량에 g을 붙인 질량을 의미한다. 즉, 원자 1몰이나 분자 1몰의 질량을 나타낸다. 그램화학식량은 이를 총칭하는 의미로 화학식량에 g을 붙인 질량이며, 그 물질 1몰의 질량을 나타낸다. 따라서 그램화학식량의 단위는 g/mol을 사용한다.

2. 원자, 분자 1개의 질량

(1) **원자, 분자 1개의 질량과 원자량, 분자량, 몰, 아보가드로수 관계:** 원자나 분자 1몰에는 각각 원자나 분자가 6.02×10^{23}개 들어 있고, 원자나 분자 1몰의 질량은 각각 원자량이나 분자량에 g을 붙인 양이다. 따라서 원자 1개나 분자 1개의 질량은 다음과 같이 구할 수 있다.

- 원자 1개의 질량 $= \dfrac{\text{원자 1몰의 질량}}{\text{아보가드로수}} = \dfrac{\text{원자량}}{6.02\times10^{23}}$ g
- 분자 1개의 질량 $= \dfrac{\text{분자 1몰의 질량}}{\text{아보가드로수}} = \dfrac{\text{분자량}}{6.02\times10^{23}}$ g

(2) **원자 1개의 질량:** 예를 들어 원자량이 12인 탄소(C) 1몰의 질량은 12 g이고, 12 g에는 6.02×10^{23}개의 C 원자가 들어 있다. 따라서 C 원자 1개의 질량은 다음과 같이 구할 수 있다.

^{12}C 원자 1개의 질량 $= \dfrac{12}{6.02\times10^{23}} \fallingdotseq 1.99\times10^{-23}$(g)

(3) **분자 1개의 질량:** 예를 들어 분자량이 18인 물(H_2O) 1몰의 질량은 18 g이고, 18 g에는 6.02×10^{23}개의 H_2O 분자가 들어 있다. 따라서 H_2O 분자 1개의 질량은 다음과 같이 구할 수 있다.

H_2O 분자 1개의 질량 $= \dfrac{18}{6.02\times10^{23}} \fallingdotseq 2.99\times10^{-23}$(g)

예제

은(Ag)의 원자량은 108.0이다. 다음 물음에 각각 답하시오.

(1) 은 원자 1개의 질량을 구하시오.
(2) 은 원자 4.5×10^{23}개의 질량을 구하시오.

해설 (1) 은 1몰의 질량이 108.0 g이므로 은 원자 1개의 질량 $= \dfrac{108.0}{6.02\times10^{23}} \fallingdotseq 1.8\times10^{-22}$(g)이다.

(2) 은 원자 4.5×10^{23}개의 양(몰) $= \dfrac{4.5\times10^{23}}{6.02\times10^{23}} \fallingdotseq 0.75$(몰)이므로 은 원자 4.5×10^{23}개의 질량 $= 108.0\times0.75 = 81$(g)이다.

정답 (1) 약 1.8×10^{-22} g (2) 약 81 g

몰과 기체의 부피

액체나 고체 상태로 존재하는 물질 1몰의 부피는 물질마다 서로 다르며, 고체의 경우 물질의 양을 다룰 때 부피보다는 질량 측정이 편리하다. 기체의 경우에는 질량 측정보다 부피 측정이 편리하며, 기체의 종류에 관계없이 물질의 양에 따라 부피가 일정하다.

1. 기체 1몰의 부피

0 ℃, 1기압에서 모든 기체 1몰의 부피는 기체의 종류에 관계없이 22.4 L로 같다. 이는 아보가드로 법칙에 의한 것으로, 기체의 종류에 따라 1몰의 질량은 다르지만 부피와 분자 수는 모두 같다.

구분	수소(H_2) 1몰	산소(O_2) 1몰	암모니아(NH_3) 1몰	이산화 탄소(CO_2) 1몰
질량(g)	2.0	32.0	17.0	44.0
분자 수(개)	6.02×10^{23}	6.02×10^{23}	6.02×10^{23}	6.02×10^{23}
기체의 부피(L) (0 ℃, 1기압)	22.4	22.4	22.4	22.4
분자 모형 (같은 온도, 압력)				

▲ **0 ℃, 1기압에서 기체 1몰의 부피** 0 ℃, 1기압에서 기체 1몰의 부피는 종류에 관계없이 22.4 L로 같다.

2. 0 ℃, 1기압에서 기체의 양(mol)과 부피의 관계

0 ℃, 1기압에서 기체의 양과 부피 사이에는 다음과 같은 관계가 성립한다.

- 기체 1몰(mol)의 부피=22.4 L (0 ℃, 1기압)
- 기체의 부피(L)=기체의 양(mol)×22.4 L/mol (0 ℃, 1기압)
- 기체의 양(mol)=$\frac{\text{기체의 부피(L)}}{22.4\text{(L/mol)}}$ (0 ℃, 1기압)

3. 기체 1몰의 질량

0 ℃, 1기압에서 기체 1몰의 부피는 기체의 종류에 관계없이 모두 22.4 L이므로 0 ℃, 1기압에서 기체 22.4 L의 질량은 분자량에 g을 붙인 양과 같다. 따라서 다음과 같은 관계가 성립한다.

기체 1몰의 질량=기체 22.4 L의 질량=분자량(g) (0 ℃, 1기압)

이러한 관계를 이용하면 일정 부피에 들어 있는 기체 분자의 양(mol), 분자 수, 질량 등을 구할 수 있다. 예를 들면 0 ℃, 1기압에서 질소(N_2) 기체 5.6 L에 들어 있는 N_2 분자의 양(mol), 분자 수, 질량은 다음과 같다.

양(mol) 구하기	0 ℃, 1기압에서 N_2 분자 1몰의 부피는 22.4 L이므로 5.6 L에 들어 있는 N_2의 양(mol)은 다음과 같다. $\frac{5.6\text{ L}}{22.4\text{ L/mol}}=0.25\text{ mol}$
분자 수 구하기	분자 1몰에는 분자가 6.02×10^{23}개 들어 있으므로 N_2 분자 0.25몰에 들어 있는 분자 수는 다음과 같다. $0.25\text{ mol} \times 6.02 \times 10^{23}$개/mol$=1.505 \times 10^{23}$개
질량 구하기	N_2의 분자량이 28이므로 N_2 분자 1몰의 질량은 28 g이다. 따라서 N_2 0.25몰의 질량은 다음과 같다. $0.25\text{ mol} \times 28\text{ g/mol}=7\text{ g}$

4. 기체의 밀도와 분자량

0 ℃, 1기압에서 기체 1몰의 부피는 22.4 L이고, 기체 1몰의 질량은 분자량에 g을 붙인 양이므로 기체의 밀도는 다음과 같이 구할 수 있다.

표준 상태(STP)
STP는 Standard Temperature and Pressure의 약자로, 0 ℃, 1기압의 상태를 나타낸다.

몰 부피
0 ℃, 1기압에서 기체 1몰이 차지하는 부피인 22.4 L를 가리킨다. 몰 부피는 기체의 종류에 관계없이 일정하다.

$$\text{기체의 밀도} = \frac{\text{기체 1몰의 질량}}{\text{기체 1몰의 부피}} = \frac{\text{분자량}}{22.4}(\text{g/L})\ (0\ ^\circ\text{C, 1기압})$$

시선 집중 ★ 기체의 분자량 구하기

① 0 ℃, 1기압에서 기체의 부피와 질량을 이용하여 기체의 분자량 구하기

0 ℃, 1기압에서 기체 1몰의 부피는 22.4 L이고, 22.4 L의 질량은 기체 1몰의 질량, 즉 분자량에 g을 붙인 값이다. 이를 이용하여 기체의 분자량을 구할 수 있다.

예를 들어 0 ℃, 1기압에서 기체 X의 부피가 5.6 L이고, 질량이 4 g일 때 X의 분자량 x는 다음과 같다.

5.6 L : 4 g = 22.4 L : x g, ∴ $x = 16$

따라서 X의 분자량은 16이다.

② 아보가드로 법칙을 이용하여 기체의 분자량 구하기

모든 기체는 같은 온도, 같은 압력에서 같은 부피 속에 들어 있는 기체 분자 수가 같으므로 같은 부피의 두 기체의 질량비는 분자 1개의 질량비와 같고, 분자 1개의 질량비는 분자량비와 같다.

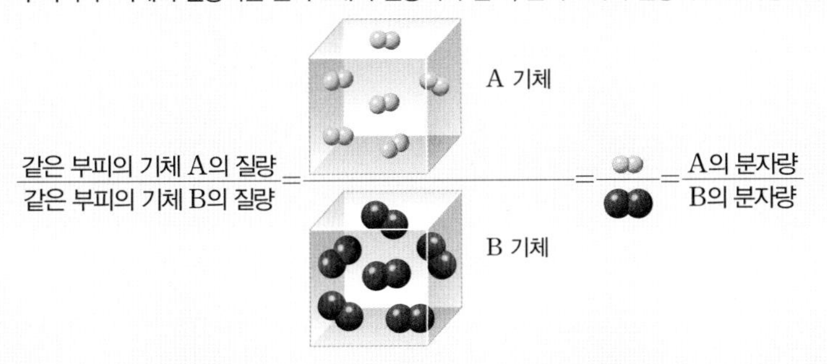

예를 들어 0 ℃, 1기압에서 기체 Y 6 L와 산소(O_2) 6 L의 질량이 각각 20 g과 10 g이었다면 기체 Y의 분자량은 다음과 같다.

$$\frac{\text{6 L Y의 질량(20 g)}}{\text{6 L }O_2\text{의 질량(10 g)}} = \frac{\text{Y의 분자량}}{O_2\text{의 분자량}} = \frac{\text{Y의 분자량}}{32},\ \therefore \text{Y의 분자량} = 64$$

기체의 밀도와 분자량

같은 온도와 압력에서 기체의 밀도비는 분자량의 비와 같다. 예를 들면 기체 A, B의 밀도가 d_A, d_B이고, 분자량이 M_A, M_B일 때 다음과 같은 관계가 성립한다.

$d_A : d_B = M_A : M_B$

5. 변환 인자로서의 몰

집중 분석 1권 078~079쪽

몰은 원자, 분자, 이온 등과 같은 작은 입자의 묶음 단위이지만, 입자 수뿐만 아니라 질량이나 기체의 부피를 다룰 때도 사용된다. 또, 입자 수, 질량, 기체의 부피를 상호 변환할 때 사용되기도 하며 다음과 같은 관계가 성립한다.

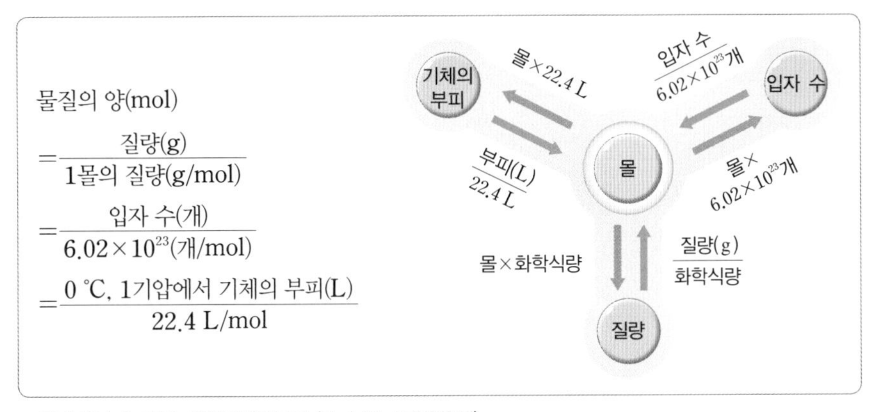

▲ 몰과 입자 수, 질량, 기체의 부피 관계 (단, 0 ℃, 1기압일 때)

변환 인자

$\text{밀도} = \frac{\text{질량}}{\text{부피}}$으로, 밀도는 물질의 단위 부피당 질량을 나타내는 물리량이지만, 질량과 부피를 상호 변환할 수 있는 변환 인자로 사용된다.

질량 = 밀도 × 부피

$\text{부피} = \frac{\text{질량}}{\text{밀도}}$

이처럼 몰도 질량, 입자 수, 기체의 부피를 서로 변환할 수 있는 인자로 사용된다.

실전에 대비하는

물질의 양 나타내기

화학 반응에서 반응하는 물질과 생성되는 물질의 양은 몰, 질량, 부피 등 다양한 방법으로 나타낼 수 있다. 이때 주어진 물질의 양을 질량은 몰로, 몰은 부피로 변환해서 해석해야 하는 경우가 많다. 여러 상황에서 물질의 양을 나타내는 연습을 해 보자.

1 원자량, 분자량, 화학식량

구분	원자량	분자량	화학식량
정의	질량수가 12인 탄소(^{12}C) 원자의 질량을 12로 정하고, 이것을 기준하여 비교한 원자들의 상대적 질량	분자를 이루는 원자들의 원자량을 합하여 구한 분자들의 상대적 질량	분자성 물질이나 이온성 물질의 화학식을 이루는 원자들의 원자량을 합하여 구한 값
예	H: 1 C: 12 N: 14 O: 16	H_2O: $2\times1+16=18$ NH_3: $14+3\times1=17$	NaCl: $23+35.5=58.5$ $CaCO_3$: $40+12+3\times16=100$

2 몰과 입자 수

- 원자 1몰(mol)=원자 6.02×10^{23}개
- 분자 1몰(mol)=분자 6.02×10^{23}개
- 이온 1몰(mol)=이온 6.02×10^{23}개

1몰=아보가드로수
- 1몰의 입자 수=입자 6.02×10^{23}개
- 1몰의 질량=화학식량(g)
- 기체 1몰의 부피=22.4 L (0 ℃, 1기압)
- 기체 22.4 L의 질량(0 ℃, 1기압) =기체 1몰의 질량=분자량(g)

3 몰과 질량

- 원자 1몰(mol)의 질량=원자량에 g을 붙인 값
- 분자 1몰(mol)의 질량=분자량에 g을 붙인 값
- 이온 1몰(mol)의 질량=이온식량에 g을 붙인 값
- 물질의 질량(g)=물질의 양(mol)×1몰의 질량(g/mol)

예제

1 물(H_2O) 90 g에 염화 나트륨(NaCl) 0.5몰이 녹아 있는 수용액이 있다. 물음에 답하시오. (단, H_2O의 화학식량은 18, NaCl의 화학식량은 58.5이다.)

(1) 물의 양(mol)을 구하시오.
(2) 수용액 속 수소 원자의 개수를 구하시오.
(3) 수용액에 녹아 있는 염화 나트륨의 질량을 구하시오.
(4) 수용액 속 Cl^-의 개수를 구하시오.

해설 (1) H_2O 분자 1몰의 질량은 18 g이므로 H_2O 90 g은 5몰이다.
(2) H_2O 분자 1몰에는 H 원자가 2몰 있으므로 H_2O 5몰에 들어 있는 H 원자는 10몰이다. H 원자 1몰은 6.02×10^{23}개이므로 10몰의 H 원자는 6.02×10^{24}개이다.
(3) NaCl의 화학식량이 58.5이므로 NaCl 1몰의 질량은 58.5 g이다. 따라서 0.5몰의 질량은 29.25 g이다.
(4) NaCl 1몰에는 Na^+과 Cl^-이 각각 1몰씩 들어 있다. 따라서 NaCl 0.5몰에 들어 있는 Cl^-의 양은 0.5몰이므로 개수는 3.01×10^{23}개이다.

정답 (1) 5몰 (2) 6.02×10^{24}개 (3) 29.25 g (4) 3.01×10^{23}개

❹ 몰과 기체의 부피(0 ℃, 1기압)

- 기체 1몰(mol)의 부피=22.4 L (0 ℃, 1기압)
- 기체의 부피(L)=기체의 양(mol)×22.4 L/mol (0 ℃, 1기압)
- 기체의 양(mol)=$\frac{\text{기체의 부피(L)}}{22.4\text{(L/mol)}}$ (0 ℃, 1기압)

❺ 기체의 분자량 구하기

구분	기체의 몰 부피 이용	기체의 밀도 이용	아보가드로 법칙 이용
관계	기체 1몰의 부피가 22.4 L (0 ℃, 1기압)인 것을 이용	기체의 밀도는 1 L의 질량이고, 분자량은 22.4 L의 질량인 것을 이용	같은 온도, 같은 압력에서 부피가 같은 두 기체의 질량비는 분자량비와 같음을 이용
예	0 ℃, 1기압에서 기체 w g의 부피가 V L일 때 기체의 분자량(M)은 $M=\frac{w}{V}\times22.4$	0℃, 1기압에서 기체의 밀도가 d일 때 기체의 분자량(M)은 $M=d\times22.4$	같은 부피의 두 기체의 질량비 =분자 1개의 질량비 =분자량비=밀도비 $\frac{\text{기체 X의 질량}}{\text{기체 Y의 질량}}=\frac{\text{X의 분자량}}{\text{Y의 분자량}}$ $=\frac{\text{X의 밀도}}{\text{Y의 밀도}}$

예제

❷ 0 ℃, 1기압에서 분자량이 44인 이산화 탄소(CO_2) 기체 5.6 L가 있다. 물음에 답하시오.

(1) 이산화 탄소의 양(mol)과 질량(g)을 각각 구하시오.
(2) 0 ℃, 1기압에서 이산화 탄소의 밀도(g/L)를 구하시오.

해설 (1) 0 ℃, 1기압에서 기체 1몰의 부피가 22.4 L이므로 5.6 L는 0.25몰이고, 이산화 탄소 1몰의 질량이 44 g이므로 0.25몰의 질량은 11 g이다.
(2) 22.4 L의 질량이 44 g이므로 1 L의 질량, 즉 밀도는 약 1.96 g/L이다.

정답 (1) 0.25 mol, 11 g (2) 약 1.96 g/L

정답과 해설 12쪽

그림은 0 ℃, 1기압에서 질량이 같은 기체 ZX_2, X_2, Y_2가 부피가 서로 다른 용기 (가)~(다)에 들어 있는 모습을 나타낸 것이다.
이에 대한 설명으로 옳은 것만을 보기에서 있는 대로 고른 것은?

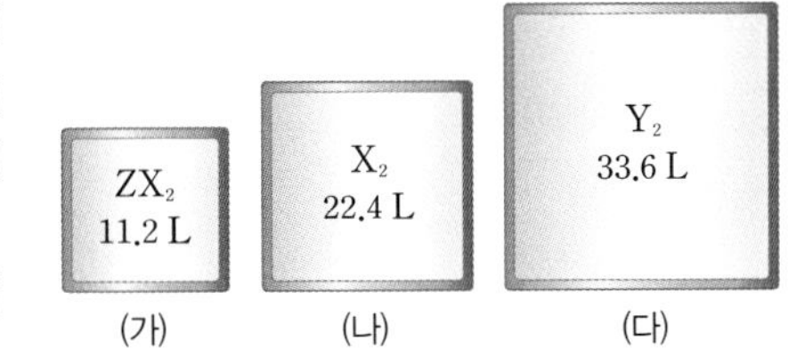

보기
ㄱ. 분자량은 X_2가 Y_2의 1.5배이다.
ㄴ. 원자량은 Z가 X의 2배이다.
ㄷ. 용기에 들어 있는 전체 원자 수는 (다)가 (가)의 2배이다.

① ㄱ ② ㄷ ③ ㄱ, ㄴ ④ ㄱ, ㄷ ⑤ ㄱ, ㄴ, ㄷ

화학식의 종류

물질을 이루는 성분을 원소 기호와 숫자를 사용하여 나타낸 것을 화학식이라고 한다. 화학식에는 실험식, 분자식, 시성식, 구조식 등이 있으며, 이를 필요에 따라 각각 활용하는 것은 화학의 기본이 된다. 화학식의 종류와 특성에 대해 알아보자.

❶ 실험식

물질을 이루는 원자나 이온의 종류와 수를 가장 간단한 정수비로 나타낸 식을 실험식이라고 한다. 실험식은 조성식이라고도 하며, 물질을 구성하는 성분을 실험으로 알아낼 때 가장 먼저 구할 수 있는 화학식이다.

예 아세트산은 구성하는 원자 수비가 C : H : O=1 : 2 : 1이므로 실험식은 CH_2O이다.

❷ 분자식

분자 1개를 이루는 모든 원자들의 종류와 수를 나타낸 식을 분자식이라고 한다.

예 아세트산은 탄소 원자 2개, 수소 원자 4개, 산소 원자 2개가 공유 결합하여 형성된 것이므로 분자식은 $C_2H_4O_2$이다.

❸ 시성식

어떤 물질을 이루는 분자의 특성을 알 수 있도록 작용기를 따로 구분하여 나타낸 식을 시성식이라고 한다.

예 아세트산은 신맛을 나타내는 작용기인 카복시기(−COOH)가 있으므로 시성식으로 나타내면 CH_3COOH이다.

❹ 구조식

분자를 이루는 원자 사이의 결합 모양과 배열 상태를 결합선을 사용하여 나타낸 식을 구조식이라고 한다.

예 아세트산을 이루는 탄소 원자, 수소 원자, 산소 원자를 결합선을 사용하여 구조식으로 나타내면 오른쪽 그림과 같다.

```
    H       O
    |     //
H − C − C
    |     \
    H       O − H
```

▲ 아세트산의 구조식

물질	실험식	분자식	시성식	구조식
메탄올	CH_4O	CH_4O	CH_3OH	H−C(H)(H)−O−H
에탄올	C_2H_6O	C_2H_6O	C_2H_5OH	H−C(H)(H)−C(H)(H)−O−H
아세트산	CH_2O	$C_2H_4O_2$	CH_3COOH	H−C(H)(H)−C(=O)−O−H

▲ 몇 가지 물질의 실험식, 분자식, 시성식, 구조식

이온 결합 물질과 금속 결합 물질의 실험식

- 이온 결합 물질은 화합물을 구성하는 원자들의 결합 비율만을 알려 주는 실험식으로 나타낸다.
  예 염화 나트륨의 실험식: NaCl
- 금속 결합 물질은 같은 종류의 수없이 많은 원자가 질서 있게 결합되어 있으므로 원소 기호로 그 물질을 나타낸다.
  예 구리의 실험식: Cu

실험식과 분자식의 관계

분자식과 실험식 사이에는 다음의 관계가 성립한다.

실험식×n=분자식(단, n은 정수)

작용기

작용기는 탄소 화합물의 성질을 결정하는 부분으로, −OH는 알코올, −CHO는 알데하이드, −COOH는 카복실산, −CO−는 케톤, −O−는 에테르, −COO−는 에스터의 성질을 나타낸다.

01 몰

1 화학식량

1. 원자량

- 질량수가 12인 탄소 원자(^{12}C)의 질량을 12.00으로 정하고, 이것을 기준으로 하여 비교한 다른 원자들의 (❶) 질량이다.
- 평균 원자량: 동위 원소들의 자연계에서 존재 비율을 고려하여 평균값으로 구한 원자량이다.

2. **분자량, 이온식량, 화학식량** 분자식, 이온식, 화학식을 이루는 원자들의 (❷)의 합이다.

2 몰과 아보가드로수

1. 몰

- 원자, 분자, 이온과 같은 아주 작은 입자들의 묶음을 나타내는 단위로, 1몰은 (❸)개이다.
- 물질 1몰에는 그 물질을 이루는 입자가 (❹)개 들어 있다.

2. **아보가드로수** 원자, 분자, 이온 등의 입자 1몰의 개수인 (❺)개를 나타낸다.

3. **물질의 입자 수** 입자 수(개)=물질의 양(mol)×(❻)(개/mol)

3 몰과 질량

1. **물질 1몰의 질량** 물질 1몰의 질량은 그 물질을 이루는 입자 6.02×10^{23}개의 질량이며, 그 물질의 화학식량에 g을 붙인 값이다.

2. **물질의 질량** 물질의 질량(g)=물질의 양(mol)×1몰의 질량(g/mol)

4 몰과 기체의 부피

1. **아보가드로 법칙** 같은 온도, 같은 압력에서 같은 부피에 들어 있는 기체 분자 수는 기체의 종류에 관계없이 모두 같다.

2. 기체의 부피와 몰

- 기체 1몰의 부피: 0 ℃, 1기압에서 기체의 종류에 관계없이 모든 기체 1몰의 부피는 (❼) L이다.
- 기체의 부피(L)=기체 분자의 양(mol)×(❽)(L/mol) (0 ℃, 1기압)
- 기체의 양(mol)$=\dfrac{\text{기체의 부피(L)}}{(\text{❾ \quad})(\text{L/mol})}$ (0 ℃, 1기압)

3. 기체의 분자량 구하기

- 기체 1몰의 부피 이용: 0 ℃, 1기압에서 기체 1몰의 부피가 22.4 L이므로 0 ℃, 1기압에서 기체 w g의 부피가 V L일 때 기체의 분자량(M) ➡ $M=\dfrac{w}{V}\times22.4$
- 밀도 이용: 기체 1 L의 질량이 밀도이므로 0 ℃, 1기압에서 기체의 밀도가 d일 때 기체의 분자량(M) ➡ $M=d\times$(❿)

4. 변환 인자로서의 몰

$$\text{물질의 양(mol)}=\frac{\text{질량(g)}}{\text{1몰의 질량(g/mol)}}=\frac{\text{입자 수(개)}}{6.02\times10^{23}\text{(개/mol)}}=\frac{\text{0 ℃, 1기압에서 기체의 부피(L)}}{\text{22.4 L/mol}}$$

01 원자량에 대한 설명으로 옳은 것만을 보기에서 있는 대로 고르시오.

보기
ㄱ. 현재 사용하는 원자량의 기준은 질량수가 12인 탄소(^{12}C) 원자이다.
ㄴ. 원자들의 실제 질량을 의미한다.
ㄷ. 단위는 g 또는 kg이다.

02 화학식량에 대한 설명으로 옳은 것만을 보기에서 있는 대로 고르시오.

보기
ㄱ. 원자량은 원자의 질량수와 항상 같다.
ㄴ. 분자량은 분자를 구성하는 원자들의 원자량의 합이다.
ㄷ. 이온식량은 이온식을 이루는 원자들의 원자량을 알면 구할 수 있다.

03 ^{12}C의 원자량을 12로 정하였을 때 O의 원자량은 16이다. 만약 ^{12}C의 원자량을 6으로 정하였다면 산소(O)의 원자량과 이산화 탄소(CO_2)의 분자량은 각각 얼마인지 구하시오.

04 다음 주어진 물질을 화학식량이 큰 순서대로 나열하시오. (단, H, C, O의 원자량은 각각 1, 12, 16이다.)

(가) C_2H_6 (나) CO_2
(다) H_2O_2 (라) CH_3OH

05 다음은 탄소(C) 원자 1개의 질량을 구하는 식이다. (   ) 안에 알맞은 숫자를 쓰시오.

$$\text{C 원자 1개의 질량(g)} = \frac{12\text{ g}}{(\quad)}$$

06 몰에 대한 설명으로 옳은 것만을 보기에서 있는 대로 고르시오.

보기
ㄱ. 물질 1몰에는 그 물질을 구성하는 입자가 아보가드로수만큼 들어 있다.
ㄴ. 물질 1몰의 질량은 그 물질의 화학식량에 g을 붙인 값이다.
ㄷ. 0 °C, 1기압에서 산소 기체 1몰의 부피는 수소 기체 1몰의 부피보다 크다.

07 (가)~(다)에서 물질의 입자 개수를 구하시오. (단, 아보가드로수는 N_A이다.)

(가) 산소(O_2) 분자 2몰에 들어 있는 산소(O) 원자 수
(나) 물(H_2O) 분자 0.5몰에 들어 있는 수소(H) 원자 수
(다) 염화 나트륨(NaCl) 1.5몰에 들어 있는 전체 이온 수

08 0 °C, 1기압에서 메테인(CH_4) 기체 8 g이 있다. 다음 물음에 답하시오. (단, H, C의 원자량은 각각 1, 12이다.)

(1) 메테인의 양(mol)을 구하시오.

(2) 메테인 기체의 부피를 구하시오.

(3) 탄소의 질량을 구하시오.

(4) 수소 원자의 개수를 구하시오.

09 0 °C, 1기압에서 이산화 탄소(CO_2) 기체 88 g에 대한 설명으로 옳은 것만을 보기에서 있는 대로 고르시오. (단, C, O의 원자량은 각각 12, 16이다.)

보기

ㄱ. 이산화 탄소의 양(mol)은 2 mol이다.

ㄴ. 이산화 탄소의 부피는 44.8 L이다.

ㄷ. 탄소의 질량은 12 g이다.

ㄹ. 산소 원자의 양(mol)은 2 mol이다.

10 암모니아(NH_3) 분자 3.01×10^{23}개가 있다. 다음 물음에 답하시오. (단, H, N의 원자량은 각각 1, 14이다.)

(1) 암모니아의 양(mol)을 구하시오.

(2) 수소 원자의 개수를 구하시오.

(3) 질소 원자의 질량을 구하시오.

11 표는 0 °C, 1기압에서 기체 (가)~(다)의 부피를 나타낸 것이다.

기체	(가)	(나)	(다)
분자식	NH_3	H_2	CH_4
부피(L)	11.2	22.4	5.6

(가)~(다)에 들어 있는 원자 수를 비교하여 등호 또는 부등호로 나타내시오.

12 그림은 컵 속에 담긴 물의 분자 수(개수)를 구하는 과정을 나타낸 것이다.

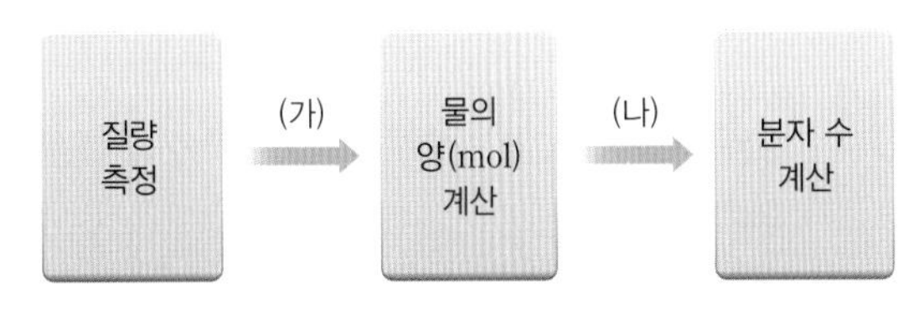

(가)와 (나)에서 필요한 자료를 각각 쓰시오.

13 다음은 0 °C, 1기압에서 기체의 양을 질량, 분자 수, 부피로부터 구하는 식이다. ㉠~㉢에 알맞은 말이나 숫자를 각각 쓰시오.

$$\text{기체의 양(mol)} = \frac{\text{기체의 질량(g)}}{(\ ㉠\ )} = \frac{\text{기체 분자 수}}{(\ ㉡\ )} = \frac{\text{기체의 부피(L)}}{(\ ㉢\ )}$$

14 0 °C, 1기압에서 X_2O 기체 11.2 L의 질량이 22 g이었다. (가)X_2O의 분자량과 (나)X의 원자량을 각각 구하시오. (단, X는 임의의 원소 기호이고, O의 원자량은 16이다.)

15 표는 0 °C, 1기압에서 기체 A~C에 대한 자료이다.

기체	A	B	C
분자량	㉠	44	32
질량(g)	17	㉡	8
부피(L)	22.4	11.2	㉢

㉠~㉢을 각각 구하시오.

01

> 아보가드로수와 1몰의 질량

표는 원소 A~C로 이루어진 분자 X~Z에 대한 자료이다. (단, 아보가드로수는 6.0×10^{23}으로 계산한다.)

분자	X	Y	Z
분자식	A_2	A_2B	CB_2
분자 1개의 질량(g)	$\frac{1}{3} \times 10^{-23}$	3.0×10^{-23}	$\frac{22}{3} \times 10^{-23}$

이에 대한 설명으로 옳은 것만을 보기에서 있는 대로 고른 것은? (단, A~C는 임의의 원소 기호이다.)

보기

ㄱ. 원자량은 C가 A의 12배이다.
ㄴ. 1 g에 들어 있는 B 원자의 개수는 Y가 Z보다 크다.
ㄷ. 0 ℃, 1기압에서 기체 1 g의 부피는 X가 Y보다 크다.

① ㄱ ② ㄷ ③ ㄱ, ㄴ ④ ㄴ, ㄷ ⑤ ㄱ, ㄴ, ㄷ

• 아보가드로수는 각 기체 분자 1몰에 들어 있는 분자 수이므로 분자 1개의 질량과 아보가드로수의 곱은 기체 분자 1몰의 질량이다.

02

> 화학식량

표는 2가지 원소 A와 B로 이루어진 분자 (가)와 (나)에 대한 자료이다. 원자량은 A가 B보다 크다.

분자	분자당 구성 원자 수	분자량(상댓값)
(가)	2	10
(나)	4	17

이에 대한 설명으로 옳은 것만을 보기에서 있는 대로 고른 것은? (단, A와 B는 임의의 원소 기호이다.)

보기

ㄱ. (나)를 구성하는 원자 수는 A가 B보다 크다.
ㄴ. 1 g에 들어 있는 B 원자 수는 (나)가 (가)의 2배보다 크다.
ㄷ. AB_5의 분자량은 (가)의 2.4배이다.

① ㄱ ② ㄷ ③ ㄱ, ㄴ ④ ㄴ, ㄷ ⑤ ㄱ, ㄴ, ㄷ

• (가)의 분자식으로 가능한 것은 AB이고, (나)의 분자식으로 가능한 것은 A_3B 또는 AB_3이다.

03

> 원자량을 정하는 기준

표는 원자량을 정하는 기준과 이와 관련된 자료이다. 현재 사용되는 원자량은 기준 Ⅰ에 따른 것이다. 기준 Ⅱ는 ^{12}C 대신 ^{1}H를 사용하여 새롭게 제안한 것이다.

원자량을 정하는 기준		1몰의 정의	기준에 따른 ^{1}H의 원자량
Ⅰ	^{12}C의 원자량=12	^{12}C 12 g의 원자 수	1.007
Ⅱ	^{1}H의 원자량=1	^{1}H 1 g의 원자 수	1.000

기준 Ⅰ보다 기준 Ⅱ에서 작은 값만을 보기에서 있는 대로 고른 것은?

보기
ㄱ. H_2의 분자량
ㄴ. 0 ℃, 1기압에서 CH_4 기체 1몰의 부피
ㄷ. 0 ℃, 1기압에서 C_2H_6 기체의 밀도

① ㄱ ② ㄷ ③ ㄱ, ㄴ ④ ㄴ, ㄷ ⑤ ㄱ, ㄴ, ㄷ

• 기준 Ⅰ보다 기준 Ⅱ에서 ^{1}H 1몰의 질량이 작다.

04

> 기체의 양

그림은 실린더에 3가지 기체가 들어 있는 상태를 나타낸 것이다. 기체의 온도와 압력은 같고, 원자량은 A가 B보다 작다.

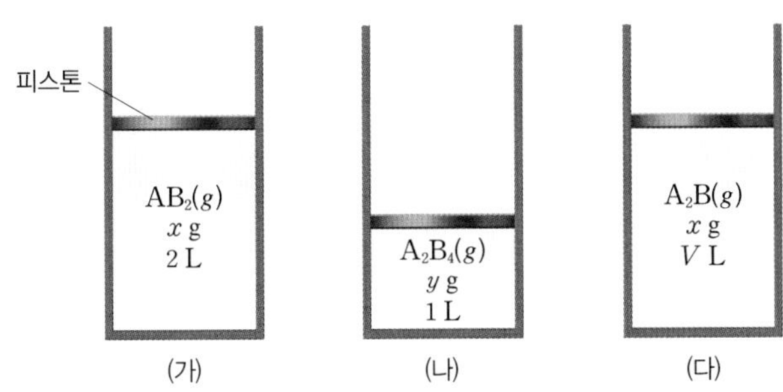

이에 대한 설명으로 옳은 것만을 보기에서 있는 대로 고른 것은? (단, A와 B는 임의의 원소 기호이다.)

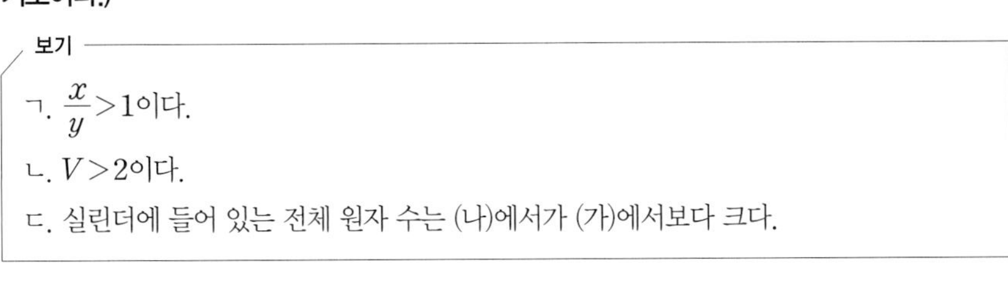
보기
ㄱ. $\frac{x}{y}>1$이다.
ㄴ. $V>2$이다.
ㄷ. 실린더에 들어 있는 전체 원자 수는 (나)에서가 (가)에서보다 크다.

① ㄱ ② ㄴ ③ ㄱ, ㄷ ④ ㄴ, ㄷ ⑤ ㄱ, ㄴ, ㄷ

• 같은 온도, 같은 압력에서 기체의 종류에 관계없이 모든 기체는 같은 부피 속에 같은 수의 분자가 들어 있다.

05

> 화학식량

그림은 원소 A와 B로 이루어진 분자 (가)~(다) 1몰의 질량을 성분 원소의 질량으로 각각 나타낸 것이다. A, B의 원자량은 각각 a, b이며, $a<b$이다.

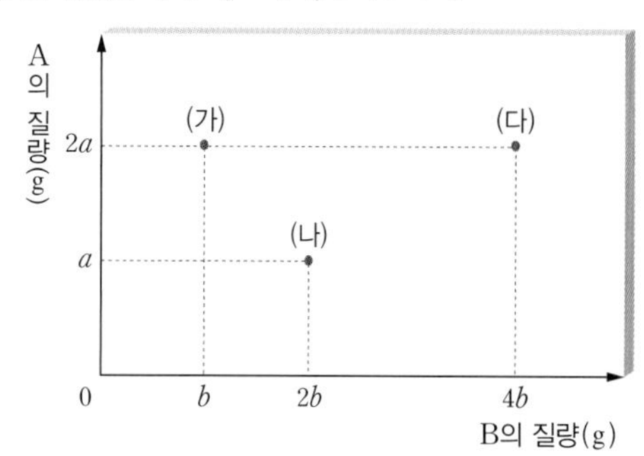

이에 대한 설명으로 옳은 것만을 보기에서 있는 대로 고른 것은? (단, A와 B는 임의의 원소 기호이다.)

보기
ㄱ. 1 g에 들어 있는 분자 수는 (가)>(나)이다.
ㄴ. 1 g에 들어 있는 전체 원자 수는 (다)>(나)이다.
ㄷ. (가) 1 g에 들어 있는 A 원자 수는 (나) 1 g에 들어 있는 B 원자 수보다 크다.

① ㄱ　② ㄴ　③ ㄱ, ㄷ　④ ㄴ, ㄷ　⑤ ㄱ, ㄴ, ㄷ

• A의 원자량에 g을 붙인 값에는 A 원자 1몰이 들어 있고, B의 원자량에 g을 붙인 값에는 B 원자 1몰이 들어 있다.

06

고난도

> 화학식과 화학식량

표는 화합물 (가)~(다)에 대한 자료의 일부이다.

화합물	실험식	분자식	분자량(상댓값)
(가)	XY_3		5
(나)	XY_2Z		5
(다)		Y_2Z	3

이에 대한 설명으로 옳은 것만을 보기에서 있는 대로 고른 것은? (단, X~Z는 임의의 원소 기호이다.)

보기
ㄱ. (나)의 분자식은 XY_2Z이다.
ㄴ. 원자량은 Z>X이다.
ㄷ. 화합물 1 g에 들어 있는 Y 원자 수는 (다)>(나)이다.

① ㄱ　② ㄴ　③ ㄱ, ㄷ　④ ㄴ, ㄷ　⑤ ㄱ, ㄴ, ㄷ

• 실험식은 화학식을 구성하는 원자의 수를 가장 간단한 정수비로 나타낸 것으로 (다)의 실험식은 Y_2Z이다. 분자식은 실험식에 정수배를 하여 구할 수 있다.

고난도

07

> 화학식량과 기체의 부피

그림은 $X_2(g)$가 들어 있는 실린더에 $Y_2(g)$와 $XY_3(g)$를 차례대로 넣었을 때 실린더 속 기체의 양을 나타낸 것이다.

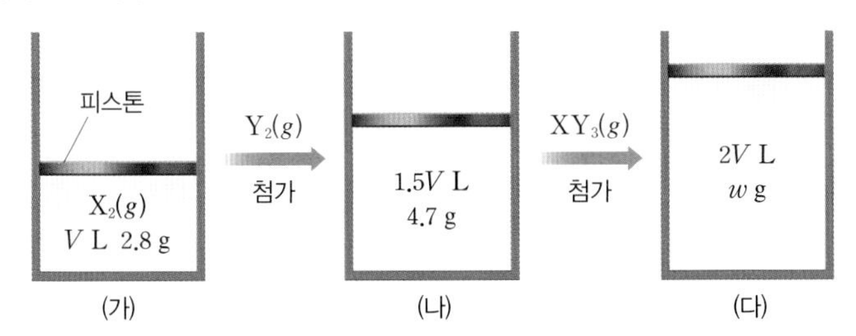

이에 대한 설명으로 옳은 것만을 보기에서 있는 대로 고른 것은? (단, X와 Y는 임의의 원소 기호이고, 기체의 온도와 압력은 일정하며, 기체들은 서로 반응하지 않는다.)

보기

ㄱ. 원자량은 Y > X이다.
ㄴ. (다)에서 기체의 질량 w=8.5(g)이다.
ㄷ. (다)에서 실린더 속 원자 수는 X > Y이다.

① ㄱ ② ㄴ ③ ㄱ, ㄷ ④ ㄴ, ㄷ ⑤ ㄱ, ㄴ, ㄷ

• 기체의 온도와 압력이 같을 때 기체의 종류에 관계없이 같은 부피에 들어 있는 기체의 분자 수가 같다.

08

> 화학식과 화학식량

그림은 화합물 (가)~(라)의 구성 원자의 질량 비율을 나타낸 것이다. (가)와 (나)는 각각 AC와 AC_2 중 하나이고, (다)와 (라)는 각각 BC와 BC_2 중 하나이다. 원자량은 A~C 중 C가 가장 크다.

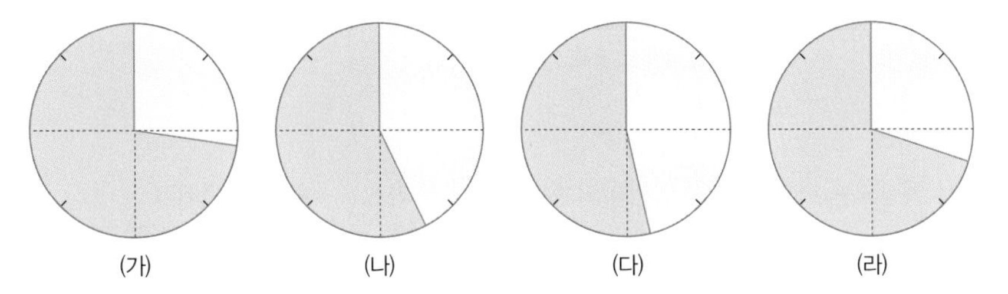

이에 대한 설명으로 옳은 것만을 보기에서 있는 대로 고른 것은? (단, A~C는 임의의 원소 기호이다.)

보기

ㄱ. (다)는 BC이다.
ㄴ. 원자량은 A > B이다.
ㄷ. (나)와 (라)에서 C 원자 1개와 결합한 A와 B의 개수비는 1 : 2이다.

① ㄱ ② ㄴ ③ ㄱ, ㄴ ④ ㄱ, ㄷ ⑤ ㄴ, ㄷ

• 원자량은 A<C이므로 AC에서 질량 비율은 A<C이다. 마찬가지로 원자량은 B<C이므로 BC에서 질량 비율은 B<C이다.

02 화학 반응식

학습 Point 물리 변화, 화학 변화 > 화학 반응식 완성하기, 미정 계수법 > 화학 반응식과 여러 가지 양적 관계

1 물리 변화와 화학 변화

우리 주변에서는 다양한 물질의 변화가 일어나고 있다. 물이 끓어 수증기가 되는 것과 같이 고유한 성질이 변하지 않는 변화가 있는 반면, 숯이 연소하여 재가 되는 것과 같이 고유한 성질이 변하는 변화가 있다.

1. 물리 변화

물질이 가진 고유한 성질은 변하지 않고 물질의 상태, 모양 등 물리적 성질이 달라지는 변화를 물리 변화라고 한다. 물리 변화에서는 원자의 종류와 수가 달라지지 않고 분자를 이루는 원자의 배열에는 변화가 없지만 분자의 배열은 변한다.

예 • 물질의 상태 변화: 얼음 → 물 → 수증기, 드라이아이스의 승화 등
• 물질의 모양 변화: 컵이 깨지는 것, 철사를 구부리는 것 등
• 물질의 용해: 설탕이 물에 녹아 설탕물이 되는 것 등

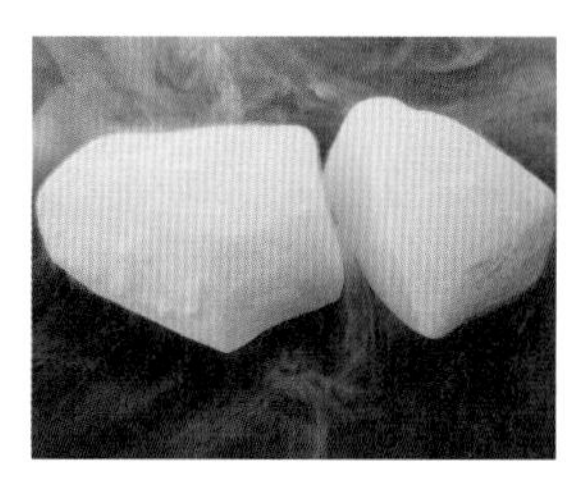
▲ 물질의 상태 변화(승화)

▲ 물질의 모양 변화

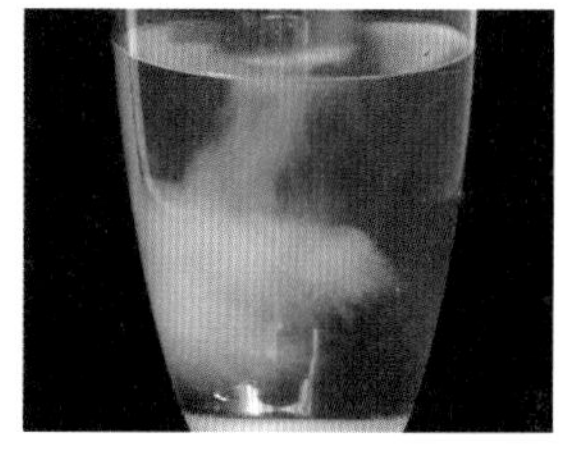
▲ 물질의 용해

물리 변화와 화학 변화
- 물리 변화: 원자나 분자의 변화 없이 에너지를 잃거나 얻어 상태나 모양만 변하는 변화
- 화학 변화: 물질의 화학적인 조성이 변하여 새로운 분자가 생성되는 변화

2. 화학 변화

물질의 성질이 전혀 다른 새로운 물질이 생성되는 변화를 화학 변화라고 한다. 화학 변화에서는 원자의 종류와 수는 달라지지 않지만 분자를 이루는 원자의 배열이 달라져 원래의 물질과는 성질이 다른 새로운 물질이 생성된다.

▲ **연소** 나무가 연소하면 물, 이산화 탄소 등이 생성된다.

▲ **열분해 반응** 산화 은을 가열하면 산소와 은으로 분해된다.

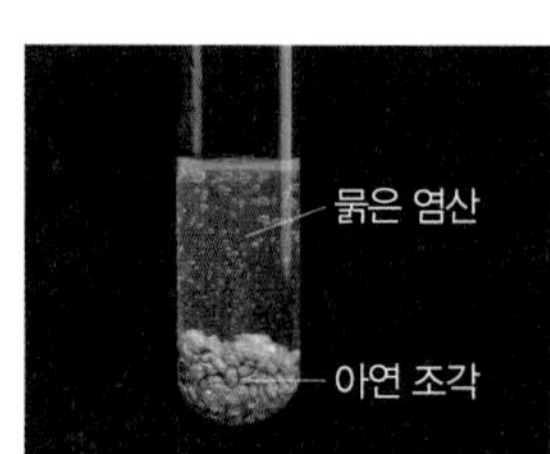

▲ **기체 발생 반응** 묽은 염산에 아연을 넣으면 수소 기체가 발생한다.

화학 변화의 증거
- 빛이나 열이 발생한다.
- 기체가 발생하거나 앙금이 생성된다.
- 색깔의 변화가 나타난다.

물리 변화와 화학 변화의 공통점
- 원자의 종류와 수가 변하지 않는다.
- 반응 전후 질량이 같다. 즉, 질량이 보존된다.

2 화학 반응식

화학 반응이 일어날 때는 반응물과는 다른 새로운 생성물로 되지만, 반응물과 생성물을 이루는 원자의 종류와 개수에는 변화가 없다. 이러한 성질을 이용하면 화학 반응에서 반응물과 생성물에 대한 정보를 화학식과 숫자로 나타낸 화학 반응식을 완성할 수 있다.

1. 화학 반응식

화학 반응을 화학식과 기호를 이용하여 나타낸 식이 화학 반응식이다. 화학 반응이 일어날 때는 반응물을 이루는 원자들 사이의 결합이 끊어지고 원자의 재배열이 일어나 새로운 결합이 형성되면서 생성물로 된다. 이때 반응물을 이루는 원자가 없어지지 않으며, 생성물을 이루는 원자가 새로 생성되는 것도 아니므로 반응 전후 원자의 종류와 개수는 달라지지 않는다. 따라서 화학 반응식을 완성할 때 반응물과 생성물의 화학식을 각각 쓰고, 반응물과 생성물을 이루는 원자의 종류와 수가 같아지도록 화학식의 계수를 맞춘다.

1단계: 반응물과 생성물을 화학식과 기호(+, ⟶)로 나타내기	**2단계:** 반응 전후에 원자의 종류와 개수가 같도록 계수 맞추기	**3단계:** 반응 전후에 원자의 종류와 개수가 같은지 확인하기
변화를 표시하는 화살표(→)를 중심으로 왼쪽에는 반응물의 화학식을 쓰고 오른쪽에는 생성물의 화학식을 쓴다. 반응물과 생성물이 각각 2가지 이상이면 물질들을 '+'로 연결한다.	화학 반응 전후에 원자는 변하지 않으므로 반응물과 생성물을 구성하는 원자의 종류와 개수는 같아야 한다. 이를 위해 각 물질의 화학식 앞에 계수를 붙이는데, 계수는 가장 간단한 정수비로 나타낸다. (단, 1은 생략)	반응물과 생성물을 구성하는 원자의 종류별로 개수가 일치하는지 확인한다.

▲ 화학 반응식을 완성하는 단계

2. 물의 생성 반응식 완성하기

(1) 반응물과 생성물을 화학식으로 나타내기: 화살표(⟶)를 중심으로 왼쪽에는 반응물인 수소(H_2)와 산소(O_2)의 화학식을 쓰고, 오른쪽에는 생성물인 물(H_2O)의 화학식을 쓴다. 수소의 화학식과 산소의 화학식 사이에 '+'를 써서 연결한다.

$$\underset{\text{반응물}}{H_2 + O_2} \longrightarrow \underset{\text{생성물}}{H_2O}$$

(2) 반응 전후에 원자의 종류와 개수가 같도록 계수 맞추기: 위의 식에서 반응물에 존재하는 H는 2개, O는 2개이고, 생성물에 존재하는 H는 2개, O는 1개이다. 반응 전후 원자의 개수가 일치하도록 화학식 앞에 계수를 써야 하는데, H_2O 앞의 계수를 1로 놓고 반응 전후에 각 원자의 개수가 같아지도록 다른 계수를 맞추면 H_2 앞에는 1, O_2 앞에는 $\frac{1}{2}$을 써야 한다. 이와 같이 계수가 분수일 경우에는 반응식 전체에 배수를 곱해서 계수가 가장 간단한 정수비가 되도록 만들고, 계수가 1인 경우에는 1을 생략한다.

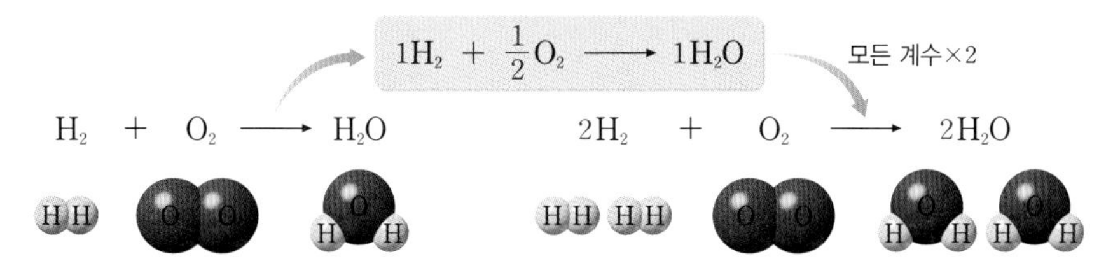

화학 반응식에서 화살표의 의미
화학 반응식에서 화살표(⟶)는 반응물이 생성물로 변화하는 것을 의미한다. ⟶는 수학에서 사용하는 등호(=)와는 의미가 다르다는 것에 유의한다.

계수의 결정 방법
화학 반응식에서 각 물질의 화학식 앞의 계수를 맞출 때 보통은 가장 많은 종류의 원자를 포함한 물질의 계수를 1로 놓고 다른 계수를 맞춘다.

(3) **반응 전후 원자의 종류와 개수가 같은지 확인하기:** 반응물과 생성물을 구성하는 수소 원자는 각각 4개, 산소 원자는 각각 2개씩으로 같다.

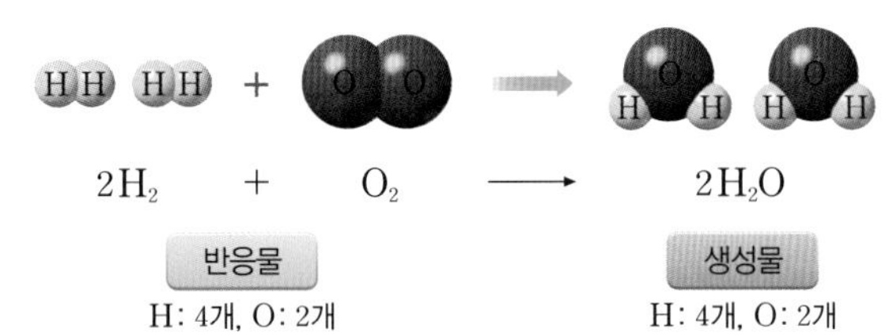

시선 집중 ★ 메테인의 연소 반응을 화학 반응식으로 나타내기

• 메테인의 연소 반응을 화학 반응식으로 나타내면 다음과 같다.

❶ **반응물과 생성물을 화학식으로 나타낸다.**
반응물 – 메테인: CH_4, 산소: O_2, 생성물 – 이산화 탄소: CO_2, 물: H_2O

❷ **'⟶'를 기준으로 반응물은 왼쪽에, 생성물은 오른쪽에 적은 다음 '+'로 연결한다.**
$CH_4 + O_2 \longrightarrow CO_2 + H_2O$

❸ **반응물과 생성물을 구성하는 원자의 개수를 구한다.**
반응물 – C: 1개, H: 4개, O: 2개, 생성물 – C: 1개, H: 2개, O: 3개

❹ **반응물과 생성물을 구성하는 원자의 개수가 같아지도록 계수를 맞춘다. 이때 계수는 가장 간단한 정수로 나타내고, 1이면 생략한다.**
$CH_4 + 2O_2 \longrightarrow CO_2 + 2H_2O$

• 메테인의 연소 반응을 모형으로 나타내면 다음과 같다. 반응 전후 원자의 종류와 개수는 같다.

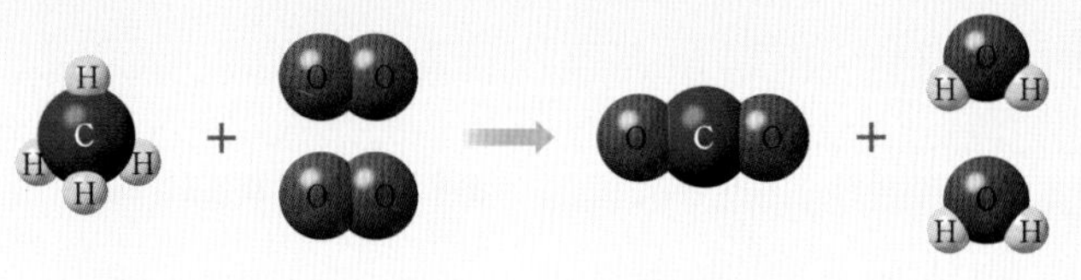

3. 화학 반응식을 완성할 때 주의할 점

(1) 화학 반응식에서 반응물 또는 생성물의 상태를 나타내려면 화학식 뒤에 괄호를 쓰고, 괄호 안에 상태를 나타내는 기호를 쓴다. 이때 고체는 (s), 액체는 (l), 기체는 (g), 수용액은 (aq)로 나타낸다.

예 $2H_2(g) + O_2(g) \longrightarrow 2H_2O(l)$

(2) 앙금이 생성되는 경우에는 ↓를, 기체가 발생하는 경우에는 ↑를 화학식 뒤에 표시하기도 한다.

예 $NaCl + AgNO_3 \longrightarrow NaNO_3 + AgCl\downarrow$

$Mg + 2HCl \longrightarrow MgCl_2 + H_2\uparrow$

(3) 가열해야 일어나는 반응은 화학 반응식의 화살표 아래에 △를 표시하기도 한다.

예 $2NaHCO_3(s) \xrightarrow[\triangle]{} Na_2CO_3(s) + H_2O(l) + CO_2(g)$

(4) 화학 반응에 사용한 촉매나, 화학 반응이 일어나기 위해 필요한 온도와 압력을 각각 화살표의 위나 아래에 표시하기도 한다.

예 $N_2(g) + 3H_2(g) \xrightarrow[\text{400~600 °C, 300기압}]{Fe_2O_3} 2NH_3(g)$

물질의 상태를 나타내는 기호

물질의 상태	원어	약자
기체	gas	g
액체	liquid	l
고체	solid	s
수용액	aqueous solution	aq

예제

다음의 화학 변화를 화학 반응식으로 나타내시오.

(1) 질소 기체와 수소 기체가 반응하면 암모니아 기체가 생성된다.

(2) 금속 마그네슘을 연소시키면 산화 마그네슘의 흰색 고체가 생성된다.

(3) 석회수(수산화 칼슘 수용액)에 이산화 탄소 기체를 통과시키면 탄산 칼슘 앙금이 생성되면서 뿌옇게 흐려진다.

정답 (1) $N_2(g) + 3H_2(g) \longrightarrow 2NH_3(g)$
(2) $2Mg(s) + O_2(g) \longrightarrow 2MgO(s)$
(3) $Ca(OH)_2 + CO_2 \longrightarrow CaCO_3\downarrow + H_2O$ 또는 $Ca(OH)_2(aq) + CO_2(g) \longrightarrow CaCO_3(s) + H_2O(l)$

4. 화학 반응식의 계수 완성(미정 계수법)

간단한 화학 반응식에서는 반응물과 생성물의 원자의 종류와 개수를 비교하여 화학 반응식의 계수를 쉽게 정하여 화학 반응식을 완성할 수 있다. 그러나 반응에 관여하는 원자의 종류가 많아지면 계수를 정하기가 쉽지 않다. 이러한 복잡한 화학 반응에서는 방정식을 활용하여 계수를 정하기도 하는데, 이를 미정 계수법이라고 한다.

예를 들어 미정 계수법을 이용하여 프로페인의 연소 반응을 완성하는 과정은 다음과 같다.

① 반응물인 프로페인과 산소를 화살표 왼쪽에, 생성물인 이산화 탄소와 물을 화살표 오른쪽에 쓰고, 각 화학식의 계수를 a, b, c, d로 각각 나타낸다.

• 반응물: 프로페인(C_3H_8), 산소(O_2)

• 생성물: 이산화 탄소(CO_2), 물(H_2O)

$$aC_3H_8 + bO_2 \longrightarrow cCO_2 + dH_2O$$

② 각 원자의 종류에 따른 원자 수가 반응 전후에 같아야 하므로 C, H, O에 대해 다음과 같은 방정식이 성립한다.

원자의 종류	C	H	O
방정식	$3a=c$	$8a=2d$	$2b=2c+d$

③ 방정식은 3개인데, 미지수는 a, b, c, d 4개이므로 위 방정식에서 $a=1$로 놓고 방정식을 풀면 $c=3$, $d=4$, $b=5$이다. 따라서 프로페인의 연소 반응의 화학 반응식을 완성하면 다음과 같다.

$$C_3H_8(g) + 5O_2(g) \longrightarrow 3CO_2(g) + 4H_2O(l)$$

화학 반응식의 계수

화학 반응식을 완성할 때 특정 물질의 계수를 1로 하고 나머지 물질의 계수를 정하면 분수가 나타나기도 한다. 이러한 경우 화학 반응식의 계수는 정수가 되어야 하므로 적당한 수를 각 수에 곱하여 가장 간단한 정수비가 되도록 계수를 구한다.

예제

다음 화학 반응식의 계수를 미정 계수법을 이용하여 맞추시오.

(1) $C_2H_5OH + O_2 \longrightarrow CO_2 + H_2O$

(2) $KClO_3 \longrightarrow KCl + O_2$

해설 (1) $aC_2H_5OH + bO_2 \longrightarrow cCO_2 + dH_2O$
C에 대하여 $2a=c$, H에 대하여 $6a=2d$, O에 대하여 $a+2b=2c+d$이므로
$a=1$이라 하면, $c=2$, $d=3$, $b=3$이다.
$C_2H_5OH + 3O_2 \longrightarrow 2CO_2 + 3H_2O$
(2) $aKClO_3 \longrightarrow bKCl + cO_2$
(1)과 같은 방법으로 풀면 $2KClO_3 \longrightarrow 2KCl + 3O_2$

정답 (1) $C_2H_5OH + 3O_2 \longrightarrow 2CO_2 + 3H_2O$ (2) $2KClO_3 \longrightarrow 2KCl + 3O_2$

5. 이온 반응식

(1) **이온화식:** 산, 염기, 염 등이 물에 녹아 양이온과 음이온으로 나누어지는 것을 이온화라고 하며, 이온화를 화학식으로 나타낸 것을 이온화식이라고 한다. 이온화식을 완성할 때 반응 전후 원자의 종류와 수가 같도록 하는 것은 물론, 모든 화합물은 전기적으로 중성이므로 반응 전후 반응물과 생성물의 전하량의 총합이 같아지도록 각 이온의 전하와 계수를 맞추어야 한다.

예 $HCl \longrightarrow H^+ + Cl^-$

$Al(OH)_3 \longrightarrow Al^{3+} + 3OH^-$

$MgSO_4 \longrightarrow Mg^{2+} + SO_4^{2-}$

(2) **이온 반응식:** 수용액에서 이온화하는 물질을 이온화식으로 나타낸 화학 반응식을 이온 반응식이라고 한다.

예 $HCl(aq) + NaOH(aq) \longrightarrow NaCl(aq) + H_2O(l)$의 이온 반응식은 다음과 같다.

$H^+(aq) + Cl^-(aq) + Na^+(aq) + OH^-(aq) \longrightarrow Na^+(aq) + Cl^-(aq) + H_2O(l)$

6. 알짜 이온 반응식

(1) **알짜 이온 반응식:** 수용액에서 이온으로 존재하는 물질들의 반응에서는 실제로 반응에 참여하는 이온들도 있고, 반응에 참여하지 않아 반응 전후 변화가 없는 이온들도 있다. 이때 실제 반응에 참여하는 이온들만으로 나타낸 반응식을 알짜 이온 반응식이라고 한다.

(2) **구경꾼 이온:** 염화 나트륨 수용액에 질산 은 수용액을 넣어 주면 흰색 앙금인 염화 은이 생성된다. 이 반응의 화학 반응식은 다음과 같다.

$NaCl(aq) + AgNO_3(aq) \longrightarrow NaNO_3(aq) + AgCl(s)$

이 반응에서 $AgCl(s)$만 앙금으로 가라앉고 나머지 이온들은 수용액에 이온 상태로 존재하므로 다음과 같이 이온 반응식을 나타낼 수 있다.

$Na^+(aq) + Cl^-(aq) + Ag^+(aq) + NO_3^-(aq) \longrightarrow Na^+(aq) + NO_3^-(aq) + AgCl(s)$

즉, Ag^+과 Cl^-만이 반응에 참여한 것이고 Na^+과 NO_3^-은 반응 전후 이온 상태 그대로 존재한다. Na^+, NO_3^-과 같이 반응에 참여하지 않고 반응 전후 이온 상태 그대로 존재하는 이온을 구경꾼 이온이라고 한다.

▲ **염화 나트륨 수용액과 질산 은 수용액의 반응 모형** 실제로 반응한 이온은 Ag^+과 Cl^-이고, 반응하지 않는 구경꾼 이온은 Na^+과 NO_3^-이다.

염화 나트륨 수용액과 질산 은 수용액의 반응에서 구경꾼 이온을 제외하고, 반응에 실제로 참여한 이온만으로 반응식을 나타낸 알짜 이온 반응식은 다음과 같다.

$Ag^+(aq) + Cl^-(aq) \longrightarrow AgCl(s)$

전해질의 이온화

염화 나트륨이나 질산 은 등의 전해질은 수용액 상태(aq)에서 이온으로 나뉘어 존재하는 것을 식으로 표현한다.

여러 가지 앙금 생성 반응의 알짜 이온 반응식

$Ba^{2+}(aq) + SO_4^{2-}(aq) \longrightarrow BaSO_4(s)$

$Ca^{2+}(aq) + CO_3^{2-}(aq) \longrightarrow CaCO_3(s)$

$Cu^{2+}(aq) + S^{2-}(aq) \longrightarrow CuS(s)$

$Zn^{2+}(aq) + S^{2-}(aq) \longrightarrow ZnS(s)$

$Pb^{2+}(aq) + 2I^-(aq) \longrightarrow PbI_2(s)$

3 화학 반응식의 의미와 양적 관계

화학 반응식은 반응물과 생성물의 종류와 이들이 반응할 때의 양적인 관계를 나타낸 식이므로 이를 통해 화학 반응이 일어날 때 반응에 관여한 물질의 종류와 다양한 양적 관계를 알 수 있다.

1. 화학 반응식의 의미

화학 반응식에는 반응물과 생성물의 종류와 구성 원자 수가 나타나 있다. 각 물질의 계수비로부터 반응하고 생성되는 물질의 양(몰)의 비, 분자 수비 등을 알 수 있다. 또, 기체 반응의 경우 부피비를 알 수 있으며, 각 물질의 화학식과 화학식량을 이용하여 질량 관계를 알 수 있다. 그리고 화학 반응에서 성립하는 여러 가지 화학 법칙을 확인할 수 있다.

- 계수비=몰비=분자 수비=(기체 반응인 경우) 부피비
- 질량비=(계수×화학식량)의 비

화학 반응식의 계수비
화학 반응식의 계수비로부터 반응하는 물질의 몰비와 생성되는 물질의 몰비를 알 수 있다. 예를 들어, 메테인의 연소 반응에서는 CH_4과 O_2 기체가 1 : 2의 몰비로 반응하여 CO_2와 H_2O 기체가 1 : 2의 몰비로 생성된다.

예 메테인의 연소 반응식과 양적 관계

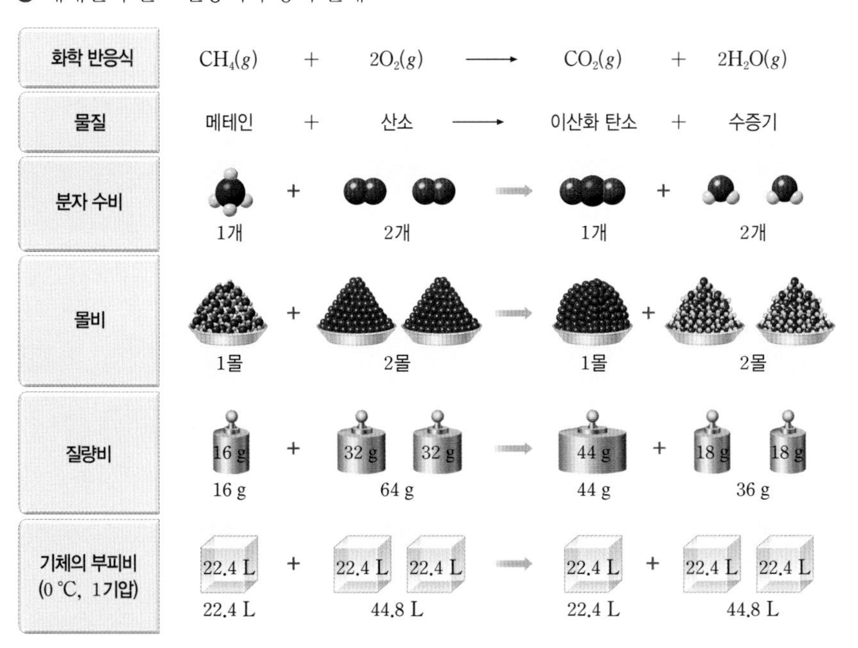

2. 화학 반응식과 화학 법칙

화학 반응식으로 반응물과 생성물의 반응 몰비를 알 수 있으며, 화학식과 화학식량을 통해 질량 관계를 알 수도 있다. 즉, 화학 반응에서 질량 보존 법칙, 일정 성분비 법칙, 아보가드로 법칙, 기체 반응 법칙 등이 성립한다는 것을 확인할 수 있다.

예 수증기의 생성 반응

$2H_2(g)$	+	$O_2(g)$	⟶	$2H_2O(g)$		
2몰	:	1몰	:	2몰	➡	몰비
2부피	:	1부피	:	2부피	➡	기체 반응 법칙
2분자	:	1분자	:	2분자	➡	아보가드로 법칙
2×2 g	+	32 g	=	2×18 g	➡	질량 보존 법칙
1	:	8	:	9	➡	일정 성분비 법칙

기체 반응 법칙
일정한 온도와 압력에서 반응하는 기체와 생성되는 기체의 부피 사이에는 간단한 정수비가 성립한다.

아보가드로 법칙
일정한 온도와 압력에서 기체의 종류와 관계없이 같은 부피 속에는 같은 분자 수의 기체가 존재한다.

질량 보존 법칙
화학 반응 전후 물질의 총 질량은 보존된다.

일정 성분비 법칙
화합물을 구성하는 성분 원소의 질량 사이에는 간단한 정수비가 성립한다.

3. 화학 반응식에서의 양적 관계

탐구 1권 095~096쪽 집중 분석 1권 097~098쪽

(1) 화학 반응식에서 질량 관계: 화학 반응 전후 질량은 같으며, 반응식에서 각 물질의 계수비는 몰비와 같으므로 각 물질은 일정한 질량비(=계수×화학식량)로 반응한다. 따라서 반응물과 생성물 중 어느 한 물질의 질량을 알면 다른 물질의 질량을 계산할 수 있다. 예를 들어 질소(N_2) 기체와 수소(H_2) 기체가 반응하여 암모니아(NH_3) 기체를 생성하는 반응에서 N_2 14 g이 모두 반응할 때 생성되는 NH_3의 질량은 다음과 같이 구할 수 있다.

화학 반응식	$N_2(g)$	+	$3H_2(g)$	⟶	$2NH_3(g)$
반응 몰비	1몰	:	3몰	:	2몰
질량비	1×28 g	:	3×2 g	:	2×17 g
질량 관계	14 g			:	x g

N_2의 분자량이 28이므로 N_2 14 g은 0.5몰이다. 화학 반응식에서 계수비는 반응 몰비이므로 생성되는 NH_3의 양은 1몰이다. 즉, 생성되는 NH_3의 질량(x)은 17 g이다.

(2) 화학 반응식에서 기체의 부피 관계

반응물과 생성물이 모두 기체인 반응에서는 기체 반응 법칙이 성립하고, 화학 반응식의 계수비는 몰비, 부피비와 같다. 따라서 기체 반응 법칙을 이용하면 반응하는 기체와 생성되는 기체 중 어느 한쪽의 부피만 알아도 다른 한쪽의 부피를 알 수 있다. 예를 들어 프로페인(C_3H_8) 2 L가 완전 연소할 때 생성되는 이산화 탄소(CO_2)의 부피는 다음과 같이 구할 수 있다.

화학 반응식	$C_3H_8(g)$	+	$5O_2(g)$	⟶	$3CO_2(g)$	+	$4H_2O(g)$
반응 몰비	1몰	:	5몰	:	3몰	:	4몰
부피비	1부피	:	5부피	:	3부피	:	4부피
부피 관계	2 L			:	x L		

반응하는 프로페인과 생성되는 이산화 탄소 사이에는 $1:3=2:x$의 비례식이 성립하므로 생성되는 이산화 탄소의 부피(x)는 6(L)이다.

(3) 화학 반응식에서 질량과 부피 관계

반응물과 생성물의 상태가 다른 반응에서 반응한 고체 또는 액체의 질량으로부터 생성된 기체의 부피를 구할 수도 있고, 반대로 생성된 기체의 부피로부터 반응한 고체 또는 액체의 질량을 구할 수도 있다. 예를 들어 에탄올(C_2H_5OH) 11.5 g이 완전 연소할 때 0 ℃, 1기압에서 생성되는 이산화 탄소(CO_2)의 부피는 다음과 같이 구할 수 있다.

화학 반응식	$C_2H_5OH(l)$	+	$3O_2(g)$	⟶	$2CO_2(g)$	+	$3H_2O(l)$
반응 몰비	1몰	:	3몰	:	2몰	:	3몰
질량 및 부피 관계	1×46 g				2×22.4 L		
양적 관계	11.5 g			:	x L		

반응하는 에탄올 11.5 g은 0.25몰이고, 에탄올과 생성되는 이산화 탄소 사이에는 $1:2=0.25:x$의 비례식이 성립하므로 생성되는 이산화 탄소의 양(x)은 0.5(몰)이다. 0 ℃, 1기압에 기체 1몰의 부피가 22.4 L이므로 이산화 탄소 0.5몰의 부피(x)는 11.2 L이다.

과정이 살아 있는 탐구

화학 반응에서의 양적 관계 확인하기

화학 반응에서 반응물과 생성물의 양적 관계를 확인할 수 있는 실험을 계획하고 수행하여 그 관계를 설명할 수 있다.

과정

[실험 계획]

1 탄산 칼슘과 묽은 염산이 반응하여 염화 칼슘, 물, 이산화 탄소를 생성하는 화학 반응식을 완성해 본다.

- 반응물과 생성물의 화학식과 상태를 나타낸다.
  반응물 – 탄산 칼슘: $CaCO_3(s)$, 묽은 염산: $HCl(aq)$
  생성물 – 염화 칼슘: $CaCl_2(aq)$, 물: $H_2O(l)$, 이산화 탄소: $CO_2(g)$
- '⟶'를 기준으로 반응물은 왼쪽에, 생성물은 오른쪽에 적은 다음 '+'로 연결한다.

$$CaCO_3(s) + HCl(aq) \longrightarrow CaCl_2(aq) + H_2O(l) + CO_2(g)$$

- 반응물과 생성물을 구성하는 원자의 개수가 같아지도록 계수를 맞추면 완성된 화학 반응식은 다음과 같다.

$$CaCO_3(s) + 2HCl(aq) \longrightarrow CaCl_2(aq) + H_2O(l) + CO_2(g)$$

2 탄산 칼슘과 묽은 염산의 반응에서 양적 관계를 확인할 수 있는 실험을 계획해 본다.

- 생성물 중에 기체가 있으므로 반응이 일어날 때 발생한 기체의 질량만큼 질량이 감소한다.
- 일정량의 묽은 염산에 탄산 칼슘의 질량을 달리하여 넣고 반응시키면서 반응이 완결된 후 질량을 측정하여 생성된 이산화 탄소의 질량을 구한다.
- 반응한 탄산 칼슘의 양(mol)과 생성된 이산화 탄소의 양(mol)의 비가 1 : 1임을 확인한다.
- 탄산 칼슘($CaCO_3$)과 이산화 탄소(CO_2)의 화학식량을 알기 위해 성분 원소의 원자량을 조사한다.
  ➡ 칼슘(Ca): 40, 탄소(C): 12, 산소(O): 16

따라서 탄산 칼슘의 화학식량은 $40+12+3\times16=100$이고, 이산화 탄소의 화학식량은 $12+2\times16=44$이다.

[실험 수행]

1 탄산 칼슘($CaCO_3$) 가루 1.0 g을 정확히 측정한다.

2 삼각 플라스크에 묽은 염산($HCl(aq)$) 50 mL를 넣고 질량을 측정한다.

3 과정 **1**의 탄산 칼슘을 과정 **2**의 삼각 플라스크에 넣어 반응시키고 반응이 완결된 후 삼각 플라스크의 질량을 측정한다.

4 탄산 칼슘($CaCO_3$) 가루 2.0 g을 사용하여 과정 **2**, **3**을 반복한다.

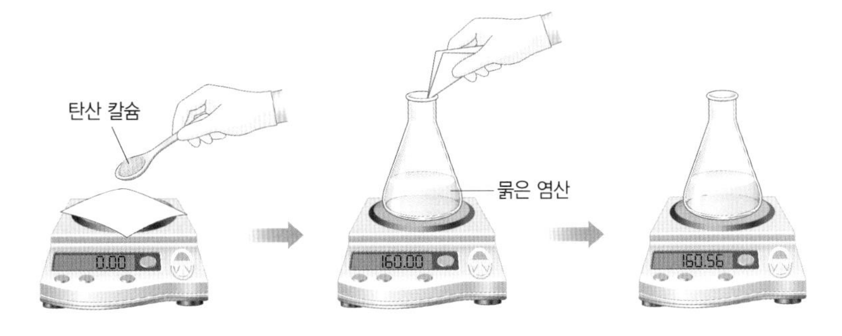

유의점

- 시약을 사용할 때는 보안경을 착용하고, 시약이 피부나 옷에 묻지 않게 주의한다. 특히 묽은 염산은 부식성이 있으므로 피부에 묻지 않게 주의한다.
- 반응이 완결되어 기포가 더 이상 발생하지 않고, 전자저울의 숫자의 변화가 없을 때 그 값을 읽는다.
- 실험에 사용되는 묽은 염산의 양(50 mL)은 탄산 칼슘 2.0 g을 완전히 반응시킬 만큼 충분해야 한다.

결과 및 해석

1 묽은 염산에 탄산 칼슘을 넣으면 어떤 변화가 일어나는가?

➡ 이산화 탄소 기체가 발생하여 빠져나가므로 반응 용기 전체의 질량이 감소한다.

2 [실험 수행]에서 과정 1~4의 결과를 표로 정리해 보자.

탄산 칼슘의 질량(g)	1.0	2.0
(묽은 염산+삼각 플라스크+탄산 칼슘)의 질량(g)	161.00	162.00
반응 후 삼각 플라스크 전체의 질량(g)	160.56	161.12
반응 전후 질량 차(g)=발생한 이산화 탄소의 질량(g)	0.44	0.88

정리

- 반응 전후 반응 용기 전체의 질량 차는 이 반응에서 발생하여 용기를 빠져나간 이산화 탄소 기체의 질량과 같다.
- 탄산 칼슘의 화학식량은 100이고 이산화 탄소의 분자량은 44이므로 탄산 칼슘 1.0 g은 0.01몰이고, 이산화 탄소 0.44 g은 0.01몰이다. 마찬가지로 탄산 칼슘 2.0 g은 0.02몰이고, 이산화 탄소 0.88 g은 0.02몰이다.
- 탄산 칼슘과 이산화 탄소의 반응 몰비는 화학 반응식의 계수비와 같은 1 : 1이다.

$CaCO_3(s) + 2HCl(aq) \longrightarrow CaCl_2(aq) + H_2O(l) + CO_2(g)$

탐구 확인 문제

> 정답과 해설 16쪽

01 위 실험에 대한 설명으로 옳지 않은 것은?

① 이산화 탄소는 물에 잘 녹지 않는 기체이다.
② 사용한 묽은 염산은 탄산 칼슘이 모두 반응하기에 충분한 양이다.
③ 반응 전후 질량 차는 발생한 이산화 탄소의 질량과 같다.
④ 묽은 염산 대신 아세트산 수용액을 사용해도 반응의 양적 관계를 확인할 수 있다.
⑤ 묽은 염산 50 mL 대신 70 mL를 사용하여 반응시키면 반응 전후 질량 차는 더 커진다.

02 위 실험에서 반응 전후 질량 차를 이용하여 화학 반응식의 양적 관계를 확인하기 위해 표의 실험 결과 외에 추가로 필요한 자료만을 보기에서 있는 대로 고르시오.

보기
ㄱ. 탄산 칼슘의 화학식량
ㄴ. 묽은 염산의 밀도
ㄷ. 이산화 탄소의 분자량

03 그림과 같이 장치하고 마그네슘 리본 2.4 g을 충분한 양의 묽은 염산과 반응시킨 후 발생하는 기체의 부피를 0 ˚C, 1기압에서 측정하였더니 2.24 L였다.

이에 대한 설명으로 옳은 것만을 보기에서 있는 대로 고른 것은?

보기
ㄱ. 마그네슘의 원자량은 24이다.
ㄴ. 반응 결과 발생하는 기체는 수소 기체이다.
ㄷ. 마그네슘과 묽은 염산의 반응 몰비는 1 : 1이다.

① ㄱ ② ㄷ ③ ㄱ, ㄴ
④ ㄴ, ㄷ ⑤ ㄱ, ㄴ, ㄷ

화학 반응의 양적 관계

화학 반응에서 원하는 양의 생성물을 얻고자 할 때 반응물을 얼마나 사용해야 하는지와 같은 실제적인 문제를 해결하는 데 화학 반응의 양적 관계가 이용된다. 다양한 상황에서 구하고자 하는 양을 알아내는 방법을 연습해 보자.

❶ 반응물이나 생성물의 질량이 제시된 경우

예 0 ℃, 1기압에서 충분한 양의 묽은 염산($HCl(aq)$)에 마그네슘(Mg) 0.24 g을 반응시켰을 때 생성되는 수소(H_2) 기체의 부피를 구하시오. (단, Mg의 원자량은 24이다.)

[단계적 풀이 방법]

단계 ❶ 화학 반응식을 완성한다.

➡ $Mg(s) + 2HCl(aq) \longrightarrow MgCl_2(aq) + H_2(g)$

단계 ❷ 주어진 물질의 양(mol)을 구한다. 이때 필요한 자료가 무엇인지 파악한다.

➡ Mg 0.24 g의 양(mol)을 구하려면 Mg의 원자량을 알아야 한다.

$$\text{Mg의 양(mol)} = \frac{\text{질량}}{\text{1몰의 질량}} = \frac{0.24\ \text{g}}{24\ \text{g/mol}} = 0.01\ \text{mol}$$

단계 ❸ 화학 반응식의 계수비를 이용하여 구하고자 하는 물질의 양을 알아낸다.

➡ Mg과 H_2의 계수비가 1 : 1이므로 반응 몰비도 1 : 1이다. 따라서 생성되는 $H_2(g)$의 양(mol)은 0.01 mol이다.

단계 ❹ 구하고자 하는 물질의 양으로 환산한다.

➡ 0 ℃, 1기압에서 기체 1몰의 부피가 22.4 L이므로 $H_2(g)$ 0.01몰의 부피는 0.224 L이다.

예제

❶ 염소산 칼륨($KClO_3$)이 열분해하면 산소 기체가 발생한다. 0 ℃, 1기압에서 염소산 칼륨 61.3 g이 모두 반응하였을 때, 물음에 답하시오. (단, $KClO_3$의 화학식량은 122.6이다.)

(1) 이 반응의 화학 반응식을 쓰시오.
(2) 생성되는 KCl의 양(mol)을 구하시오.
(3) 생성되는 O_2의 부피(L)를 구하시오.

해설 (2) $KClO_3$ 61.3 g은 0.5몰이므로 생성되는 KCl의 양은 0.5몰이다.
(3) 생성되는 $O_2(g)$의 양은 0.75몰이므로 부피는 16.8 L이다.

정답 (1) $2KClO_3(s) \longrightarrow 2KCl(s) + 3O_2(g)$
(2) 0.5몰 (3) 16.8 L

❷ 기체 사이의 반응에서 어느 한 기체의 부피가 제시된 경우

예 0 ℃, 1기압에서 2.24 L의 프로페인(C_3H_8)이 완전 연소되었을 때 생성되는 이산화 탄소(CO_2)의 부피를 구하시오.

[단계적 풀이 방법]

단계 ❶ 화학 반응식을 완성한다.

➡ $C_3H_8(g) + 5O_2(g) \longrightarrow 3CO_2(g) + 4H_2O(l)$

단계 ❷ 주어진 물질의 양(mol)을 구한다.

➡ 0 ℃, 1기압에서 $C_3H_8(g)$ 2.24 L는 0.1몰이다.

단계 ❸ 화학 반응식의 계수비를 이용하여 구하고자 하는 물질의 양을 알아낸다.

➡ C_3H_8과 CO_2의 계수비가 1 : 3이므로 생성되는 CO_2의 양은 0.3몰이다. 0 ℃, 1기압에서 기체 0.3몰의 부피는 6.72 L(=0.3 mol×22.4 L/mol)이다.

예제

❷ 질소로부터 암모니아를 합성한 후 생성된 암모니아를 이용하여 요소 45 g을 합성하였을 때, 물음에 답하시오. (단, 요소의 분자량은 60이고, a, b는 반응 계수이다.)

(가) 암모니아 합성 반응
$N_2(g) + 3H_2(g) \longrightarrow 2NH_3(g)$
(나) 암모니아로부터 요소 합성 반응
$aNH_3(g) + CO_2(g) \longrightarrow bCO(NH_2)_2(s) + H_2O(l)$

(1) 반응 계수 a와 b를 구하시오.
(2) (나)에서 반응한 암모니아의 양(mol)을 구하시오.
(3) (가)에서 반응한 $N_2(g)$의 부피(L)를 0 ℃, 1기압에서 구하시오.

해설 (2) 요소의 양이 0.75몰이므로 반응한 암모니아의 양은 1.5몰이다.
(3) (가)에서 암모니아 1.5몰이 생성될 때 반응한 질소의 양은 0.75몰이다.

정답 (1) a=2, b=1 (2) 1.5몰 (3) 16.8 L

③ 반응물 중 어느 한 물질이 과량인 경우

- 0 ℃, 1기압에서 모든 기체 1몰의 부피는 22.4 L이다. 0 ℃, 1기압에서 기체의 부피는 기체의 양(mol)과 기체 1몰의 부피(=22.4 L)의 곱과 같다.
- 한계 반응물(반응물에서 남는 것이 없는 물질)을 확인하면 반응 후 남는 물질을 알 수 있다.

예 일정한 온도와 압력에서 질소(N_2) 기체 30 L와 수소(H_2) 기체 30 L를 혼합한 후 어느 한 기체가 모두 소모될 때까지 반응시켰을 때, 반응 후 혼합 기체의 부피를 구하시오.

[단계적 풀이 방법]

단계 1 화학 반응식을 완성한다.

➡ $N_2(g) + 3H_2(g) \longrightarrow 2NH_3(g)$

단계 2 한계 반응물을 확인하고, 남는 물질의 양을 계산한다.

➡ N_2와 H_2의 반응 부피비는 1 : 3이므로 모두 반응하는 한계 반응물은 H_2이다. 이때 H_2 30 L가 모두 반응할 때 반응하는 N_2의 부피는 10 L이므로 반응 후 N_2 20 L가 남는다.

단계 3 문제에서 구하려는 양을 계산한다.

➡ H_2와 NH_3의 반응 부피비는 3 : 2이므로 생성되는 NH_3의 부피는 20 L이다. 따라서 반응 후 혼합 기체는 NH_3 20 L, 반응하지 않고 남은 N_2 20 L로 총 40 L이다.

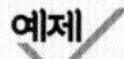

예제

③ 다음은 기체 A_2와 B_2가 반응하여 기체 X를 생성하는 화학 반응식이다.

$$aA_2(g) + bB_2(g) \longrightarrow 2X(g) \ (a, b\text{는 반응 계수})$$

그림은 이 반응에서 혼합한 기체의 부피와 반응하지 않고 남은 기체의 부피를 나타낸 것이다.

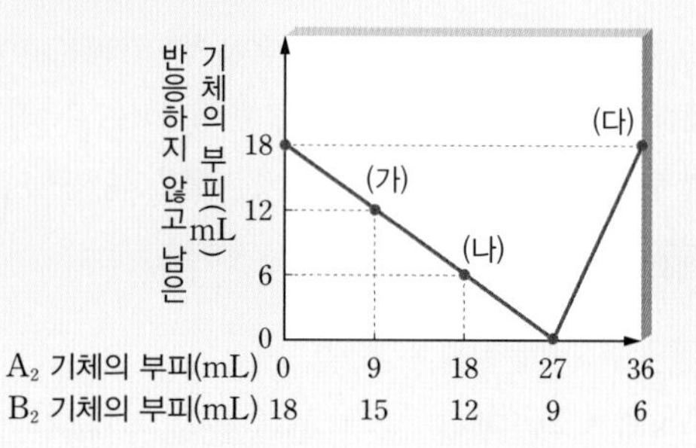

(1) 반응 계수 a와 b를 구하시오.
(2) (가)에서 생성된 X의 부피를 구하시오.
(3) (나)와 (다)를 혼합하여 반응이 완결된 후 반응 후 남은 물질과 그 부피를 구하시오.

해설 (1) 반응물 A_2와 B_2가 모두 반응할 때 그 부피가 각각 27 mL, 9 mL로 부피비가 3 : 1이므로 화학 반응식의 계수비도 3 : 1이다.
(2) 반응 부피비가 $A_2 : B_2 = 3 : 1$이므로 (가)에서 A_2 9 mL가 모두 반응하기 위해 필요한 B_2의 부피는 3 mL이다. 따라서 모두 반응하는 한계 반응물은 A_2이다. A_2와 X의 반응 부피비는 화학 반응식의 계수비와 같은 3 : 2이므로 A_2 9 mL가 모두 반응할 때 생성되는 X의 부피는 6 mL이다.
(3) (나)와 (다)를 혼합한 것은 A_2 54 mL와 B_2 18 mL를 혼합한 것과 같고, 반응 부피비는 $A_2 : B_2 = 3 : 1$이므로 A_2 54 mL와 B_2 18 mL가 모두 반응한다.

정답 (1) $a=3$, $b=1$ (2) 6 mL (3) 남은 물질 없음

유제

정답과 해설 16쪽

그림은 t ℃, 1기압에서 일산화 탄소(CO) 기체와 산소(O_2) 기체가 들어 있는 연소 전 상태와, 반응이 완결된 후 연소 후 상태를 나타낸 것이다. t ℃, 1기압에서 기체 1몰의 부피는 24 L이다.

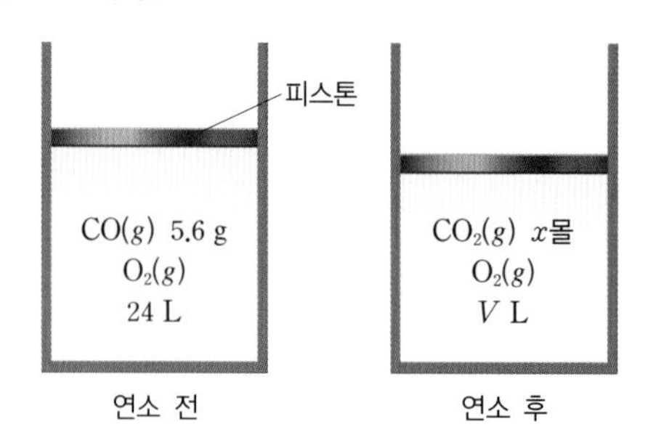

이에 대한 설명으로 옳은 것만을 보기에서 있는 대로 고른 것은? (단, C, O의 원자량은 각각 12, 16이다.)

보기
ㄱ. $x=0.2$이다.
ㄴ. $V=21.6$이다.
ㄷ. 연소 후 실린더 속 산소(O_2) 기체의 질량은 22.4 g이다.

① ㄱ ② ㄷ ③ ㄱ, ㄴ
④ ㄴ, ㄷ ⑤ ㄱ, ㄴ, ㄷ

02 화학 반응식

1 물리 변화와 화학 변화

1. **물리 변화** 물질의 고유한 성질은 변하지 않고 물질의 상태나 모양 등이 달라지는 변화이다.
2. **화학 변화** 물질의 성질이 전혀 다른 새로운 물질이 생성되는 변화이다.

2 화학 반응식

1. **화학 반응식** 화학 반응에 관여하는 반응물과 생성물을 (❶)으로 표시하고, 기호를 사용하여 화학 반응을 나타낸 식이다.
2. **화학 반응식을 완성하는 방법**
- 반응물과 생성물을 (❷)으로 나타내고, 각 물질이 2가지 이상일 때는 '+'로 연결한다.
- 반응물은 화살표 (❸)에, 생성물은 화살표 (❹)에 쓴다.
- 반응물과 생성물에 포함된 원자의 종류와 수가 각각 같아지도록 각 화학식 앞의 (❺)를 맞춘다. 이때 (❻)는 가장 간단한 정수비로 나타내고, 1인 경우에는 생략한다.

3 화학 반응식의 의미와 양적 관계

1. **화학 반응식의 의미** 반응물과 생성물의 종류, 화학 반응식의 계수비로부터 반응 몰비, 분자 수비, 기체의 부피비 등을 알 수 있으며, 각 물질의 화학식량과 계수로부터 질량 관계를 알 수 있다.

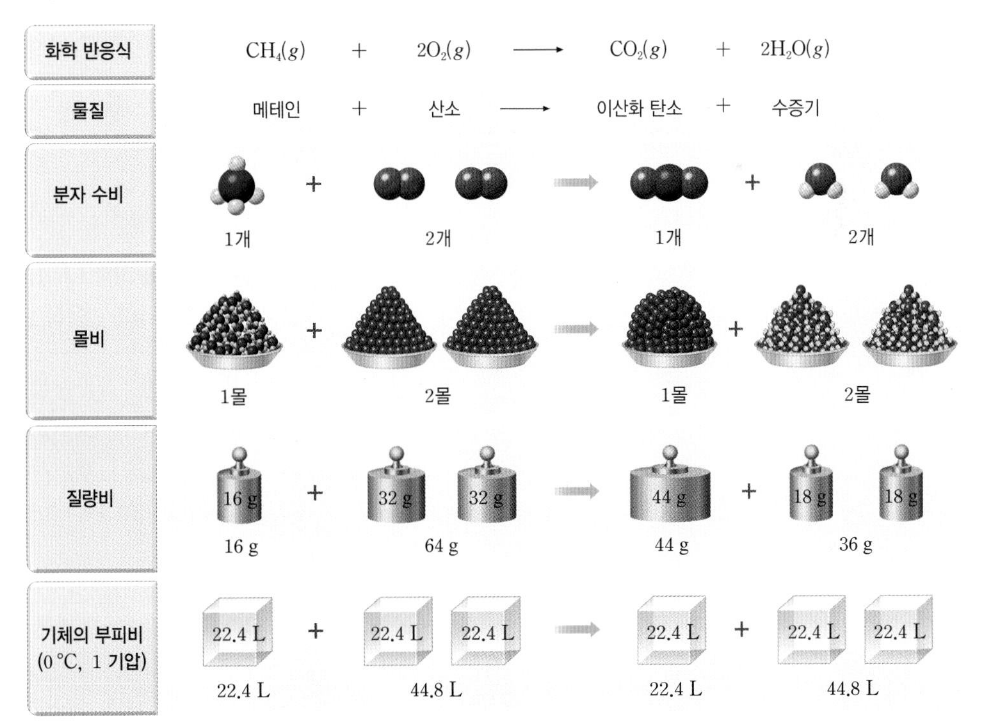

2. **화학 반응식의 양적 관계** 화학 반응식에서 각 물질의 계수비는 반응하거나 생성되는 물질의 몰비와 같으므로 화학식량과 화학 법칙을 이용하여 반응하거나 생성되는 물질의 질량이나 기체의 부피를 알 수 있다.
- 계수비=몰비=분자 수비=기체의 (❼)
- 질량비=(계수×화학식량)비

01 다음은 질소와 수소가 반응하여 암모니아를 생성하는 화학 반응식이다.

$$N_2(g) + 3H_2(g) \longrightarrow 2NH_3(g)$$

이 화학 반응식에 대한 설명으로 옳은 것만을 보기에서 있는 대로 고르시오.

보기
ㄱ. 반응물은 N_2와 H_2이다.
ㄴ. N_2와 H_2는 1 : 3의 몰비로 반응한다.
ㄷ. N_2 1 g이 모두 반응할 때 생성되는 NH_3의 질량은 2 g이다.

02 다음 화학 반응식을 완성하시오.

(1) ( )CO + ( )O_2 ⟶ ( )CO_2
(2) $Fe_2O_3 + 3CO \longrightarrow 2Fe + 3($)
(3) $2H_2O_2 \longrightarrow 2H_2O + ($)

03 다음은 수소(H_2) 기체와 산소(O_2) 기체가 반응하여 물(H_2O)을 생성하는 화학 반응식이다.

$$2H_2(g) + O_2(g) \longrightarrow 2H_2O(l)$$

H_2O 3몰을 생성하기 위해 필요한 O_2 분자의 최소 개수를 구하시오. (단, 아보가드로수는 6.02×10^{23}개이다.)

04 그림은 원자 A와 B로 이루어진 2가지 기체의 반응을 모형으로 나타낸 것이다.

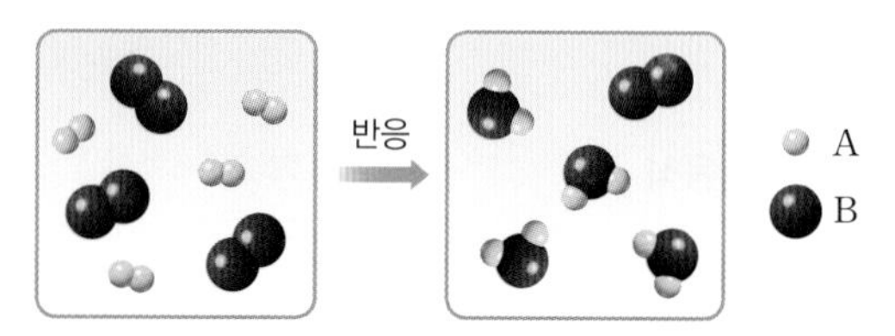

이 반응의 화학 반응식을 쓰시오. (단, A와 B은 임의의 원소 기호이다.)

05 다음은 메탄올의 연소를 화학 반응식으로 나타낸 것이다. a~d는 반응 계수이다.

$$aCH_3OH + bO_2 \longrightarrow cH_2O + dCO_2$$

a~d를 각각 구하시오.

06 다음은 수산화 리튬(LiOH)과 이산화 탄소(CO_2)의 반응에서 LiOH 10 g과 반응하는 CO_2의 질량을 구하는 과정이다.

(가) 화학 반응식을 구한다.
$aLiOH(s) + bCO_2(g) \longrightarrow Li_2CO_3(s) + H_2O(l)$
(a, b는 반응 계수)
(나) LiOH 10 g의 양(mol)을 계산한다.
LiOH의 양(mol)$=\dfrac{10\text{ g}}{㉠}=x$
(다) LiOH x몰과 반응하는 CO_2의 양(mol)을 계산한다.
CO_2의 양(mol)$=x\times$ ㉡ $=y$
(라) CO_2의 양(mol)으로부터 CO_2의 질량을 계산한다.
CO_2의 질량(g)$=y\times$ ㉢

(1) (가)에서 반응 계수 a, b를 구하시오.
(2) ㉠~㉢에 알맞은 말이나 숫자를 쓰시오.

07 다음은 광합성 반응의 화학 반응식이다.

$$6CO_2 + 6H_2O \longrightarrow aC_6H_{12}O_6 + bO_2$$

(a, b는 반응 계수)

이에 대한 설명으로 옳은 것만을 보기에서 있는 대로 고르시오. (단, H, C, O의 원자량은 각각 1, 12, 16이다.)

보기

ㄱ. 반응하는 CO_2 분자 수와 생성되는 O_2 분자 수는 같다.

ㄴ. 반응하는 CO_2의 질량은 생성되는 $C_6H_{12}O_6$ 질량의 6배이다.

ㄷ. $a+b=7$이다.

08 다음은 메테인(CH_4)의 연소를 화학 반응식으로 나타낸 것이다.

$$CH_4(g) + 2O_2(g) \longrightarrow CO_2(g) + 2H_2O(l)$$

이 반응에 대해 물음에 답하시오. (단, H, C, O의 원자량은 각각 1, 12, 16이고, 0 ℃, 1기압에서 기체 1몰의 부피는 22.4 L, 아보가드로수는 6.02×10^{23}개이다.)

(1) CH_4 8 g이 완전 연소할 때 생성되는 CO_2의 질량을 구하시오.

(2) CH_4 1몰이 완전 연소하기 위해 필요한 O_2의 최소 분자 개수를 구하시오.

(3) 0 ℃, 1기압에서 생성된 CO_2의 부피가 11.2 L라면 이때 반응한 CH_4의 질량을 구하시오.

09 에탄올(C_2H_5OH)의 완전 연소 반응에 대해 다음 물음에 답하시오. (단, H, C, O의 원자량은 각각 1, 12, 16이고, 0 ℃, 1기압에서 기체 1몰의 부피는 22.4 L이다.)

(1) 에탄올의 연소 반응을 화학 반응식으로 나타내시오.

(2) 에탄올 23 g이 완전 연소할 때 생성되는 물의 질량을 구하시오.

(3) 에탄올 11.5 g이 완전 연소할 때 생성되는 이산화 탄소의 양(mol)을 구하시오.

(4) 0 ℃, 1기압에서 에탄올 46 g을 완전 연소시키기 위해 필요한 산소 기체의 최소 부피를 구하시오.

10 다음은 금속 M과 묽은 염산($HCl(aq)$)의 반응을 화학 반응식으로 나타낸 것이다.

$$M(s) + aHCl(aq) \longrightarrow MCl_2(aq) + H_2(g)$$

(a는 반응 계수)

그림은 0 ℃, 1기압에서 6 g의 금속 M을 충분한 양의 $HCl(aq)$과 반응시켰을 때 생성되는 수소(H_2) 기체의 부피를 시간에 따라 나타낸 것이다. 물음에 답하시오. (단, M은 임의의 원소 기호이고, 0 ℃, 1기압에서 기체 1몰의 부피는 22.4 L이다.)

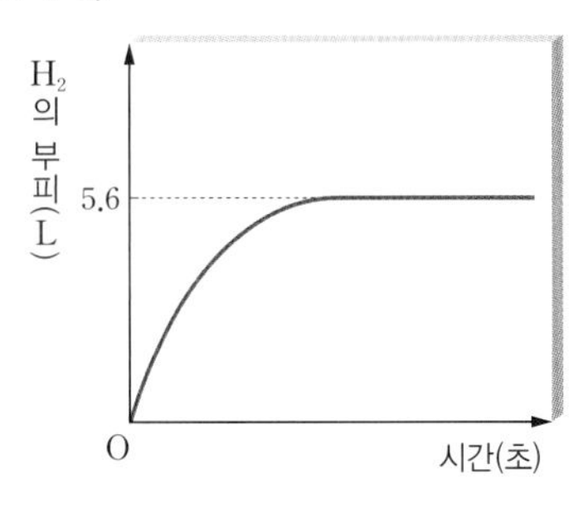

(1) a를 구하시오.

(2) 생성된 H_2의 양(mol)을 구하시오.

(3) 반응한 M의 양(mol)을 구하시오.

(4) M의 원자량을 구하시오.

01

> 화학 반응식의 양적 관계

다음은 용광로에서 산화 철(Ⅲ)을 제련할 때 일어나는 2가지 화학 반응식이다.

- $aC(s) + bO_2(g) \longrightarrow cCO(g)$
- $dFe_2O_3(s) + eCO(g) \longrightarrow fFe(s) + gCO_2(g)$

(a~g는 반응 계수)

탄소(C) 72 g을 반응시켜 얻은 일산화 탄소(CO)를 모두 사용하여 산화 철(Ⅲ)(Fe_2O_3)을 제련할 때 생성되는 철(Fe)의 질량(g)은? (단, C와 Fe의 원자량은 각각 12, 56이며, 산화 철(Ⅲ)의 양은 충분하다.)

① 56 ② 84 ③ 112 ④ 224 ⑤ 336

• 화학 반응 전후에 원자의 종류와 수가 같아지도록 계수를 맞춘다. 이때 계수는 가장 간단한 정수비로 나타낸다. 화학 반응식의 계수비는 반응물과 생성물의 반응 몰비와 같다.

02

> 화학 반응의 몰비

그림은 t ℃, 1기압에서 1.2 g의 탄소(C) 가루와 산소(O_2) 기체가 실린더에 들어 있는 모습을 나타낸 것이다. t ℃, 1기압에서 기체 1몰의 부피는 30 L이다.

탄소를 완전 연소시켰을 때, t ℃, 1기압에서 이에 대한 설명으로 옳은 것만을 보기에서 있는 대로 고른 것은? (단, 피스톤의 질량과 마찰, 고체의 부피는 무시하며, C, O의 원자량은 각각 12, 16이다.)

보기

ㄱ. 생성된 이산화 탄소(CO_2)의 양은 0.1몰이다.
ㄴ. 실린더 속 물질의 전체 질량은 7.6 g이다.
ㄷ. 실린더 속 전체 기체의 부피는 6 L이다.

① ㄱ ② ㄷ ③ ㄱ, ㄴ ④ ㄴ, ㄷ ⑤ ㄱ, ㄴ, ㄷ

• 탄소의 연소 반응식을 완성하면 반응하는 탄소와 생성되는 이산화 탄소의 반응 몰비를 알 수 있다.

03

> 화학 반응식의 양적 관계

다음은 에텐(C_2H_4)의 연소 반응에 대한 실험이다.

[화학 반응식]

$C_2H_4(g) + 3O_2(g) \longrightarrow 2CO_2(g) + 2H_2O(g)$

[실험]

(가) 그림과 같이 C_2H_4 x g과 O_2 0.5몰을 실린더에 넣었다.

(나) C_2H_4 x g을 완전 연소시켰더니 실린더에는 O_2 6.4 g이 반응하지 않고 남았다.

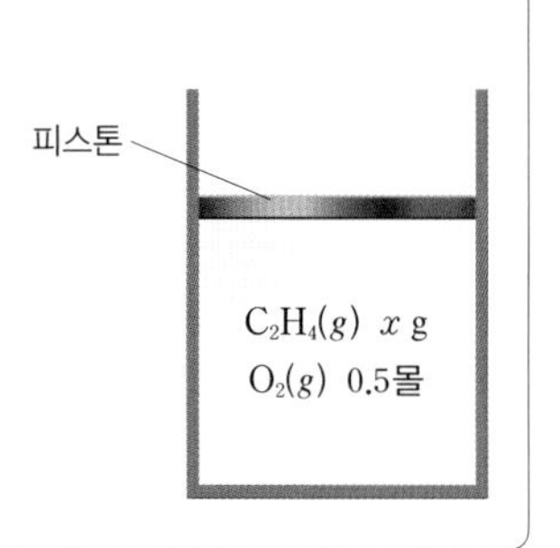

이에 대한 설명으로 옳은 것만을 보기에서 있는 대로 고른 것은?(단, 기체의 온도와 압력은 일정하고, 피스톤의 질량과 마찰은 무시한다. H, C, O의 원자량은 각각 1, 12, 16이다.)

보기

ㄱ. x=2.8이다.

ㄴ. 생성된 CO_2의 질량은 8.8 g이다.

ㄷ. 기체의 밀도는 반응 전이 반응 후의 1.5배이다.

① ㄱ ② ㄷ ③ ㄱ, ㄴ ④ ㄴ, ㄷ ⑤ ㄱ, ㄴ, ㄷ

- 반응 후 남은 산소의 질량으로 반응한 산소의 양(mol)을 알 수 있고, 화학 반응식의 양적 관계를 이용하여 반응한 에텐의 양(mol)을 구할 수 있다.

04

> 화학 반응식의 양적 관계

다음은 기체 X와 산소(O_2)가 반응하여 기체 Y를 생성하는 화학 반응식이다.

$$2X(g) + O_2(g) \longrightarrow aY(g) \ (a\text{는 반응 계수})$$

그림은 X와 O_2가 실린더에 들어 있는 반응 전과 X가 모두 반응한 후의 모습을 나타낸 것이다.

이에 대한 설명으로 옳은 것만을 보기에서 있는 대로 고른 것은? (단, 기체의 온도와 압력은 일정하고, 피스톤의 질량과 마찰은 무시한다. O의 원자량은 16이다.)

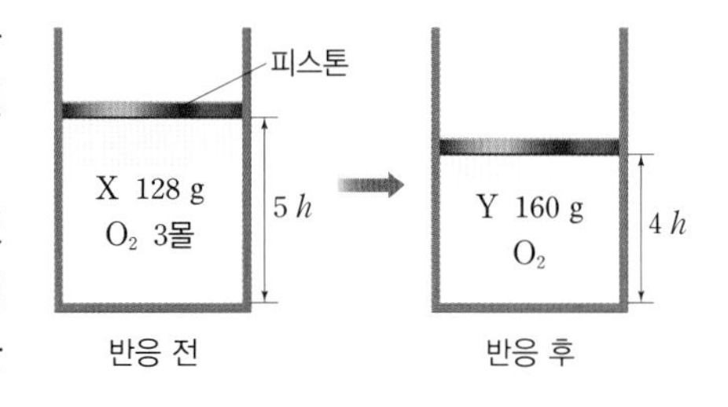

보기

ㄱ. a=2이다.

ㄴ. 분자량은 Y가 X의 1.5배이다.

ㄷ. 반응 후 실린더에 X 128 g을 넣어 모두 반응시키면 실린더에는 Y만 존재한다.

① ㄱ ② ㄷ ③ ㄱ, ㄴ ④ ㄴ, ㄷ ⑤ ㄱ, ㄴ, ㄷ

- 온도와 압력이 같을 때 기체의 부피비는 분자 수비이므로 반응 전과 후 전체 기체의 양(mol)을 알 수 있다. 화학 반응에서는 질량이 보존되므로 반응 전과 후 질량의 총합은 같다.

05

> 화학 반응식의 양적 관계

다음은 에타인(C_2H_2)의 연소 반응식이다.

$$aC_2H_2(g) + bO_2(g) \longrightarrow cCO_2(g) + dH_2O(l)$$ **(a~d는 반응 계수)**

그림은 t ℃, 1기압에서 C_2H_2 x g이 들어 있는 실린더에 O_2의 부피를 달리하여 반응시켰을 때, O_2의 부피에 따라 생성되는 H_2O의 질량을 나타낸 것이다.

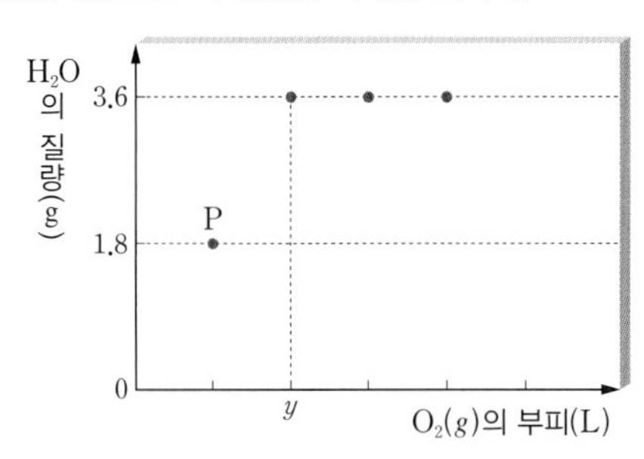

이에 대한 설명으로 옳은 것만을 보기에서 있는 대로 고른 것은? (단, H, C, O의 원자량은 각각 1, 12, 16이고, t ℃, 1기압에서 기체 1몰의 부피는 24 L이다.)

보기

ㄱ. x=5.2이다.

ㄴ. y=7.2이다.

ㄷ. P에서 실린더 속 $\frac{C_2H_2\text{의 양(mol)}}{CO_2\text{의 양(mol)}}$=2이다.

① ㄱ　② ㄴ　③ ㄱ, ㄷ　④ ㄴ, ㄷ　⑤ ㄱ, ㄴ, ㄷ

온도와 압력이 같을 때 기체의 종류에 관계없이 모든 기체는 같은 부피 속에 같은 수의 분자가 들어 있다. 일정량의 반응물이 모두 반응한 후에는 생성물의 양이 일정하게 유지된다.

06

> 화학 반응식의 양적 관계

다음은 2가지 화학 반응식과 실험이다.

[화학 반응식]

• $2M(s) + 6HCl(aq) \longrightarrow 2MCl_3(aq) + 3H_2(g)$

• $C(s) + 2H_2(g) \longrightarrow CH_4(g)$

[실험]

(가) M(s) w g을 충분한 양의 HCl(aq)과 모두 반응시킨다.

(나) (가)에서 생성된 $H_2(g)$와 a g의 C(s)를 혼합하여 어느 한 반응물이 모두 소모될 때까지 반응시킨다.

[실험 결과 및 자료]

• (나)에서 C(s)는 12 g이 남았고, t ℃, 1기압에서 $CH_4(g)$ 36 L가 생성되었다.

• t ℃, 1기압에서 기체 1몰의 부피: 24 L

a×(M의 원자량)은? (단, M은 임의의 원소 기호이고, C의 원자량은 12이다.)

① $5w$　② $7w$　③ $9w$　④ $12w$　⑤ $15w$

화학 반응식의 계수비는 반응물과 생성물의 반응 몰비와 같고, 화학 반응에서 반응 전후 질량은 보존된다. 기체의 부피를 주어진 온도와 압력 조건에서 기체 1몰의 부피로 나누면 기체의 양(mol)을 구할 수 있다.

07

> 화학 반응식과 기체의 부피비

다음은 기체 A와 B가 반응하여 C가 생성되는 화학 반응식이다.

$$A(g) + bB(g) \longrightarrow cC(g)\ (b, c\text{는 반응 계수})$$

그림은 A 7 g이 들어 있는 실린더에 B의 질량을 달리하여 넣어 반응을 완결시켰을 때 넣어 준 B의 질량에 따라 생성되는 C의 질량을 나타낸 것이고, 표는 넣어 준 B의 질량에 따른 반응 후 전체 기체의 부피에 대한 자료이다.

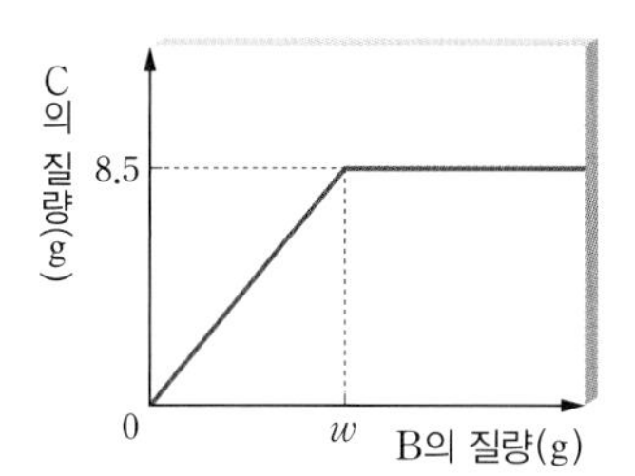

B의 질량(g)	0	$\frac{1}{2}w$	w	$\frac{3}{2}w$	$2w$
반응 후 전체 기체의 부피(L)	6	x	12	21	y

이에 대한 설명으로 옳은 것만을 보기에서 있는 대로 고른 것은? (단, 온도와 압력은 일정하고, 기체 1몰의 부피는 24 L이다.)

보기

ㄱ. B의 분자량은 2이다.

ㄴ. $\frac{c}{b}=1.5$이다.

ㄷ. $x+y=33$이다.

① ㄱ ② ㄴ ③ ㄱ, ㄷ ④ ㄴ, ㄷ ⑤ ㄱ, ㄴ, ㄷ

> 화학 반응 전후 질량은 일정하고, 일정량의 반응물이 모두 반응하면 생성물의 질량은 더 이상 증가하지 않는다.

08

> 화학 반응식과 기체의 부피비

다음은 기체 A가 분해되어 B와 C를 생성하는 화학 반응식이다.

$$2A(g) \longrightarrow bB(g) + 2C(g)\ (b\text{는 반응 계수})$$

그림은 실린더에 A를 넣고 모두 분해시킬 때, 반응 시간에 따른 전체 기체의 밀도를 나타낸 것이다. 온도와 압력은 일정하고 X, Y에서 A의 질량은 각각 w_X, w_Y이고, Y와 Z에서 B의 양(mol)은 각각 n_Y, n_Z이다.

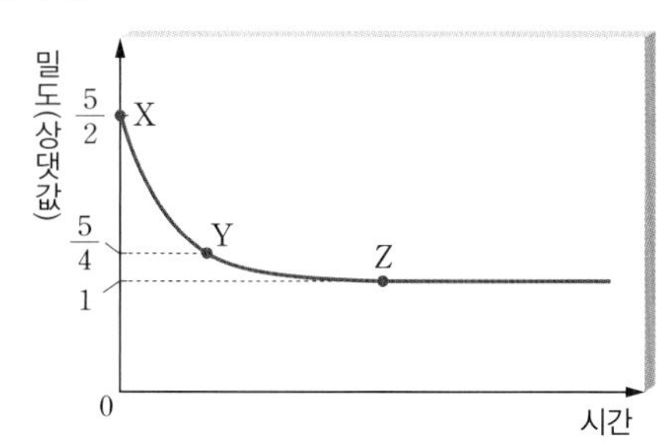

$\frac{w_Y}{w_X} \times \frac{n_Z}{n_Y}$는?

① $\frac{1}{4}$ ② $\frac{1}{3}$ ③ $\frac{1}{2}$ ④ 1 ⑤ $\frac{3}{2}$

> 기체의 밀도는 $\frac{\text{질량}}{\text{부피}}$이고, 화학 반응에서 질량은 반응 전후 일정하므로 밀도비는 $\frac{1}{\text{부피}}$ 비와 같다.

03 몰 농도

학습 Point 용해와 용액, 용해의 원리 > 퍼센트 농도, 몰 농도 > 혼합 용액의 몰 농도 > 농도의 환산

1 용해와 용액

우리 주변에 존재하는 대부분의 물질은 혼합물이다. 우리가 숨쉬는 공기는 질소와 산소 등의 기체 혼합물이고, 혈액은 여러 가지 성분들이 섞여 있는 액체 혼합물이며, 암석은 여러 가지 무기물들의 고체 혼합물이다. 이러한 혼합물 중 성분 물질이 고르게 섞인 물질을 용액이라고 한다.

1. 용해

두 종류 이상의 물질이 고르게 섞이는 현상을 용해라고 하며, 용해되어 만들어진 균일한 혼합물을 용액이라고 한다. 이때 용액에서 녹이는 물질을 용매라 하고, 녹는 물질을 용질이라고 한다.

예를 들어 황산 구리(Ⅱ) 오수화물을 물에 녹이면 황산 구리(Ⅱ) 수용액이 되는데, 이때 황산 구리(Ⅱ) 오수화물을 녹이는 물은 용매, 물에 녹는 황산 구리(Ⅱ) 오수화물은 용질, 황산 구리(Ⅱ) 수용액은 용액이 된다.

$$\text{용매} + \text{용질} \underset{\text{석출}}{\overset{\text{용해}}{\rightleftarrows}} \text{용액}$$

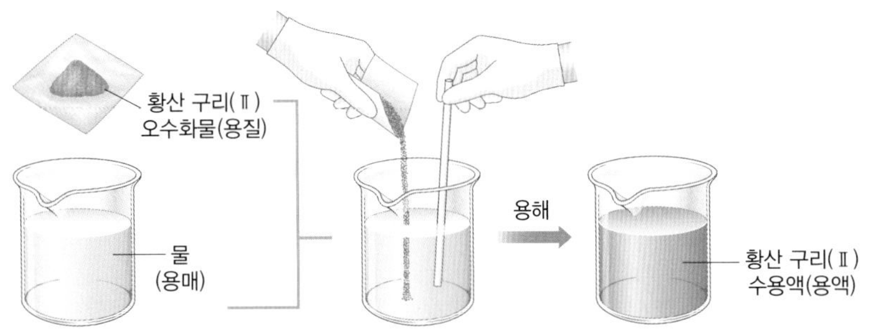

▲ 용액의 형성

(1) **물질의 상태와 용액:** 용질과 용매는 고체, 액체, 기체 모두 가능하며, 용질과 용매의 상태가 같아서 용질과 용매의 구분이 명확하지 않을 경우 일반적으로 양이 적은 성분을 용질, 양이 많은 성분을 용매라고 한다. 또, 용매가 물인 용액을 특별히 수용액이라고 한다.

용액의 상태	용액의 예	용매	용질
고체	황동(구리+아연)	구리	아연
액체	설탕 수용액(물+설탕)	물	설탕
기체	공기(질소+산소)	질소	산소

균일 혼합물과 불균일 혼합물

- 균일 혼합물: 공기, 소금물, 설탕물과 같이 2가지 이상의 순물질이 서로 반응하지 않고 균일하게 섞여 있는 혼합물을 의미한다.
- 불균일 혼합물: 암석이나 흙탕물과 같이 균일하지 않게 섞여 있는 혼합물을 의미한다.

액체와 액체가 섞인 용액에서 용질과 용매의 구분

용액	용질	용매
10 % 에탄올+90 % 물	에탄올	물
10 % 물+90 % 에탄올	물	에탄올

(2) **용해의 원리:** 물과 에탄올은 잘 섞여 용액을 형성하지만 물과 벤젠은 서로 섞이지 않아 용액을 만들기 어렵다. 이처럼 용질과 용매가 서로 섞이는 용해의 원리를 설명하기 위해서는 용질과 용매 사이의 상호 작용이 매우 중요하다. 이러한 입자 사이의 상호 작용에는 용매 입자와 용매 입자 사이의 인력, 용질 입자와 용질 입자 사이의 인력, 용매 입자와 용질 입자 사이의 인력이 있다.

용해는 용매 입자와 용질 입자 사이의 인력이 용매 입자 사이의 인력보다 더 크거나 비슷한 경우에 잘 일어난다. 따라서 용질 입자와 용매 입자의 분자 구조가 비슷한 경우 용해가 잘 일어나는데, 이러한 원리를 간단히 "끼리끼리 녹인다(like dissolves like)"라고 표현할 수 있다.

(3) 여러 가지 물질의 용해성

① 이온 결합 물질이나 극성 물질은 극성 용매에 잘 녹는다.

예 염화 나트륨, 암모니아, 염화 수소 등은 물에 잘 녹는다.

② 무극성 물질은 무극성 용매에 잘 녹는다.

예 벤젠, 아이오딘은 물보다 사이클로헥세인에 잘 녹는다.

시야 확장 ⊕ 용해의 원리

❶ **반응의 자발성:** 자연계의 모든 물리 변화나 화학 변화가 자발적으로 진행될 것인지는 에너지와 무질서도 두 가지 요인에 의해 결정된다. 즉, 높은 곳에 있는 물이 자발적으로 아래로 떨어지듯이 자연계의 모든 반응은 에너지가 낮아지는 쪽으로 일어나려고 한다. 또, 시간이 지날수록 잘 정리된 방도 어질러지듯이 자연계의 모든 반응은 무질서도가 증가하는 쪽으로 진행된다. 실제로는 이 2가지 요인의 경쟁에 의하여 모든 반응의 자발성이 결정된다.

❷ **용해의 원리:** 용해 과정에서 용질과 용매 분자 사이의 인력이 용매 분자 사이의 인력과 비슷할 때 용해가 되어 용액이 형성되는 것은 용해 과정에서 무질서도가 증가하기 때문이다.

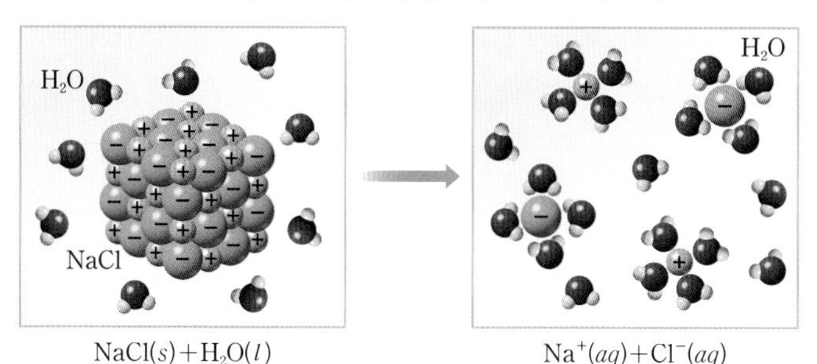

▲ **염화 나트륨(NaCl)의 용해 과정**

- 용매 분자 사이의 인력: 용질 입자들이 용매 분자 사이로 녹아 들어가려면 용매 분자들이 분리되어야 하므로 용해가 일어나기 위해서는 용매 분자 사이의 인력을 끊기 위한 에너지가 필요하다.
- 용질 입자 사이의 인력: 용질 입자들은 용해 과정에서 분리되어야 하므로 용해가 일어나기 위해서는 용질 입자 사이의 인력을 끊기 위한 에너지가 필요하다. 이온 결합 물질의 경우에는 용질 입자 사이에 양이온과 음이온 간 정전기적 인력이 작용하므로, 이러한 정전기적 인력이 작은 물질이 정전기적 인력이 큰 물질보다 물에 잘 용해되는 경향이 있다.
- 용매 분자와 용질 입자 사이의 인력: 용질과 용매가 서로 섞여 용액을 형성할 때 용매 분자와 용질 입자가 결합하여 안정화하기 때문에 에너지가 낮아진다. 따라서 용매 분자와 용질 입자 사이에 강한 인력이 작용할수록 용해가 잘 된다.

극성 물질과 무극성 물질의 용해

극성 물질은 극성 용매와 잘 섞이고, 무극성 물질은 무극성 용매와 잘 섞인다.

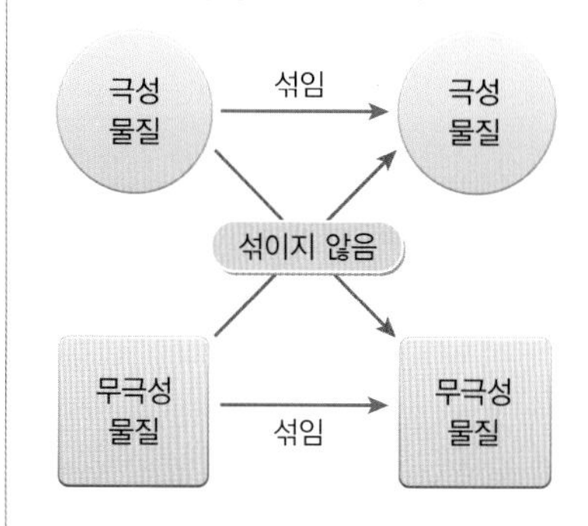

극성 분자와 무극성 분자

서로 다른 원자가 결합한 이원자 분자는 극성 분자, 같은 원자끼리 결합한 이원자 분자는 무극성 분자이다. 그러나 다른 원자끼리 결합한 다원자 분자라도 대칭 구조를 가지면 무극성 분자가 된다.

예 • 극성 분자: HCl, CH_3Cl, NF_3
• 무극성 분자: I_2, O_2, CH_4, CCl_4

(4) **수화:** 물은 극성 분자로 다른 극성 분자들과 서로 잘 섞이며, 염화 나트륨과 같은 이온 결합 물질을 잘 녹인다. 이는 이온 결정을 이루는 양이온과 음이온이 극성 분자의 부분적인 양전하(δ^+)나 부분적인 음전하(δ^-)를 띠는 부분과 정전기적 인력으로 결합하여 결정에서 쉽게 떨어져 나오기 때문이다.

염화 나트륨을 물에 녹이면 염화 나트륨의 Na^+을 부분적인 음전하(δ^-)를 띠는 산소 원자가 끌어당기고, Cl^-을 부분적인 양전하(δ^+)를 띠는 수소 원자가 끌어당기기 때문에 Na^+과 Cl^- 사이의 인력이 약해져서 이온들이 결정으로부터 떨어져 나오게 된다. 떨어져 나온 각 이온들은 물 분자에 의해 둘러싸여 안정화되는데, 이러한 현상을 수화라고 한다. 설탕과 같은 분자성 물질의 경우에는 물 분자가 설탕 분자를 둘러싸서 설탕 분자 사이의 인력을 약화시켜 물에 녹게 된다.

용매화
용해가 일어날 때 용질 입자가 용매 입자에 둘러싸여 안정화되는 현상을 용매화라고 하며, 특히 용매가 물인 경우를 수화라고 한다.

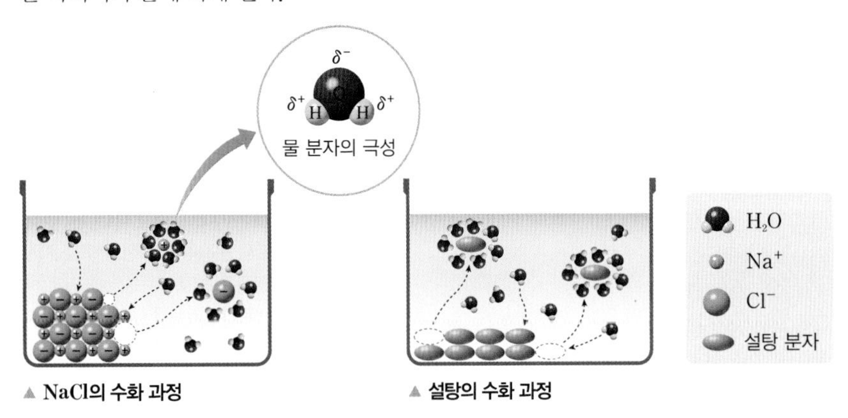

▲ NaCl의 수화 과정

▲ 설탕의 수화 과정

2 용액의 몰 농도

수용액에서 일어나는 화학 반응에서 양적 관계를 구하기 위해서는 용액 속에 들어 있는 용질의 양을 알아야 한다. 용액에 들어 있는 용질의 양을 나타낸 것을 용액의 농도라고 하는데, 용액의 농도를 표현하는 방법에는 여러 가지가 있다.

1. 퍼센트 농도(%)

용액 100 g 속에 녹아 있는 용질의 질량(g)을 나타낸 농도로, 단위는 %를 사용한다.

$$\text{퍼센트 농도(\%)} = \frac{\text{용질의 질량(g)}}{\text{용액의 질량(g)}} \times 100 = \frac{\text{용질의 질량(g)}}{\text{용질의 질량(g)} + \text{용매의 질량(g)}} \times 100$$

퍼센트 농도의 장단점
퍼센트 농도는 용질과 용액의 질량을 이용해서 농도를 표현하기 때문에 온도가 변해도 농도 값이 변하지 않는다는 장점이 있다. 그러나 액체의 양을 측정할 때 일반적으로 질량보다는 부피를 측정하기 때문에 부피를 질량으로 환산하기 위해 밀도가 필요하다는 단점이 있다.

예 10 % 염화 나트륨 수용액은 수용액 100 g 속에 염화 나트륨이 10 g 녹아 있는 용액이므로 용매인 물 90 g에 용질인 염화 나트륨 10 g을 녹인 용액이다.

(1) 용액과 용질의 양을 질량으로 나타내므로 온도나 압력이 변해도 농도가 변하지 않는다.

(2) 용액의 퍼센트 농도를 이용하면 용액에 녹아 있는 용질의 질량을 구할 수 있다.

$$\text{용질의 질량(g)} = \text{용액의 질량(g)} \times \frac{\text{퍼센트 농도(\%)}}{100}$$

2. ppm 농도

ppm은 'parts per million'의 약자로, 용액 10^6 g 속에 녹아 있는 용질의 질량(g)을 나타낸 것이다. 공기 중에 포함된 이산화 황이나 오존 등과 같은 대기 오염 물질이나 지하수에 포함된 중금속과 같이 농도가 매우 작아 퍼센트 농도로 나타내면 그 값이 너무 작을 때 사용한다.

$$\text{ppm} = \frac{\text{용질의 질량(g)}}{\text{용액의 질량(g)}} \times 10^6$$

3. 몰 농도

탐구 1권 112쪽

용액 1 L 속에 녹아 있는 용질의 양(mol)을 나타낸 농도로, 단위는 mol/L 또는 M을 사용한다.

$$\text{몰 농도(M)} = \frac{\text{용질의 양(mol)}}{\text{용액의 부피(L)}} = \frac{\text{용액 1 L 속에 녹아 있는 용질의 질량(g/L)}}{\text{용질 1몰의 질량(g/mol)}}$$

예 0.1 M 수산화 나트륨(NaOH) 수용액 1 L에는 NaOH 0.1몰(=4 g)이 녹아 있다.

(1) 몰 농도는 질량이 아닌 용액 1 L 속에 들어 있는 용질의 양(mol)을 나타낸 것이므로 용액에 들어 있는 용질의 양을 파악하기가 쉽다.

(2) 용액 속 용질의 양(mol)은 온도에 따라 변하지 않지만, 온도가 높아지면 용액의 부피가 증가하고 온도가 낮아지면 부피가 감소하므로 용액의 몰 농도는 온도에 따라 달라진다. 즉, 온도가 높아지면 몰 농도가 감소하고, 온도가 낮아지면 몰 농도가 증가한다.

(3) 용액 1 L에 들어 있는 용질의 양(mol)을 나타낸 것이므로 용질의 화학식량을 알면 용액 속에 녹아 있는 용질의 질량을 계산할 수 있다. 그러나 수용액의 질량은 알 수 없으므로 수용액의 밀도를 모르면 용매의 질량을 구할 수 없다.

(4) 수용액의 몰 농도와 부피를 알면 수용액에 녹아 있는 용질의 양(mol)을 다음과 같이 구할 수 있다.

$$\text{용질의 양(mol)} = \text{용액의 몰 농도(mol/L)} \times \text{용액의 부피(L)}$$

(5) 특정한 몰 농도의 용액을 만들 때는 다음과 같은 기구들이 필요하다.

전자저울	비커	부피 플라스크	씻기병
원하는 용질의 양(mol)에 해당하는 질량을 정확히 측정할 때 사용한다.	용질을 녹인 후 용액을 부피 플라스크에 옮길 때 사용한다.	일정 부피의 용액을 만들 때 사용한다.	비커에 남아 있는 용액을 헹구거나 부피 플라스크의 눈금선을 맞출 때 사용한다.

몰랄 농도

몰랄 농도는 용매 1 kg 속에 녹아 있는 용질의 양(mol)을 나타낸 농도이다.

$$\text{몰랄 농도(m)} = \frac{\text{용질의 양(mol)}}{\text{용매의 질량(kg)}} = \frac{\text{용질의 질량(g)}}{\text{용질의 분자량} \times \text{용매의 질량(kg)}}$$

몰랄 농도는 용매의 질량을 기준으로 농도를 표시하므로 온도가 변해도 농도가 변하지 않는다는 장점이 있다. 그러나 용매의 양을 부피가 아닌 질량으로 표현하기 때문에 측정에 어려움이 있고, 몰 농도로 환산하기 위해서는 용액의 밀도를 알아야 한다는 단점이 있다.

예제

황산 196 g을 물에 녹여 용액 2 L를 만들었다. 이 수용액의 몰 농도를 구하시오. (단, 황산의 분자량은 98이다.)

해설 황산의 양(mol)$=\frac{\text{질량}}{\text{분자량}}=\frac{196}{98}=2$(mol)

몰 농도$=\frac{\text{용질의 양(mol)}}{\text{용액의 부피(L)}}=\frac{2\text{ mol}}{2\text{ L}}=1\text{ mol/L}=1\text{ M}$

정답 1 M

4. 몰 분율

혼합물에서 전체 물질의 양(mol)에 대한 특정 성분의 양(mol)의 비율을 몰 분율이라고 한다. 용액은 용매와 용질로 이루어진 혼합물이므로 용액에서 특정 성분의 몰 분율은 그 성분 물질의 양(mol)을 용액을 이루는 전체 성분 물질의 양(mol)으로 나눈 값이다.

$$\text{몰 분율}=\frac{\text{특정 성분 물질의 양(mol)}}{\text{용액을 이루는 전체 성분 물질의 양(mol)}}$$

몰 분율의 특징
몰 분율은 단위가 상쇄되므로 단위가 없으며, 온도가 변해도 값이 달라지지 않는다.

예제

1.0몰의 메탄올(CH_3OH)과 4.0몰의 물이 섞여 있는 수용액이 있다. 메탄올과 물의 몰 분율을 각각 구하시오.

해설 메탄올의 몰 분율$=\frac{1.0}{1.0+4.0}=0.2$, 물의 몰 분율$=\frac{4.0}{1.0+4.0}=0.8$

정답 메탄올 0.2, 물 0.8

5. 혼합 용액의 몰 농도

용액에 물을 가해 희석하거나 몰 농도가 서로 다른 두 수용액을 혼합할 때 용질이 서로 반응하지 않는 경우 용액의 부피와 몰 농도는 변하지만 용액 속에 녹아 있는 용질의 양(mol)은 변하지 않고 일정하다.

(1) **용액의 희석과 몰 농도:** 어떤 용액에 용매를 가하여 용액을 희석하면 용액에 녹아 있는 용질의 양(mol)은 변하지 않지만 용액의 부피가 달라지므로 용액의 몰 농도가 변한다. 몰 농도가 b M인 용액 V L에 용매를 가하여 용액의 부피가 V' L가 되었을 때 농도를 b' M이라고 하면 다음과 같은 관계식이 성립한다.

$$\text{용질의 양(mol)}=b\,V=b'\,V' \Rightarrow b'=\frac{b\,V}{V'}$$

(2) **용액의 혼합과 몰 농도:** 농도가 다른 두 용액을 혼합하면 용질의 전체 양(mol)은 변하지 않지만 용액의 부피가 달라지므로 용액의 몰 농도가 변한다. b M 용액 V L와 b' M 용액 V' L를 혼합할 때 혼합 용액의 몰 농도를 b'' M, 부피를 V'' L라고 하면 다음과 같은 관계식이 성립한다.

$$\text{용질의 전체 양(mol)}=b\,V+b'\,V'=b''V''$$
$$\Rightarrow b''=\frac{b\,V+b'\,V'}{V''}$$

(3) **용액에 용질을 가할 때의 몰 농도:** b M 용액 V L에 분자량이 M_W인 용질 w g을 가하면 용액의 부피는 거의 일정하지만 용액 속 용질의 양이 달라지므로 용액의 몰 농도가 변한다. 이때 용액의 몰 농도를 b' M이라고 하면 다음과 같은 관계식이 성립한다.

$$\text{용질의 전체 양(mol)} = b'V = bV + \frac{w}{M_W} \Rightarrow b' = b + \frac{w}{M_W V}$$

용액에 용질을 가할 때 부피의 변화
엄밀하게는 용액에 용질을 가하면 용액의 부피가 조금 증가한다. 따라서 혼합 용액의 부피는 원래의 부피보다 조금 커지게 된다. 하지만 묽은 용액의 경우 증가된 용액의 부피가 매우 작기 때문에 보통 증가된 용액의 부피를 무시하고 계산한다.

3 농도의 환산

시중에 판매되는 시약의 농도는 주로 퍼센트 농도로 표시되므로 실험에 이용하기 위해서는 몰 농도로 환산하는 과정이 필요하다.

1. 퍼센트 농도를 몰 농도로 환산하기

집중 분석 1권 113~114쪽

용액의 밀도를 알면 퍼센트 농도를 몰 농도로 환산할 수 있다.

a % 용액의 밀도가 d g/mL일 때 이 용액의 몰 농도를 구해보자. 이때 용질의 분자량은 M_W이다. a % 용액은 용액 100 g 속에 용질이 a g 녹아 있는 용액이다.

몰 농도는 $\frac{\text{용질의 양(mol)}}{\text{용액의 부피(L)}}$이므로 용액의 몰 농도를 구하기 위해서는 용액의 부피(L)와 용액에 녹아 있는 용질의 양(mol)을 알아야 한다.

- 용액의 부피(L) $= \frac{\text{용액의 질량(g)}}{\text{용액의 밀도(g/mL)} \times 1000 \text{ mL/L}} = \frac{100}{1000d} = \frac{1}{10d}$
- 용질의 양(mol) $= \frac{\text{용질의 질량}}{\text{용질의 분자량}} = \frac{a}{M_W}$
- 몰 농도(M) $= \frac{\text{용질의 양(mol)}}{\text{용액의 부피(L)}} = \frac{10ad}{M_W}$

밀도와 비중
- 밀도: 물질을 구별하는 특성이 되는 물리량으로, 단위 부피의 질량을 의미하며, 물질마다 고유한 값을 갖는다.

  $\text{밀도(g/mL)} = \frac{\text{질량(g)}}{\text{부피(mL)}}$
- 비중: 어떤 물질의 질량을 같은 부피의 물의 질량과 비교한 비의 값으로, 물보다 얼마나 무거운가를 나타낸다.

  $\text{비중} = \frac{\text{어떤 물질의 질량}}{\text{같은 부피의 물의 질량}}$

  따라서 비중은 단위가 없는 수로 나타내며, 물의 밀도를 1 g/mL라고 생각하면 그 물질의 밀도와 비중 값은 같아지게 된다. 즉, 진한 황산의 비중이 1.84라면 진한 황산의 밀도는 1.84 g/mL인 셈이다.

2. 몰 농도를 퍼센트 농도로 환산하기

몰 농도가 b M인 용액의 퍼센트 농도를 구해보자. 이때 용질의 분자량은 M_W이다. b M인 용액은 용액 1 L 속에 용질이 b mol 녹아 있는 용액이다.

퍼센트 농도(%)는 $\frac{\text{용질의 질량(g)}}{\text{용액의 질량(g)}} \times 100$이므로 퍼센트 농도를 구하기 위해서는 용질의 질량(g)과 용액의 질량(g)을 알아야 한다.

- 용질의 질량(g) $= b \times M_W$
- 용액의 질량(g) $=$ 용액의 부피 $\times$ 용액의 밀도 $= 1000 \text{ mL} \times d$ g/mL
- 퍼센트 농도(%) $= \frac{\text{용질의 질량(g)}}{\text{용액의 질량(g)}} \times 100 = b \times \frac{M_W}{10d}$

예제

50 % 황산 용액의 밀도가 1.47 g/mL이다. 이 용액의 몰 농도를 구하시오. (단, 황산의 분자량은 98이다.)

해설 용액의 부피가 1 L일 때 질량은 1470 g이므로 몰 농도 $= \frac{10 \times 50 \times 1.47}{98} = 7.5$(M)이다. **정답** 7.5 M

과정이 살아 있는 **탐구**

몰 농도 용액 제조하기

0.1 M 수산화 나트륨 수용액을 만들 수 있다.

과정

1 수산화 나트륨(NaOH) 0.1몰의 질량을 계산하여 전자저울로 정확히 측정한다.

2 측정한 NaOH을 비커에 넣고 증류수를 약간 넣어 유리 막대로 저으면서 NaOH을 모두 잘 녹인다.

3 깔때기를 사용하여 1000 mL 부피 플라스크에 과정 2의 용액을 넣는다. 이때 증류수로 비커를 몇 번 헹구어 부피 플라스크에 함께 넣는다.

4 부피 플라스크의 마개를 닫고 여러 번 흔들어 용액을 섞은 후, 마개를 열고 씻기병이나 스포이트로 증류수를 눈금선까지 정확하게 채운다.

5 부피 플라스크의 마개를 닫고 여러 번 흔들어 용액을 골고루 섞는다.

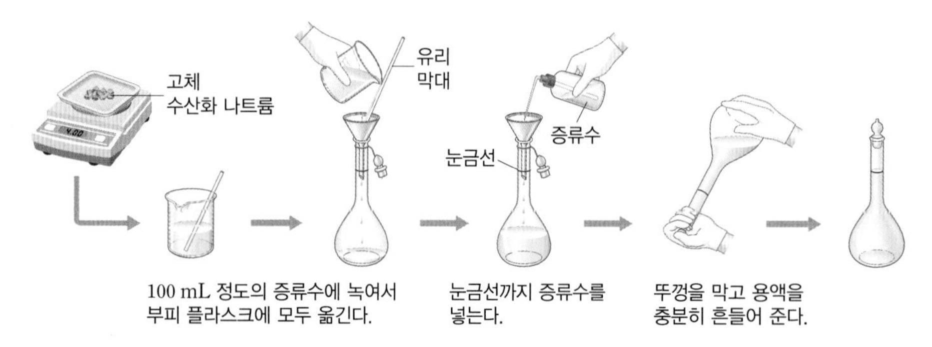
고체
수산화 나트륨
4.00
유리
막대
증류수
눈금선
100 mL 정도의 증류수에 녹여서
부피 플라스크에 모두 옮긴다.
눈금선까지 증류수를
넣는다.
뚜껑을 막고 용액을
충분히 흔들어 준다.

결과 및 정리

1 NaOH의 화학식량이 40이므로 NaOH 0.1몰의 질량은 40 g/mol×0.1 mol=4 g이다. 따라서 과정 1에서 측정해야 하는 질량은 4.0 g이다.

2 만약 0.1 M NaOH 수용액 500 mL를 만들려면 필요한 NaOH의 양은 0.1 mol/L×0.5 L=0.05 mol이다. 따라서 NaOH 0.05 mol의 질량 2.0 g을 정확하게 측정하여 500 mL 부피 플라스크를 이용하여 위의 실험 과정을 반복하여 만든다.

3 1 M 용액을 만들기 위해서는 물질 1몰의 질량을 정확하게 측정하고 이를 용매에 녹여 용액의 부피가 1 L가 되도록 증류수를 넣어 주면 된다.

유의점

- 수산화 나트륨은 강한 염기성을 띠므로 피부나 옷에 묻지 않게 주의한다.
- 수산화 나트륨은 조해성이 있으므로 가능한 한 건조한 곳에서 신속하게 질량을 측정해야 한다.

표준 용액

몰 농도를 정확하게 알고 있는 용액을 표준 용액이라고 하는데, 표준 용액은 농도를 모르는 용액의 농도를 알아내는 데 이용할 수 있다.

탐구 확인 문제

> 정답과 해설 20쪽

01 **0.2 M 수산화 나트륨 수용액 500 mL를 만들 때 반드시 필요한 실험 기구만을 보기에서 있는 대로 고르시오.**

보기

ㄱ. 전자저울　　ㄴ. 500 mL 부피 플라스크
ㄷ. 씻기병　　ㄹ. 비커
ㅁ. 눈금실린더　　ㅂ. 유리 막대
ㅅ. 온도계　　ㅇ. 분별 깔때기

02 **0.1 M 포도당 수용액 500 mL를 만들었다. 이 수용액에 녹아 있는 포도당의 질량을 구하시오. (단, 포도당의 분자량은 180이다.)**

농도 계산과 농도 환산

용액 속에 들어 있는 물질의 양을 구할 때 그 용액의 퍼센트 농도 또는 용액 속 용질의 질량을 알아야 한다. 이때 수용액의 몰 농도를 알면 각 농도의 정의를 파악하여 농도를 서로 환산할 수 있다. 용액의 농도를 구하고 다른 농도로 환산하는 방법을 연습해 보자.

❶ 특정 농도의 용액에 녹아 있는 용질의 질량 구하기

• 퍼센트 농도

$$퍼센트\ 농도(\%)=\frac{용질의\ 질량(g)}{용액의\ 질량(g)}\times100=\frac{용질의\ 질량(g)}{용질의\ 질량(g)+용매의\ 질량(g)}\times100$$

• 몰 농도

$$몰\ 농도(M)=\frac{용질의\ 양(mol)}{용액의\ 부피(L)}=\frac{용질의\ 질량}{용질의\ 분자량\times용액의\ 부피}$$

예제 ❶ 8 % NaOH 수용액 80 g이 있다. 이 수용액에 녹아 있는 NaOH의 질량(g)을 구하시오.

해설 8 % 수용액은 용액 100 g 속에 용질이 8 g 녹아 있는 것이다.

$8\ g : 100\ g = x : 80,\ x=\frac{8\times80}{100}=6.4(g)$

정답 6.4 g

예제 ❷ LiCl 1.60 g을 포함하고 있는 8 % LiCl 수용액의 질량은 몇 g인지 구하시오.

해설 LiCl 수용액의 퍼센트 농도가 8 %이므로 용액 100 g 속에 용질 8 g이 존재한다. $8\ g : 100\ g = 1.60\ g : x,\ x=\frac{100\times1.60}{8}=20(g)$

정답 20 g

예제 ❸ 0.2 M NaCl 수용액 200 mL가 있다. 이 수용액에 녹아 있는 NaCl의 질량(g)을 구하시오. (단, NaCl의 화학식량은 58.5이다.)

해설 0.2 M 용액 1 L에는 용질이 0.2몰 녹아 있는 것이므로 200 mL에 녹아 있는 용질의 양은 다음과 같다.

용질의 양(mol)$=0.2\ mol/L\times0.2\ L=0.04\ mol$

용질의 질량(g)$=58.5\ g/mol\times0.04\ mol=2.34\ g$

정답 2.34 g

❷ 혼합 용액의 농도 구하기

• 용액에 용매를 가할(희석할) 때의 농도: b M 용액 V L에 용매를 더 가하여 V' L가 되었을 때 농도를 b' M이라고 하면

용질의 양(mol)$=bV=b'V'$ $\therefore b'=\frac{bV}{V'}$

• 혼합 용액의 농도: b M 용액 V L와 b' M 용액 V' L를 혼합할 때 혼합 용액의 농도를 b'' M, 부피를 V'' L라고 하면

용질의 전체 양(mol)$=bV+b'V'=b''V''$

$$\therefore b''=\frac{bV+b'V'}{V''}$$

• 용액에 용질을 가할 때의 농도: b M 용액 V L에 분자량이 M_W인 용질 w g을 가할 때의 몰 농도를 b' M이라고 하면(단, 가한 용질의 양이 전체 부피에 영향을 주지 않는다.)

용질의 전체 양(mol)$=b'V=bV+\frac{w}{M_W}$

$$\therefore b'=b+\frac{w}{M_WV}$$

예제 ❹ 1.0 M NaCl 수용액 300 mL와 2.0 M NaCl 수용액 200 mL를 혼합하여 혼합 용액의 부피가 500 mL가 되었을 때 혼합 용액의 몰 농도를 구하시오.

해설 용질의 전체 양(mol)$=MV+M'V'=M''V''$

$1.0\ mol/L\times0.3\ L+2.0\ mol/L\times0.2\ L=M''\times0.5\ L,$

$M''=1.4\ mol/L=1.4\ M$

정답 1.4 M

예제 ❺ 1.0 M NaOH 수용액 300 mL와 2.0 M NaOH 수용액 400 mL를 혼합한 후 증류수를 가해 전체 용액의 부피를 1000 mL로 만들었다. 혼합 용액의 몰 농도를 구하시오.

해설 같은 종류의 용질을 포함한 용액을 혼합해도 용액 속 용질의 양(mol)은 변하지 않으므로 혼합 용액의 몰 농도를 x라고 하면 다음과 같은 관계식이 성립한다.

$1.0\ mol/L\times0.3\ L+2.0\ mol/L\times0.4\ L=x\times1\ L,$

$\therefore x=1.1\ mol/L=1.1\ M$

정답 1.1 M

③ 퍼센트 농도를 몰 농도로 환산하기

a % 용액의 밀도가 d g/mL일 때, 이 용액의 몰 농도 구하기 (단, 용질의 분자량은 M_W)

- 용액의 부피(L) $= \dfrac{\text{용액의 질량(g)}}{\text{용액의 밀도(g/mL)} \times 1000\text{ mL/L}} = \dfrac{100}{1000d} = \dfrac{1}{10d}$
- 용질의 양(mol) $= \dfrac{\text{용질의 질량}}{\text{용질의 분자량}} = \dfrac{a}{M_W}$
- 몰 농도(M) $= \dfrac{\text{용질의 양(mol)}}{\text{용액의 부피(L)}} = \dfrac{10ad}{M_W}$

예 36.5 % 염산으로 1.0 M 염산 1 L를 만들려고 한다. 이때 필요한 36.5 % 염산의 부피를 구하시오. (단, 36.5 % 염산의 밀도는 1.2 g/mL이고, HCl의 분자량은 36.5이다.)

[단계적 풀이 방법]

단계 1 만들고자 하는 용액에 포함된 용질의 양을 구한다.

➡ 1.0 M 염산(HCl(aq)) 1 L에는 HCl 1.0몰이 들어 있다.

단계 2 필요한 용질의 양을 포함한 주어진 용액의 질량을 구한다.

➡ HCl 1.0몰의 질량은 36.5 g이다. 36.5 % 염산 100 g에는 용질인 HCl이 36.5 g 들어 있다. 따라서 필요한 36.5 % 염산의 질량은 100 g이다.

단계 3 필요한 용액의 질량을 부피로 환산한다.

➡ 36.5 % 염산의 밀도가 1.2 g/mL이므로 염산 100 g의 부피는 $\dfrac{\text{질량}}{\text{밀도}} = \dfrac{100\text{ g}}{1.2\text{ g/mL}} = \dfrac{250}{3}$ mL이다.

예제

6 다음은 1 % 포도당 수용액의 농도를 몰 농도로 환산하는 과정이다. 포도당 수용액의 밀도는 d g/mL이고, 포도당의 분자량은 180이다.

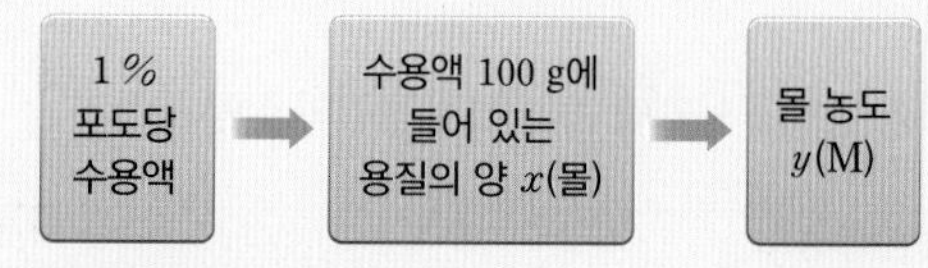

x와 y를 각각 구하시오.

해설 1 % 포도당 수용액 100 g에 들어 있는 포도당의 질량은 1 g이고, 포도당의 분자량이 180이므로 그 양은 $\dfrac{1}{180}$몰이다. 1 % 수용액 100 g의 부피는 $\dfrac{100}{d}$ mL, 즉 $\dfrac{1}{10d}$ L이므로 몰 농도는 $\dfrac{d}{18}$ M이다.

정답 $x = \dfrac{1}{180}$, $y = \dfrac{d}{18}$

예제

7 다음은 과망가니즈산 칼륨($KMnO_4$) 수용액 A와 B를 만드는 과정이다. $KMnO_4$의 화학식량은 158이고, 용액 B의 밀도는 1 g/mL이다. 물음에 답하시오.

- 용액 A: $KMnO_4$ 15.8 g을 소량의 물에 녹인 후 1 L 부피 플라스크에 넣고 눈금선까지 물을 가한다.
- 용액 B: 용액 A 100 mL를 취하여 1 L 부피 플라스크에 넣고 눈금선까지 물을 가한다.

(1) 용액 A의 몰 농도를 구하시오.
(2) 용액 B의 퍼센트 농도를 구하시오.

해설 (1) $KMnO_4$ 15.8 g은 0.1몰이고, 용액의 부피가 1 L이므로 용액 A의 몰 농도는 0.1 M이다.
(2) 0.1 M 용액 100 mL에 들어 있는 용질의 양은 0.01몰이고, 이 질량은 1.58 g이다. 용액의 밀도가 1 g/mL이므로 부피 1000 mL의 질량은 1000 g이고 용액 B의 퍼센트 농도는 $\dfrac{1.58}{1000} \times 100 = 0.158(\%)$이다.

정답 (1) 0.1 M (2) 0.158 %

정답과 해설 20쪽

그림은 비커 (가)와 (나)에 농도가 다른 수산화 나트륨(NaOH) 수용액이 각각 들어 있는 모습을 나타낸 것이다.

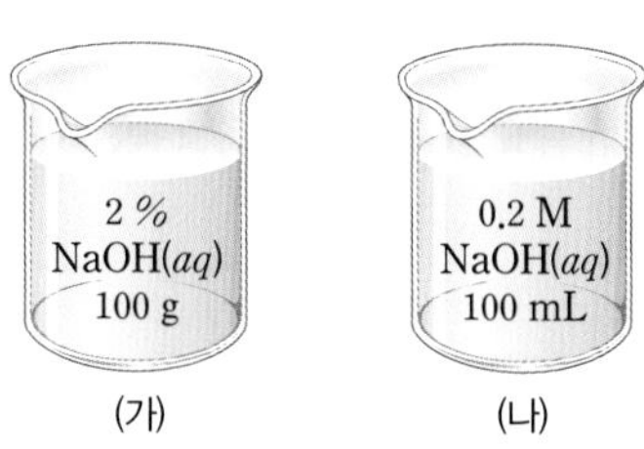

이에 대한 설명으로 옳은 것만을 보기에서 있는 대로 고르시오. (단, NaOH의 화학식량은 40이고, (나)에 들어 있는 용액의 밀도는 1 g/mL이다.)

보기

ㄱ. (가)에 들어 있는 용질의 양은 0.05몰이다.
ㄴ. (나)에 들어 있는 용질의 질량은 0.8 g이다.
ㄷ. (나)에 들어 있는 용액의 퍼센트 농도는 8 %이다.

03 몰 농도

1 용해와 용액

1. **용해와 용액** 두 종류 이상의 물질이 고르게 섞이는 현상을 (❶)라 하고, 용해되어 생성된 균일 혼합물을 (❷)이라고 한다. 이때 녹이는 물질을 (❸)라 하고, 녹는 물질을 (❹)이라고 한다.
2. **용액의 종류** 용질과 용매는 고체, 액체, 기체 모두 가능하며, 용질과 용매의 상태가 같은 경우 양이 적은 성분이 (❺), 양이 많은 성분이 (❻)이다.
3. **용해의 원리** 용해는 용매 입자와 용질 입자 사이의 인력이 용매 입자 사이의 인력보다 더 크거나 비슷한 경우에 잘 일어난다.

2 용액의 몰 농도

1. **퍼센트 농도** 용액 100 g 속에 녹아 있는 용질의 질량을 나타낸 것으로, 단위는 %를 사용한다.

$$\text{퍼센트 농도(\%)}=\frac{\text{용질의 질량(g)}}{\text{용액의 질량(g)}}\times100=\frac{\text{용질의 질량(g)}}{\text{용질의 질량(g)}+\text{용매의 질량(g)}}\times100$$

2. **몰 농도** 용액 1 L 속에 녹아 있는 용질의 양(mol)을 나타낸 농도로, 단위는 mol/L 또는 (❼)을 사용한다.

$$\text{몰 농도(M)}=\frac{\text{용질의 양(mol)}}{\text{용액의 부피(L)}}=\frac{\text{용액 1 L 속에 녹아 있는 용질의 질량(g/L)}}{\text{용질 1몰의 질량(g/mol)}}$$

3. **몰 분율** 전체 물질의 양(mol)에 대한 특정 성분의 양(mol)의 비율이다.
4. **혼합 용액의 몰 농도**

- 용질의 전체 양(mol)$=bV+b'V'=b''V''$
  (b M 용액 V L와 b' M 용액 V' L를 혼합할 때 혼합 용액의 농도 b'' M, 부피 V'' L)
- 혼합 용액의 몰 농도$(b')=b+\dfrac{w}{M_W V}$ (b M 용액 V L에 분자량이 M_W인 용질 w g을 가할 때의 몰 농도(b'))

3 농도의 환산

1. **퍼센트 농도를 몰 농도로 환산하기** a % 용액의 밀도가 d g/mL이고, 용질의 분자량이 M_W일 때 용액의 몰 농도는 다음과 같다.

$$\text{몰 농도(M)}=\frac{\text{용질의 양(mol)}}{\text{용액의 부피(L)}}=\frac{10ad}{M_W}$$

2. **몰 농도를 퍼센트 농도로 환산하기** b M 용액의 밀도가 d g/mL이고, 용질의 분자량이 M_W일 때 용액의 퍼센트 농도는 다음과 같다.

$$\text{퍼센트 농도(\%)}=\frac{\text{용질의 질량(g)}}{\text{용액의 질량(g)}}\times100=b\times\frac{M_W}{10d}$$

01 다음 3가지 용액 (가)~(다)에서 각각 용매와 용질을 구분하시오.

(가) 설탕물
(나) 식초
(다) 탄산음료

02 몇 가지 물질을 혼합하여 용액을 만들려고 한다. (가)~(다) 중 용액을 형성하는 것만을 있는 대로 고르시오.

(가) 물+에탄올
(나) 벤젠+염화 나트륨
(다) 사이클로헥세인+아이오딘

03 그림은 물질 X를 물에 넣었을 때의 상태를 모형으로 나타낸 것이다.
이에 대한 설명으로 옳은 것만을 보기에서 있는 대로 고르시오.

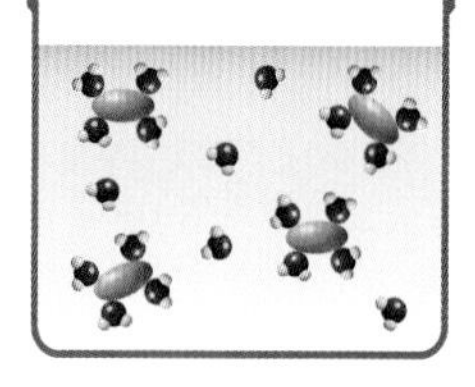

보기
ㄱ. X는 극성 물질이다.
ㄴ. X는 물보다 벤젠에 더 잘 녹는다.
ㄷ. X의 예로 사염화 탄소가 있다.

04 묽은 황산 500 mL에 H_2SO_4 4.9 g이 녹아 있다. 이 수용액의 몰 농도를 구하시오. (단, H_2SO_4의 분자량은 98이다.)

05 1 % 수산화 나트륨(NaOH) 수용액으로 5 % 수산화 나트륨 수용액을 만들고자 한다. 옳은 방법만을 보기에서 있는 대로 고르시오. (단, NaOH의 화학식량은 40이다.)

보기
ㄱ. 1 % NaOH 수용액 100 g에 NaOH 0.1몰을 녹인다.
ㄴ. 1 % NaOH 수용액 50 g을 가열하여 물 40 g을 증발시킨다.
ㄷ. 1 % NaOH 수용액 20 g에 6 % NaOH 수용액 20 g을 넣는다.

06 그림은 2가지 용액의 조성을 나타낸 것이다. 아세트산과 요소의 분자량은 서로 같다.

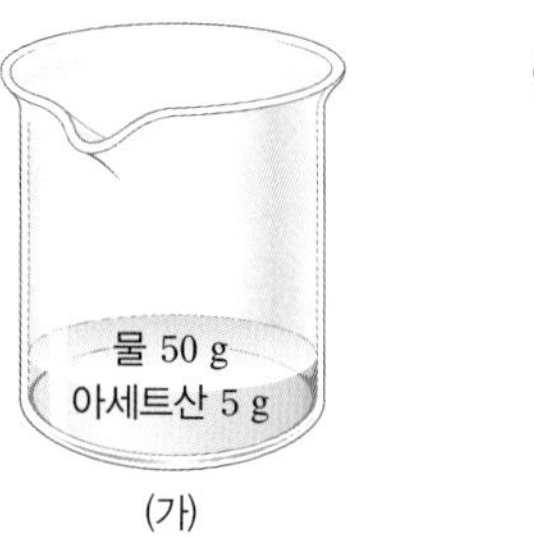

(가)

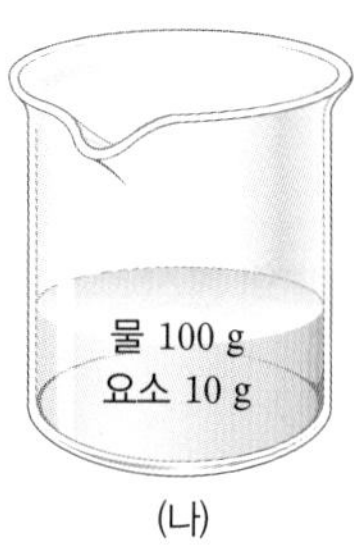

(나)

(가)와 (나) 두 수용액이 같은 값을 갖는 것만을 보기에서 있는 대로 고르시오. (단, 두 수용액의 밀도는 다르다.)

보기
ㄱ. 퍼센트 농도
ㄴ. 몰 농도
ㄷ. 용질의 몰 분율

07 에탄올(C_2H_5OH) 23 g이 물 36 g에 녹아 있는 용액에서 에탄올과 물의 몰 분율을 각각 구하시오. (단, 에탄올과 물의 분자량은 각각 46, 18이다.)

08 6 M 수산화 나트륨(NaOH) 수용액의 퍼센트 농도를 구하기 위해 보기와 같은 자료를 조사하였다. 물음에 답하시오.

보기

ㄱ. NaOH의 화학식량: 40

ㄴ. 6 M NaOH 수용액의 밀도: 1.2 g/mL

ㄷ. H_2O의 분자량: 18

ㄹ. H_2O의 밀도: 1 g/mL

(1) 퍼센트 농도를 구하기 위해 필요한 자료만을 보기에서 있는 대로 고르시오.

(2) 이 용액의 퍼센트 농도를 구하시오.

09 그림과 같이 농도가 다른 탄산수소 칼륨($KHCO_3$) 수용액을 혼합한 후, 증류수를 더 넣어 수용액 800 mL를 만들었다.

이 수용액의 몰 농도를 구하시오. (단, $KHCO_3$의 화학식량은 100이다.)

10 그림은 2가지 수산화 나트륨(NaOH) 수용액 (가)와 (나)를 나타낸 것이다.

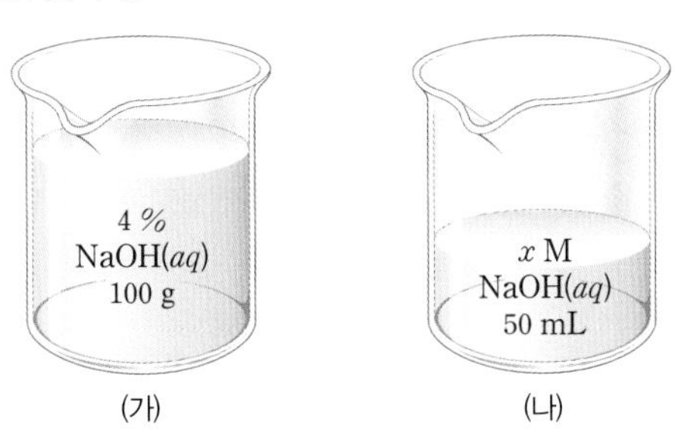

(가)와 (나)에 녹아 있는 NaOH의 질량이 같을 때, (나)에서 NaOH(*aq*)의 몰 농도 x를 구하시오. (단, NaOH의 화학식량은 40이다.)

11 물질 X 3 g을 물에 녹여 전체 용액의 부피가 100 mL가 되었을 때 용액의 몰 농도가 0.5 M이었다. X의 분자량을 구하시오.

12 다음은 1 M 포도당($C_6H_{12}O_6$) 수용액에 포도당과 증류수를 차례대로 넣어 농도가 다른 수용액을 만드는 과정이다.

(가) 1 M 포도당 수용액 200 mL를 500 mL 부피 플라스크에 넣는다.

(나) (가)의 부피 플라스크에 포도당 54 g을 넣어 모두 녹인다.

(다) (나)의 부피 플라스크의 눈금선까지 증류수를 넣는다.

(다) 용액의 몰 농도를 구하시오. (단, (가)~(다)에서 모든 포도당 수용액의 밀도는 1 g/mL이고, 포도당의 분자량은 180이다.)

> 정답과 해설 21쪽

01

> 용해의 원리

그림 (가)와 (나)는 용질 X와 Y를 각각 물에 넣고 충분한 시간 두었을 때의 상태를 모형으로 나타낸 것이다. X와 Y는 각각 설탕과 아이오딘 중 하나이다.

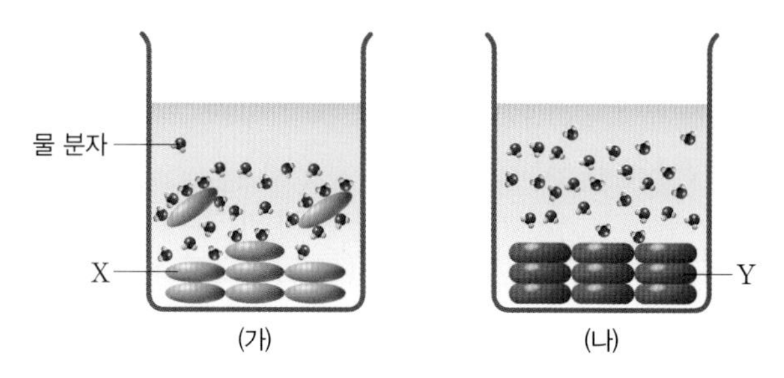

이에 대한 설명으로 옳은 것만을 보기에서 있는 대로 고른 것은?

보기

ㄱ. (가)에서 X는 물 분자에 의해 수화된다.

ㄴ. Y는 설탕이다.

ㄷ. (나)에서 물 분자와 Y 입자 사이의 인력은 물 분자들 사이의 인력보다 크다.

① ㄱ ② ㄷ ③ ㄱ, ㄴ ④ ㄴ, ㄷ ⑤ ㄱ, ㄴ, ㄷ

• (가)에서 용질 X는 물과 섞여 용액을 형성하고, (나)에서 용질 Y는 물과 섞이지 않는다.

02

> 용액의 농도

그림은 설탕 수용액 (가)와 (나)를 나타낸 것이다.

(가)

(나)

(가)와 (나)에서 서로 같은 값을 갖는 것만을 보기에서 있는 대로 고른 것은?

보기

ㄱ. 퍼센트 농도(%)

ㄴ. 몰 농도(M)

ㄷ. 물의 몰 분율

① ㄱ ② ㄴ ③ ㄱ, ㄷ ④ ㄴ, ㄷ ⑤ ㄱ, ㄴ, ㄷ

• 물질의 질량이나 양(mol)은 온도에 따라 변하지 않지만 용액의 부피는 온도에 따라 달라진다. 온도가 높을수록 용액의 부피는 증가한다.

03

> 혼합 용액의 몰 농도

그림과 같이 500 mL 부피 플라스크에 수산화 나트륨(NaOH) 0.25몰과 0.50 M NaOH 수용액 100 mL를 넣은 후, 눈금선까지 증류수를 넣었다.

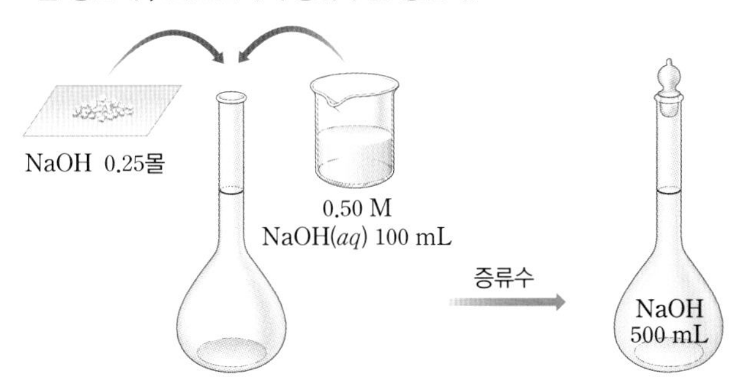

혼합 용액의 몰 농도(M)는?

① 0.2 ② 0.4 ③ 0.6 ④ 0.8 ⑤ 1.0

- 용액을 혼합해도 용액 속 용질의 양(mol)은 변하지 않는다.

04

> 용액의 농도

다음은 0.5 M X 수용액에 대한 자료이다.

- X의 화학식량: 100
- 수용액의 밀도: d g/mL
- 수용액 1 L의 질량: x g
- 수용액 1 L에 녹아 있는 X의 질량: y g

이에 대한 설명으로 옳은 것만을 보기에서 있는 대로 고른 것은?

보기

ㄱ. $x=1000d$이다.

ㄴ. $y=50$이다.

ㄷ. 이 수용액의 퍼센트 농도는 $\frac{5}{d}$ %이다.

① ㄱ ② ㄴ ③ ㄱ, ㄷ ④ ㄴ, ㄷ ⑤ ㄱ, ㄴ, ㄷ

- 수용액의 밀도와 부피의 곱으로 수용액의 질량을 구할 수 있다. 용액 100 g에 녹아 있는 용질의 질량(g)을 나타낸 것이 용액의 퍼센트 농도이다.

고난도

05

> 용액의 농도

그림은 용질 A가 녹아 있는 수용액 (가)를 희석시켜 수용액 (나)를 만드는 과정을 나타낸 것이다.

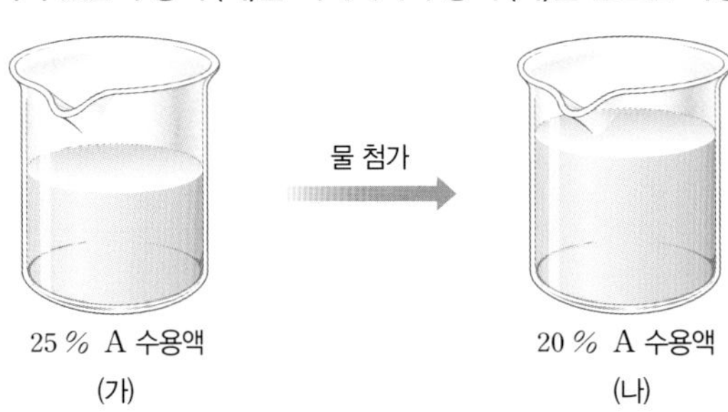

이에 대한 설명으로 옳은 것만을 보기에서 있는 대로 고른 것은? (단, (가)와 (나)의 밀도는 1 g/mL이고, A와 물의 화학식량은 같지 않다.)

보기

ㄱ. 첨가한 물의 질량은 (가)에 녹아 있는 A의 질량의 2배이다.

ㄴ. A의 몰 분율은 (가)가 (나)의 $\frac{5}{4}$배이다.

ㄷ. 몰 농도는 (가)가 (나)의 $\frac{5}{4}$배이다.

① ㄱ　② ㄷ　③ ㄱ, ㄴ　④ ㄴ, ㄷ　⑤ ㄱ, ㄴ, ㄷ

• 물을 첨가해도 (가)와 (나)에 녹아 있는 용질 A의 질량과 양(mol)에는 변함이 없다. (가)의 질량을 100 g이라고 가정하면 (가)에 녹아 있는 용질의 질량은 25 g이다.

06

> 농도의 환산

그림은 A 수용액 (가)와 (나)를 나타낸 것이다. A의 화학식량은 40이다.

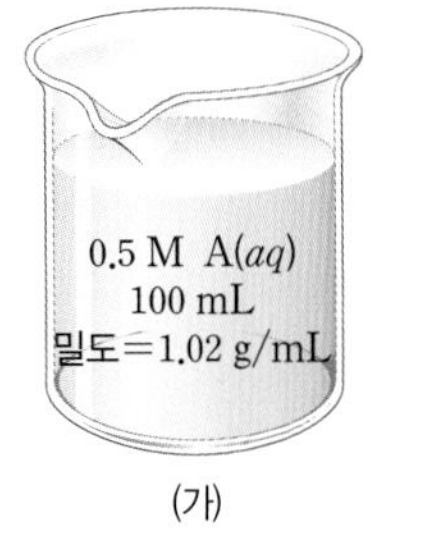

2 % A(aq)
100 g

(나)

이에 대한 설명으로 옳은 것만을 보기에서 있는 대로 고른 것은?

보기

ㄱ. A의 몰 분율은 (가)가 (나)보다 작다.

ㄴ. (나)에 물 98 g을 첨가한 수용액의 퍼센트 농도는 1 %이다.

ㄷ. (가)와 (나)를 혼합한 수용액의 퍼센트 농도는 2 %보다 크다.

① ㄱ　② ㄴ　③ ㄱ, ㄷ　④ ㄴ, ㄷ　⑤ ㄱ, ㄴ, ㄷ

• 0.5 M 수용액 100 mL에는 용질이 0.05몰 들어 있고, 2 % 수용액 100 g에는 용질이 2 g 들어 있다.

07

> 용액의 농도 환산

그림은 산 HA가 들어 있는 시약병에 붙어 있는 표지를 나타낸 것이다.
다음은 이 시약병에 들어 있는 HA를 이용하여 새로운 농도의 HA 수용액을 만드는 과정이다.

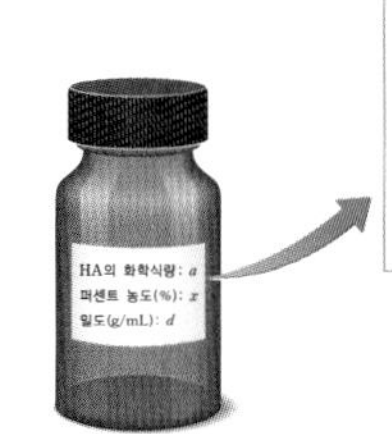

- HA의 화학식량: a
- 퍼센트 농도(%): x
- 밀도(g/mL): d

(가) 피펫을 이용하여 시약병에서 HA 용액 V mL를 취한다.
(나) (가)에서 취한 용액을 500 mL 부피 플라스크에 넣고 눈금선까지 증류수를 넣는다.

(나)에서 만든 이 수용액의 몰 농도(M)는?

① $\dfrac{xdV}{50a}$　② $\dfrac{dV}{2a}$　③ $\dfrac{2dV}{a}$　④ $\dfrac{2xdV}{a}$　⑤ $\dfrac{50xdV}{a}$

- 몰 농도를 구하려면 용액의 부피와 용액에 녹아 있는 용질의 양(mol)을 알아야 한다. 용액의 질량은 용액의 부피×용액의 밀도이다.

08

> 수용액의 농도

그림은 서로 다른 농도의 요소 수용액 (가)와 (나)를 나타낸 것이다.

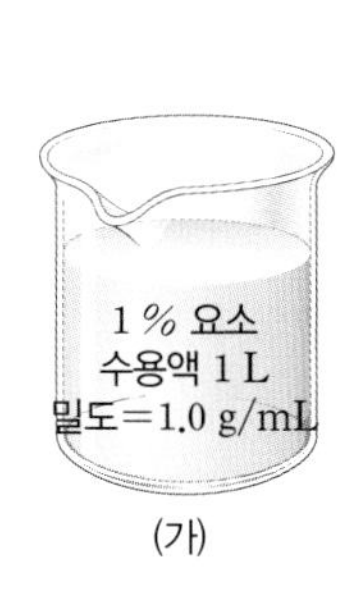

(가)

(나)

이에 대한 설명으로 옳은 것만을 보기에서 있는 대로 고른 것은? (단, 요소의 분자량은 60이다.)

보기
ㄱ. (가)의 몰 농도는 $\dfrac{1}{3}$ M이다.
ㄴ. (나)에 녹아 있는 요소의 질량은 3 g이다.
ㄷ. 수용액 (나) 100 mL를 취하여 1 L 부피 플라스크에 넣고 눈금선까지 증류수를 넣어 만든 수용액의 몰 농도는 0.1 M이다.

① ㄱ　② ㄷ　③ ㄱ, ㄴ　④ ㄴ, ㄷ　⑤ ㄱ, ㄴ, ㄷ

- 1 % 용액은 용액 100 g에 녹아 있는 용질의 질량이 1 g이다. 몰 농도가 1 M인 용액 500 mL에는 용질이 0.5몰 녹아 있다.

고난도

09 > 수용액의 농도

표는 같은 질량의 용질이 녹아 있는 수용액 (가)~(다)에 대한 자료이다.

수용액	(가)	(나)	(다)
용질	A	B	A
수용액의 부피(L)	x	$2x$	$3x$
수용액의 몰 농도(M)	$2b$	$3b$	y

이에 대한 설명으로 옳은 것만을 보기에서 있는 대로 고른 것은? (단, 수용액 (가)~(다)의 밀도는 모두 1 g/mL이다.)

보기

ㄱ. 화학식량은 A가 B의 3배이다.

ㄴ. $y=\frac{2}{3}b$이다.

ㄷ. 퍼센트 농도는 (가)가 (다)의 3배이다.

① ㄱ ② ㄴ ③ ㄱ, ㄷ ④ ㄴ, ㄷ ⑤ ㄱ, ㄴ, ㄷ

• 용액 속에 녹아 있는 용질의 양(mol)은 용액의 몰 농도×용액의 부피이고, $\frac{\text{용질의 질량}}{\text{용질의 화학식량}}$과 같다.

10 > 수용액의 반응과 용액의 농도

수산화 나트륨(NaOH) 수용액과 염산(HCl(*aq*))은 다음과 같이 중화 반응을 한다.

$$NaOH(aq) + HCl(aq) \longrightarrow NaCl(aq) + H_2O(l)$$

그림과 같이 4 % NaOH(*aq*) 100 g과 1.0 M HCl(*aq*) 100 mL를 중화 반응시켰다. (단, NaOH과 NaCl의 화학식량은 각각 40, 58.5이고, HCl(*aq*)의 밀도는 1.0 g/mL이다.)

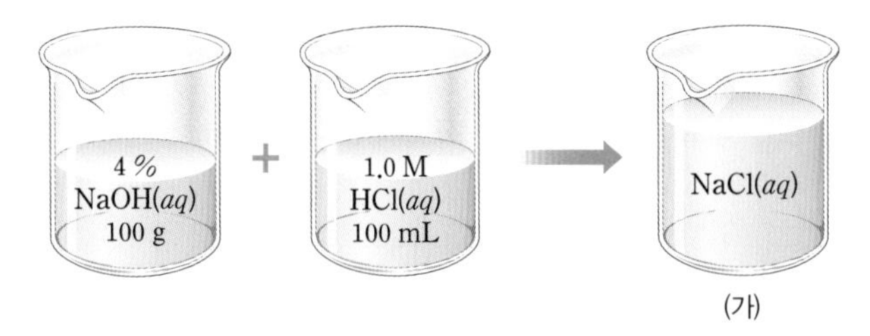

혼합 용액 (가)에서 NaCl 수용액의 퍼센트 농도(%)는?

① $\frac{5.85}{100}\times100$ ② $\frac{58.5}{100}\times100$ ③ $\frac{5.85}{136}\times100$

④ $\frac{5.85}{200}\times100$ ⑤ $\frac{58.5}{200}\times100$

• NaOH 수용액에 들어 있는 용질 NaOH과 염산에 들어 있는 용질 HCl는 1 : 1의 몰비로 완전히 반응한다.

읽을거리 에어백과 화학 반응식의 양적 관계

차의 핸들과 계기판에 내장된 에어백은 충돌 사고로부터 탑승자를 보호하기 위한 장치이다.

에어백이 효과적으로 사용되려면 다음과 같은 조건들이 충족되어야 한다.

첫째, 운전자의 머리가 핸들에 부딪히기 전에 팽창해야 한다.

둘째, 팽창한 다음에는 운전자가 바로 앞을 보고 움직일 수 있도록 곧바로 수축되어야 한다.

셋째, 일정 속도(일정 충격) 이상일 때만 작동해야 한다.

넷째, 에어백을 부풀게 하는 기체는 화학적으로 안전해야 한다.

위의 조건 중 가장 어려운 기술은 짧은 시간 동안 에어백을 부풀게 하는 기체를 만들어 내는 것이었다. 처음에는 고압 질소 가스를 차에 싣고 다니는 방법을 생각했지만, 그것보다는 폭발을 이용하는 것이 가장 좋은 방법이라는 결론에 도달했다. 폭발은 화학 반응을 통해 많은 양의 기체가 짧은 시간 동안 생성되는 현상이다.

예를 들면 다이너마이트와 같은 폭약이 터지면 짧은 시간에 많은 양의 기체가 발생하여 커다란 폭음과 함께 파괴력을 낸다. 그러나 에어백에 이러한 폭약을 사용할 수는 없다. 그래서 생각해낸 것이 질소를 이용한 소규모 폭발이다. 질소는 반응성이 매우 작은 기체로 위험하지 않다. 우리가 호흡하는 공기의 약 80 %가 질소이다.

그러면 자동차가 충돌했을 때 에어백은 어떤 화학적 원리에 의해 사람을 보호할 수 있을까?

자동차가 충돌하면 에어백에서는 다음과 같은 화학 반응에 의해 질소 기체가 발생한다.

$$2NaN_3(s) \longrightarrow 2Na(s) + 3N_2(g)$$

이 반응식에서 보듯이 에어백을 순간적으로 부풀리는 데 사용하는 물질은 아자이드화 나트륨(NaN_3)이다.

아자이트화 나트륨은 350 ℃ 정도의 높은 온도에서도 불이 붙지 않으며, 충돌이 일어나도 폭발하지 않는다. 그러나 산화 철과 혼합하면 전기 불꽃에 의해 분해되어 질소 기체를 생성한다.

자동차가 충돌하면 충돌 센서의 스위치가 작동하여 점화 회로에 전류가 흐르고 순간적으로 높은 열이 발생하여 불꽃이 생긴다. 이 불꽃에 의해 0.05초 이내에 아자이드화 나트륨이 분해되면서 많은 양의 질소 기체가 발생한다. 발생한 질소 기체는 압력이 낮은 에어백 속으로 들어가 에어백을 부풀게 하여 탑승자가 부딪칠 때의 충격을 흡수하고, 시간이 지나면 에어백에 있는 아주 작은 수많은 구멍을 통해 빠져나가므로 에어백은 본래의 상태로 되돌아가 다시 사용할 수 있게 된다.

그런데 발생하는 기체의 부피가 너무 작거나 너무 많을 경우에는 안전 장치로서의 기능을 발휘할 수 없게 된다. 이때 화학 반응식을 이용하여 원하는 질소 기체의 부피에 따라 필요한 아자이드화 나트륨의 양을 조절할 수 있다.

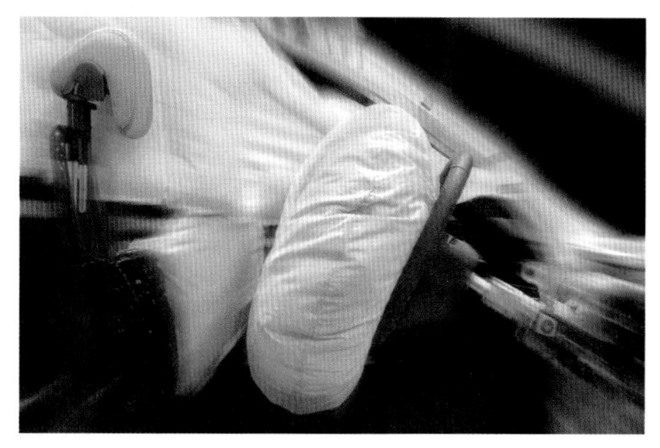

▲ **에어백의 작동 원리** 센서에 의해 충돌이 감지되어 전류가 흐르면 가스 폭발 장치에서 폭발이 일어나 폭발 가스로 인해 에어백이 순간적으로 부풀게 된다.

01

> 기체의 부피비와 분자량비

그림 (가)는 실린더에 기체 A *w* g이 들어 있는 상태를, (나)는 (가)의 실린더에 기체 B *w* g을 넣었을 때의 상태를 나타낸 것이다. A와 B는 서로 반응하지 않으며, (가)와 (나)에서 기체의 온도와 압력은 같다.

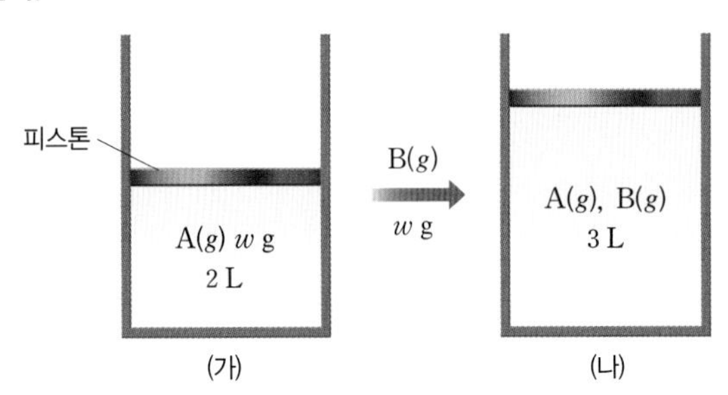

이에 대한 설명으로 옳은 것만을 보기에서 있는 대로 고른 것은? (단, 피스톤의 질량과 마찰은 무시한다.)

보기
- ㄱ. 분자량은 B가 A의 2배이다.
- ㄴ. 단위 부피당 기체 분자 수는 (나)가 (가)의 1.5배이다.
- ㄷ. 기체의 밀도는 (나)에서가 (가)에서의 1.5배이다.

① ㄱ ② ㄴ ③ ㄱ, ㄴ ④ ㄱ, ㄷ ⑤ ㄴ, ㄷ

- 같은 온도, 같은 압력에서 같은 부피에 들어 있는 기체 분자 수는 같다. 분자 1개의 질량비는 분자량비와 같다.

02

> 화학식과 화학식량

표는 분자 (가)~(다)의 화학식과 분자량에 대한 자료의 일부이다.

분자	실험식	분자식	분자량
(가)		AB_2C	66
(나)		C_2B_2	70
(다)	AB_2		100

이에 대한 설명으로 옳은 것만을 보기에서 있는 대로 고른 것은?

보기
- ㄱ. (다)의 분자식은 AB_2이다.
- ㄴ. 실험식량은 (가)가 가장 크다.
- ㄷ. 1 g에 들어 있는 B 원자 수는 (다)>(가)>(나)이다.

① ㄱ ② ㄴ ③ ㄱ, ㄷ ④ ㄴ, ㄷ ⑤ ㄱ, ㄴ, ㄷ

- 분자식은 분자를 구성하는 모든 원자의 종류와 수를 나타낸 화학식이고, 실험식은 분자식을 구성하는 원자 수를 가장 간단한 정수비로 나타낸 화학식이다.

03

› 기체의 부피와 분자 수

그림 (가)는 t °C, 1기압에서 진공인 용기와 꼭지로 분리된 실린더에 기체 XH_4가 들어 있는 것을, (나)는 꼭지를 열었다가 닫았을 때 용기와 실린더에 들어 있는 XH_4의 상태를 나타낸 것이다. t °C, 1기압에서 기체 1몰의 부피는 24 L이고, 아보가드로수는 N_A이다.

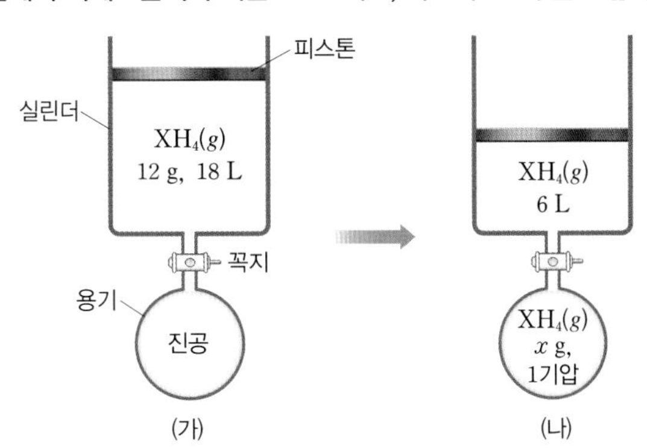

이에 대한 설명으로 옳은 것만을 보기에서 있는 대로 고른 것은? (단, X는 임의의 원소 기호이고, H의 원자량은 1이며, 피스톤의 질량과 마찰은 무시한다.)

보기

ㄱ. X의 원자량은 12이다.

ㄴ. (나)에서 용기에 들어 있는 수소 원자의 질량은 1 g이다.

ㄷ. (나)에서 용기에 들어 있는 전체 원자 수는 $\frac{5}{2}N_A$이다.

① ㄱ ② ㄴ ③ ㄱ, ㄷ ④ ㄴ, ㄷ ⑤ ㄱ, ㄴ, ㄷ

• 온도와 압력이 같을 때 같은 부피에 들어 있는 기체 분자 수는 같다. 기체 1몰의 부피에 들어 있는 기체의 질량은 화학식량에 g을 붙인 값이다.

04

› 화학식과 화학식량

표는 A와 B의 두 원소로 이루어진 분자 (가)와 (나)에 대한 자료이다. 원자량은 A가 B보다 작다.

분자	분자당 구성 원자 수	분자량(상댓값)
(가)	2	15
(나)	3	23

이에 대한 설명으로 옳은 것만을 보기에서 있는 대로 고른 것은? (단, A와 B는 임의의 원소 기호이다.)

보기

ㄱ. (나)를 구성하는 원자의 수는 A가 B보다 크다.

ㄴ. 1 g에 들어 있는 B 원자의 수는 (나)가 (가)의 1.5배보다 크다.

ㄷ. A_2B_3의 분자량은 (가)의 2.5배보다 크다.

① ㄱ ② ㄷ ③ ㄱ, ㄴ ④ ㄴ, ㄷ ⑤ ㄱ, ㄴ, ㄷ

• A와 B의 두 원소로 이루어진 구성 원자 수가 2인 분자의 분자식은 AB이고, 구성 원자 수가 3인 분자의 가능한 분자식은 A_2B 또는 AB_2이다.

05

> 화학 반응식의 양적 관계

다음은 기체 A와 B가 반응하여 기체 C를 생성하는 화학 반응식이다.

$$A(g) + 2B(g) \longrightarrow 2C(g)$$

표는 강철 용기에 A와 B의 질량을 달리하여 넣고 반응시켰을 때, 반응 전 A와 B의 질량과 반응 후 용기에 들어 있는 기체에 대한 자료이다. 반응 후 실험 Ⅰ과 실험 Ⅱ에서 C의 질량은 같다.

실험	반응 전		반응 후 기체의 몰비
	A의 질량(g)	B의 질량(g)	
Ⅰ	0.7	3.2	B : C=1 : 1
Ⅱ	x	1.6	A : C=1 : 1

이에 대한 설명으로 옳은 것만을 보기에서 있는 대로 고른 것은?

보기

ㄱ. 분자량비는 A : C=7 : 23이다.

ㄴ. x=2.1이다.

ㄷ. 실험 Ⅰ에서 남은 B의 질량과 실험 Ⅱ에서 남은 A의 질량의 합은 4.6 g이다.

① ㄱ ② ㄴ ③ ㄱ, ㄴ ④ ㄱ, ㄷ ⑤ ㄴ, ㄷ

화학 반응식의 계수비는 물질의 반응 몰비와 같고, 반응 전후 질량은 보존된다.

06

> 화학 반응식의 양적 관계

다음은 임의의 금속 M의 원자량을 구하기 위한 자료와 실험이다.

[자료]

- 화학 반응식: $2MX_3(s) \longrightarrow 2MX_2(s) + X_2(g)$
- t ℃, 1기압에서 기체 1몰의 부피: 24 L

[실험 과정]

(가) MX_3 w g을 반응 용기에 넣고 모두 반응시킨다.

(나) 생성된 MX_2의 질량과 $X_2(g)$의 부피를 측정한다.

[실험 결과]

- MX_2의 질량: 0.8w g
- $X_2(g)$의 부피: 480 mL(t ℃, 1기압)

M의 원자량은?

① 5w ② 10w ③ 15w ④ 20w ⑤ 25w

화학 반응 전후 질량이 보존되므로 반응 후 질량의 합은 반응 전 질량과 같은 w g이고, 주어진 조건에서 기체 480 mL의 양은 0.02몰이다.

07

> 화학 반응식의 양적 관계

다음은 수소(H_2)와 메테인(CH_4)의 연소 실험이다.

[실험 과정]

(가) 그림과 같이 강철 용기 Ⅰ과 Ⅱ에 반응물을 각각 넣는다.

(나) 두 용기에서 각각 어느 한 물질이 모두 소모될 때까지 반응시킨 후, 반응 후 용기에 들어 있는 물질의 종류와 용기 속 물질의 전체 질량을 구한다.

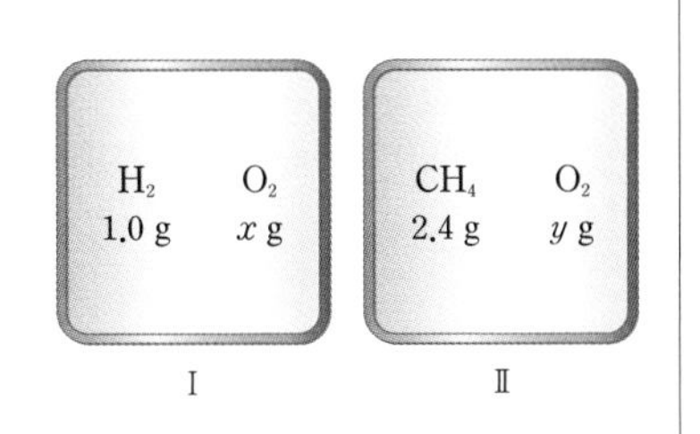

[실험 결과]

용기	Ⅰ	Ⅱ
물질의 종류	O_2, H_2O	CH_4, CO_2, H_2O
질량(g)	10.6	8.8

이에 대한 설명으로 옳은 것만을 보기에서 있는 대로 고른 것은? (단, H, C, O의 원자량은 각각 1, 12, 16이다.)

보기

ㄱ. 반응 전 용기 속 O_2의 양(mol)은 Ⅰ에서가 Ⅱ에서의 1.5배이다.

ㄴ. Ⅱ에서 생성된 CO_2의 양은 0.1몰이다.

ㄷ. 반응 후 용기 Ⅰ과 Ⅱ에 들어 있는 H_2O의 질량의 합은 12.6 g이다.

① ㄱ ② ㄱ, ㄴ ③ ㄱ, ㄷ ④ ㄴ, ㄷ ⑤ ㄱ, ㄴ, ㄷ

• 화학 반응에서 반응 전후 물질의 질량은 보존된다. 또, 화학 반응식에서 각 물질의 계수비는 반응 몰비와 같다.

08

> 화학 반응식의 양적 관계

그림은 기체 X_2와 Y_2가 반응하여 기체 Z를 생성하는 반응에서 실린더에 기체 X_2 w_1 g과 Y_2 w_2 g을 넣고 어느 한 기체가 모두 소모될 때까지 반응시켰을 때 반응 전후를 모형으로 나타낸 것이다. 반응 후 Z는 나타내지 않았다.

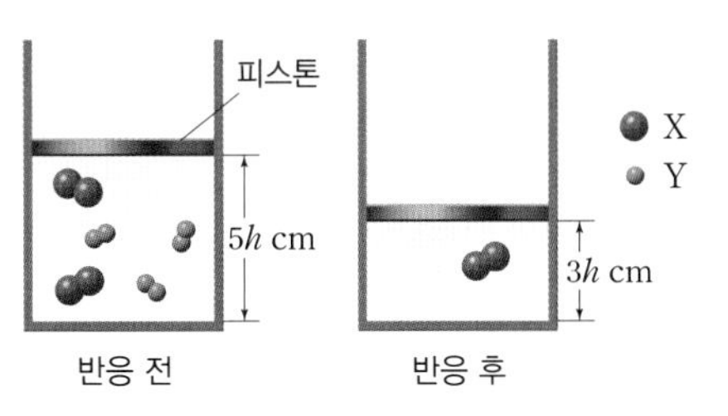

이에 대한 설명으로 옳은 것만을 보기에서 있는 대로 고른 것은? (단, X와 Y는 임의의 원소 기호이고, 온도와 압력은 일정하다.)

보기

ㄱ. 기체의 밀도는 반응 후가 반응 전보다 크다.

ㄴ. Z의 분자식은 XY_3이다.

ㄷ. 원자량비는 X : Y $= 3w_1 : 2w_2$이다.

① ㄱ ② ㄴ ③ ㄱ, ㄷ ④ ㄴ, ㄷ ⑤ ㄱ, ㄴ, ㄷ

• 같은 온도, 같은 압력에서 기체의 부피비는 분자 수비와 같고, 반응 전후 물질의 질량은 보존된다.

09

> 화학 반응식의 양적 관계

다음은 기체 A와 B의 반응에 대한 화학 반응식과 실험 과정 및 결과이다.

[화학 반응식] $2A(g) + B(g) \longrightarrow 2C(g)$

[실험 과정]

(가) 그림과 같이 기체 A와 B를 꼭지로 연결된 용기에 각각 넣는다.

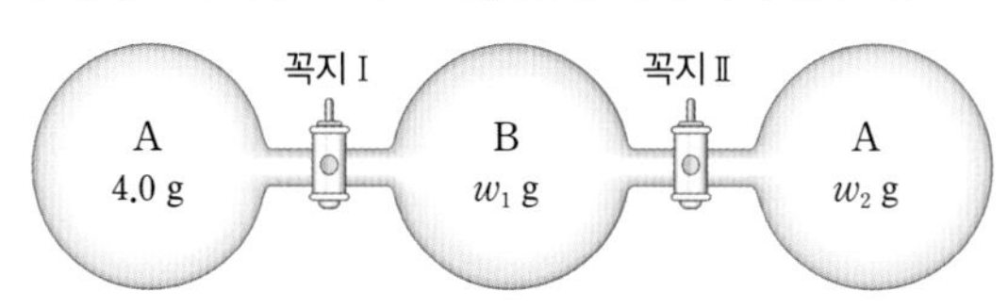

(나) 꼭지 Ⅰ을 열어 반응이 완결된 후 용기 속 기체의 종류와 기체 C의 질량을 구한다.

(다) 꼭지 Ⅱ를 열어 반응이 완결된 후 용기 속 기체의 종류와 기체 C의 질량을 구한다.

[실험 결과]

과정	기체의 종류	C의 질량(g)
(나)	B, C	5.0
(다)	A, C	20.0

이에 대한 설명으로 옳은 것만을 보기에서 있는 대로 고른 것은?

보기

ㄱ. 분자량은 A가 B의 2배이다.

ㄴ. $\frac{w_2}{w_1} < 3$이다.

ㄷ. (나)에서 반응 후 용기에 들어 있는 B의 양(mol)은 C의 양(mol)의 $\frac{9}{10}$이다.

① ㄱ ② ㄴ ③ ㄱ, ㄷ ④ ㄴ, ㄷ ⑤ ㄱ, ㄴ, ㄷ

• 화학 반응식에서 각 물질의 계수비는 반응 몰비와 같고, 반응 전후에 질량은 보존된다.

10

> 용액의 농도

물 1 L에 표와 같이 3가지 용질을 녹여 3가지 용액 A~C를 만들었다.

용액	녹인 용질의 종류	녹인 용질의 질량(g)	용질의 화학식량
A	포도당	5	180
B	염화 나트륨	5	58.5
C	염화 칼슘	5	111

위 세 용액의 농도 중 서로 같은 것만을 보기에서 있는 대로 고른 것은?

보기

ㄱ. 몰 농도 ㄴ. 퍼센트 농도 ㄷ. 용질의 몰 분율

① ㄱ ② ㄴ ③ ㄷ ④ ㄱ, ㄷ ⑤ ㄴ, ㄷ

• 퍼센트 농도는 용액 100 g 속에 녹아 있는 용질의 질량(g)이고, 몰 농도는 용액 1 L 속에 녹아 있는 용질의 양(mol)이다.

11

> 용액의 농도

그림은 몰 농도(M)와 퍼센트 농도(%)로 표시된 2가지 수산화 나트륨(NaOH) 수용액 (가)와 (나)를 나타낸 것이다.

이에 대한 설명으로 옳은 것만을 보기에서 있는 대로 고른 것은? (단, NaOH의 화학식량은 40이고, (가)의 밀도는 1 g/mL이다.)

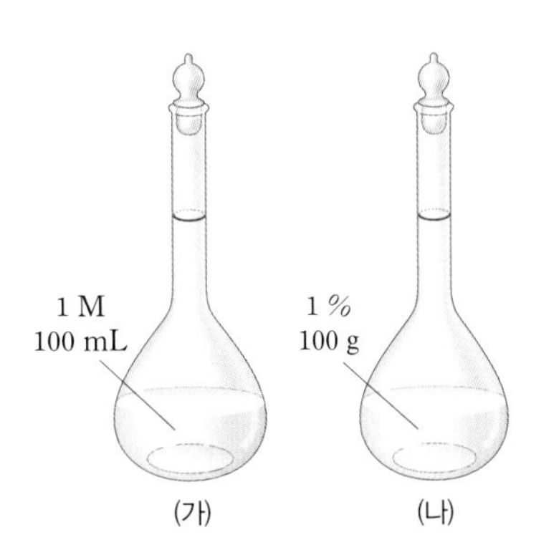

보기

ㄱ. (가)에 증류수를 넣어 부피가 200 mL가 되게 했을 때 농도는 0.5 M이다.

ㄴ. (나)에 증류수를 넣어 용액의 질량이 200 g이 되게 했을 때 농도는 0.5 %이다.

ㄷ. (가)와 (나)를 혼합한 용액의 농도는 2.5 %이다.

① ㄱ　② ㄴ　③ ㄱ, ㄷ　④ ㄴ, ㄷ　⑤ ㄱ, ㄴ, ㄷ

- 용액에 용매를 넣어 희석하거나 용액을 혼합해도 용액 속 용질의 질량이나 양(mol)에는 변함이 없다.

12

> 수용액의 반응과 양적 관계

다음은 MBr_2 수용액과 질산 은($AgNO_3$) 수용액이 반응하여 브로민화 은(AgBr) 앙금과 $M(NO_3)_2$ 수용액을 생성하는 화학 반응식이다.

$$MBr_2(aq) + a AgNO_3(aq) \longrightarrow b AgBr(s) + M(NO_3)_2(aq)$$

(a, b는 반응 계수)

그림과 같이 0.2 M 질산 은($AgNO_3$) 수용액 100 mL에 MBr_2 4.0 g을 넣어 반응시켰더니 AgBr 앙금이 생성되었고, 반응하지 않은 MBr_2의 질량은 2.0 g이었다.

이에 대한 설명으로 옳은 것만을 보기에서 있는 대로 고른 것은? (단, M은 임의의 원소 기호이고, Br과 Ag의 원자량은 각각 80, 108이다.)

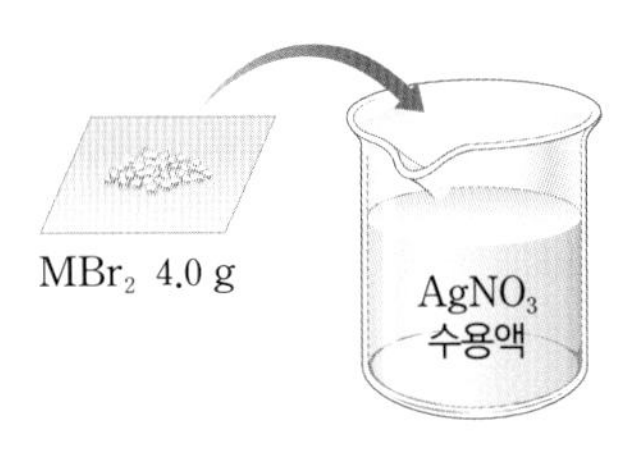

보기

ㄱ. $\frac{b}{a}=1$이다.

ㄴ. 생성된 AgBr(s)의 질량은 3.76 g이다.

ㄷ. M의 원자량은 40이다.

① ㄱ　② ㄴ　③ ㄱ, ㄷ　④ ㄴ, ㄷ　⑤ ㄱ, ㄴ, ㄷ

- 화학 반응식에서 원자의 종류와 수가 같도록 계수를 맞추면 계수비는 반응 몰비와 같다. 용액 속에 들어 있는 용질의 양(mol)은 용액의 몰 농도×용액의 부피이다.

01

표는 W ~ Z 원자 1개의 질량을 나타낸 것이다. 아보가드로수는 6×10^{23}이고, W ~ Z는 임의의 원소 기호이다.

원자	W	X	Y	Z
1개의 질량(g)	$\frac{1}{6} \times 10^{-23}$	2×10^{-23}	$\frac{7}{3} \times 10^{-23}$	$\frac{8}{3} \times 10^{-23}$

(1) W 원자 1 g에 포함된 원자의 개수를 구하는 과정을 서술하시오.

(2) XZ_2와 Y_2Z의 분자량을 각각 구하시오.

(3) Y_2 14 g과 W_2 2 g이 완전히 반응하여 생성된 YW_3 분자의 개수를 구하고, 그 과정을 서술하시오.

KEY WORDS
(1) 아보가드로수, 원자 1몰의 질량
(3) 화학 반응식, 반응 몰비, 분자 수

02

그림 (가)는 용기의 왼쪽에는 헬륨(He) 기체 2.4 g, 오른쪽에는 산소(O_2) 기체 x몰이 들어 있는 모습을 나타낸 것이고, (나)는 온도를 일정하게 유지하며 (가)의 용기 오른쪽에 산소 y g을 더 넣었을 때의 모습을 나타낸 것이다. 용기 안의 피스톤은 양쪽 기체의 압력이 같아지도록 움직인다. He과 O의 원자량은 각각 4, 16이다.

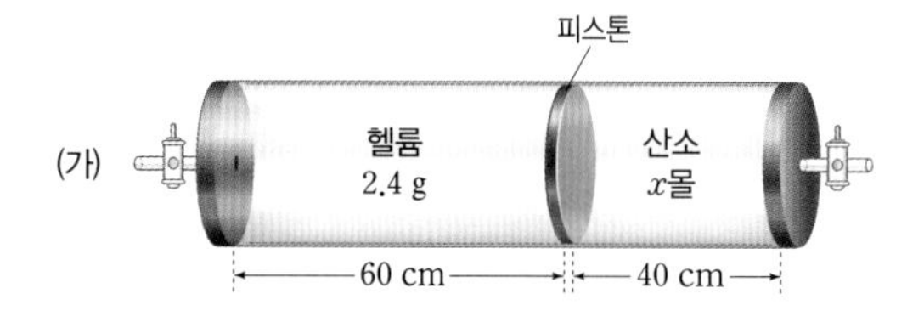

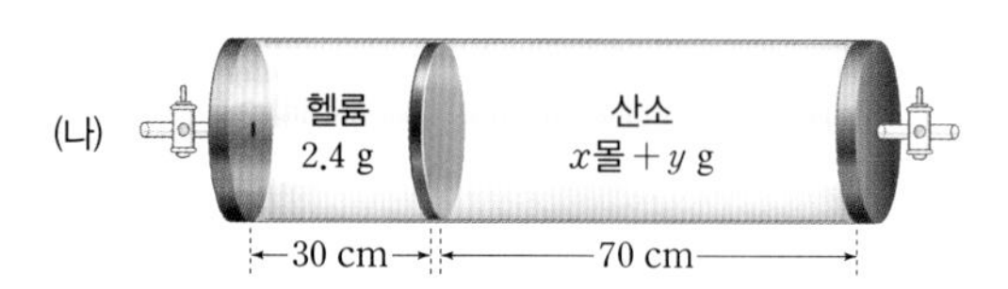

(가)에서 x와 (나)에서 y를 구하고, 그 과정을 서술하시오.

KEY WORDS
• 온도, 압력, 부피, 분자 수, 몰

03

그림은 25 °C, 1기압에서 부피가 각각 10 L와 20 L인 용기에 메테인(CH_4)과 산소(O_2)가 들어 있는 것을 나타낸 것이다.

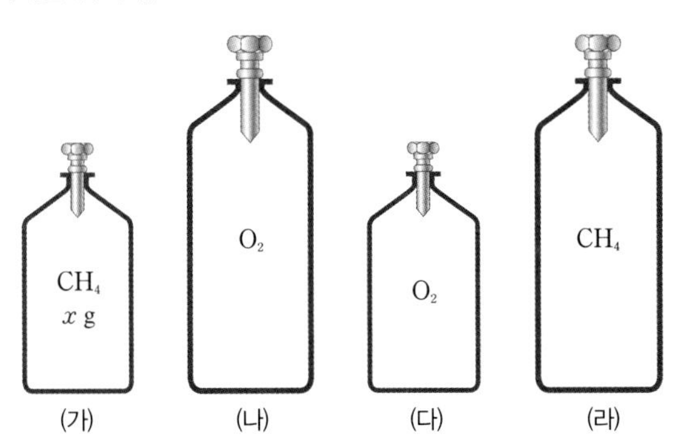

(나)~(라)에 들어 있는 각 기체의 질량을 x로 나타내고, 그 과정을 서술하시오. (단, H, C, O의 원자량은 각각 1, 12, 16이다.)

KEY WORDS
• 분자량, 몰, 부피, 질량

04

그림과 같이 0 °C, 1기압에서 실린더에 포도당($C_6H_{12}O_6$) 가루 18 g을 넣고 산소(O_2) 기체 22.4 L를 채웠다. 어느 한 반응물이 모두 소모될 때까지 반응시킨 후 0 °C, 1기압으로 유지하였다. 피스톤의 질량과 마찰은 무시하고, 실린더 속 고체 또는 액체의 부피는 무시한다. 0 °C, 1기압에서 기체 1몰의 부피는 22.4 L이고, H, C, O의 원자량은 각각 1, 12, 16이다.

(1) 포도당의 연소 반응의 화학 반응식을 쓰시오.

---

(2) 반응 후 실린더 속 전체 기체의 부피를 구하고, 그 과정을 서술하시오.

KEY WORDS
(2) 화학 반응식, 계수비, 몰비, 부피비

05

다음은 프로페인(C_3H_8)의 연소 반응의 화학 반응식이다. (단, 0 °C, 1기압에서 기체 1몰의 부피는 22.4 L이고, H, C, O의 원자량은 각각 1, 12, 16이다.)

$$C_3H_8(g) + aO_2(g) \longrightarrow bCO_2(g) + cH_2O(l)$$

(a~c는 반응 계수)

(1) a~c를 각각 구하시오.

(2) C_3H_8이 완전 연소하여 O_2 1몰이 소모될 때 생성되는 CO_2의 질량을 구하고, 그 과정을 서술하시오.

(3) 0 °C, 1기압에서 C_3H_8 22 g을 완전 연소시키기 위해 필요한 O_2의 최소 부피를 구하고, 그 과정을 서술하시오.

KEY WORDS
(2) 계수비, 몰비, 분자량
(3) 분자량, 몰

06

다음은 구리(Cu)와 관련된 2가지 반응이다.

(가) Cu를 공기 중에서 가열하였더니 산화 구리(Ⅱ)(CuO)가 생성되었다.
(나) CuO를 수소(H_2)와 반응시켰더니 Cu와 물질 X가 생성되었다.

(1) (가)와 (나)의 반응을 화학 반응식으로 나타내고, 물질 X가 무엇인지 쓰시오.

(2) (가)에서 Cu 12.8 g을 충분한 양의 산소와 반응시켜 얻은 CuO를 충분한 양의 수소와 반응시킬 때 생성되는 X의 질량을 구하고, 그 과정을 서술하시오. (단, H, O, Cu의 원자량은 각각 1, 16, 64이다.)

KEY WORDS
(2) 몰비, 질량

07 다음은 진한 염산으로 묽은 염산 250 mL를 만드는 실험 과정과 자료이다. (단, HCl의 분자량은 36.5이다.)

> [실험 과정]
> (가) 피펫으로 진한 염산 20.0 mL를 측정하여 250 mL 부피 플라스크에 넣는다.
> (나) 과정 (가)의 부피 플라스크의 눈금선까지 증류수를 가한다.
> [자료]
> • 진한 염산의 퍼센트 농도: 36.5 %
> • 진한 염산의 밀도: 1.25 g/mL
> • 묽은 염산의 밀도: 1.0 g/mL

(1) 묽은 염산의 몰 농도를 구하고, 그 과정을 서술하시오.

(2) 묽은 염산의 퍼센트 농도를 구하고, 그 과정을 서술하시오.

KEY WORDS
(1) 수용액의 질량, 용액의 밀도, 용질의 질량, 몰 농도
(2) 수용액의 질량, 용액의 밀도, 용질의 질량, 퍼센트 농도

08 그림과 같이 0.1 M 염산(HCl(*aq*)) 100 mL와 0.2 M 수산화 나트륨 수용액(NaOH(*aq*)) 50 mL를 혼합하였다. 수용액 (가)~(다)의 밀도는 모두 1.0 g/mL이고, Na과 Cl의 원자량은 각각 23, 35.5이다. 혼합 용액의 부피는 혼합 전 각 수용액의 부피 합과 같다.

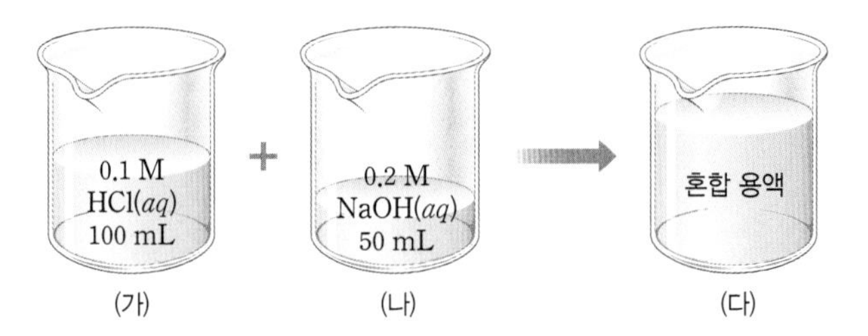

(다)에서 혼합 용액의 퍼센트 농도를 구하고, 그 과정을 서술하시오.

KEY WORDS
• 몰, 몰비, 밀도, 질량, 퍼센트 농도

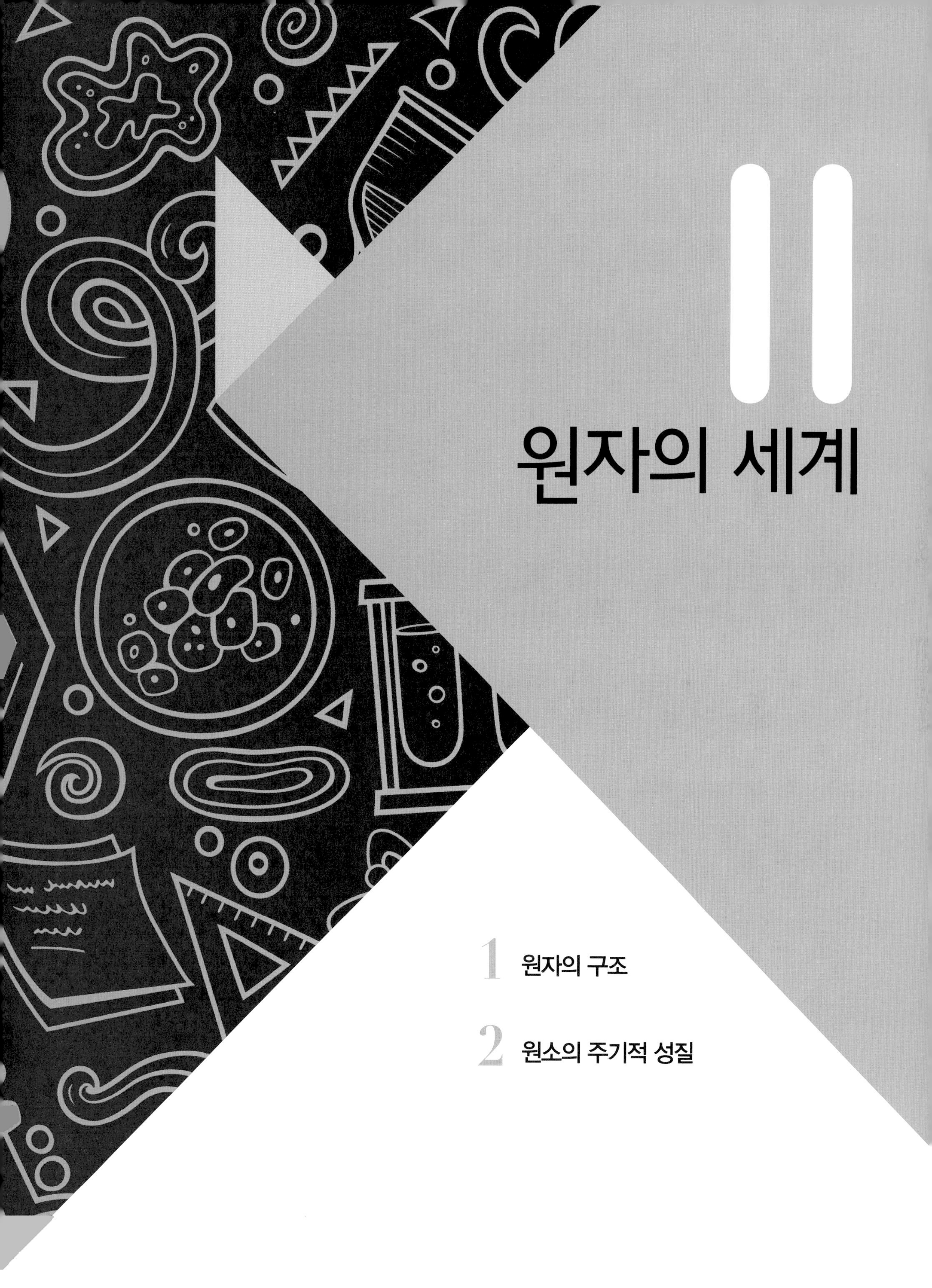

II 원자의 세계

1 원자의 구조

2 원소의 주기적 성질

1 원자의 구조

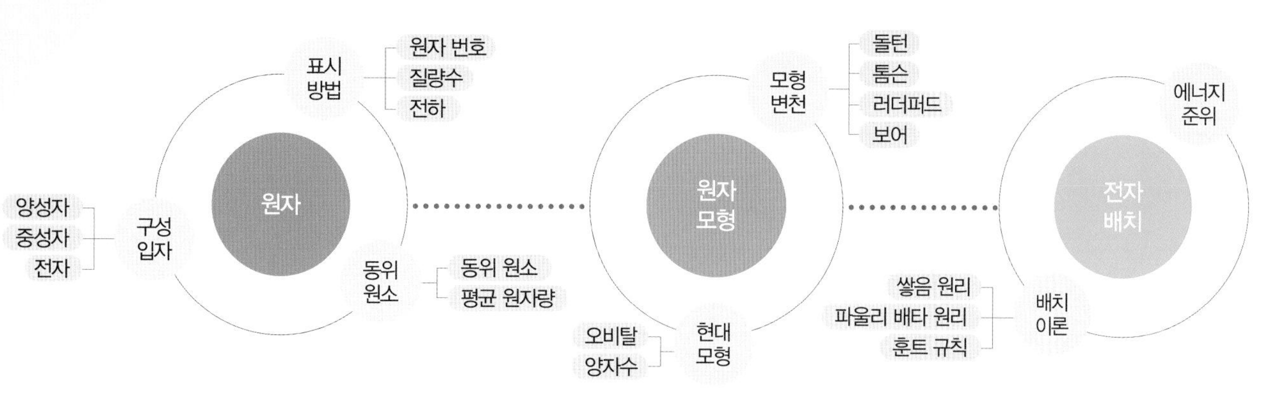

원자의 구성 입자

현대의 원자 모형

전자 배치

01 원자의 구성 입자

학습 Point 원자를 구성하는 입자 > 원자의 표시 방법 > 동위 원소와 평균 원자량

1 원자의 구성 입자

1803년 돌턴(Dalton, J., 1766~1844)은 "물질은 더 이상 쪼갤 수 없는 원자로 이루어져 있다."라고 주장하였다. 하지만 이후 여러 과학자에 의해 원자가 더 작은 입자로 구성되어 있음이 밝혀졌다.

1. 전자

(1) **음극선:** 19세기 말경 과학자들은 전기장이 원자나 분자에 미치는 영향을 연구하던 중 거의 진공 상태(10^{-6}기압)로 만든 유리관에 높은 전압(10^4 V)을 걸어 주면 (−)극에서 어떤 선이 나와 직진하다가 유리관에 부딪히는 부분에서 빛을 내며 전류가 흐르는 것을 발견하였고, 이 선을 음극선이라고 하였다.

음극선 실험 장치

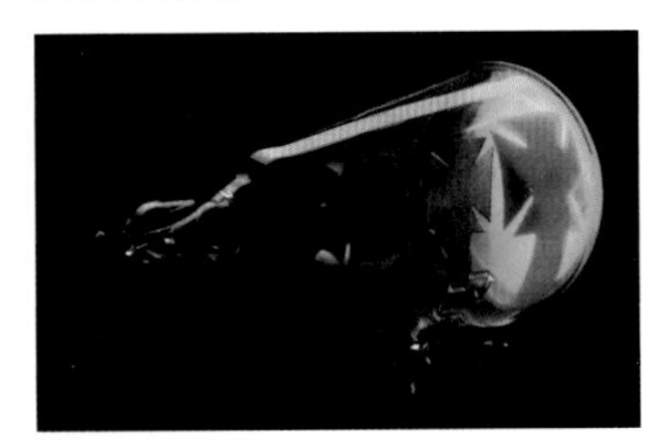

유리로 된 밀폐 용기 양쪽에 전극을 넣고 공기를 빼낸 후 전압을 걸면 전원 장치의 (−)극에 연결된 쪽에서 음극선이 나온다.

시선 집중 ★ 음극선의 성질

거의 진공 상태로 만든 유리관에 높은 전압을 걸어 다음과 같은 실험을 하였다.

실험 장치	결과
(−) (+)	음극선이 지나는 길에 바람개비를 놓아두었더니 바람개비가 회전하였다. ➡ 음극선은 질량을 가진 입자이다.
(−) (+)	음극선이 지나는 길에 물체를 놓아두었더니 그림자가 생겼다. ➡ 음극선은 직진하는 성질이 있다.
(−) N (+)	음극선이 지나는 길에 자석을 가까이 대었더니 음극선이 휘어졌다. ➡ 음극선은 전하를 띤다.
(+) (−) (+) (−)	음극선이 지나는 길에 전기장을 걸어 주었더니 음극선이 (+)극 쪽으로 휘어졌다. ➡ 음극선은 (−)전하를 띤다.

(2) **전자의 발견:** 1897년 톰슨(Thomson, J. J., 1856~1940)은 음극선 실험을 통해 음극선이 (−)전하를 띤 매우 작은 입자의 흐름임을 발견하였고, 이 입자를 전자라고 하였다.

① **톰슨의 비전하 측정:** 톰슨은 전기장과 자기장에 의해 음극선이 휘어지는 결과를 통해 전자의 질량에 대한 전하량의 비, 즉 비전하$\left(\frac{e}{m}\right)$를 측정하였고, 그 값이 1.76×10^8 C/g임을 밝혀 냈다. 또, 당시까지 알려진 수십 종의 금속을 (−)극으로 사용하여 실험한 결과 비전하 값이 모두 같음을 알아내어, 전자는 모든 원자를 이루는 입자의 한 종류임을 밝혀 냈다.

② **전자의 전하량 측정:** 톰슨은 전자의 비전하를 측정하였지만 전자 1개의 질량이나 전하를 각각 측정하지는 못했다. 전자 1개의 전하량은 1909년 밀리컨(Millikan, R. A., 1868~1953)의 기름방울 실험을 통해 1.60×10^{-19} C임이 밝혀졌고, 그는 이 업적으로 1923년 노벨상을 수상하였다. 그후 과학자들은 전자의 (−)전하량인 1.60×10^{-19} C을 −1의 전하로 약속하였다.

전하와 전하량
전하는 모든 전기적 현상의 기본이 되는 물리적 실체로 (−)전하와 (+)전하가 있으며, 전하의 양을 전하량이라고 한다. 전자가 가지는 (−)전하량인 1.6×10^{-19} C을 −1의 전하로, (+)전하량인 1.6×10^{-19} C을 +1의 전하로 나타내기도 한다.

2. 원자핵

(1) **양극선의 발견:** 1886년 골트슈타인(Goldstein, E., 1850~1930)은 낮은 압력의 기체가 들어 있는 관에 높은 전압을 걸어 주면 (−)극 쪽으로 움직이는 양극선이 존재한다는 것을 발견하였다. 하지만 골트슈타인은 이 양극선의 정체를 정확하게 파악하지는 못하였다.

양극선
방전관에 기체를 넣고 방전시킬 때 (+)극에서 (−)극으로 흐르는 (+)전하를 띠는 이온의 흐름

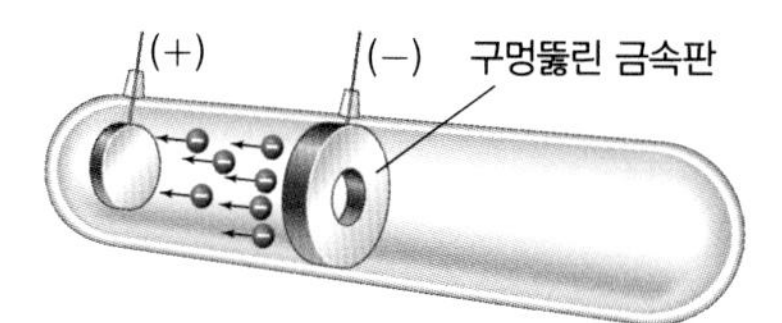

(가) 관에 높은 전압을 걸어 주면 음극선이 생겨 (+)극 쪽으로 이동해 간다.

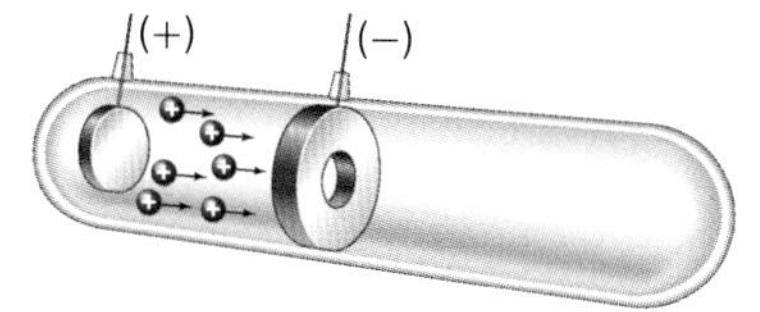

(나) 음극선을 이루는 전자가 기체와 충돌하여 (+)전하를 띠는 이온을 만들고, 이들 이온은 (−)극 쪽으로 이동해 간다.

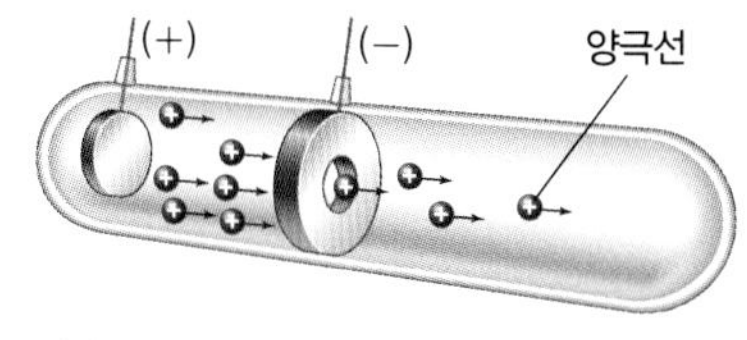

(다) (+)전하를 띠는 몇몇 이온이 (−)극의 구멍을 통과하여 나간다.

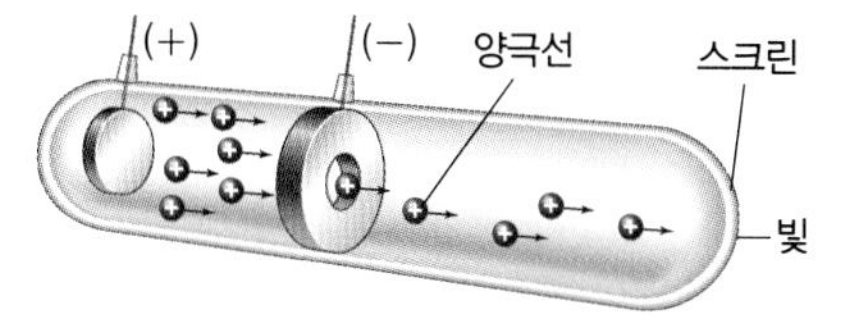

(라) (−)극을 통과한 (+)전하를 띠는 이온이 스크린에 부딪쳐 반짝이는 점을 나타낸다.

(2) **원자핵의 발견**

① **러더퍼드의 알파(α) 입자 산란 실험:** 1911년 러더퍼드(Rutherford, E., 1871~1937)는 방사선 원소인 라듐($_{88}$Ra)으로부터 방출되는 알파(α) 입자를 얇은 금박(6×10^{-5} cm)에 충돌시켰을 때 ZnS 형광 스크린에 생긴 섬광으로 알파(α) 입자의 편향을 조사하였다. 그 결과 대부분의 알파(α) 입자는 금박을 직선으로 통과했지만 약 20000개 중 1개 정도의 알파(α) 입자는 큰 각도로 휘었으며, 어떤 것은 뒤쪽으로 튕겨져 나왔다.

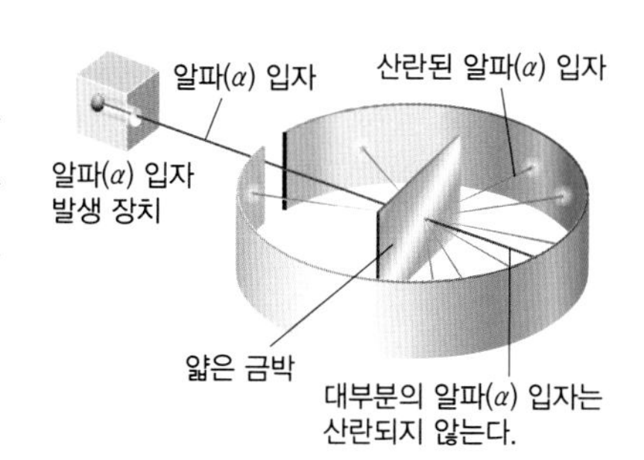

알파(α) 입자
퀴리 부인이 발견한 방사성 동위 원소인 폴로늄($_{84}$Po)에서 나온 것으로, 2개의 양성자와 2개의 중성자가 결합한 입자이다. 즉 알파선은 +2의 전하를 가진 헬륨의 원자핵(He^{2+})의 흐름이다.

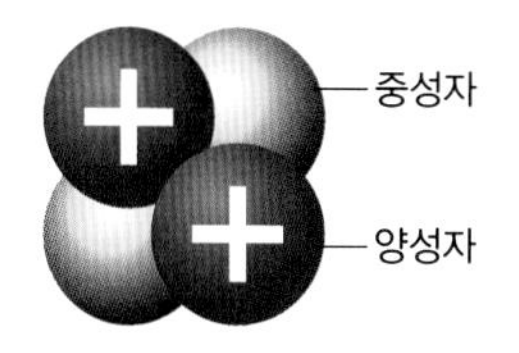

시선 집중 ★ 알파(α) 입자 산란 실험의 결과

❶ **실험 결과:** 대부분의 알파(α) 입자는 직진하여 금박을 통과하였지만, 극히 일부의 알파(α) 입자는 크게 휘거나 튕겨져 나왔다.

알파(α) 입자 발생 장치
얇은 금박 (금 원자)
원자핵
알파(α) 입자

❷ **해석**

- 대부분의 알파(α) 입자는 직진하여 금박을 통과하였다. ➡ 원자의 대부분은 빈 공간이다.
- 극히 일부의 알파(α) 입자는 크게 휘거나 튕겨져 나왔다. ➡ (+)전하를 띠며 질량이 매우 큰 입자가 좁은 공간에 모여 있다.

알파(α) 입자는 상당히 무거운 입자이기 때문에 러더퍼드는 이와 같은 결과에 매우 놀랐다. 그는 “이것은 마치 한 장의 종이에 15인치 포탄을 쏘았을 때 그것이 튕겨져 되돌아오는 것과 같이 믿을 수 없는 일이다.”라고 말했다. 러더퍼드는 이 실험을 통해 원자는 대부분이 빈 공간이며, 중심에 (+)전하를 띠고 원자 질량의 대부분을 차지하는 입자가 존재한다는 것을 알아내었고, 이 입자를 원자핵이라고 하였다.

알파(α) 입자의 진로
(+)전하를 띠는 알파(α) 입자는 대부분 금박을 그대로 통과하지만, 일부는 원자핵에 매우 가까워지면서 원자핵의 (+)전하에 의해 반발하여 진로가 크게 바뀐다. 이는 원자는 대부분 빈 공간이며, 원자에 포함된 (+)전하가 매우 작은 공간에 밀집되어 있기 때문이다.

② **원자와 원자핵의 크기:** 러더퍼드는 실험 결과를 토대로 원자의 크기는 10^{-10} m 정도이고, 원자핵의 크기는 원자 크기의 $\frac{1}{100000}$인 10^{-15} m 정도라는 것을 알아냈다. 이것은 원자를 지름 200 m의 야구장 크기에 비유할 때, 원자핵은 그 안의 개미 정도의 크기 비율이다.

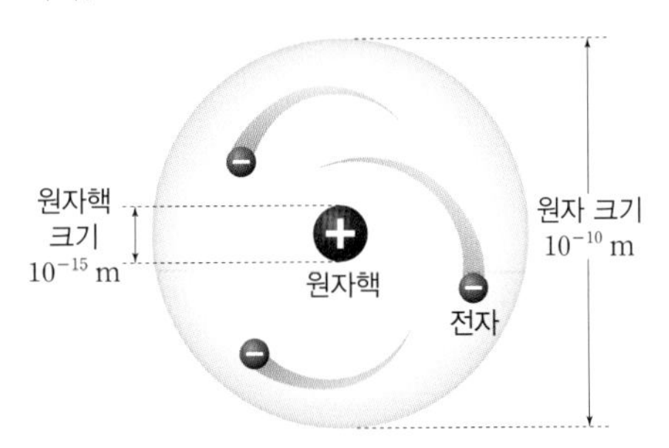

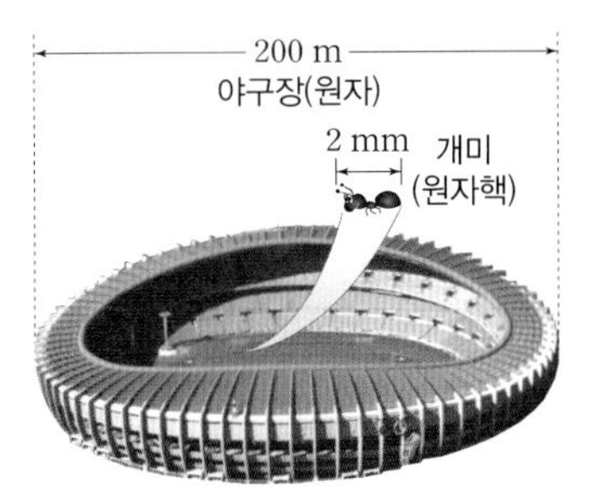

▲ 원자와 원자핵 크기 비교

(3) **양성자의 발견:** 골트슈타인이 발견한 양극선의 정체는 러더퍼드에 의해서 밝혀졌다. 음극선의 비전하는 관 안에 존재하는 기체의 종류에 관계없이 일정하지만, 양극선의 경우는 관 안에 존재하는 기체의 종류에 따라 생성되는 양극선의 비전하가 달라진다. 비전하는 수소 기체를 사용했을 때 가장 큰 값을 갖는데, 이것은 관 안에 수소 기체가 존재할 때 생성된 양이온(H^+)의 질량이 가장 작다는 것을 의미한다. 1914년 러더퍼드는 관 안에 수소 기체를 넣었을 때 생성되는 (+)전하가 원자핵의 (+)전하 단위라고 제안하였고, 이 입자를 양성자라고 하였다. 양성자의 (+)전하량은 1.60×10^{-19} C으로 전자의 전하량과 크기는 같고 부호가 반대이며, 질량은 1.67×10^{-27} kg으로, 전자의 1837배이다.

양성자의 발견
골트슈타인이 양성자의 정체를 정확히 파악한 것은 아니었지만, 양성자를 발견한 사람을 골트슈타인이라고 한다. 그 이유는 관 안에 수소 기체가 존재할 때 발생하는 양극선이 바로 양성자이기 때문이다.

(4) 중성자의 발견

① 중성자의 예언: 러더퍼드는 양성자가 전자의 (−)전하량과 같은 크기의 (+)전하량을 가지고 있지만, 전자보다 약 1837배나 무겁다는 사실을 밝혀 냈다. 그런데 헬륨 원자핵의 경우는 다음 표와 같이 (+)전하량은 양성자의 2배이지만, 질량은 4배였다. 즉 원자핵에 존재하는 양성자가 1개일 때와 2개일 때 (+)전하량의 비는 1 : 2인데, 질량비는 1 : 4로 나타난 것이다. 따라서 헬륨의 원자핵 속에는 전하를 띠지 않으면서 양성자 2개 정도의 질량을 나타내는 또 다른 입자가 존재함을 알 수 있는데, 그는 이와 같은 사실로부터 중성자의 존재를 예언하였다.

입자	전하량(C)	질량(kg)
양성자	1.60×10^{-19}	1.67×10^{-27}
헬륨의 원자핵	3.20×10^{-19} (2배)	6.68×10^{-27} (4배)

② 중성자의 발견: 중성자는 전하를 띠지 않아 전기장이나 자기장에 영향을 받지 않기 때문에 그 존재를 알아내는 것이 쉽지 않았다. 1932년 러더퍼드의 제자인 채드윅(Chadwick, J., 1891~1974)은 알파(α) 입자를 베릴륨(Be) 박판에 충돌시켰을 때, 전하를 띠지 않는 입자가 방출되는 것을 발견하였고, 이 입자를 중성자라고 하였다. 이로써 양성자만으로는 설명하지 못했던 헬륨 원자핵의 질량을 중성자의 존재로 설명할 수 있었다. 중성자는 전기적으로 중성이고, 원자핵 속에 있을 때는 안정하지만 원자핵 밖에 있을 때는 매우 불안정하며, 질량은 전자 질량의 약 1837배로 양성자와 비슷하다.

채드윅
영국의 물리학자로 1932년 중성자를 발견하였으며, 1935년 이 업적을 인정받아 노벨 물리학상을 받았다. 제2차 세계 대전 중에는 미국에서 원자 폭탄 개발 계획에 참여하였다.

3. 원자를 구성하는 입자

모든 원자의 중심에는 (+)전하를 띠는 원자핵이 있고, 그 주위에 (−)전하를 띠는 전자가 분포되어 있다. 그리고 원자핵은 (+)전하를 띠는 양성자와 전하를 띠지 않는 중성자로 이루어져 있다.

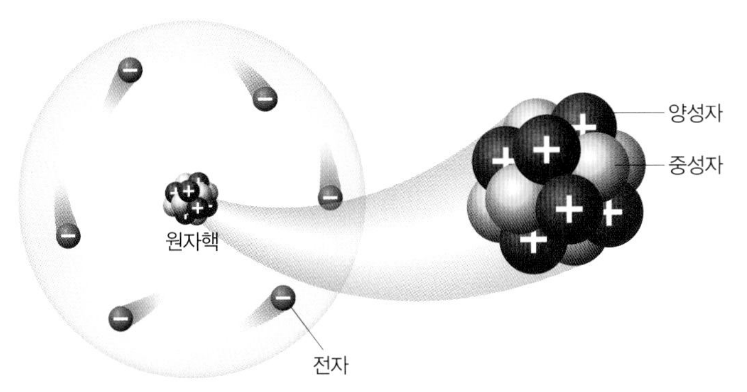

▲ 원자와 원자핵의 구성

구성 입자		기호	전하량(C)	상대적인 전하	질량(g)	상대적인 질량
원자핵	양성자	p	$+1.602\times10^{-19}$	+1	1.673×10^{-24}	1
	중성자	n	0	0	1.675×10^{-24}	1
전자		e	-1.602×10^{-19}	−1	9.109×10^{-28}	$\frac{1}{1837}$

▲ 원자를 구성하는 입자의 성질

쿼크의 발견
과학이 발달함에 따라 양성자, 중성자는 더 작은 입자인 쿼크(quark)로 이루어져 있음이 밝혀졌다. 현재까지 6가지(up, down, top, bottom, strange, charm)의 쿼크가 확인되었고, 업 쿼크와 다운 쿼크가 양성자와 중성자를 이룬다.

시야 확장 ⊕ 원자핵의 안정성

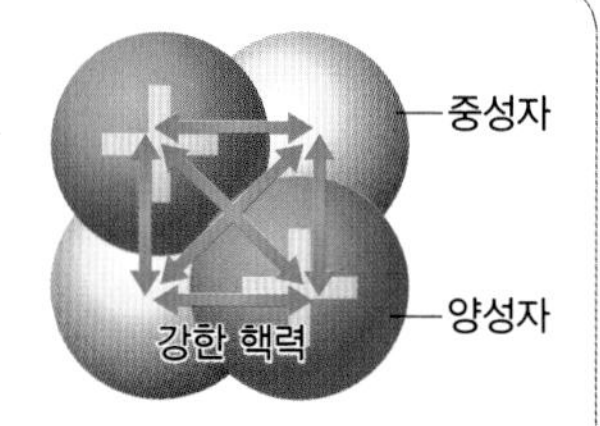

원자의 원자핵 내에서 같은 전하를 가진 양성자끼리의 반발력에도 불구하고 원자핵은 어떻게 안정하게 존재할 수 있을까? 그 이유는 원자핵을 구성하는 입자(양성자와 양성자, 양성자와 중성자, 중성자와 중성자) 사이에 강한 인력이 작용하기 때문이다. 이때의 인력을 강한 핵력이라고 한다. 강한 핵력은 전기적 반발력보다 100배 이상 큰 힘으로 자연에 존재하는 힘 중 가장 강한 인력에 해당하지만, 10^{-15} m 이하의 거리에서만 작용하며 10^{-15} m보다 먼 거리에서는 작용하지 못한다.

양성자끼리는 전기적 반발력이 작용하므로 핵력이 작용할 수 있는 거리만큼 가까워질 수 없어 원자핵을 이룰 수 없으나, 중성자와 양성자 사이에는 전기적 반발력이 없고, 강한 핵력만 작용하므로 중성자가 존재하면 양성자들이 결합할 수 있다. 즉, 중성자는 무거운 원자핵이 만들어질 때 원자핵을 안정하게 하는 역할을 한다.

원자의 표시

현재까지 발견된 원소는 118종으로, 각각의 원소를 나타내는 원소 기호가 세계 공통으로 사용되고 있다. 우리는 원소 기호를 통해 원소의 종류를 알 수 있으며, 어떤 원자의 양성자수, 중성자수, 전자 수와 같은 정보도 알 수 있다.

1. 원자 번호

많은 연구를 통해 원자의 종류는 원자핵 속의 양성자수에 의해 결정된다는 것이 밝혀졌다. 동일한 원소의 원자들은 원자핵 속에 같은 수의 양성자를 가지고 있으며, 양성자수가 서로 다르면 원자 번호가 다른, 즉 서로 다른 원소의 원자이므로 원자의 종류가 달라진다. 이와 같이 원자 번호는 원소의 성질을 결정하며, Z라는 기호로 나타낸다.

원자 번호	이름	원소 기호	원자 번호	이름	원소 기호
1	수소	$_{1}H$	11	나트륨	$_{11}Na$
2	헬륨	$_{2}He$	12	마그네슘	$_{12}Mg$
3	리튬	$_{3}Li$	13	알루미늄	$_{13}Al$
4	베릴륨	$_{4}Be$	14	규소	$_{14}Si$
5	붕소	$_{5}B$	15	인	$_{15}P$
6	탄소	$_{6}C$	16	황	$_{16}S$
7	질소	$_{7}N$	17	염소	$_{17}Cl$
8	산소	$_{8}O$	18	아르곤	$_{18}Ar$
9	플루오린	$_{9}F$	19	칼륨	$_{19}K$
10	네온	$_{10}Ne$	20	칼슘	$_{20}Ca$

▲ 원자 번호 1~20인 원자의 이름과 원소 기호

2. 원자의 양성자수와 전자 수

원자는 원자핵 속에 들어 있는 양성자수와 원자핵 주위에 있는 전자 수가 항상 같아 전기적으로 중성이다. 예를 들면 수소 원자는 원자핵 속에 1개의 양성자를 가지고 있고, 우라늄 원자는 원자핵 속에 92개의 양성자를 가지고 있다. 또한 수소 원자는 핵 주위에 1개의 전자가 있고, 우라늄 원자는 핵 주위에 92개의 전자가 있다.

수소(H) 원자: 양성자 1개, 전자 1개 ➡ 원자 번호(Z)=1 우라늄(U) 원자: 양성자 92개, 전자 92개 ➡ 원자 번호(Z)=92

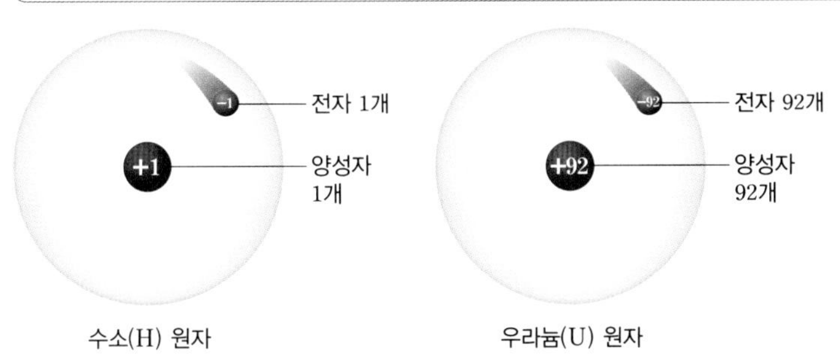

▲ 수소 원자와 우라늄 원자의 모형

따라서 원자에서는 다음과 같은 관계식이 성립한다.

원자 번호=양성자수=전자 수

이온의 양성자수와 전자 수

이온의 경우 양성자수와 중성자수는 변함이 없지만 전자 수가 달라진다. H^+은 양성자수가 1로 H 원자의 양성자수와 같지만 전자 수는 0이다.

예 원자 번호 20인 원소 Ca의 이온(Ca^{2+})은 전자 수가 20−2=18이고, 양성자수가 20이다.

3. 질량수

전자의 질량은 양성자나 중성자에 비해 무시할 정도로 작으므로 원자의 질량은 원자핵의 질량과 거의 같다. 따라서 원자핵 속에 들어 있는 양성자수와 중성자수를 모두 합한 값을 질량수라고 하며, 원자의 상대적인 질량을 비교하는 데 사용한다.

질량수=양성자수+중성자수

(1) 원자 번호가 원자핵 속에 들어 있는 양성자수와 같으므로 원자핵 속의 중성자수는 '질량수 −원자 번호'로 구할 수 있다.

(2) 원자량이 질량수와 약간 차이가 나는 것은 양성자와 중성자의 질량이 약간 차이가 나는 것 외에도 양성자, 중성자, 전자들이 결합하여 원자를 구성할 때, 에너지가 방출되면서 질량 에너지 등가 원리($E=mc^2$, m: 질량, c: 빛의 속도)에 의해 질량이 약간 줄어들기 때문이다.

4. 원자의 표시 방법

어떤 원자의 원소 기호를 X라 할 때 X에 표시되는 여러 가지 수치와 위치는 다음과 같다.

- **질량수**: 원소 기호의 왼쪽 위
- **원자 번호**: 원소 기호의 왼쪽 아래
- **전하**: 원소 기호의 오른쪽 위
- **원자 수**: 원소 기호의 오른쪽 아래

탄소(C)의 표기법

3 동위 원소

같은 종류의 원자는 원자핵 속에 들어 있는 양성자수가 같아 원자 번호가 같다. 그러나 양성자수가 같은 원자일지라도 원자핵 속에 들어 있는 중성자수는 다를 수 있다.

1. 동위 원소

양성자수는 같지만 중성자수가 달라 질량수가 서로 다른 원소를 동위 원소라고 한다. 예를 들어 원자 번호가 1인 수소 원자는 세 종류의 동위 원소가 존재한다. 이들 모두 원자핵 속에는 1개의 양성자가 존재하지만 중성자수는 다르므로 질량수가 다르다.

▲ 수소의 동위 원소

동위 원소는 원자 번호가 같으므로 같은 종류의 원소이다. 원자의 중성자수는 그 원자의 화학적 성질에 거의 영향을 주지 않으므로 동위 원소들은 화학적 성질이 같으나 질량 차가 나므로 물리적 성질이 다르다.

동위 원소 효과
분자 내의 원자가 동위 원소로 치환되었을 때 동위 원소의 질량 차에 의해 기체의 확산, 화학 반응 속도와 같은 물리적·화학적 성질이 변하는 것을 동위 원소 효과라고 한다.
예 물을 전기 분해할 때 물속의 O−H 결합과 O−D 결합이 끊어지는 속도가 다르기 때문에 물을 전기 분해할수록 물속의 D_2O 비율이 증가한다.

2. 평균 원자량

동위 원소가 존재하는 원소의 원자량은 각 원소들의 존재 비율을 고려한 평균 원자량으로 나타낸다. 예를 들어 자연에서 탄소는 ^{12}C와 ^{13}C 두 종류가 존재하고, 각각의 원자량은 12.000, 13.003, 존재 비율은 ^{12}C가 98.93 %, ^{13}C가 1.07 %이므로 C의 평균 원자량은 다음과 같이 구할 수 있다.

$$\text{C의 평균 원자량} = \frac{12.000 \times 98.93}{100} + \frac{13.003 \times 1.07}{100} = 12.011$$

원소	원자 번호	기호	원자량	존재 비율(%)	평균 원자량
수소	1	$^{1}_{1}H$	1.008	99.9885	1.008
		$^{2}_{1}H$	2.014	0.0115	
		$^{3}_{1}H$	3.016	−	
탄소	6	$^{12}_{6}C$	12.000	98.93	12.011
		$^{13}_{6}C$	13.003	1.07	
질소	7	$^{14}_{7}N$	14.003	99.636	14.007
		$^{15}_{7}N$	15.000	0.364	
산소	8	$^{16}_{8}O$	15.995	99.757	15.999
		$^{17}_{8}O$	16.999	0.038	
		$^{18}_{8}O$	17.999	0.205	
염소	17	$^{35}_{17}Cl$	34.969	75.76	35.453
		$^{37}_{17}Cl$	36.966	24.24	

▲ 몇 가지 원소의 평균 원자량

방사성 동위 원소
동위 원소 중에서 방사능(자발적으로 방사선이 방출되는 성질)을 갖는 것을 방사성 동위 원소라고 한다. 천연 방사성 동위 원소는 대부분 원자 번호가 81 이상의 원소들이다. 방사성 동위 원소는 음식물의 장기 보관, 비파괴 검사, 추적자 실험, 폐기물 처리 등에 이용된다.

전자의 비전하 측정과 전하량 결정 실험

톰슨은 전기장과 자기장에서 음극선이 휘는 현상을 이용하여 전자의 질량에 대한 전하량의 비(비전하)를 측정하였으며, 밀리컨은 기름방울 실험을 통해 전자 1개의 전하량을 측정하였다. 톰슨의 비전하 측정 실험과 밀리컨의 기름방울 실험에 대해 알아보자.

❶ 톰슨의 비전하 측정 실험

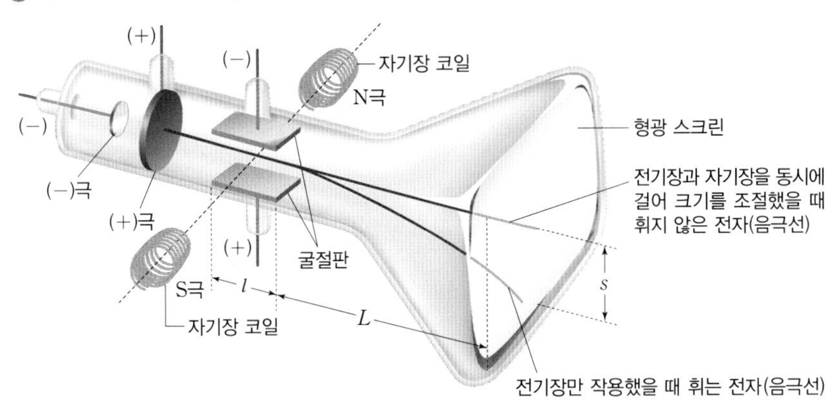

음극선에서 전자의 속도
음극선에서 전자의 속도는 거의 빛의 속도에 가까우며, (−)극으로 사용한 금속의 종류에 따라 속도가 달라진다.

(1) 자기장과 전기장이 모두 작용하는 경우

비전하 측정 장치에서 전자(음극선)들은 왼쪽((−)극)에서 오른쪽((+)극)으로 관 속을 이동한다. 이때 전기장은 전자를 아래쪽으로 휘게 하고, 자기장은 전자를 위쪽으로 휘게 한다. 따라서 전기장과 자기장을 동시에 걸어 그 크기를 적당히 조절하면 전자가 휘지 않고 직진하게 할 수 있다. 이때 전자는 크기는 같으나 방향이 반대인 두 힘을 받는다. 즉 전자가 전기장에서 받는 힘과 자기장에서 받는 힘이 같으므로 다음과 같은 관계식이 성립한다.

eE(전기장에 의한 힘)$=ev_xB$(자기장에 의한 힘)

(e: 전자의 전하, E: 전기장의 세기, v_x: 전자의 속도, B: 자기장의 세기)

따라서 전자의 속도(v_x)는 $\dfrac{E}{B}$이다.

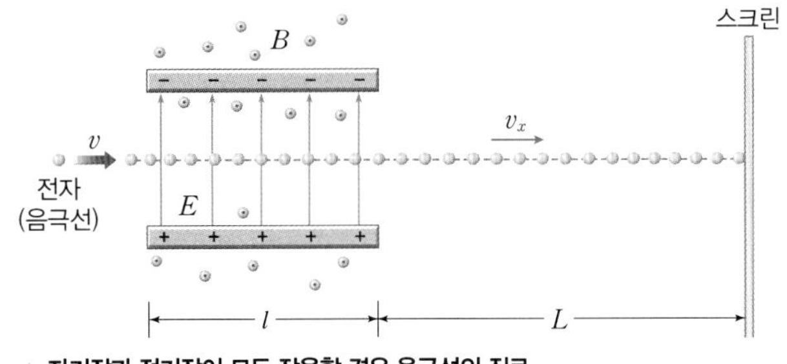

▲ 자기장과 전기장이 모두 작용할 경우 음극선의 진로

(2) 전기장만 작용하는 경우

전자는 전기장에 의해 중심으로부터 다음과 같은 변위($s=s_1+s_2$)가 생긴다.

① 편향판 내에서의 이동(s_1)

전기장 내에서는 아래쪽으로 힘을 받아 가속도(a)가 생기므로 이동 거리는 다음과 같다.

$$s_1=\frac{1}{2}at^2=\frac{1}{2}\cdot\frac{Ee}{m}\cdot\left(\frac{l}{v_x}\right)^2 \quad \left(F=ma=Ee,\ v=\frac{l}{t}\right)$$

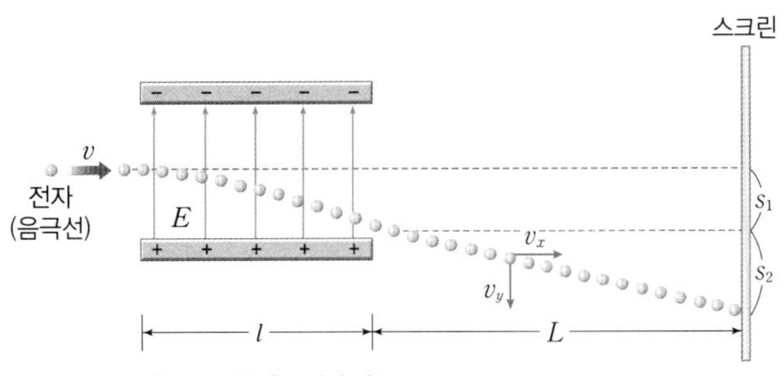

▲ 전기장만 작용하는 경우 음극선의 진로

② 편향판 밖에서의 이동(s_2)

전기장 밖에서는 힘을 받지 않으므로 등속도 운동을 하고, 이동 거리는 다음과 같다.

$$s_2 = vt = v_y \cdot \frac{L}{v_x} = \frac{Ee}{m} \cdot \frac{l}{v_x} \cdot \frac{L}{v_x}$$

따라서 중심으로부터 이동한 거리는 다음과 같다.

$$s = s_1 + s_2 = \frac{1}{2} \cdot \frac{Ee}{m} \cdot \left(\frac{l}{v_x}\right)^2 + \frac{Ee}{m} \cdot \frac{l}{v_x} \cdot \frac{L}{v_x} = \frac{Eel}{mv_x^{\ 2}}\left(\frac{l}{2} + L\right)$$

그런데 $v_x = \frac{E}{B}$이므로 $\frac{e}{m} = \frac{2Es}{B^2 l(l+2L)}$이다.

이 식의 값들을 모두 측정하여 대입하면 비전하$\left(\frac{e}{m}\right) = 1.76 \times 10^8$ C/g이 얻어진다.

❷ 밀리컨의 전하량 결정 실험 – 기름방울 실험

톰슨의 실험으로는 전자의 비전하$\left(\frac{e}{m}\right)$만을 알 수 있었다. 전하량의 실제값은 1909년 밀리컨의 기름방울 실험을 통해 측정되었다. 밀리컨은 다음 그림과 같은 장치에서 전극판 사이에 기름방울을 분사한 후, 강한 X선을 쬐어 기름방울에 전하를 띠게 하였다.

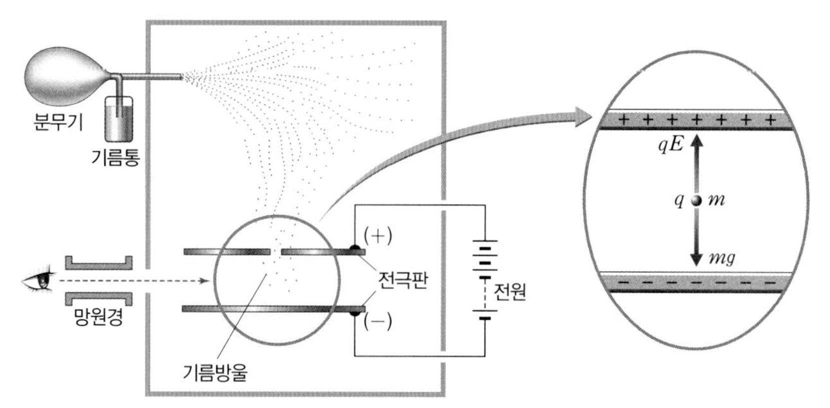

▲ **밀리컨의 기름방울 실험** X선을 기름방울에 쪼이면 전자가 튀어나가 (+)전하를 띤 입자가 생성되며, 이 전자를 얻어 (−)전하를 띤 입자도 생성된다.

두 전극판 사이에 위치한 기름방울은 두 종류의 힘을 받는다. 중력에 의한 힘(mg)은 기름방울을 아래로 내려가게 하고, 전기장에 의한 힘(qE)은 기름방울을 위로 올라가게 한다. 이때 전기장을 조절하여 두 힘의 균형을 유지하면 기름방울이 공중에서 움직이지 않고 떠 있게 된다.

mg(중력에 의한 힘)$=qE$(전기장에 의한 힘) $\therefore q = \frac{mg}{E}$

밀리컨은 실험에 의해 기름방울의 전하 q는 항상 1.60×10^{-19} C의 정수배임을 알아내었다. 따라서 전자의 기본 전하는 1.60×10^{-19} C이며, 톰슨이 발견한 비전하$\left(\frac{e}{m}\right)$ 값에 넣으면 전자의 질량은 $m = 9.09 \times 10^{-31}$ kg임을 알 수 있다.

$$\frac{e}{m} = 1.76 \times 10^8 \text{ C/g},\ m = \frac{1.60 \times 10^{-19}}{1.76 \times 10^8} \fallingdotseq 9.09 \times 10^{-28} \text{ g} = 9.09 \times 10^{-31} \text{ kg}$$

밀리컨
1909년 전자의 전하량을 결정하기 위해 기름방울 실험 장치를 제작하였다. 1916년에는 아인슈타인의 광전 효과식, 즉 광전자의 에너지가 입사광의 진동수에 비례한다는 사실을 증명하였다.

01 원자의 구성 입자

1 원자의 구성 입자

1. 전자

• 음극선: 거의 진공 상태(10^{-6}기압)로 만든 유리관에 높은 전압(10^4 V)을 걸어 주면 (−)극에서 (+)극 쪽으로 음극선이 발생한다.

• 톰슨의 음극선 실험: 톰슨은 음극선 실험을 통해 음극선은 (−)전하를 띤 매우 작은 입자들의 흐름이라는 것을 발견하였고, 이 입자를 (❶)라고 하였다.

(가) 음극선에 의한 바람개비의 회전	(나) 음극선에 의한 장애물의 그림자	(다) 전기장에 의한 음극선의 휘어짐

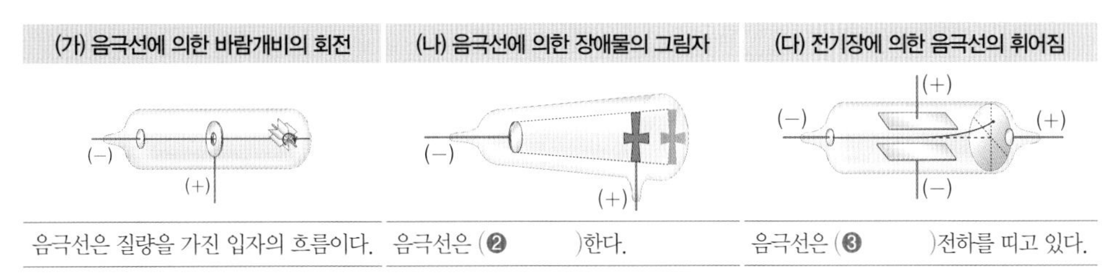

음극선은 질량을 가진 입자의 흐름이다.	음극선은 (❷)한다.	음극선은 (❸)전하를 띠고 있다.

2. 원자핵

• 러더퍼드의 알파(α) 입자 산란 실험: 러더퍼드는 알파(α) 입자 산란 실험을 통해 원자 중심에 부피가 매우 작고 원자 질량의 대부분을 차지하며 (+)전하를 띤 부분이 존재한다는 것을 알아냈고, 이를 (❹)이라고 하였다.

• 양성자: 원자핵 속 (❺)전하를 띠는 입자로, 러더퍼드가 그 존재를 확인하였다.

• (❻): 원자핵 속 전하를 띠지 않는 입자로, 채드윅이 알파(α) 입자를 베릴륨(Be) 박판에 충돌시키는 실험을 통해 발견하였다.

2 원자의 표시

1. 원자 번호와 질량수

• 원자 번호: 원자 번호는 (❼)수와 같으며, Z라는 기호로 나타낸다.

• 질량수: 원자핵에 있는 양성자수와 중성자수를 합한 값이다.

2. 원자의 표시 방법

어떤 원자의 원소 기호를 X라고 할 때, 원자 X는 다음과 같이 나타낸다.

• 질량수: 원소 기호의 왼쪽 위
• 원자 번호: 원소 기호의 왼쪽 아래
• 전하: 원소 기호의 오른쪽 위
• 원자 수: 원소 기호의 오른쪽 아래

3 동위 원소

1. 동위 원소

(❽)수는 같지만 중성자수가 달라 질량수가 다른 원소

예 수소의 동위 원소에는 수소($^1_1$H), 중수소($^2_1$H), 3중 수소($^3_1$H)가 있다.

2. 평균 원자량

동위 원소가 존재하는 원소의 원자량은 각 원소들의 존재 비율을 고려한 평균 원자량으로 나타낸다.

예 자연에서 ^{12}C가 98.93 %, ^{13}C가 1.07 %로 존재할 때 C의 평균 원자량은 12.011이다.

$$\text{C의 평균 원자량} = \frac{12.000 \times 98.93}{100} + \frac{13.003 \times 1.07}{100} = 12.011$$

> 정답과 해설 28쪽

01 다음은 음극선의 성질을 알아보기 위해 실험한 결과를 나타낸 것이다.

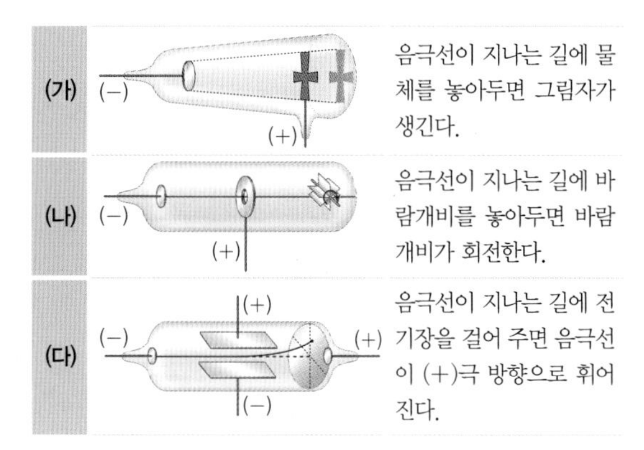

(가)
(−)
(+)
음극선이 지나는 길에 물체를 놓아두면 그림자가 생긴다.
(나)
(−)
(+)
음극선이 지나는 길에 바람개비를 놓아두면 바람개비가 회전한다.
(다)
(+)
(−)
(+)
(−)
음극선이 지나는 길에 전기장을 걸어 주면 음극선이 (+)극 방향으로 휘어진다.

(가)~(다)의 실험 결과로부터 알 수 있는 음극선의 성질을 보기에서 각각 골라 짝 지으시오.

보기
ㄱ. 음극선은 질량을 가지고 있다.
ㄴ. 음극선은 (−)전하를 띠고 있다.
ㄷ. 음극선은 직진하는 성질이 있다.

02 다음은 원자의 구성 입자를 밝혀낸 몇 가지 실험이다.

(가) 알파(α) 입자를 베릴륨(Be) 박판에 충돌시켰을 때, 전하를 띠지 않는 입자가 방출되는 것을 발견하였다.
(나) 거의 진공 상태로 만든 유리관에 높은 전압을 걸어 주었을 때 (−)극에서 (+)극 쪽으로 이동하는 입자의 흐름을 발견하였다.
(다) 거의 진공 상태의 관에 소량의 수소 기체를 넣고 높은 전압을 걸어 주었을 때 (+)극에서 (−)극 쪽으로 이동하는 입자의 흐름을 발견하였다.

(가)~(다)의 실험으로 밝혀진 입자를 각각 쓰시오.

03 그림은 알파(α) 입자를 얇은 금박에 충돌시켰을 때 알파(α) 입자가 산란되는 현상을 관찰한 결과를 나타낸 것이다.

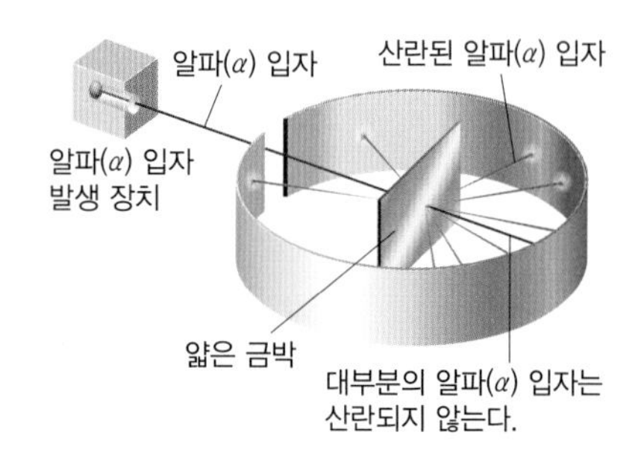

[관찰 결과]
- 대부분의 알파(α) 입자는 산란되지 않고 직진하였다.
- 약 20000개 중 1개의 확률로 90° 이상의 큰 각도로 산란되는 입자를 발견하였다.

이에 대한 설명으로 옳은 것만을 보기에서 있는 대로 고르시오.

보기
ㄱ. 원자핵은 (−)전하를 띤다.
ㄴ. 원자핵은 작은 공간에 밀집되어 있다.
ㄷ. 원자핵은 원자 부피의 대부분을 차지한다.

04 표는 몇 가지 원자들의 양성자수, 중성자수, 전자 수, 질량수를 나타낸 것이다.

원자	양성자수	중성자수	전자 수	질량수
A	8	10	(가)	−
B	(나)	(다)	11	23
C	(라)	18	17	(마)

(가)~(마)에 해당하는 값을 각각 구하시오. (단, A~C는 임의의 원소 기호이다.)

05 그림은 리튬(Li) 원자를 원자의 표시 방법으로 나타낸 것이다. Li 원자를 구성하는 다음 입자의 개수를 각각 구하시오.

(1) 양성자수
(2) 중성자수
(3) 전자 수

06 원자 ^{18}O와 ^{18}F에서 같은 값을 가지는 것을 보기에서 있는 대로 고르시오.

보기
ㄱ. 양성자수　　ㄴ. 전자 수
ㄷ. 중성자수　　ㄹ. 원자 번호
ㅁ. 질량수

07 그림은 원자 (가)~(다)를 모형으로 나타낸 것이다.

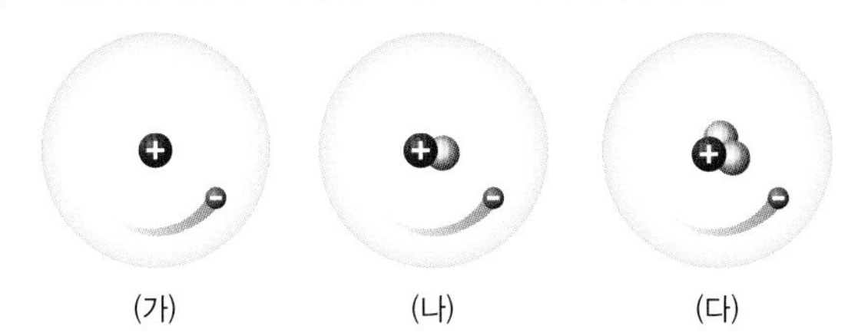
(가)　(나)　(다)

이에 대한 설명으로 옳은 것만을 보기에서 있는 대로 고르시오.

보기
ㄱ. 질량수가 같다.
ㄴ. 핵전하량이 같다.
ㄷ. 화학적 성질이 같다.

08 다음은 수소, 산소, 염소의 동위 원소를 각각 나타낸 것이다.

- 수소의 동위 원소: ^{1}H, ^{2}H, ^{3}H
- 산소의 동위 원소: ^{16}O, ^{17}O, ^{18}O
- 염소의 동위 원소: ^{35}Cl, ^{37}Cl

(1) 위 원소로부터 생성될 수 있는 물 분자의 종류는 몇 가지인지 쓰시오.
(2) 위 원소로부터 생성될 수 있는 염화 수소 분자의 종류는 몇 가지인지 쓰시오.

09 표는 입자 A~D에 대한 자료이다.

입자	A	B	C	D
양성자수	1	1	2	2
중성자수	0	2	1	2
전자 수	1	1	2	2

(1) A~D 중 중성인 원자를 있는 대로 고르시오.
(2) A~D 중 질량수가 같은 것을 있는 대로 고르시오.
(3) A~D 중 동위 원소 관계인 것을 골라 짝 지으시오.
(4) A~D 중 원자 번호가 같은 것을 골라 짝 지으시오.
(5) A~D 중 화학적 성질이 같은 것을 골라 짝 지으시오.

10 표는 자연에 존재하는 브로민(Br)의 동위 원소의 원자량과 존재비에 대한 자료이다.

동위 원소	원자량	존재비(%)
$^{79}_{35}Br$	78.92	50.69
$^{81}_{35}Br$	80.92	49.31

Br의 평균 원자량을 구하시오. (단, 소숫점 아래 셋째 자리에서 반올림한다.)

01

> 원자의 구성 입자 발견 실험

다음은 원자를 구성하는 입자 X와 Y를 발견하게 된 실험을 설명한 것이다.

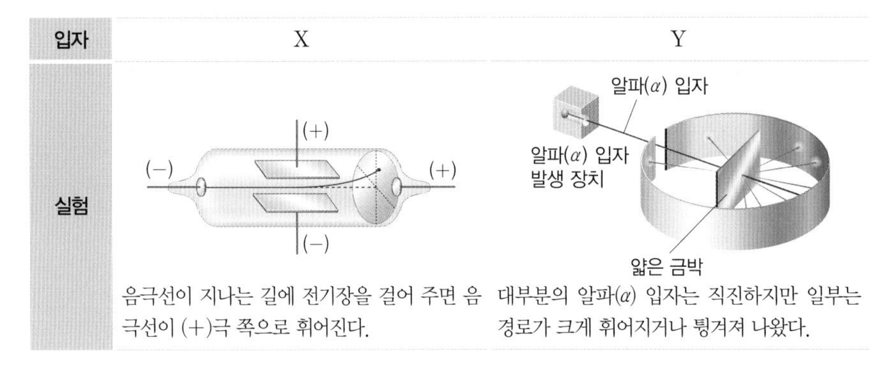

입자	X	Y
실험	음극선이 지나는 길에 전기장을 걸어 주면 음극선이 (+)극 쪽으로 휘어진다.	대부분의 알파(α) 입자는 직진하지만 일부는 경로가 크게 휘어지거나 튕겨져 나왔다.

X와 Y에 대한 설명으로 옳은 것만을 보기에서 있는 대로 고른 것은?

보기
ㄱ. X는 (+)전하를 띤다.
ㄴ. Y는 원자 부피의 대부분을 차지한다.
ㄷ. X의 질량이 Y의 질량보다 작다.

① ㄱ ② ㄴ ③ ㄷ ④ ㄱ, ㄴ ⑤ ㄴ, ㄷ

• 음극선 실험을 통해 전자의 존재를 발견하였고, 알파(α) 입자 산란 실험을 통해 원자핵의 존재를 발견하였다.

02

> 원자의 구성 입자 발견 실험

다음은 러더퍼드의 알파(α) 입자 산란 실험 결과를 토대로 학생 A가 새로운 가설을 세우고 실험한 결과를 나타낸 것이다.

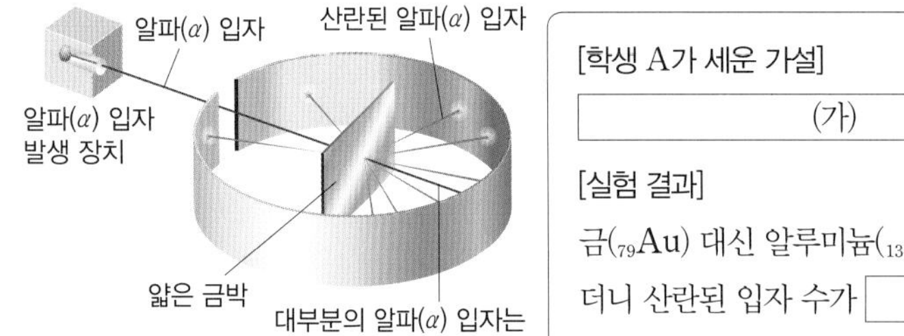

[학생 A가 세운 가설]
(가)
[실험 결과]
금($_{79}$Au) 대신 알루미늄($_{13}$Al)을 사용하였더니 산란된 입자 수가 (나)

(가)와 (나)에 들어갈 말로 적절한 것끼리 옳게 짝 지은 것은?

	(가)	(나)
①	산란된 입자 수는 핵전하량과 관련이 있다.	증가하였다.
②	산란된 입자 수는 핵전하량과 관련이 있다.	감소하였다.
③	산란된 입자 수는 핵전하량과 관련이 있다.	변함이 없다.
④	모든 원자에는 음전하를 띠는 입자가 있다.	증가하였다.
⑤	모든 원자에는 음전하를 띠는 입자가 있다.	감소하였다.

• 알파(α) 입자 산란 실험에서 알파(α) 입자가 큰 각도로 휘어지려면 매우 큰 힘을 받아야 하며, 그러기 위해서는 원자에 포함된 (+)전하가 매우 작은 부피 속에 모여 있어야 한다.

03

> 원자의 구성 입자와 원자의 표시

표는 전자 수가 같은 세 가지 이온의 양성자수, 중성자수, 질량수를 나타낸 것이다.

이온	양성자수	중성자수	질량수
A^{x-}	9	10	19
B^{x+}	11	m	23
C^{y+}	m	m	n

이에 대한 설명으로 옳은 것만을 보기에서 있는 대로 고른 것은?

보기

ㄱ. $m+n=24$이다.
ㄴ. 전자 수는 10이다.
ㄷ. $x+y=3$이다.

① ㄱ ② ㄴ ③ ㄱ, ㄴ ④ ㄱ, ㄷ ⑤ ㄴ, ㄷ

• 원자는 양성자수=전자 수이고, 음이온은 원자가 전자를 얻어 형성되므로 양성자수 < 전자 수이며, 양이온은 원자가 전자를 잃어 형성되므로 양성자수 > 전자 수이다.

고난도

04

> 원자의 구성 입자

표는 원자 X, Y와 이온 Z^-에 대한 자료이다. (단, ㉠, ㉡, ㉢은 양성자, 중성자, 전자 중 하나이며, Z의 원자 번호는 9이다.)

구분	X	Y	Z^-
㉠의 수	a	7	$b+1$
㉡의 수	5	$\frac{1}{2}(a+b)$	b
㉢의 수	$a+1$	8	$b+1$

이에 대한 설명으로 옳은 것만을 보기에서 있는 대로 고른 것은? (단, X~Z는 임의의 원소 기호이다.)

보기

ㄱ. ㉠은 전자이다.
ㄴ. X의 중성자수는 6이다.
ㄷ. Y의 질량수는 14이다.

① ㄱ ② ㄴ ③ ㄱ, ㄴ ④ ㄱ, ㄷ ⑤ ㄴ, ㄷ

• 원자에서 양성자수=전자 수이고, 질량수는 양성자수와 중성자수를 합한 값이다.

05

> 원자의 구성 입자와 원자의 표시

그림은 원자핵 (가)로부터 $^{4}_{2}He^{2+}$이 생성되는 과정을 모식적으로 나타낸 것이고, 표는 원자핵 (가)~(다)에 대한 자료이다.

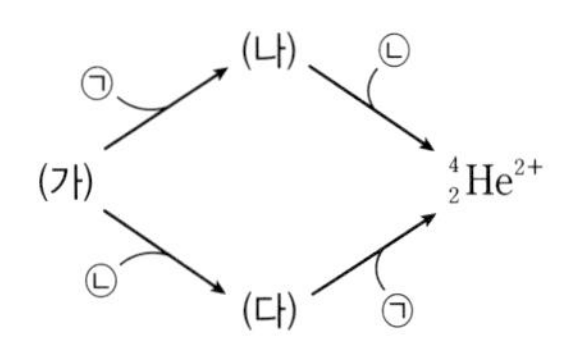

원자핵	(가)	(나)	(다)
$\frac{중성자수}{양성자수}$	1	2	$\frac{1}{2}$

이에 대한 설명으로 옳은 것만을 보기에서 있는 대로 고른 것은? (단, ㉠과 ㉡은 각각 양성자와 중성자 중 하나이다.)

보기

ㄱ. ㉠은 양성자, ㉡은 중성자이다.

ㄴ. 양성자수는 (가)=(다)<(나)이다.

ㄷ. 질량수는 (나)=(다)이다.

① ㄱ ② ㄷ ③ ㄱ, ㄴ ④ ㄱ, ㄷ ⑤ ㄴ, ㄷ

• 어떤 원자의 원소 기호를 X라고 할 때, 원자 X는 다음과 같이 나타낸다.

06

> 동위 원소

표는 탄소(C), 질소(N), 산소(O)의 동위 원소에 대한 자료이다.

원자 번호	6	7	8
동위 원소	^{12}C, ^{13}C	^{14}N, ^{15}N	^{16}O, ^{17}O, ^{18}O

이에 대한 설명으로 옳은 것만을 보기에서 있는 대로 고른 것은?

보기

ㄱ. 중성자수는 ^{15}N와 ^{16}O가 같다.

ㄴ. 전자 수는 ^{17}O가 ^{18}O보다 작다.

ㄷ. ^{12}C와 ^{13}C는 화학적 성질이 같다.

① ㄱ ② ㄴ ③ ㄱ, ㄴ ④ ㄱ, ㄷ ⑤ ㄱ, ㄴ, ㄷ

• 동위 원소는 양성자수가 같고 중성자수가 달라 질량수가 다른 원소이다.

07

> 동위 원소와 평균 원자량

그림은 분자 X_2가 자연계에 존재하는 비율을 나타낸 것이다.

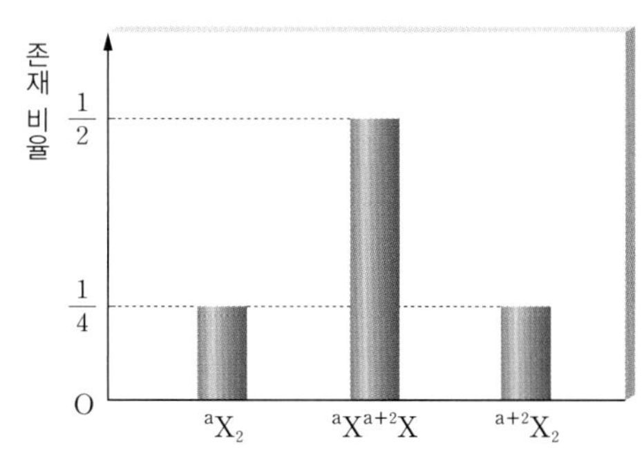

이에 대한 설명으로 옳은 것만을 보기에서 있는 대로 고른 것은? (단, X는 임의의 원소 기호이고, 원자량은 질량수와 같다.)

보기

ㄱ. ^{a}X와 ^{a+2}X의 존재 비율은 같다.
ㄴ. 양성자수는 ^{a+2}X가 ^{a}X보다 2만큼 더 크다.
ㄷ. X의 평균 원자량은 $a+1$이다.

① ㄱ ② ㄷ ③ ㄱ, ㄷ ④ ㄴ, ㄷ ⑤ ㄱ, ㄴ, ㄷ

- 평균 원자량은 각 동위 원소의 존재 비율을 고려하여 계산한 원자량이다.

08

> 동위 원소와 평균 원자량

그림은 X, Y의 두 동위 원소 ^{12}X, ^{13}X와 ^{35}Y, ^{37}Y가 자연에 존재하는 비율을 나타낸 것이다.

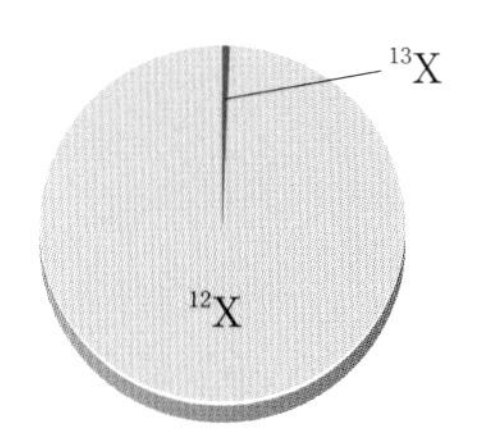

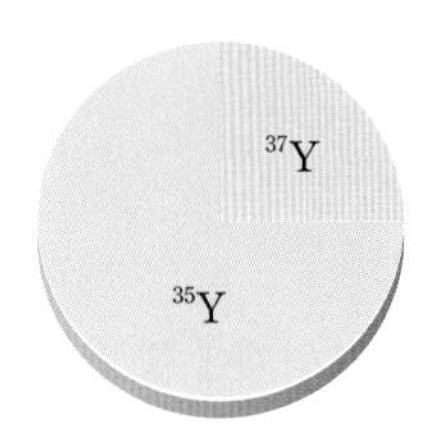

두 원소가 결합하여 생성된 XY_4에 대한 설명으로 옳은 것만을 보기에서 있는 대로 고른 것은? (단, ^{12}X, ^{13}X와 ^{35}Y, ^{37}Y의 원자량은 각각 12, 13, 35, 37이다.)

보기

ㄱ. 자연계에 존재하는 XY_4 분자의 분자량은 8가지이다.
ㄴ. 분자량이 154인 분자의 존재 비율이 가장 크다.
ㄷ. 분자량이 가장 작은 분자가 분자량이 가장 큰 분자보다 존재 비율이 크다.

① ㄱ ② ㄴ ③ ㄱ, ㄴ ④ ㄱ, ㄷ ⑤ ㄴ, ㄷ

- XY_4 분자의 분자량은 {(X의 원자량)+(4×Y의 원자량)}이다.

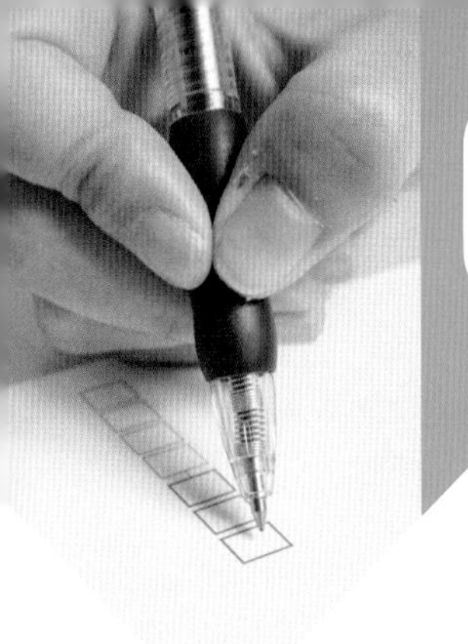

02 현대 원자 모형

학습 Point 원자 모형의 변천 과정 > 보어의 원자 모형 > 현대 원자 모형 > 오비탈과 양자수

원자 모형의 변천

원자는 매우 작아 직접 볼 수 없기 때문에 모형을 이용하여 원자를 나타낸다. 현재는 많은 과학자들이 실험을 통해 알아낸 입자의 성질을 토대로 원자의 내부 구조를 원자 모형으로 나타낸다.

1. 돌턴의 원자 모형

(1) **이론적 배경:** 돌턴(Dalton, J., 1766~1844)은 1803년 원자는 쪼갤 수 없고 변하지 않는 완전한 것이며, 물질을 이루는 기본 단위라는 원자설을 바탕으로 원자 모형을 발표하였다. 돌턴이 발표한 원자 모형은 딱딱한 공 모양이었다.

돌턴
영국의 화학자이자 물리학자로, 화학적 원자론의 창시자이다.

돌턴의 원자설
- 원자는 더 이상 쪼갤 수 없다.
- 같은 종류의 원자는 크기와 질량이 같으며, 다른 종류의 원자는 크기와 질량이 다르다.
- 원자는 다른 종류의 원자로 변하거나 없어지거나 새로 생겨나지 않는다.
- 화합물은 한 원자와 다른 원자가 정해진 수의 비율로 결합하여 이루어진다.

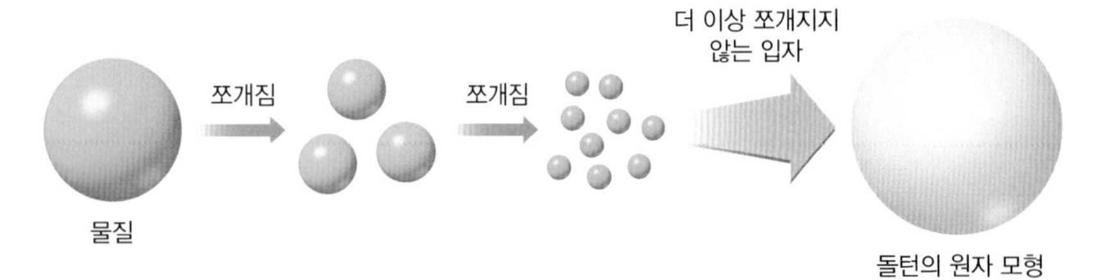

▲ 돌턴의 원자 모형

돌턴은 자신의 저서 『화학 철학의 새로운 체계』에서 "태양계에 행성을 만들거나 없애는 것보다 수소 원자를 만들거나 없애는 것이 더 어렵다."고 주장하였다. 이것은 원자는 절대로 파괴되거나 생성되지 않는다는 주장으로, 그의 원자론에 대한 이론적 토대를 이루고 있다.

(2) **특징과 한계점:** 돌턴의 원자 모형은 화학의 기본 법칙인 질량 보존 법칙, 일정 성분비 법칙 등을 설명하는 이론적 토대를 마련하였다. 그러나 기체 반응 법칙을 설명하는 데 한계를 나타냈으며, 결합에 대한 발전적인 생각은 제시하지 못하였다. 또한 훗날 원자가 더 작은 입자로 구성되어 있음이 밝혀졌고, 동위 원소의 발견으로 같은 원소의 원자라도 질량이 서로 다른 입자가 존재하는 것이 발견되었으며, 핵분열과 핵융합으로 원자가 생성되거나 소멸된다는 것도 밝혀졌다.

질량 보존 법칙
화학 반응이 일어날 때 반응 전후 물질의 총 질량은 변하지 않고 보존된다.

일정 성분비 법칙
한 화합물을 구성하는 성분 원소 사이에는 항상 일정한 질량비가 성립한다.

기체 반응 법칙
같은 온도와 압력에서 기체가 반응하여 새로운 기체를 생성할 때 각 기체의 부피 사이에는 간단한 정수비가 성립한다.

2. 톰슨의 원자 모형

⑴ **이론적 배경:** 톰슨(Thomson, J. J., 1856~1940)은 1897년 진공 방전관을 사용하여 음극선의 흐름이 전자의 흐름임을 발견하고 원자 속에 (−)전하를 띤 전자가 들어 있다고 주장하였다. 이것은 원자가 더 이상 쪼개지지 않는 입자라고 주장한 돌턴의 원자 모형에 위배되는 것이었다. 따라서 톰슨은 자신이 발견한 전자를 설명할 수 있는 새로운 원자 모형을 제시하였고, 원자는 전체적으로 (+)전하를 띤 구 속에 (+)전하와 같은 전하량의 (−)전하를 가진 전자가 군데군데 박혀 있는 것이라고 생각하였다.

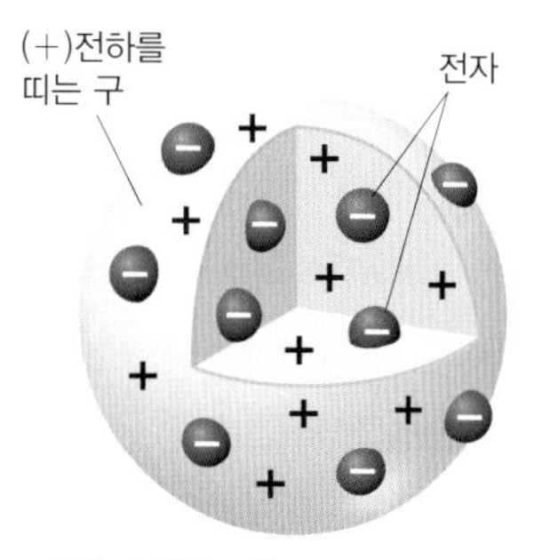

▲ 톰슨의 원자 모형

⑵ **특징과 한계점:** 톰슨의 모형은 원자가 보다 작은 입자로 구성되어 있음을 밝혀 냈다는 것과 원자의 전기적 성질을 일부 설명했다는 데에 의의가 있다. 그러나 (+)전하가 전체적으로 분포하는 구에 (−)전하를 띤 전자가 박혀 있다는 톰슨의 모형으로는 러더퍼드의 알파(α) 입자 산란 실험의 결과를 설명할 수 없었다.

톰슨의 원자 모형
(+)전하를 띤 푸딩 속에 (−)전하를 띤 전자가 건포도처럼 박혀 있는 것과 같은 모습이므로, 푸딩 모형으로도 불린다.

3. 러더퍼드의 원자 모형

⑴ **이론적 배경:** 러더퍼드(Rutherford, E., 1871~1937)는 1911년 알파(α) 입자 산란 실험을 통해 원자핵의 존재를 발견했다. 그리고 자신이 발견한 원자핵을 설명할 수 있는 새로운 원자 모형을 제시하였다. 즉 원자의 중심에는 (+)전하를 띤 작은 원자핵이 존재하고, 그 주위를 (−)전하를 띤 전자가 돌고 있어 원자는 전체적으로 중성을 나타내며, 원자핵과 전자의 정전기적 인력이 구심력으로 작용하여 전자가 원자핵 주위를 회전 운동한다는 원자의 태양계 모형을 발표하였다.

▲ 러더퍼드의 원자 모형

⑵ **특징과 한계점:** 러더퍼드는 원자핵이 질량은 매우 크지만 크기는 매우 작다는 것과 서로 다른 원자는 원자핵의 전하가 다르다는 것을 발견하였으며, 그 후 모즐리(Moseley, H. G. J., 1887~1915)의 실험을 통해 서로 다른 원자들의 핵전하가 측정되었다.

그러나 러더퍼드의 모형으로는 원자의 안정성을 설명할 수 없었다. 전자기학 이론에 의하면 원운동하는 전자는 가속도 운동을 하므로 전자기파를 방출한다. 따라서 전자의 에너지가 감소하여 운동 속도가 느려지면서 원자핵 쪽으로 전자가 끌려가 결국에는 원자핵에 충돌해야 한다. 이때 전자가 원자핵에 충돌하는 시간을 이론적으로 계산하면 10^{-12}초 정도이므로 원자가 존재할 수 없다는 결론에 도달한다. 그런데 원자는 일정한 크기를 유지하면서 전자가 계속 원자핵 주위를 돌고 있으므로 러더퍼드의 모형에는 문제점이 있었다. 또한, 러더퍼드의 원자 모형으로는 당시에 가장 큰 관심사였던 수소 원자의 선 스펙트럼을 설명할 수 없었다. 즉 러더퍼드의 원자 모형에 의한 원자에서 전자가 에너지를 방출하면 회전 속도가 점점 감소하고, 이때 전자의 회전 운동 에너지가 연속적으로 감소하므로 원자들에 의해 방출되는 복사 에너지의 스펙트럼은 연속 스펙트럼이어야 하기 때문이다.

전자기학 이론에 의한 전자의 운동

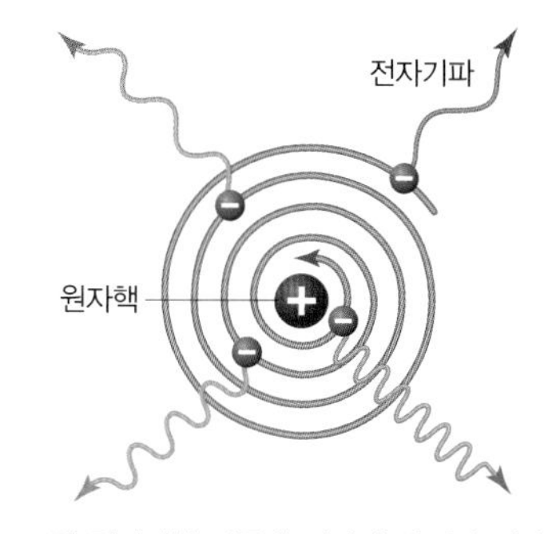

고전 전자기학 이론에 의하면 대전된 입자가 가속도 운동을 할 때 전자기파를 방출하므로 그림과 같이 전자의 궤도가 작아지면서 결국에는 원자핵과 충돌해야 한다.

4. 보어의 원자 모형

(1) 수소 원자의 선 스펙트럼

① **전자기파:** 공간에서 전기장과 자기장이 진행 방향에 수직으로 진동하면서 이동하는 파동을 전자기파라고 한다. 1864년 영국의 물리학자 맥스웰(Maxwell, J. C., 1831~1879)이 이론적으로 발견했으며, 파장이 긴 것부터 라디오파, 마이크로파, 적외선, 가시광선, 자외선, X선, 감마선으로 구분된다. 모든 전자기파의 속도는 3.0×10^8 m/s이며, 1865년 맥스웰은 빛도 전자기파의 일종임을 증명하였다.

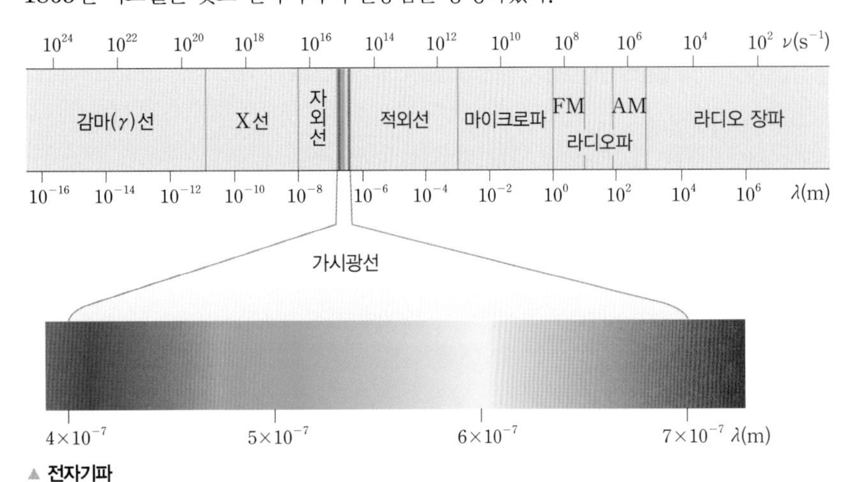

▲ 전자기파

- 전자기파의 파장(λ), 진동수(ν), 에너지(E)와의 관계: 전자기파의 진동수가 ν이고 파장이 λ이면, 단위 시간 동안에 한 점을 통과하는 길이가 λ인 파장이 ν개 있다는 의미이다. 진동수와 파장의 곱 $\nu\lambda$는 단위 시간 동안에 한 점을 지나간 파의 전체 길이이고, 이 길이가 바로 전자기파의 속도 c가 된다.

$$c=\lambda\nu \quad (c\text{: 빛의 속도, }\lambda\text{: 파장, }\nu\text{: 진동수})$$

빛에너지가 물질에 흡수될 때에는 에너지의 알갱이(광자)로 흡수되는데, 이 광자의 에너지는 빛의 진동수에 비례하고 파장에 반비례한다.

$$E=h\nu=\frac{hc}{\lambda}$$

(E: 에너지, h: 플랑크 상수(6.63×10^{-34} J·s), ν: 진동수, λ: 파장, c: 빛의 속도)

② **스펙트럼:** 빛은 파장에 따라 굴절률이 다르다. 따라서 여러 가지 파장이 섞여 있는 햇빛을 프리즘(분광기)에 통과시키면 각 파장별로 빛이 분리되는데, 이것을 빛의 분산이라고 하며, 빛이 분산되어 생긴 띠를 스펙트럼이라고 한다.

- 연속 스펙트럼: 태양 광선이나 고온의 고체가 내는 빛에는 거의 모든 파장 영역의 빛이 섞여 있어 스펙트럼의 띠가 연속적으로 나타나는데, 이를 연속 스펙트럼이라고 한다.

태양 광선의 스펙트럼

파장

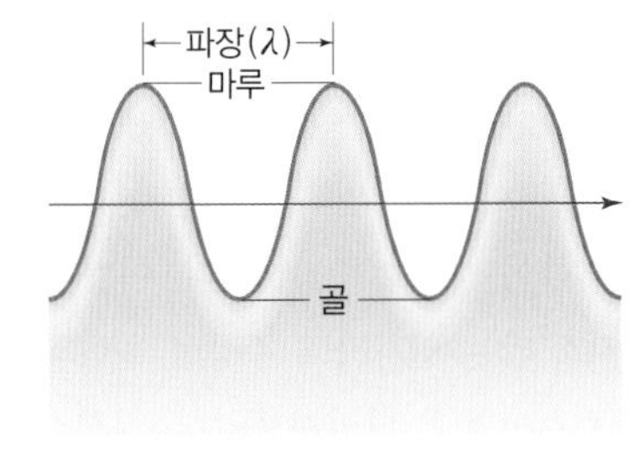

두 개의 연속하는 마루(또는 골) 사이의 거리가 반복성이 있을 때 그 거리를 파장이라고 한다.

전자기파의 이용

- 마이크로파: 전자레인지를 켜면 마이크로파가 물 분자를 회전시켜 온도를 높인다.
- 적외선: 적외선 난로는 분자의 진동 운동을 증가시켜 온도를 높여 열을 낸다.
- 자외선: 적외선보다 에너지가 크므로 분자의 결합 에너지를 끊을 수 있다. 또 세포벽을 손상시킬 수 있어 세포를 죽이는 소독 작용에 이용되기도 한다.
- X선: 파장이 매우 짧기 때문에 투과력이 커서 인체 사진이나 결정 구조 관찰에 이용된다.
- 감마(γ)선: 매우 큰 에너지를 갖는 전자기파로 암 치료에 이용된다.

굴절률

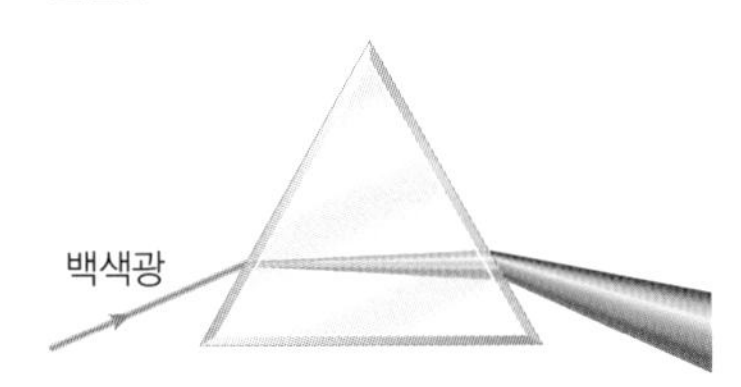

빛의 파장이 짧을수록 굴절률이 크다. 예를 들어 빨간색보다는 노란색이, 노란색보다는 파란색의 빛이 더 크게 굴절한다.

• 선 스펙트럼: 특정 온도의 원소나 기체가 내는 빛을 분광기에 통과시키면 그 종류에 따라 특정한 색 부분에 몇 개의 밝은 선이 나타나고 다른 부분은 어둡게 나타나는데, 이러한 스펙트럼을 선 스펙트럼이라고 한다. 선 스펙트럼은 원소의 종류에 따라 선의 색깔, 선의 위치, 선의 굵기가 다르게 나타나므로 그 원소의 중요한 특성이 된다. 원소의 종류에 따라 특정한 선 스펙트럼을 나타낸다는 것은 원소의 종류에 따라 특정한 에너지의 빛만을 방출하는 것을 의미한다.

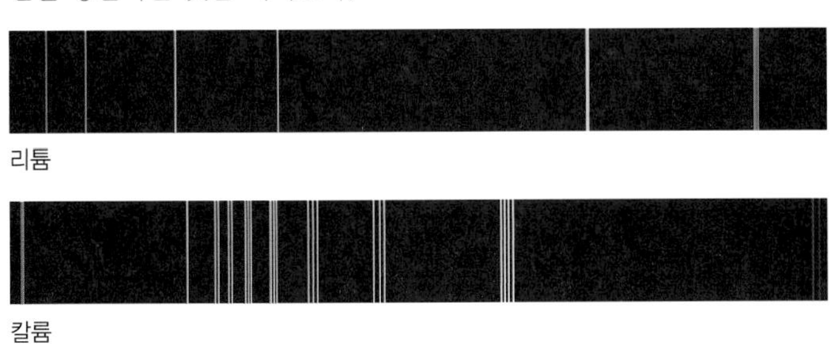

▲ 몇 가지 원소의 선 스펙트럼

에너지의 불연속성
원자가 가질 수 있는 에너지가 불연속적이면 몇 가지의 에너지 상태만 가능하므로 높은 에너지 상태에서 낮은 에너지 상태로 될 때 방출되는 에너지도 몇 가지만 가능하다. 금속을 검출할 때 이용하는 불꽃 반응이나 기체 방전관에서 방출되는 빛은 원자가 가열되어 높은 에너지 상태로 되었다가 다시 낮은 에너지 상태로 되면서 특정 에너지가 빛의 형태로 방출되는 것이다.

• 흡수 스펙트럼과 방출 스펙트럼: 흡수 스펙트럼은 원자가 에너지를 흡수한 특정 파장 부분이 검은 선으로 나오는 스펙트럼이고, 방출 스펙트럼은 원자가 에너지를 방출한 특정 파장 부분이 밝은 선으로 나타나는 스펙트럼이다.

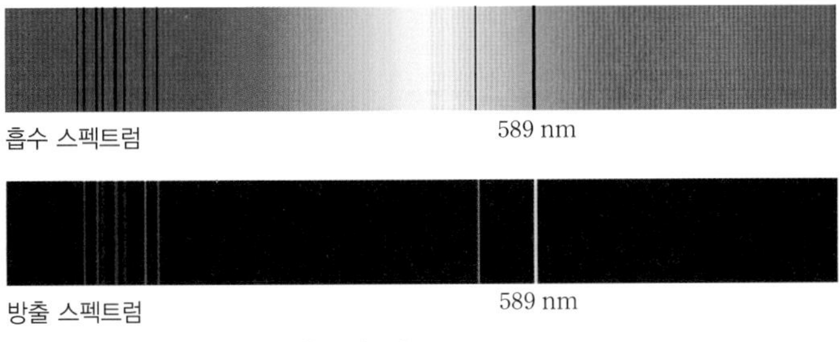

▲ 나트륨의 흡수 스펙트럼과 방출 스펙트럼

나트륨의 흡수 스펙트럼과 방출 스펙트럼
나트륨의 방출 스펙트럼에서 파장이 589 nm인 노란색 부분의 선이 가장 뚜렷하므로 이 방출 스펙트럼은 나트륨의 D선이라고 한다. 방출 스펙트럼과 흡수 스펙트럼의 파장은 같기 때문에 흡수 스펙트럼에서는 이 부분이 검은색으로 나타난다.

• 스펙트럼 원리: 금속을 가열하면 기체 상태로 변하고, 낮은 압력에 있는 기체에 에너지를 충분히 가하면 그 기체의 원자나 분자는 들떠서 불안정한 상태가 된다. 그러나 들뜬 상태의 원자나 분자는 즉시 특정한 크기의 빛에너지를 방출하면서 안정한 상태인 바닥 상태로 떨어진다. 이때 방출하는 빛에너지는 특유의 파장만 방출하므로 분광기를 통해 스펙트럼을 관찰할 수 있다.

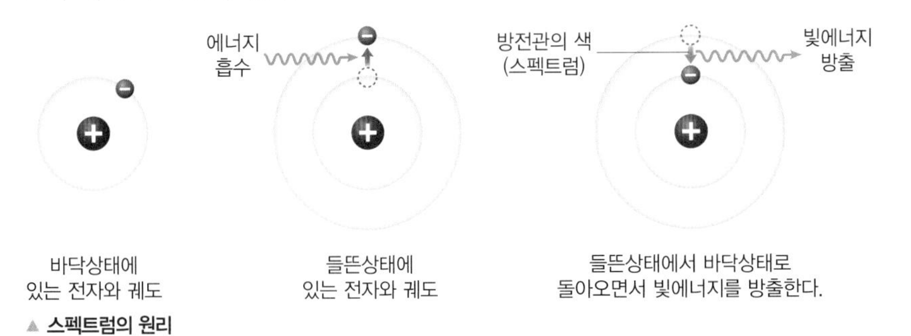

▲ 스펙트럼의 원리

바닥상태와 들뜬상태
바닥상태는 어떤 원자의 전자 배치가 가장 낮은 에너지를 가지는 안정한 상태이다. 들뜬상태는 바닥상태에 있는 전자가 에너지를 흡수하여 높은 에너지 준위로 올라가 있는 불안정한 상태이다.

③ 수소 원자의 선 스펙트럼: 1885년 발머(Balmer, T. T., 1825~1898)는 유리 방전관에 수소 기체를 넣고 높은 전압을 걸어 방전시킬 때 붉은 빛이 방출되는데, 이 빛이 분광기를 통과하면 빨간색부터 보라색에 이르는 몇 개의 불연속적인 선 스펙트럼이 나타나는 것을 발견하였다.

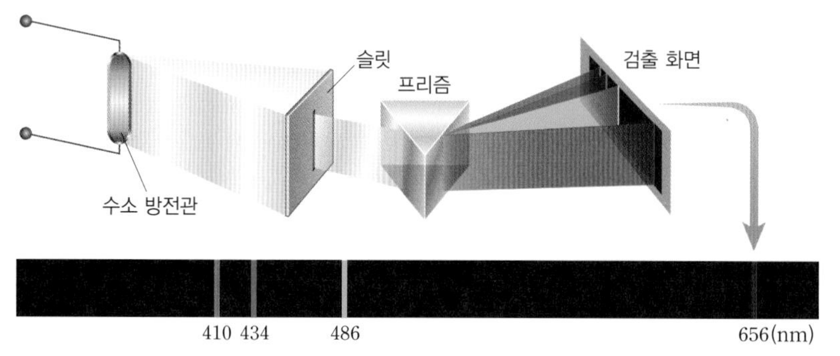

▲ 수소 원자의 선 스펙트럼

- 발머 계열의 발견 : 수소의 선 스펙트럼은 일련의 선들로 구성되는데, 파장이 짧을수록 선 사이의 간격이 좁아진다. 발머는 이러한 선들의 파장 사이에는 다음과 같은 관계식이 성립한다는 것을 수학적인 직관으로 발견하였는데, 이 식을 만족하는 선들을 발머 계열이라고 한다. 발머는 다음 식이 왜 성립하는지에 대해서는 이해하지 못했지만, 수소 원자에서 자신이 발견하지 못한 다른 선들의 존재를 예측하었다.

$$\frac{1}{\lambda}=R\left(\frac{1}{2^2}-\frac{1}{n^2}\right)\ (n=3,\ 4,\ 5,\ \cdots)$$

$$\nu=3.288\times10^{15}\times\left(\frac{1}{2^2}-\frac{1}{n^2}\right)\ (n=3,\ 4,\ 5,\ \cdots)$$

(λ: 빛의 파장(nm), R: 리드베리 상수($=1.097\times10^7\ \text{m}^{-1}$), ν: 빛의 진동수)

- 라이먼 계열과 파셴 계열: 실제로 적외선 영역과 자외선 영역에서 발머가 예측한 선 스펙트럼이 발견되었다. 자외선 영역에서 관찰되는 선 스펙트럼을 라이먼 계열이라고 하고, 적외선 영역에서 관찰되는 선 스펙트럼을 파셴 계열이라고 한다.

수소 원자의 선 스펙트럼 계열	관계식	파장 영역
라이먼 계열	$\frac{1}{\lambda}=R\left(\frac{1}{1^2}-\frac{1}{n^2}\right)(n=2,\ 3,\ 4,\ \cdots)$	자외선
발머 계열	$\frac{1}{\lambda}=R\left(\frac{1}{2^2}-\frac{1}{n^2}\right)(n=3,\ 4,\ 5,\ \cdots)$	가시광선
파셴 계열	$\frac{1}{\lambda}=R\left(\frac{1}{3^2}-\frac{1}{n^2}\right)(n=4,\ 5,\ 6,\ \cdots)$	적외선

수소 원자의 선 스펙트럼 규칙성은 수소 원자 내 전자의 위치에 규칙성이 있음을 의미한다.

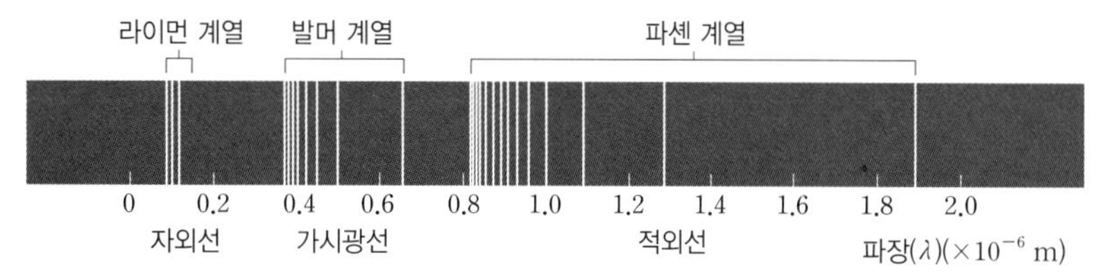

▲ 수소 원자의 선 스펙트럼 계열

발머
스위스의 물리학자로, 분광학의 연구자로 알려져 있는데 발머의 업적 중 특히 발머 계열의 발견이 유명하다. 수소의 선 스펙트럼에 일정한 계열 관계가 있음을 발견하여 발머의 공식으로 정리하였다.

수소 원자의 선 스펙트럼 계열
발견한 과학자의 이름을 따서 라이먼 계열, 발머 계열, 파셴 계열, 브래킷 계열, 푼트 계열이라고 한다.

- 브래킷 계열: $\frac{1}{\lambda}=R\left(\frac{1}{4^2}-\frac{1}{n^2}\right)$ ($n=5,\ 6,\ 7,\ \cdots$), 적외선 영역
- 푼트 계열: $\frac{1}{\lambda}=R\left(\frac{1}{5^2}-\frac{1}{n^2}\right)$ ($n=6,\ 7,\ 8,\ \cdots$), 적외선 영역

발머 계열에서 방출되는 파장 영역
발머 계열에서 방출되는 전자기파의 경우, n이 매우 커서 파장이 짧은 경우는 가시광선과 자외선의 경계 부분에 해당하는 전자기파가 방출된다.

(2) 보어의 원자 모형

① **이론적 배경:** 러더퍼드의 원자 모형으로 알파(α) 입자 산란 실험 결과를 설명할 수 있지만, 이 모형으로는 고전 전자기학 이론에 의해 전자기파를 방출하면서 원운동하는 전자가 원자핵에 충돌하지 않고 수소 원자가 계속 안정하게 존재하는 것을 설명할 수 없었다. 보어는 러더퍼드 모형의 모순을 어떻게 해결할 수 있었을까?

보어(Bohr, N. H. D., 1885~1962)는 새로운 가정을 통해 이 문제를 해결하였다. 그 중 하나는 원자 내에 전자기파를 방출하지 않고 전자가 회전할 수 있는 안정한 궤도가 존재한다는 것이다. 즉 고전 전자기학 이론에 의하면 전자기파가 방출되어야 하지만, 원자의 세계에서는 고전 전자기학 이론이 적용되지 않는다고 생각하였다. 보어는 당시로서는 획기적인 원자 모형을 제시하여 30년 동안이나 과학자들에게 숙제로 남아 있었던 원자의 안정성 문제를 해결하였다.

② **전자 껍질:** 원자핵 주위의 전자는 원자핵 주위에 무질서하게 존재하는 것이 아니라 특정한 에너지를 가진 몇 개의 원 모양의 궤도를 따라 빠르게 돌고 있는데, 이 궤도를 전자 껍질이라고 한다. 전자 껍질은 원자핵에서 가장 가까운 것부터 K 전자 껍질($n=1$), L 전자 껍질($n=2$), M 전자 껍질($n=3$), N 전자 껍질($n=4$)이라고 부르며, n은 주 양자수를 의미한다.

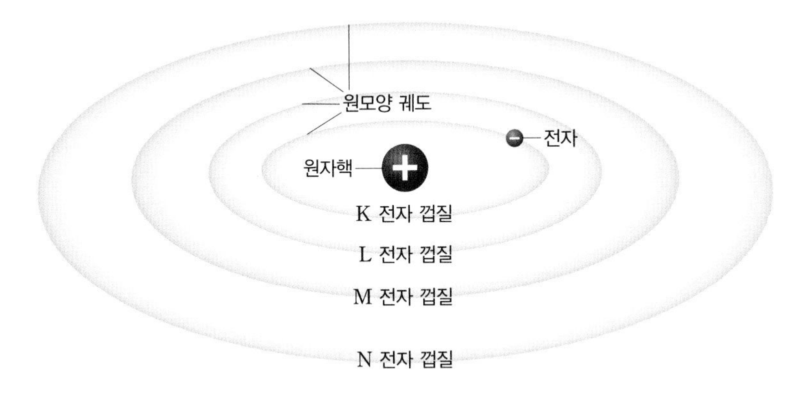

③ **전자기파의 방출:** 전자가 일정한 궤도에서 운동할 때는 에너지를 방출하지 않는다. 그러나 에너지가 낮은 상태(바닥상태)에 있는 전자가 에너지를 흡수하여 에너지가 높은 상태(들뜬상태)로 되었다가 다시 에너지가 낮은 상태로 떨어지면서 전자기파의 형태로 에너지를 방출한다.

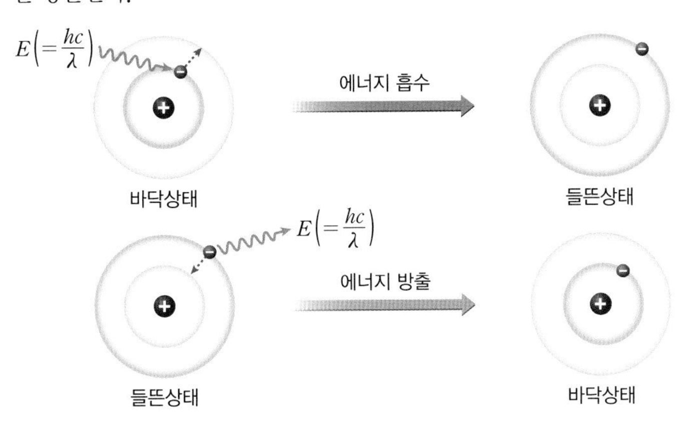

보어
덴마크의 물리학자로, 1913년 양자역학을 적용한 새로운 원자 모형을 제시하여 1922년 노벨 물리학상을 수상하였다.

보어의 가설
- 수소 원자는 핵과 그 주위를 원운동하는 1개의 전자로 이루어져 있다.
- 전자는 정해진 에너지를 가진 궤도에만 존재한다.
- 허용된 원궤도를 도는 전자는 에너지를 방출 또는 흡수하지 않는다.
- 전자가 궤도를 이동할 때에는 두 궤도 사이의 에너지 차만큼의 에너지를 흡수 또는 방출한다.

보어의 원자 모형

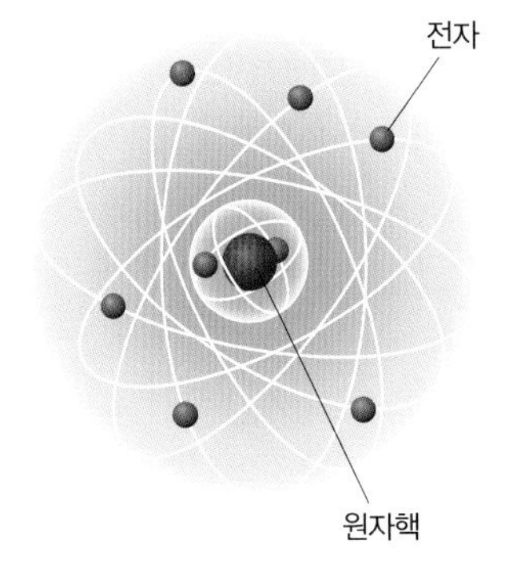

④ 수소 원자의 에너지 준위: 보어는 수소 원자가 원자핵과 그 주위를 원운동하는 1개의 전자로 구성되어 있고, 그 전자는 특정한 궤도에만 존재한다는 것을 가정한 다음, 수소 원자의 에너지 준위를 나타내는 식을 유도하여 다음과 같은 결과를 얻었다.

$$E_n = -\frac{1312}{n^2}(\text{kJ/mol})\ (n=1,\ 2,\ 3,\ \cdots\ \infty)$$

• 전자 껍질의 에너지는 주 양자수인 n이 커질수록 증가한다.
• 전자 껍질의 에너지: K<L<M<N<O …

전자 껍질	K	L	M	…
주 양자수(n)	1	2	3	…
에너지(kJ/mol)	−1312	−328	−146	…

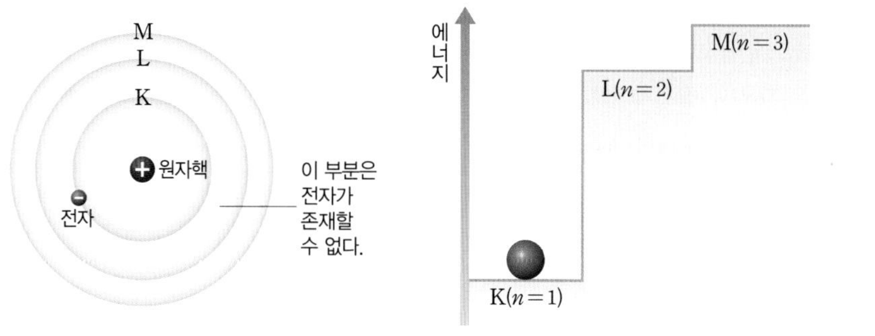

▲ 원자 내 전자가 존재하는 전자 껍질과 에너지 준위

⑤ 보어의 수소 원자 모형과 수소 원자의 선 스펙트럼: 보어의 수소 원자 모형에 의하면 수소 원자의 스펙트럼이 불연속적으로 나타나는 것은 에너지 준위가 불연속적이기 때문이다.

수소 원자의 에너지 준위

에너지 준위	에너지 (kJ/mol)	상태
n=1	−1312 (가장 낮다.)	바닥상태 (안정한 상태)
n=2, 3, …	$-\frac{1312}{2^2}$, $-\frac{1312}{3^2}$, …	들뜬상태 (불안정한 상태)
n=∞	0 (가장 높다.)	핵과 전자가 분리된 상태 (이온)

시선 집중★ 보어의 원자 모형과 수소의 선 스펙트럼

그림은 보어의 수소 원자 모형에서 각 전자 껍질에 따른 에너지 준위와 전자 껍질에 의한 선 스펙트럼을 나타낸 것으로, 수소 원자의 선 스펙트럼은 파장에 따라 라이먼 계열, 발머 계열, 파셴 계열이라고 부른다.

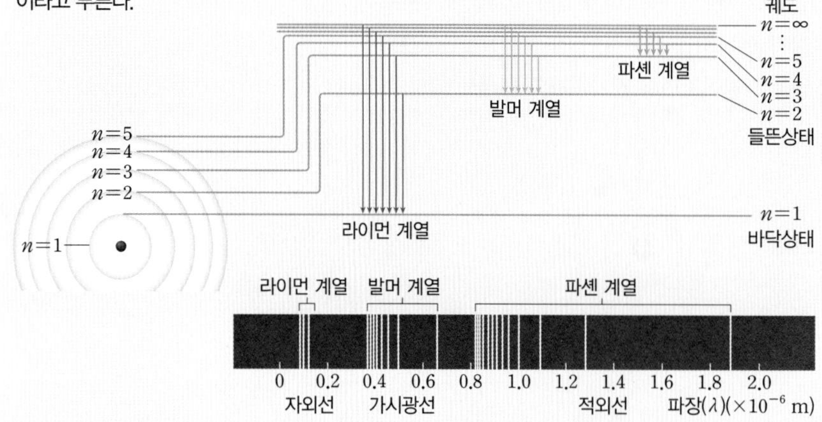

❶ n≥2인 전자 껍질에서 n=1인 전자 껍질로 전이할 때 라이먼 계열의 스펙트럼이 나타난다.
❷ n≥3인 전자 껍질에서 n=2인 전자 껍질로 전이할 때 발머 계열의 스펙트럼이 나타난다.
❸ n≥4인 전자 껍질에서 n=3인 전자 껍질로 전이할 때 파셴 계열의 스펙트럼이 나타난다.

이웃한 전자 껍질의 에너지 준위 차
에너지 준위가 낮을수록 에너지 준위 차가 크다. 따라서 K 전자 껍질(n=1)과 L 전자 껍질(n=2)의 에너지 준위 차가 가장 크다.

⑥ **특징과 한계점:** 러더퍼드의 원자 모형으로 설명할 수 없었던 수소 원자의 선 스펙트럼을 에너지의 양자화라는 개념을 도입하여 훌륭하게 설명하였으나 전자가 2개 이상인 원자에는 적용하기가 어려웠다. 그리고 전자가 원자핵 주위의 일정한 궤도에서 원운동을 하고 있다는 증거가 없었으며, 실제로 전자는 일정한 궤도에서 원운동하고 있는 것이 아니라, 궤도의 어느 지점에 있는지 확률로 나타낼 수 있을 뿐이다. 또한 보어의 이론으로는 화학 결합을 정량적으로 설명할 수 없다.

양자화
빛에너지(E)는 다음과 같이 표현된다.
$E=h\nu$
빛에너지는 플랑크 상수(h)와 진동수(ν)를 곱한 값의 정수배(n)의 값을 가져야 하며, $0.1h\nu$, $0.5h\nu$, … 등의 값을 가질 수 없다. 이와 같이 불연속적인 값을 갖는 현상을 양자화라고 한다.

2 현대 원자 모형

보어의 원자 모형은 수소 원자의 선 스펙트럼을 성공적으로 설명하였지만 전자가 2개인 헬륨의 스펙트럼을 설명할 수 없었다. 이러한 원자 구조를 이해하는 데 새로운 전기는 오스트리아의 과학자인 슈뢰딩거(Schödinger, E., 1887~1961)에 의해서 마련되었다. 1926년 슈뢰딩거는 양자역학(파동역학)으로 해석한 수소 원자 모형을 발표하였고 이때부터 화학과 물리학의 새로운 시대가 열리게 되었다.

1. 오비탈

(1) **불확정성 원리:** 보어의 수소 원자 모형에서는 전자가 정해진 궤도를 원운동하고 있으며, 전자의 위치와 속력을 정확하게 결정할 수 있다고 주장했다. 그러나 1927년 하이젠베르크(Heisenberg, W. K., 1901~1976)는 양자역학을 이용하여 전자의 위치와 속력을 동시에 정확하게 측정할 수 없다는 불확정성 원리가 성립함을 증명하였다. 따라서 전자의 위치와 속력을 결정할 수 있다는 보어의 이론은 불확정성 원리에 위배되는 것이었다.
현대 원자 모형에 의하면 전자가 어떤 운동을 하는지, 어디에 있는지에 대해서는 정확하게 알 수 없으며, 단지 공간상에서 전자가 존재할 확률만을 알 수 있다.

시야 확장 + 불확정성 원리의 내용

우리가 전자의 위치를 파악하기 위해서는 빛(광자)이 전자와 부딪쳐서 우리 눈이 감지할 수 있도록 튕겨져 나와야 한다. 그러나 빛이 전자에 부딪치는 순간 빛의 에너지가 전자에 전달되어 전자의 운동량(전자의 질량과 속도를 곱한 양)이 변한다. 만일 전자의 위치를 더 정확하게 측정하려면 더 짧은 파장의 빛을 사용해야 하지만 빛의 파장이 짧을수록 빛의 에너지는 커지므로 전자는 더 큰 에너지를 받아 운동량이 더 많이 변하게 된다. 즉, 전자의 위치를 더 정확히 측정하려고 할수록 측정 순간의 운동량은 더 많이 변하므로 전자의 운동량은 더 부정확해지는 것이다. 전자와 같이 원자 내부에 포함된 입자에게 적용되는 위치(x)와 운동량(p) 사이의 불확정성 원리를 간결하게 수식으로 표현하면 다음과 같다.

$\Delta x \Delta p \geq \frac{h}{4\pi}$ (Δx: 위치의 불확정성, Δp: 운동량의 불확정성)

불확정성 원리를 나타내는 이 식을 보면, 만일 위치에 대한 불확정성이 0이라면 운동량에 대한 불확정성은 무한대이어야 한다. 따라서 전자의 위치가 정확하게 결정된다면 전자의 속도를 알 수 없고, 전자의 속도가 정확하게 결정된다면 이 전자의 위치를 알 수 없다는 것이 불확정성 원리의 내용이다.

불확정성 원리

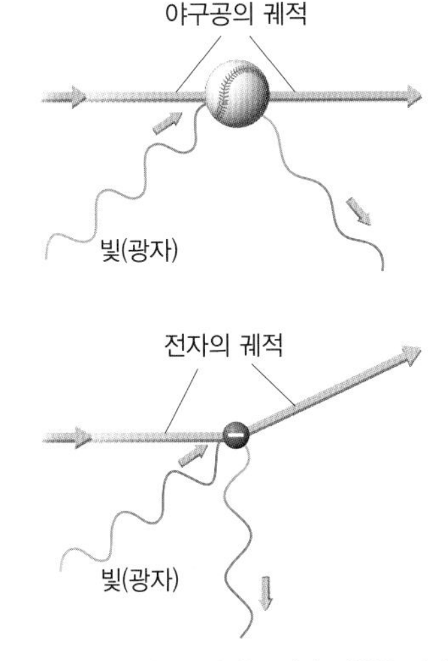

야구공과 같이 큰 입자는 빛의 영향을 받지 않고 움직이지만, 훨씬 작은 질량을 갖는 전자는 빛의 영향을 받아 운동 방향이 달라진다.

(2) **오비탈:** 원자 내에서 전자의 위치를 나타내기 위해 보어의 원자 모형에서 전자가 원운동하고 있는 궤도와 구분하여 오비탈이라는 새로운 용어가 쓰이게 되었다. 오비탈이란 보어의 원자 모형에서 전자가 원운동하고 있는 궤도와는 전혀 다른 개념으로, 전자의 존재 확률 분포를 나타낸 것이다.

① **전자의 존재 확률:** 양자역학을 이용하여 수소 원자에서 전자의 존재 확률을 구해 보면 핵의 중심에서 가장 크며, 핵으로부터 멀어질수록 급격하게 작아진다. 그러나 확률이 0이 되는 것은 아니므로 원자의 경계가 뚜렷하게 존재하는 것은 아니며, 원자의 크기도 정확하게 정할 수 없다.

② **전자 존재 확률의 표현:** 전자가 존재할 확률을 점으로 찍어 구름 모양으로 나타내는 점밀도 그림이나 전자가 존재할 확률이 90 %인 공간을 나타내는 경계면 그림을 그려서 오비탈을 나타낸다.

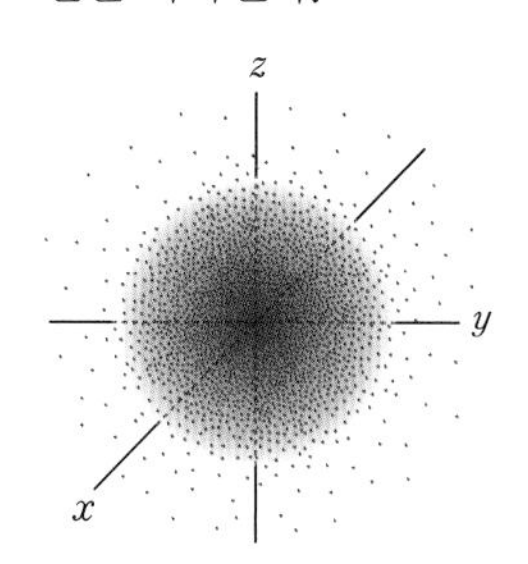

전자 존재 확률을 점으로 나타낸 점밀도 그림

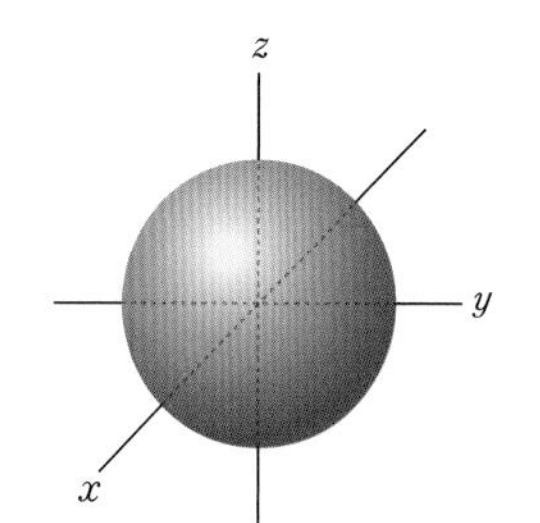

전자 존재 확률이 90 %인 공간의 경계면 그림

◀ **1*s* 오비탈의 점밀도 그림과 경계면 그림**

2. 오비탈과 양자수 관계

오비탈의 에너지와 모양 그리고 방향은 주 양자수, 방위 양자수(부 양자수), 자기 양자수, 스핀 자기 양자수의 4가지 양자수에 의해서 결정된다.

(1) **주 양자수(n):** 오비탈의 크기와 에너지를 결정하는 양자수로, 보어의 원자 모형에서 전자 껍질을 나타낸다.

① n은 1, 2, 3, …의 정수 값을 가지며, n이 클수록 오비탈의 크기가 커지고 원자핵으로부터 전자까지의 거리가 멀어진다. 따라서 n이 커지면 핵과 전자 사이에 작용하는 힘이 약해지고 전자는 더 큰 에너지를 갖게 되어 불안정해진다.

② 수소 원자의 경우 전자의 에너지는 주 양자수 n에 의해서만 결정된다.

주 양자수(n)	1	2	3	4	5	…
전자 껍질	K	L	M	N	O	…

(2) **방위 양자수(l):** 오비탈의 3차원적 모양을 결정하는 양자수로, 전자 부껍질 또는 부 양자수라고도 한다.

① 주 양자수 n인 오비탈은 방위 양자수(l)를 0, 1 … ($n-1$)까지 가질 수 있다. 따라서 주 양자수가 n인 전자 껍질에는 n종류의 서로 다른 모양의 오비탈이 존재하게 된다.

② 전자 부껍질은 양자수로 표시하기보다는 주로 s, p, d, f의 문자 기호를 사용하는데, $l=0$일 때는 s, $l=1$일 때는 p, $l=2$일 때는 d로 표시한다.

전자 부껍질의 기호
s, p, d, f 등의 기호는 분광학에서 사용되는 스펙트럼의 이름 sharp, principal, diffuse, fundamental에서 첫 글자를 따온 것이다.

전자 껍질(주 양자수)	K(n=1)	L(n=2)		M(n=3)		
방위 양자수(l)	0	0	1	0	1	2
오비탈	1s	2s	2p	3s	3p	3d

같은 전자 껍질에서 오비탈의 에너지 준위 순서는 $ns<np<nd$이고, 다전자 원자에서 오비탈의 에너지 준위는 $(n+l)$ 값이 커질수록 커진다.

(3) **자기 양자수(m_l):** 핵 주위의 전자 구름이 공간에서 어떤 방향으로 존재하는지를 알려 주는 양자수이다.

① m_l은 $-l$에서 l까지의 값을 갖는다. 따라서 방위 양자수가 l인 오비탈은 $(2l+1)$개의 서로 다른 공간 배치를 갖는다.

② 공간상에서 방향이 서로 다른 오비탈들은 에너지 준위가 서로 같지만, 강한 전기장이나 자기장이 존재하면 방향에 따라 오비탈의 에너지 준위가 달라진다.

자기 양자수와 오비탈
$n=2$인 전자 껍질의 $l=1$인 오비탈은 $2p$이다. 그리고 $l=1$인 경우 $m_l=-1, 0, 1$인 세 방향(x, y, z)의 오비탈이 존재하여 $2p_x$, $2p_y$, $2p_z$가 있다.

(4) **스핀 자기 양자수(m_s):** 주 양자수(n)와 방위 양자수(l), 자기 양자수(m_l)는 오비탈의 크기와 모양, 공간에서의 방향을 결정한다. 그러나 세 가지 양자수만으로는 수소 원자에 대해 완벽하게 설명할 수 없다. 오비탈에 들어 있는 전자는 자기장에서 회전하는 성질을 갖는데, 이러한 성질을 전자 스핀이라고 하며, 전자 스핀이 다른 전자가 존재하는 것이다.

① 수소 원자를 자기장에 통과시키면 수소 원자의 절반은 N극 쪽으로, 절반은 S극 쪽으로 휘는 결과가 나타난다. 이로부터 같은 오비탈에 채워진 전자라도 서로 다른 2가지 스핀 상태가 존재함을 알 수 있다.

② 스핀 자기 양자수는 n, l, m_l과는 독립되어 있는 값으로, 전자의 스핀은 두 가지 방향이 있으며, 각 방향을 $+\frac{1}{2}$ 또는 $-\frac{1}{2}$로 나타낸다. 스핀 자기 양자수가 다른 전자를 나타낼 때는 서로 반대 방향의 화살표(↑, ↓)로 표시한다.

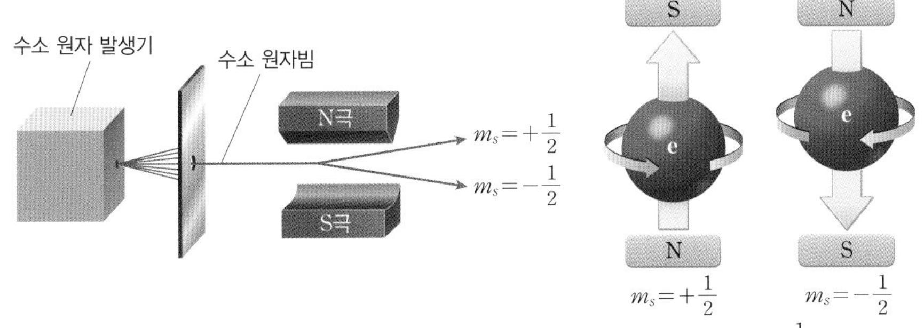

▲ **스핀 자기 양자수** 수소 원자빔을 강력한 자기장에 통과시키면 2개로 갈라진다. 이는 $m_s=+\frac{1}{2}$의 스핀 자기 양자수를 가지는 전자와 $m_s=-\frac{1}{2}$의 스핀 자기 양자수를 가지는 전자가 있다는 것을 의미한다.

(5) **오비탈과 양자수의 관계:** 각 주 양자수가 허용하는 방위 양자수, 자기 양자수 및 스핀 자기 양자수와 각 오비탈을 나타내는 기호는 다음 표와 같다.

주 양자수(n)	1	2				3								
전자 껍질	K	L				M								
방위 양자수(l)	0	0	1			0	1			2				
오비탈 모양	$1s$	$2s$	$2p$			$3s$	$3p$			$3d$				
자기 양자수(m_l)	0	0	−1	0	+1	0	−1	0	+1	−2	−1	0	+1	+2
오비탈 방향	$1s$	$2s$	$2p_x$	$2p_y$	$2p_z$	$3s$	$3p_x$	$3p_y$	$3p_z$	$3d_{xy}$	$3d_{yz}$	$3d_{xz}$	$3d_{x^2-y^2}$	$3d_{z^2}$
스핀 자기 양자수(m_s)	$\pm\frac{1}{2}$	$\pm\frac{1}{2}$	$\pm\frac{1}{2}$	$\pm\frac{1}{2}$	$\pm\frac{1}{2}$	$\pm\frac{1}{2}$	$\pm\frac{1}{2}$	$\pm\frac{1}{2}$	$\pm\frac{1}{2}$	$\pm\frac{1}{2}$	$\pm\frac{1}{2}$	$\pm\frac{1}{2}$	$\pm\frac{1}{2}$	$\pm\frac{1}{2}$
오비탈 수(n^2)	1	4				9								
최대 허용 전자 수($2n^2$)	2	8				18								

3. 오비탈의 모양

(1) **오비탈의 표시:** 같은 전자 껍질 속에서도 전자가 취할 수 있는 에너지 상태는 여러 가지가 있다. 같은 전자 껍질에서의 에너지는 오비탈의 모양에 의해서 달라진다. 이러한 오비탈은 다음과 같이 표시한다.

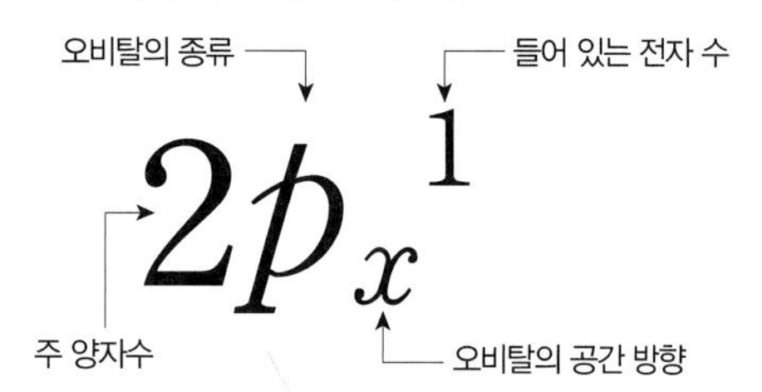

주 양자수는 2이고, 오비탈의 모양과 방향은 p_x이며, 이 오비탈에 전자가 1개 존재한다.

맨 앞에 주 양자수를 쓰고 그 뒤에 오비탈의 종류를 나타내는 방위 양자수를 문자 기호로 표시하며, 방위 양자수의 오른쪽 하단에 오비탈의 방향성을 표시하고 오른쪽 상단에 그 오비탈에 들어 있는 전자 수를 표시한다.

오비탈의 개수

주 양자수 n=1, 2, 3, …의 각각의 n값에 대응하여 n^2개의 서로 다른 오비탈이 형성된다.

- K 전자 껍질: n=1, 오비탈 1개(s: 1)
- L 전자 껍질: n=2, 오비탈 4개(s: 1, p: 3)
- M 전자 껍질: n=3, 오비탈 9개(s: 1, p: 3, d: 5)
- N 전자 껍질: n=4, 오비탈 16개(s: 1, p: 3, d: 5, f: 7)

(2) ***s* 오비탈:** s 오비탈은 방향성이 없다. 1s 오비탈의 경우 전자를 발견할 수 있는 확률은 핵으로부터 멀어질수록 작아지는데, 이 확률은 핵으로부터의 거리 r에 의해서만 결정된다. 따라서 s 오비탈에서는 방향에 관계없이 핵으로부터 같은 거리에서 전자를 발견할 확률은 같다. 이와 같이 방향성이 없는 것은 모든 s 오비탈의 공통적인 특성이다.

① **1s 오비탈의 표현:** 그림 (가)는 핵으로부터의 거리가 r인 지점에서 같은 부피 속에 전자가 존재할 확률을 나타낸 것이고, (나)는 핵으로부터의 거리가 r인 구의 표면에서 전자가 발견될 확률을 의미한다. 여기서 (나)를 보면 1s 오비탈에서 전자가 존재할 확률이 가장 큰 곳은 핵으로부터 0.053 nm 떨어진 곳으로, 보어의 원자 모형에서 n=1인 궤도에 전자가 존재할 때의 반지름과 같다는 것을 알 수 있다. (다)는 1s 오비탈에서 전자가 발견될 확률이 90 %인 경계면을 나타낸 그림이고, (라)는 보어의 원자 모형에서 전자가 n=1인 궤도에 존재할 때를 나타낸 그림이다.

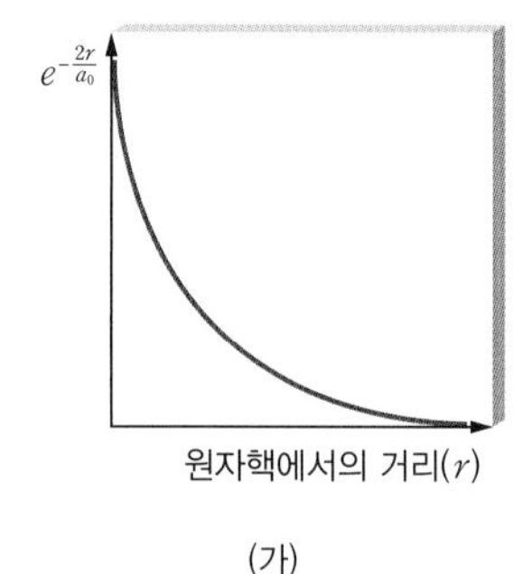

(가)

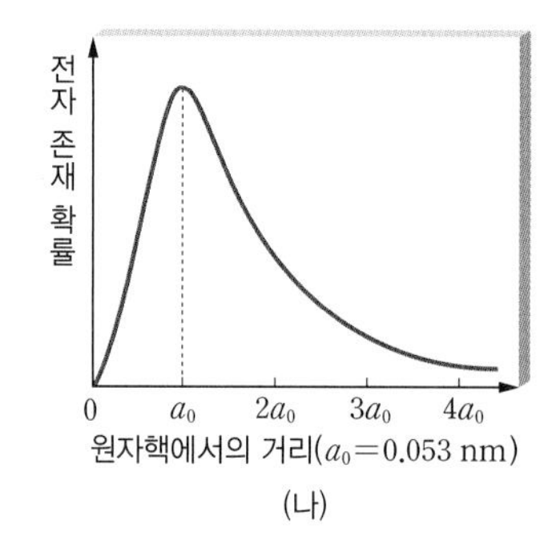

(나)

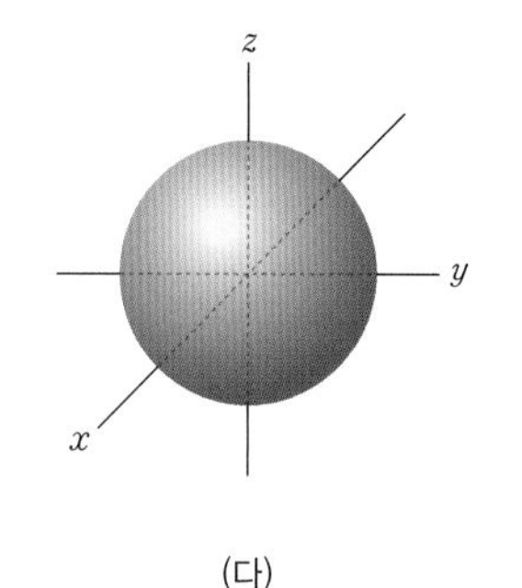

(다)

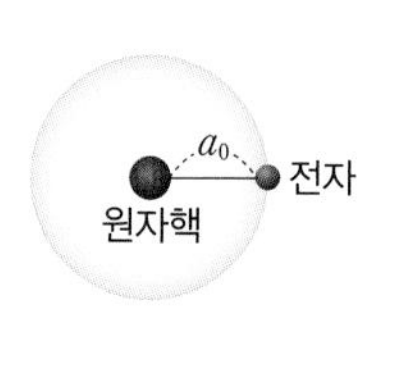

(라)

② ***s* 오비탈의 크기:** s 오비탈의 크기는 주 양자수에 의해 결정된다. 오비탈의 크기는 대략적으로 주 양자수의 제곱에 비례해서 커진다. 오비탈의 크기가 커질수록 평균적으로 전자가 핵으로부터 멀어지면서 에너지 준위가 높아진다.

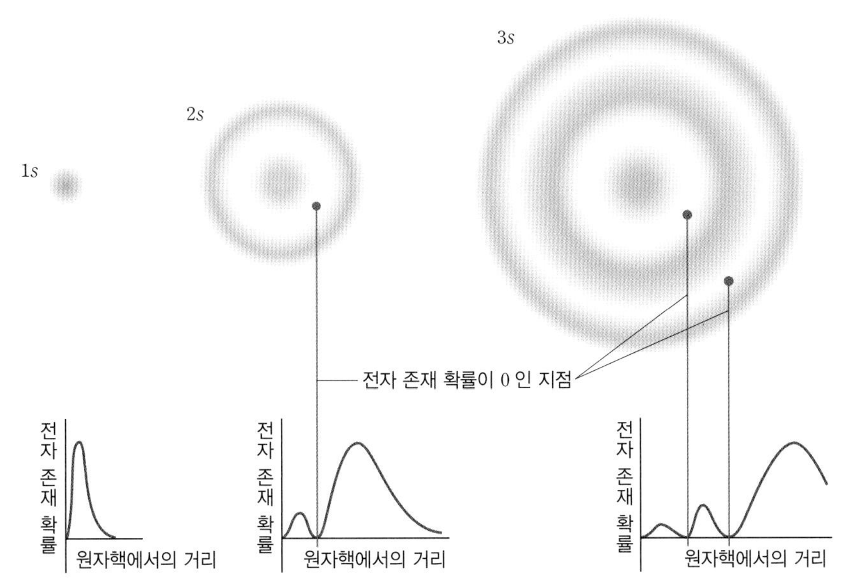

▲ **1*s* 오비탈, 2*s* 오비탈, 3*s* 오비탈의 대략적인 크기 비교** 2*s* 오비탈의 경우는 전자 존재 확률이 0이 되는 지점(마디)을 1개 가지고 있으며, 3*s* 오비탈의 경우는 전자 존재 확률이 0이 되는 지점을 2개 가지고 있다.

(3) ***p* 오비탈:** p 오비탈은 $n=2$ 이상의 에너지 준위에만 존재한다. p 오비탈의 방위 양자수(l)는 1이므로 자기 양자수(m_l)는 -1, 0, $+1$의 3가지 값을 가진다. 따라서 p 오비탈에는 방향성이 다른 3개의 오비탈이 존재하는 것이다. p 오비탈의 전자는 3차원 공간에서 x, y, z의 세 축에 대해 핵의 양쪽에 아령 모양으로 분포되어 있어 p_x, p_y, p_z로 표시되는 3가지의 방향성을 가지고 있다. 만약 전자가 p_x 오비탈에 있다면 전자를 발견할 확률은 x축 방향에서 최대가 되며 yz면에서는 0이다.

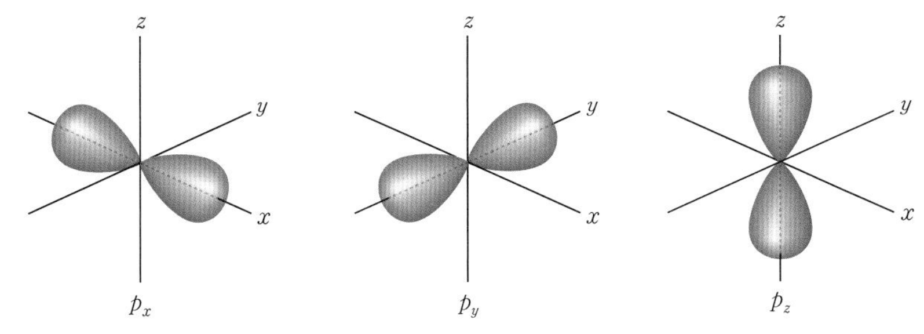

(4) ***d* 오비탈:** d 오비탈은 $n=3$ 이상의 에너지 준위에만 존재한다. d 오비탈의 방위 양자수(l)는 2이므로 자기 양자수(m_l) 값은 -2, -1, 0, $+1$, $+2$의 5가지 값을 가진다. 따라서 d 오비탈에는 방향성이 다른 5개의 오비탈이 존재하는 것이다. d 오비탈은 다음 그림에서와 같이 d_{xy}, d_{yz}, d_{xz}, $d_{x^2-y^2}$, d_{z^2}의 5개가 존재한다.

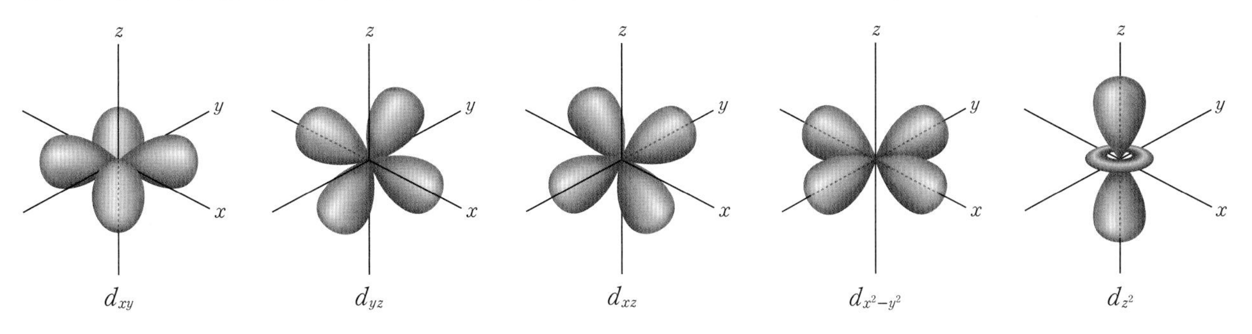

차이를 만드는

심화

발머식의 유도

파장과 에너지와의 관계를 이용하여 보어의 수소 원자 모형에서 발머식을 유도할 수 있다. 이러한 발머식의 유도 과정은 수소 원자의 선 스펙트럼을 이해하는 데 도움이 된다.

발머(Balmer, J. J., 1825~1898)는 수소 원자의 선 스펙트럼 중 가시광선 영역에서 나오는 빛의 진동수(ν) 사이에 다음과 같은 수학적 관계가 성립함을 발견하였다.

$$\nu=3.29\times10^{15}\times\left(\frac{1}{n_1^2}-\frac{1}{n_2^2}\right)\ (n_1=2,\ n_2=3,\ 4,\ 5,\ \cdots)$$

이 식을 발머식이라고 하는데, 보어의 수소 원자 모형으로부터 이 식을 유도해 보자.
보어의 수소 원자 모형에서 수소 원자의 에너지 준위는 다음과 같이 나타낼 수 있다.

$$E_n=-\frac{1312}{n^2}\ \text{kJ/mol}\ (n=1,\ 2,\ 3,\ \cdots\ \infty)$$

그런데 전자가 전자 껍질을 이동할 때 두 전자 껍질의 에너지 차만큼을 전자기파의 형태로 에너지를 방출하므로 $n_2 \rightarrow n_1$으로 전자가 이동할 때 방출되는 전자기파의 진동수는 다음과 같이 구할 수 있다.

$$\Delta E=h\nu$$

$$\nu=\frac{\Delta E}{h}=\frac{E_{n_2}-E_{n_1}}{h}=\frac{1}{h}\left(\frac{-1312}{n_2^2}(\text{kJ/mol})-\frac{-1312}{n_1^2}(\text{kJ/mol})\right)$$

$$=\frac{1312}{h}\left(\frac{1}{n_1^2}-\frac{1}{n_2^2}\right)(\text{kJ/mol})$$

$$=\frac{1312\times10^3\ \text{J}}{6.626\times10^{-34}\ \text{J}\cdot\text{s}\times6.02\times10^{23}}\left(\frac{1}{n_1^2}-\frac{1}{n_2^2}\right)\fallingdotseq3.29\times10^{15}\times\left(\frac{1}{n_1^2}-\frac{1}{n_2^2}\right)(\text{s}^{-1})$$

여기서 $n_1=1$일 경우 라이먼 계열의 자외선이 방출되고, $n_1=2$일 경우 발머 계열의 가시광선이 방출되며 $n_1=3$일 경우 파셴 계열의 적외선이 방출된다.

전자 궤도	보어의 원자 모형에 의해 계산한 스펙트럼 파장(nm)	실측한 스펙트럼 파장(nm)	스펙트럼 영역	발견한 학자
2 → 1	121.6	121.7	자외선	라이먼
3 → 1	102.6	102.6	자외선	라이먼
4 → 1	97.3	97.3	자외선	라이먼
3 → 2	656.6	656.3	가시광선	발머
4 → 2	486.5	486.1	가시광선	발머
5 → 2	434.3	434.1	가시광선	발머
4 → 3	1876.0	1876.0	적외선	파셴

▲ 보어의 원자 모형에 의한 이론값과 실제 측정값

발머식
발머 이후 자외선 영역에서 라이먼 계열, 적외선 영역에서 파셴 계열, 원적외선 영역에서 푼트 계열과 브래킷 계열이 발견되었는데, 이들도 발머식으로 표현할 수 있다. 단, n_1은 라이먼 계열에서 1, 파셴 계열에서 3, 브래킷 계열에서 4, 푼트 계열에서 5로 바꾸어 주고, n_2는 그보다 큰 정수로 나타내면 된다.

02 현대 원자 모형

1 원자 모형의 변천

1. **돌턴의 원자 모형** 더 이상 쪼갤 수 없는 물질의 기본 단위 입자로, 딱딱한 공과 같은 모형
2. **톰슨의 원자 모형** 전체적으로 (+)전하를 띠는 구에 전자가 군데군데 박힌 푸딩 모형
3. **러더퍼드의 원자 모형** 원자핵 주위를 전자가 돌고 있는 태양계 모형
4. **보어의 원자 모형** 원자 내의 전자가 일정한 궤도에서만 원운동하는 궤도 모형

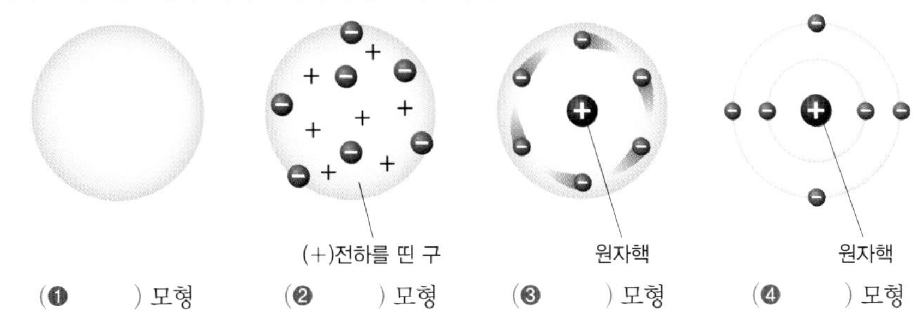

2 현대 원자 모형

1. **하이젠베르크의 불확정성의 원리** 전자의 위치와 속력은 동시에 정확하게 측정할 수 없다.
2. (❺) 보어의 원자 모형에서 전자가 원운동하고 있는 궤도와는 전혀 다른 개념으로 전자의 존재 확률 분포를 나타낸 것
3. **오비탈과 양자수**
   - **주 양자수(n)**: 오비탈의 크기와 에너지를 결정하는 양자수 ➡ 주 양자수가 (❻)수록 전자는 원자핵으로부터 가까워지고, 에너지 준위가 (❼)다.
   - **방위 양자수(l)**: 오비탈의 (❽)을 결정하는 양자수 ➡ 주 양자수가 n인 오비탈은 방위 양자수(l)를 $0, 1, 2, \cdots, (n-1)$까지 가질 수 있다.
   - **자기 양자수(m_l)**: 핵 주위의 전자 구름이 공간에서 어떤 방향으로 존재하는지를 알려 주는 양자수 ➡ 방위 양자수가 l인 오비탈은 $(2l+1)$개의 서로 다른 공간 배치를 갖는다.
   - **스핀 자기 양자수(m_s)**: 전자의 운동 방향을 결정하는 양자수 ➡ 서로 다른 두 가지 스핀 상태가 존재하며 스핀 자기 양자수는 (❾), (❿)의 값을 가진다.
4. **오비탈의 종류와 모양** 오비탈의 모양에 따라 구분하며, s, p, d, f 등의 기호를 사용하여 나타낸다.

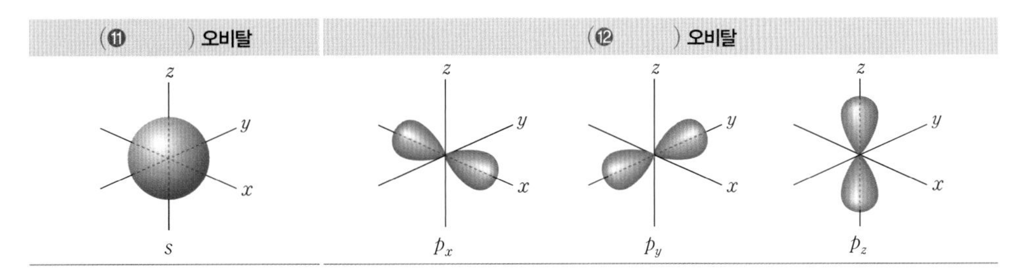

[01~02] 그림은 여러 가지 원자 모형을 나타낸 것이다.

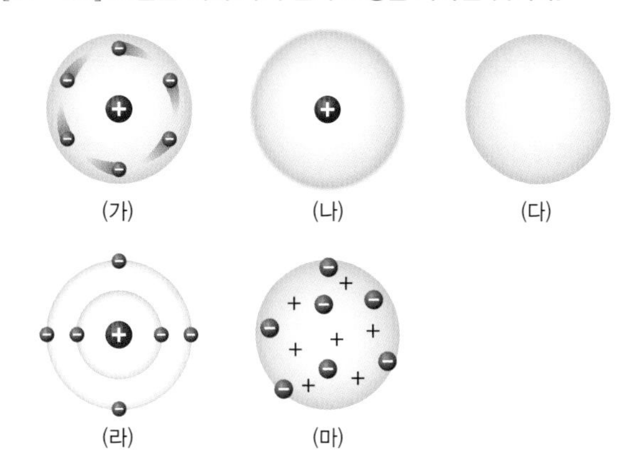

01 원자 모형 (가)~(마)를 시대 순으로 나열하시오.

02 원자 모형 (가)~(마) 중 다음 설명에 해당하는 원자 모형을 고르시오.

> 알파(α) 입자 산란 실험의 결과를 설명할 수 있지만, 이 모형으로는 원자의 안정성을 설명할 수 없었다. 또, 당시에 가장 큰 관심사였던 수소 원자의 선 스펙트럼을 설명할 수 없었다.

03 보어의 수소 원자 모형에 대한 설명으로 옳은 것만을 보기에서 있는 대로 고르시오.

보기
ㄱ. 전자 껍질의 에너지 준위는 불연속적이다.
ㄴ. 전자는 특정한 에너지 준위의 궤도를 원운동한다.
ㄷ. 전자가 가장 낮은 에너지 상태에 있을 때 가장 안정하며, 이 상태를 바닥상태라고 한다.
ㄹ. 불연속적인 선 스펙트럼은 전자의 궤도가 원형뿐만 아니라 타원형 등의 다양한 모양의 궤도가 존재함을 의미한다.

04 그림은 서로 다른 에너지 상태의 수소 원자를 보어 원자 모형으로 나타낸 것이다.

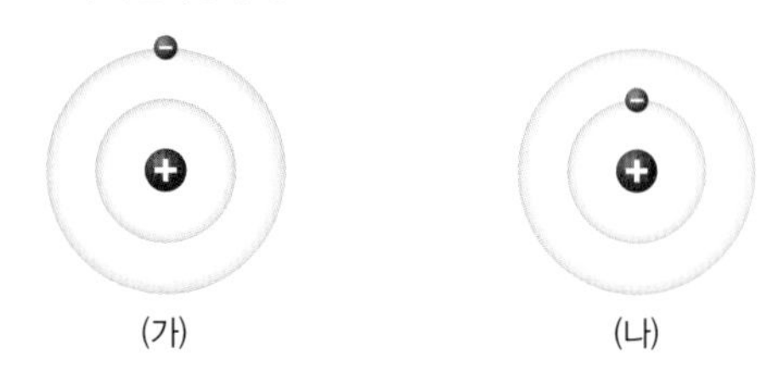

(1) 바닥상태의 수소 원자 모형을 나타낸 것을 고르시오.
(2) (나)에서 (가)와 같이 전자가 전이되었을 때의 에너지 출입을 쓰시오.

05 그림은 수소 원자의 에너지 준위와 전자 전이 a~d를 나타낸 것이다. (단, n은 주 양자수이다.)

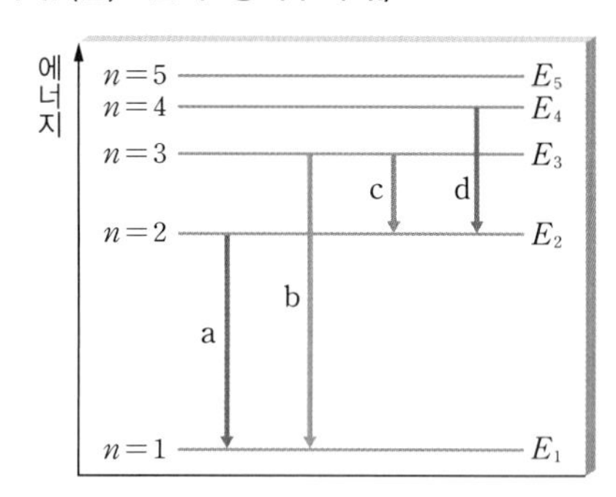

(1) E_1~E_5 중에서 바닥상태의 에너지 준위에 해당하는 것을 고르시오.
(2) a~d 중에서 방출하는 빛의 파장이 가장 짧은 것을 고르시오.
(3) a~d 중에서 가시광선을 방출하는 것을 있는 대로 고르시오.

06 그림은 $2s$ 오비탈과 $2p$ 오비탈의 입체 모양을 나타낸 것이다.

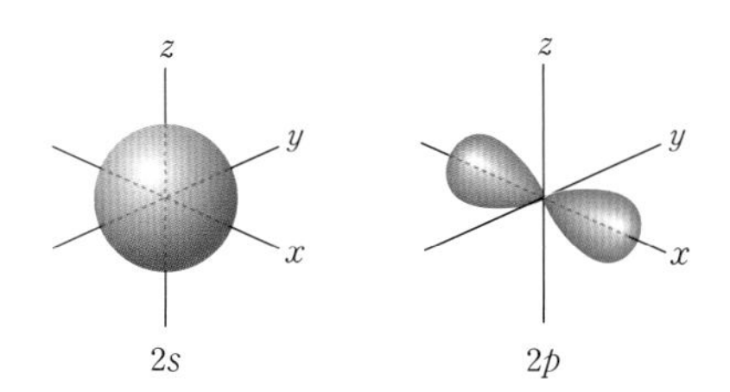

이에 대한 설명으로 옳은 것만을 보기에서 있는 대로 고르시오.

보기
ㄱ. $2s$ 오비탈은 방향성이 없다.
ㄴ. $2s$ 오비탈과 $2p$ 오비탈은 서로 다른 전자 껍질에 존재한다.
ㄷ. p 오비탈은 에너지 준위가 같은 오비탈이 3개 존재한다.

07 양자수에 대한 설명으로 옳은 것은 ○, 옳지 않은 것은 ×로 표시하시오.

(1) 주 양자수(n)는 오비탈의 모양을 결정한다. ( )

(2) 방위 양자수(l)는 오비탈의 방향을 결정한다. ( )

(3) 주 양자수가 n인 오비탈은 방위 양자수(l)가 n개 존재한다. ( )

(4) p 오비탈의 자기 양자수(m_l)는 -1, 0, 1이다. ( )

(5) 스핀 자기 양자수(m_s)는 $+\frac{1}{2}$, $-\frac{1}{2}$의 값을 가진다. ( )

08 그림은 수소 원자에서 $1s$, $2s$, $2p_x$, $2p_y$, $2p_z$ 오비탈을 나타낸 것이다.

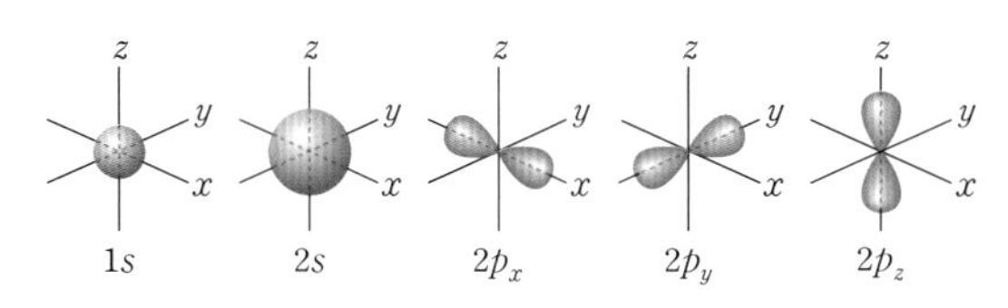

이에 대한 설명으로 옳은 것만을 보기에서 있는 대로 고르시오.

보기
ㄱ. 5개 오비탈의 주 양자수(n) 합은 5이다.
ㄴ. 5개 오비탈의 방위 양자수(l) 합은 3이다.
ㄷ. 5개 오비탈의 자기 양자수(m_l) 합은 0이다.

09 다음 빈칸 (가)~(라)를 채워 쓰시오.

전자 껍질	주 양자수 (n)	오비탈 수	오비탈 종류의 수	최대 허용 전자 수
N	(가)	(나)	(다)	(라)

10 다음 중 전자가 가질 수 있는 양자수 조합을 보기에서 있는 대로 고르시오.

보기
ㄱ. $n=2$, $l=1$, $m_l=+1$, $m_s=+\frac{1}{2}$
ㄴ. $n=2$, $l=1$, $m_l=-1$, $m_s=0$
ㄷ. $n=3$, $l=3$, $m_l=+2$, $m_s=-\frac{1}{2}$
ㄹ. $n=3$, $l=2$, $m_l=-2$, $m_s=+\frac{1}{2}$
ㅁ. $n=5$, $l=3$, $m_l=+4$, $m_s=-\frac{1}{2}$

> 정답과 해설 32쪽

01 > 원자 모형 변천

그림은 여러 가지 원자 모형을 시대 순서로 나타낸 것이다.

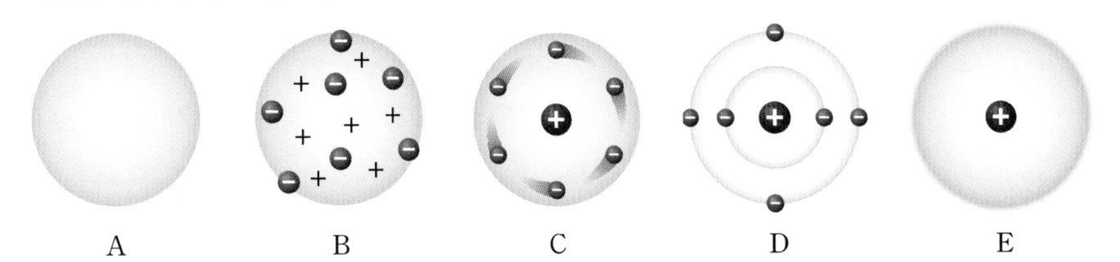

A~E 중 (가)음극선 실험 결과로부터 제안된 원자 모형과 (나)알파(α) 입자 산란 실험 결과로부터 제안된 원자 모형을 옳게 짝 지은 것은?

	(가)	(나)		(가)	(나)
①	A	B	②	B	C
③	B	D	④	C	D
⑤	C	E			

• 돌턴(쪼개지지 않는 원자) → 톰슨(전자 발견) → 러더퍼드(원자핵 발견) → 보어(전자가 원운동하는 궤도 제안) → 현대(전자 존재 확률 분포의 오비탈)

02 > 원자 모형

그림은 톰슨, 보어, 현대의 원자 모형을 기준에 따라 분류한 것이다.

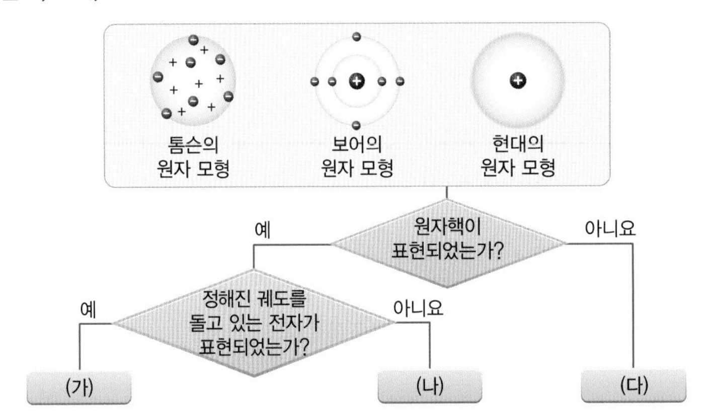

이에 대한 설명으로 옳은 것만을 보기에서 있는 대로 고른 것은?

보기

ㄱ. (가)의 모형으로 전자가 2개 이상인 원자의 선 스펙트럼을 설명할 수 있다.
ㄴ. (나)는 현대의 원자 모형이다.
ㄷ. (다)의 모형으로 알파(α) 입자 산란 실험의 결과를 설명할 수 있다.

① ㄴ ② ㄷ ③ ㄱ, ㄴ ④ ㄱ, ㄷ ⑤ ㄴ, ㄷ

• 보어의 원자 모형은 러더퍼드의 원자 모형으로 설명할 수 없었던 수소 원자의 선 스펙트럼을 에너지의 양자화라는 개념을 도입하여 훌륭하게 설명하였으나, 전자가 2개 이상인 원자에 대해서는 적용할 수 없었다.

03

> 수소 원자의 전자 전이

그림은 수소 원자의 전자 전이 $a \sim d$와 가시광선 영역의 선 스펙트럼을 나타낸 것이다.

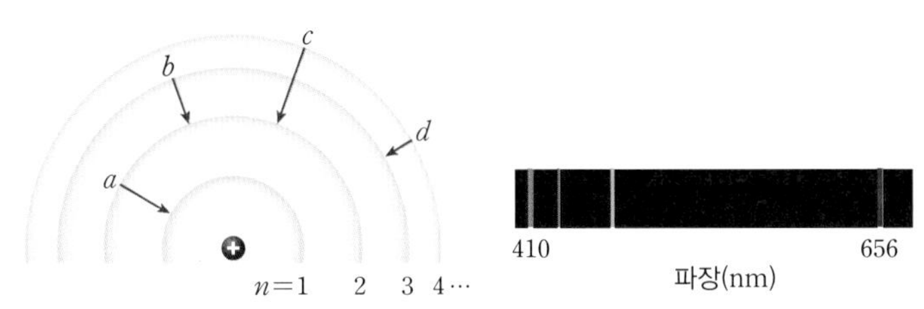

이에 대한 설명으로 옳은 것만을 보기에서 있는 대로 고른 것은?

보기

ㄱ. c에서 방출되는 파장은 656 nm이다.
ㄴ. a에서 방출되는 파장은 410 nm보다 크다.
ㄷ. b에서 방출되는 에너지는 d에서 방출되는 에너지보다 크다.

① ㄱ ② ㄴ ③ ㄷ ④ ㄱ, ㄷ ⑤ ㄴ, ㄷ

• 수소 원자의 가시광선 영역의 스펙트럼은 들뜬상태의 전자가 $n=2$로 전이할 때 방출된다. 에너지와 파장은 반비례한다.

04

> 수소 원자의 전자 전이와 오비탈

그림 (가)는 수소 원자의 에너지 준위와 전자 전이 A, B를 나타낸 것이고, 그림 (나)는 수소 원자의 $2s$ 오비탈과 $2p_x$ 오비탈을 모형으로 나타낸 것이다.

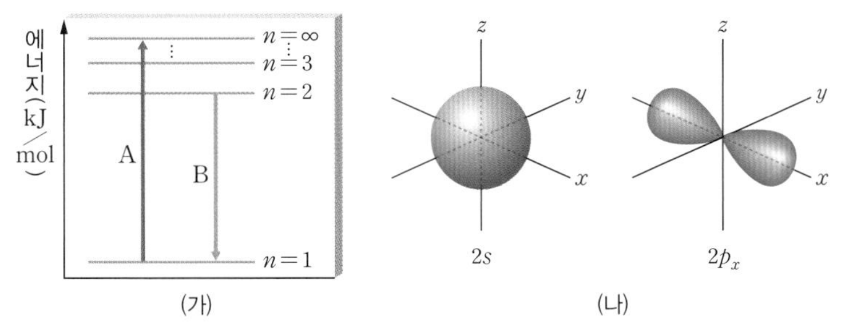

이에 대한 설명으로 옳은 것만을 보기에서 있는 대로 고른 것은? (단, 주 양자수(n)에 따른 수소 원자의 에너지 준위는 $E_n = -\frac{k}{n^2}$ kJ/mol이며, k는 상수이다.)

보기

ㄱ. A에서는 에너지를 흡수하고 B에서는 에너지를 방출한다.
ㄴ. A에 해당하는 에너지와 B에 해당하는 에너지의 비는 3 : 2이다.
ㄷ. (나)에서 $2s$와 $2p_x$의 에너지 준위는 (가)에서 $n=2$의 에너지 준위와 같다.

① ㄱ ② ㄴ ③ ㄱ, ㄴ ④ ㄱ, ㄷ ⑤ ㄴ, ㄷ

• 에너지 준위가 높은 곳으로 전자가 전이할 때는 에너지를 흡수하고, 에너지 준위가 낮은 곳으로 전자가 전이할 때는 에너지를 방출한다.

05

> 오비탈

그림은 두 종류의 오비탈을 모형으로 나타낸 것이다.

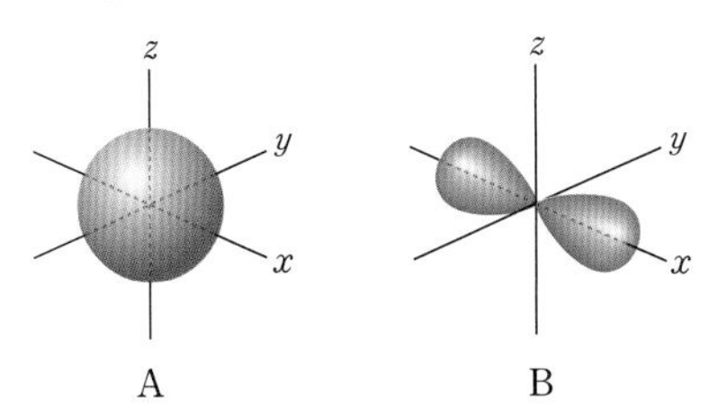

이에 대한 설명으로 옳은 것만을 보기에서 있는 대로 고른 것은?

보기

ㄱ. A와 B의 에너지 준위는 주 양자수(n)가 커질수록 증가한다.
ㄴ. 다전자 원자에서 주 양자수(n)가 같은 경우 A와 B의 에너지 준위는 같다.
ㄷ. A와 B는 모든 전자 껍질에 존재한다.

① ㄱ ② ㄴ ③ ㄱ, ㄴ ④ ㄱ, ㄷ ⑤ ㄴ, ㄷ

- 오비탈의 에너지 준위는 주로 주 양자수(n)에 의해 결정된다.

06

> 수소 원자의 오비탈

그림은 주 양자수(n)가 1 또는 2인 수소 원자의 몇 가지 오비탈을 모형으로 나타낸 것이다.

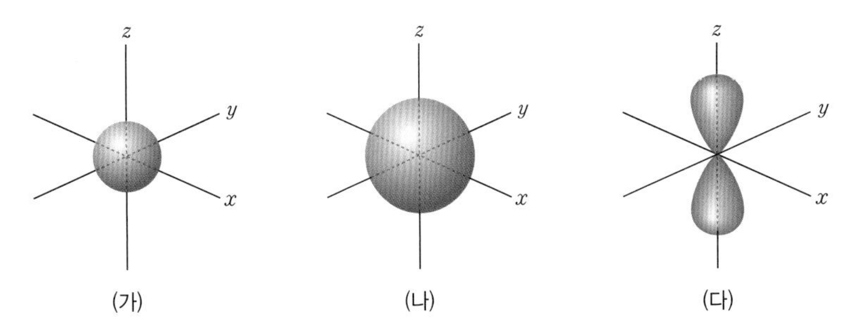

이에 대한 설명으로 옳은 것만을 보기에서 있는 대로 고른 것은?

보기

ㄱ. 방위 양자수(l)는 (가)<(나)이다.
ㄴ. 오비탈의 에너지 준위는 (가)<(나)=(다)이다.
ㄷ. (가)~(다)에 존재하는 전자가 가질 수 있는 스핀 자기 양자수(m_s)의 값은 모두 2가지이다.

① ㄱ ② ㄴ ③ ㄱ, ㄴ ④ ㄴ, ㄷ ⑤ ㄱ, ㄴ, ㄷ

- 오비탈의 에너지는 주로 주 양자수(n)에 의해 결정된다. 자기 양자수(m_l)는 오비탈의 공간에서의 방향을 결정하며, 스핀 자기 양자수(m_s)는 자기장에서의 회전 방향을 결정한다.

07

> 보어의 원자 모형과 수소 원자의 선 스펙트럼

다음은 수소 원자에서 일어나는 4가지 전자 전이에 대한 자료이다.

- 표의 $a \sim d$는 4가지 전자 전이($n_{전이\ 전} \rightarrow n_{전이\ 후}$)에서 흡수 또는 방출되는 빛의 에너지이다. n은 주 양자수이고, $n \leq 4$이다.

$n_{전이\ 후}$ \ $n_{전이\ 전}$	x	$x+2$
y	a	b
$y-2$	c	d

- 빛이 방출되는 전자 전이는 3가지이다.
- $a \sim d$에 해당하는 파장은 각각 $\lambda_a \sim \lambda_d$이다.

이에 대한 설명으로 옳은 것만을 보기에서 있는 대로 고른 것은?

보기

ㄱ. λ_c와 λ_d는 모두 자외선이다.
ㄴ. 에너지의 크기는 $d > c > b > a$이다.
ㄷ. $d = b + c$이다.

① ㄱ ② ㄴ ③ ㄱ, ㄴ ④ ㄱ, ㄷ ⑤ ㄴ, ㄷ

전자가 일정한 궤도에서 운동할 때는 에너지를 방출하거나 흡수하지 않는다. 그러나 전자가 에너지 준위가 높은 전자 껍질로 전이할 때는 에너지를 흡수하고, 에너지 준위가 낮은 전자 껍질로 전이할 때는 에너지를 방출한다.

08

> 양자수와 수소 원자의 전자 전이

표는 수소 원자의 전자 전이에서 방출되는 빛의 스펙트럼 선 Ⅰ ~ Ⅲ에 대한 자료이다.

선	전자 전이	파장(상댓값)	에너지(상댓값)
Ⅰ	(가)	a	5
Ⅱ	$n=2 \rightarrow n=1$	b	4
Ⅲ	(나)	c	1

이에 대한 설명으로 옳은 것만을 보기에서 있는 대로 고른 것은? (단, 수소 원자의 주 양자수 (n)에 따른 에너지 준위는 $E_n = -\frac{k}{n^2}$이며, k는 상수이다.)

보기

ㄱ. $c = a + b$이다.
ㄴ. (가)는 $n=3 \rightarrow n=1$이다.
ㄷ. (나)는 $n=4 \rightarrow n=2$이다.

① ㄱ ② ㄷ ③ ㄱ, ㄴ ④ ㄱ, ㄷ ⑤ ㄴ, ㄷ

파장과 에너지는 반비례한다.

03 전자 배치

학습 Point 보어의 원자 모형과 전자 배치 > 오비탈의 에너지 준위 > 전자 배치 원리 > 이온의 전자 배치

 보어의 원자 모형과 전자 배치

보어의 원자 모형에 따르면 원자핵 주위의 전자는 특정한 에너지를 갖는 몇 가지 전자 껍질에 존재한다. 전자 껍질은 핵에서 가장 가까운 것부터 K 전자 껍질, L 전자 껍질, M 전자 껍질, N 전자 껍질로 불리며, 안정한 원자의 경우 핵에서 가까운 안쪽 전자 껍질부터 전자가 차례로 채워져 있다.

1. 전자 껍질과 전자 수

보어의 수소 원자 모형에서 각 전자 껍질의 에너지는 주 양자수에 의해 정해지며, 주 양자수가 증가할수록 전자 껍질의 에너지 준위가 높아진다. 따라서 전자 껍질의 에너지 준위는 K<L<M<N…이다. 전자 껍질에 전자가 채워질 때에는 에너지 준위가 낮은 전자 껍질부터 차례로 채워지며 각 전자 껍질에는 최대 $2n^2$개의 전자가 채워질 수 있다.

전자 껍질(n)	K(1)	L(2)	M(3)	N(4)	O(5)
최대 허용 전자 수($2n^2$)	2×1^2 =2개	2×2^2 =8개	2×3^2 =18개	2×4^2 =32개	2×5^2 =50개

2. 보어의 원자 모형에 의한 전자 배치

전자 껍질에 전자가 채워질 때는 에너지 준위가 낮은 안쪽 전자 껍질부터 차례로 전자가 채워지는데, 보어가 제안한 원자 모형으로 리튬(Li), 플루오린(F), 네온(Ne), 나트륨(Na), 칼륨(K)의 전자 배치를 나타내면 다음과 같다.

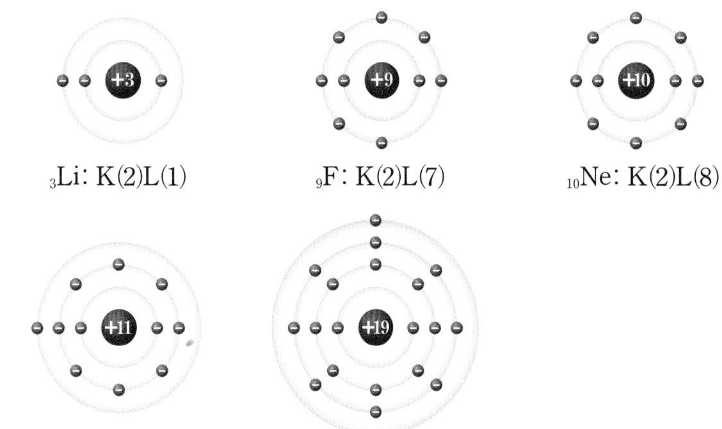

$_{3}$Li: K(2)L(1)　$_{9}$F: K(2)L(7)　$_{10}$Ne: K(2)L(8)

$_{11}$Na: K(2)L(8)M(1)　$_{19}$K: K(2)L(8)M(8)N(1)

(1) M 전자 껍질에는 전자가 최대 18개 배치될 수 있으므로 원자 번호가 19인 K의 전자 배치에서 M 전자 껍질에는 전자 9개가 배치되어야 하지만, 실제로는 전자 8개가 배치되고, 나머지는 N 전자 껍질에 배치된다. 이는 가장 바깥 전자 껍질에 전자가 8개일 때 가장 안정하다는 옥텟 규칙과 관련이 있다.

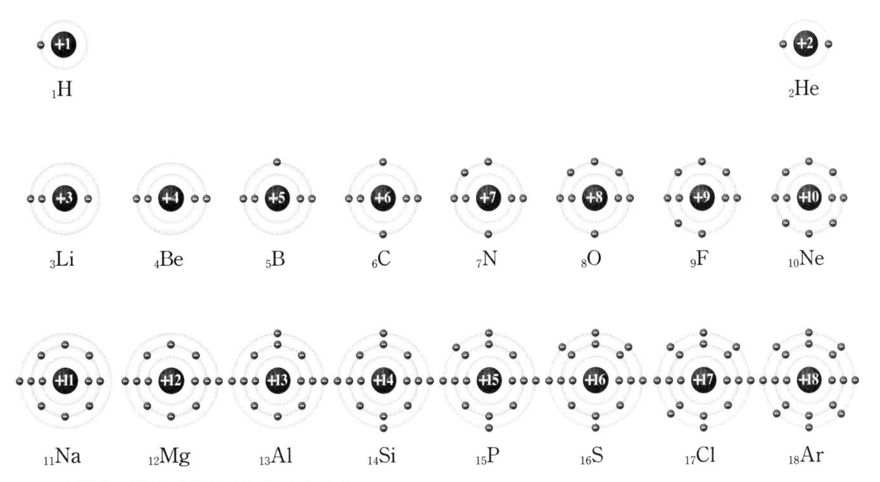

▲ **보어 원자 모형에 의한 원자들의 전자 배치**

(2) **원자가 전자:** 원자의 바닥상태 전자 배치에서 가장 바깥 전자 껍질에 존재하며 화학 결합에 관여하는 전자를 원자가 전자라고 한다. 원자가 전자 수에 따라 그 원소의 화학적 성질이 결정된다.

2 오비탈의 에너지 준위

오비탈의 에너지는 주 양자수와 방위 양자수에 의해서 결정된다. 주 양자수가 커질수록 원자핵과 전자 사이의 평균 거리가 멀어지므로 주 양자수가 커질수록 오비탈의 에너지도 커진다. 또, 다전자 원자에서는 오비탈의 모양도 오비탈의 에너지에 영향을 준다.

1. 수소 원자의 에너지 준위

수소 원자 내에서 오비탈의 에너지는 주 양자수 n에 의해서만 결정된다. 따라서 같은 전자 껍질 내에서는 오비탈의 에너지 준위가 다른 양자수와 관계없이 동일한 값을 가진다.

$$1s < 2s = 2p < 3s = 3p = 3d < 4s = 4p = 4d = 4f \cdots$$

2. 다전자 원자의 에너지 준위

다전자 원자에서 오비탈의 에너지 준위는 주 양자수(n)뿐만 아니라 방위 양자수(l)에 의해서도 영향을 받는다. 즉, 오비탈의 에너지 준위가 오비탈의 모양에 의해서도 영향을 받는다.

(1) 다전자 원자에서 방위 양자수(l)에 의해 오비탈의 에너지 준위가 영향을 받는 것은 전자 사이의 반발력과 관계가 있다.

➡ 수소의 경우에는 전자가 1개 밖에 존재하지 않기 때문에 전자 사이의 반발력이 작용하지 않지만, 다전자 원자에서는 전자가 여러 개 존재하므로 전자 사이의 반발력으로 인해 오비탈의 에너지 준위가 오비탈의 모양에 영향을 받는다.

옥텟 규칙(여덟 전자 규칙)
원자핵 주위를 돌고 있는 전자 중 가장 바깥 전자 껍질에 있는 전자가 8개일 때 매우 안정하다는 학설이다.

원자가 전자와 화학 결합
원자가 전자는 가장 바깥 전자 껍질에 들어 있어 안쪽 전자 껍질에 있는 전자보다 원자핵과의 인력이 작아 원자가 이온이 되거나 다른 원소와 결합할 때 관여한다. 따라서 원자가 전자 수가 같으면 원소의 화학적 성질이 비슷하다.

비활성 기체의 원자가 전자
비활성 기체의 가장 바깥 전자 껍질에는 전자 8개(단, He은 2개)가 배치되지만, 비활성 기체는 다른 원소와 결합을 형성하지 않으므로 원자가 전자 수가 0이다.

(2) 다전자 원자에서 오비탈의 에너지 준위는 $(n+l)$ 값이 커질수록 증가한다. 이때 $(n+l)$ 값이 같은 경우에는 n 값이 더 큰 오비탈의 에너지 준위가 더 높다.

에너지 준위	$1s$	<	$2s$	<	$2p$	<	$3s$	<	$3p$	<	$4s$	<	$3d$	<	$4p$
주 양자수(n)	1		2		2		3		3		4		3		4
방위 양자수(l)	0		0		1		0		1		0		2		1
$(n+l)$ 값	1		2		3		3		4		4		5		5

수소 원자의 에너지 준위

다전자 원자의 에너지 준위

▲ **오비탈의 에너지 준위** 수소 원자의 경우 주 양자수가 같은 오비탈의 에너지 준위는 모두 같으며, 주 양자수가 증가하면 오비탈의 에너지 준위도 증가한다. 그러나 전자를 2개 이상 가지는 다전자 원자의 경우에는 방위 양자수에 의해서도 오비탈의 에너지 준위가 달라진다.

수소 원자와 다전자 원자의 오비탈 에너지 준위

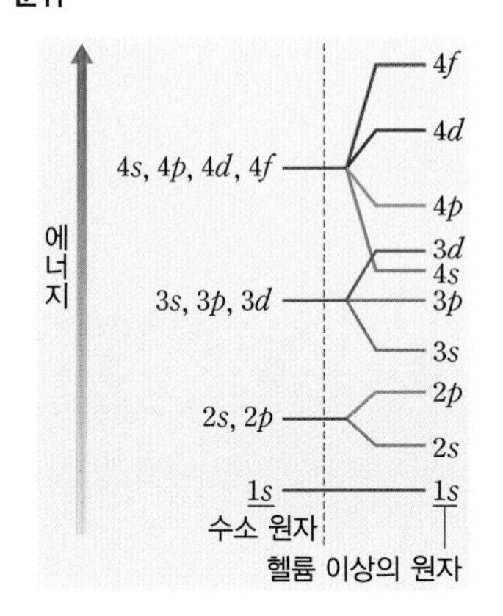

3 오비탈을 이용한 전자 배치

한 원자에서 전자는 다양하게 배치될 수 있지만, 에너지 준위가 가장 낮게 배치될 때 안정한 상태를 이룬다. 이러한 바닥상태의 원자에 채워진 전자는 일정한 규칙에 따라 오비탈에 채워져 안정한 상태를 이룬다.

1. 전자 배치의 표현

주 양자수와 오비탈의 종류를 적고, 해당 오비탈에 채워진 전자 수를 오비탈 기호의 오른쪽 위에 작은 숫자로 적거나, 상자로 표현한 오비탈에 전자를 화살표로 나타낸다. 한 오비탈에 전자가 2개 배치될 때 화살표의 방향이 서로 반대 방향이 되도록 나타낸다.

오비탈 기호를 이용한 표현 : $1s^2$ $2s^2$ $2p_x^{\ 2}$ $2p_y^{\ 1}$ $2p_z^{\ 1}$

$1s$ $2s$ $2p$

전자를 화살표로 나타낸 표현 :

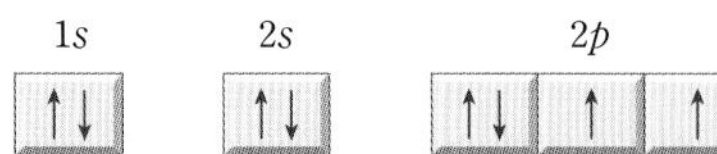

(1) **전자쌍:** 한 오비탈에 배치된 쌍을 이루는 전자를 전자쌍이라고 한다.

(2) **홀전자:** 오비탈에서 전자쌍을 이루지 않는 전자를 홀전자라고 한다.

2. 쌓음 원리

다전자 원자에서 오비탈에 전자가 채워질 때에는 에너지 준위가 낮은 오비탈부터 채워지는데, 이를 쌓음 원리라고 한다. 바닥상태 원자의 경우 오비탈에 전자가 채워지는 순서는 다음과 같다.

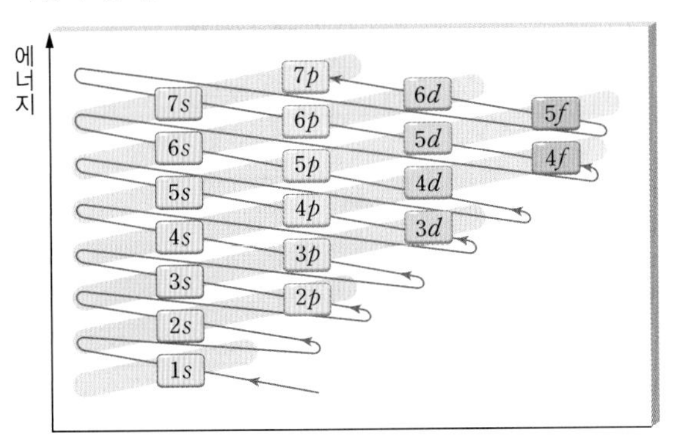

▲ 다전자 원자에서 전자가 채워지는 순서

3. 파울리 배타 원리

한 원자에서 n, l, m_l, m_s의 4가지 양자수가 똑같은 전자는 존재할 수 없다. 따라서 n, l, m_l에 따라 결정되는 각각의 오비탈에는 스핀 방향이 반대인 전자가 2개(1개의 m_s가 $+\frac{1}{2}$이면 다른 1개는 $-\frac{1}{2}$)까지만 들어갈 수 있다는 원리이다. 즉, 파울리 배타 원리에 의하면 한 오비탈에는 최대 2개의 전자가 배치되며, 이때 두 전자의 스핀 방향은 달라야 한다.

n, l, m_l에 의하여 결정되는 오비탈의 수는 n^2이므로 주 양자수가 n인 오비탈에 허용되는 총 전자 수는 $2n^2$이다.

주 양자수	K(n=1)	L(n=2)	M(n=3)	N(n=4)
오비탈 종류	1s	2s 2p	3s 3p 3d	4s 4p 4d 4f
오비탈 수(n^2)	1	4	9	16
최대 허용 전자 수($2n^2$)	2	8	18	32

예를 들어 전자 4개를 가진 베릴륨(Be)은 에너지 준위 순서에 따라 1s 오비탈에 전자 2개가 채워진 다음, 2s 오비탈에 전자 2개가 채워진다. 파울리 배타 원리에 따라 각 오비탈에 채워진 2개의 전자는 스핀 방향이 다르므로 화살표로 나타낼 때 방향이 반대가 되도록 나타낸다.

$_4$Be $1s^2 2s^2$ 또는 1s [↑↓] 2s [↑↓]

같은 원리로, 전자 5개를 가진 붕소(B)는 1s 오비탈에 전자 2개, 2s 오비탈에 전자 2개, 2p 오비탈에 전자 1개가 채워진다. 이때 3개의 2p 오비탈은 에너지 준위가 같으므로 1개의 전자는 어느 오비탈에나 채워질 수 있다.

$_5$B $1s^2 2s^2 2p^1$ 또는 1s [↑↓] 2s [↑↓] 2p [↑][ ][ ]

다전자 원자에서 전자가 채워지는 3가지 규칙
- 오비탈의 에너지 준위(쌓음 원리)
- 파울리 배타 원리
- 훈트 규칙

쌓음 원리(aufbau principle)
aufbau는 '건축, 건설'이라는 뜻의 독일어이다. 집을 지을 때 기초 바닥 공사부터 시작하는 것과 같이 에너지 준위가 낮은 오비탈부터 차례대로 전자가 채워지는 것을 비유한 표현이다.

파울리 배타 원리의 위배 여부
한 오비탈에는 스핀 방향이 다른 전자가 2개까지만 들어갈 수 있다. 따라서 한 오비탈에 같은 방향으로 전자 2개가 배치되거나, 3개 이상의 전자가 배치될 경우 파울리 배타 원리에 위배되는 옳지 않은 전자 배치이다.

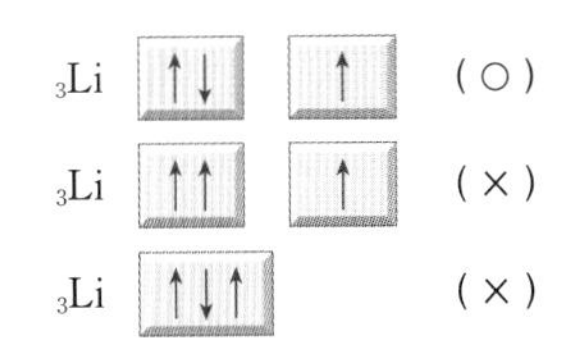

4. 훈트 규칙

에너지 준위가 같은 여러 개의 오비탈에 전자가 들어갈 때에는 홀전자 수가 많을수록 안정하다는 규칙이다. 에너지 준위가 같은 몇 개의 오비탈에 전자가 들어갈 때에는 각각의 오비탈에 1개씩의 전자가 배치된 다음, 스핀 방향이 반대인 전자가 들어가 쌍을 이루게 된다. 이것은 같은 오비탈에 전자가 채워지면 전자 사이의 정전기적 반발력이 작용하여 불안정해지기 때문이다.

예를 들어 산소 원자의 전자 배치에서 모든 전자가 쌍을 이룬 (나)는 전자 사이의 반발력으로 인해 불안정하므로 쌍을 이룬 전자를 적게 배치한 (가)의 경우가 (나)보다 더 안정하다.

훈트 규칙의 이해

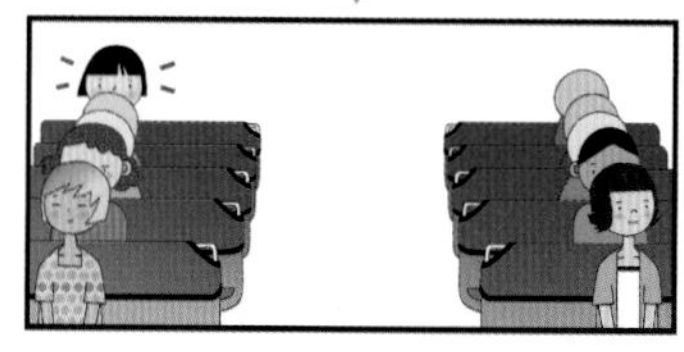

어느 좌석에 앉을 때 누군가 앉아 있는 자리에 같이 앉기보다는 비어 있는 자리에 혼자 앉는 것을 택하고, 빈 자리가 없을 때 어쩔 수 없이 같이 앉는 것과 마찬가지로 에너지 준위가 같은 몇 개의 오비탈에 전자가 들어갈 때에는 각각의 오비탈에 모두 1개씩의 전자가 배치된 후, 스핀이 반대인 전자가 들어가 쌍을 이루게 된다.

시선 집중 ★ 탄소 원자의 전자 배치

탄소 원자의 전자 배치를 오비탈로 나타내면 $1s^2 2s^2 2p^2$로 다음과 같은 4가지의 경우가 가능하다.

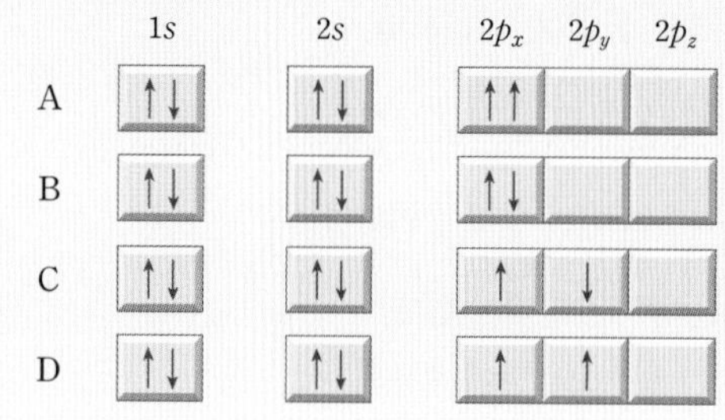

❶ **A는 옳지 않은 전자 배치이다.** → 한 원자에서 어떠한 전자도 4가지 양자수가 같을 수 없다는 파울리 배타 원리에 어긋나므로 존재할 수 없는 전자 배치이다.

❷ **B는 들뜬상태의 전자 배치이다.** → $n=2$인 오비탈에 비어 있는 오비탈이 존재하는데도 전자들이 $2p_x$에서 짝을 이루므로 반발력이 생겨나는 들뜬상태의 전자 배치이다.

❸ **C는 들뜬상태의 전자 배치이다.** → 전자의 스핀 방향이 다른 경우로, 양자역학적인 계산 결과에 의하면 스핀 방향이 같은 평행 스핀의 수가 많을수록 에너지가 낮아진다.

❹ **D는 바닥상태의 전자 배치이다.** → 쌓음 원리, 파울리 배타 원리, 훈트 규칙을 모두 만족하며, 스핀 방향이 같은 평행 스핀의 수가 많을수록 에너지 상태가 낮아지므로 가장 안정한 상태의 전자 배치이다.

바닥상태와 들뜬상태의 전자 배치

바닥상태의 전자 배치는 에너지가 가장 낮은 안정한 상태의 전자 배치로, 쌓음 원리, 파울리 배타 원리, 훈트 규칙을 모두 만족한다. 반면, 들뜬상태의 전자 배치는 바닥상태인 원자가 에너지를 흡수하여 전자가 높은 에너지 준위의 껍질로 전이된 상태로, 쌓음 원리나 훈트 규칙에 어긋난다.

5. 주의해야 할 전자 배치

다전자 원자에서 오비탈의 에너지 준위는 $1s<2s<2p<3s<3p<4s<3d<4p$ 순이므로 $_{24}Cr$과 $_{29}Cu$의 바닥상태 전자 배치는 다음과 같이 예상할 수 있다.

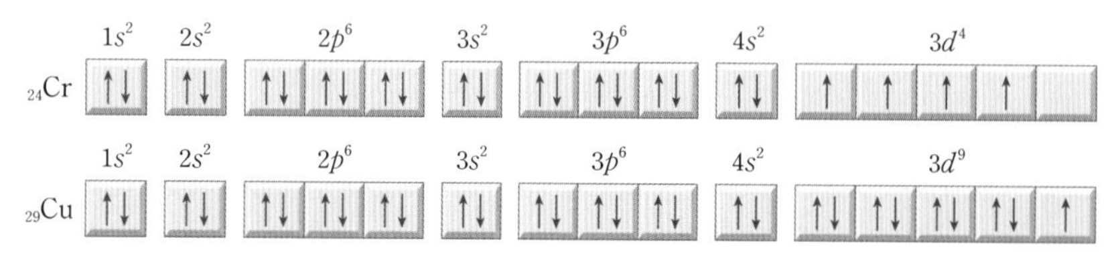

그러나 실제로 관찰된 전자 배치는 $4s$ 오비탈에 1개의 전자만 채워지고 $3d$ 오비탈이 먼저 채워지는 다음과 같은 형태이다.

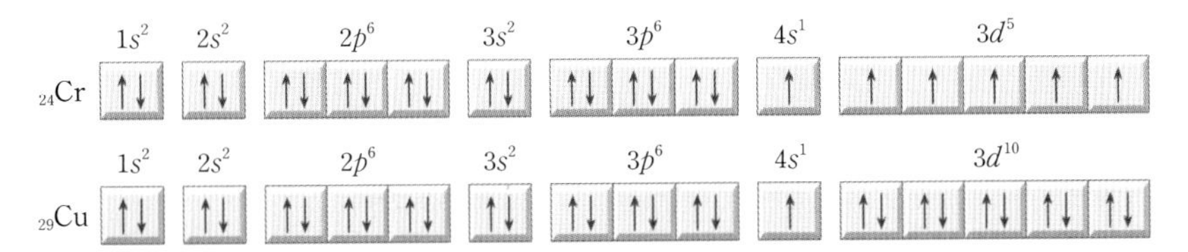

이러한 전자 배치가 나타나는 이유에 대해서는 화학자들 사이에서도 의견이 다르다. 그러므로 d 오비탈이 반만 차거나 꽉 차면 특별히 안정화 되는 효과가 있기 때문에 이러한 예외적인 전자 배치를 이룬다고 이해하면 된다.

원자 번호	원소 기호	K	L		M		N	전자 배치	홀전자 수	원자가 전자 수
		1s	2s	2p	3s	3p	4s			
1	H	[↑]						$1s^1$	1	1
2	He	[↑↓]						$1s^2$	0	0
3	Li	[↑↓]	[↑]					$1s^2\ 2s^1$	1	1
4	Be	[↑↓]	[↑↓]					$1s^2\ 2s^2$	0	2
5	B	[↑↓]	[↑↓]	[↑][ ][ ]				$1s^2\ 2s^2\ 2p^1$	1	3
6	C	[↑↓]	[↑↓]	[↑][↑][ ]				$1s^2\ 2s^2\ 2p^2$	2	4
7	N	[↑↓]	[↑↓]	[↑][↑][↑]				$1s^2\ 2s^2\ 2p^3$	3	5
8	O	[↑↓]	[↑↓]	[↑↓][↑][↑]				$1s^2\ 2s^2\ 2p^4$	2	6
9	F	[↑↓]	[↑↓]	[↑↓][↑↓][↑]				$1s^2\ 2s^2\ 2p^5$	1	7
10	Ne	[↑↓]	[↑↓]	[↑↓][↑↓][↑↓]				$1s^2\ 2s^2\ 2p^6$	0	0
11	Na	[↑↓]	[↑↓]	[↑↓][↑↓][↑↓]	[↑]			$1s^2\ 2s^2\ 2p^6\ 3s^1$	1	1
12	Mg	[↑↓]	[↑↓]	[↑↓][↑↓][↑↓]	[↑↓]			$1s^2\ 2s^2\ 2p^6\ 3s^2$	0	2
13	Al	[↑↓]	[↑↓]	[↑↓][↑↓][↑↓]	[↑↓]	[↑][ ][ ]		$1s^2\ 2s^2\ 2p^6\ 3s^2\ 3p^1$	1	3
14	Si	[↑↓]	[↑↓]	[↑↓][↑↓][↑↓]	[↑↓]	[↑][↑][ ]		$1s^2\ 2s^2\ 2p^6\ 3s^2\ 3p^2$	2	4
15	P	[↑↓]	[↑↓]	[↑↓][↑↓][↑↓]	[↑↓]	[↑][↑][↑]		$1s^2\ 2s^2\ 2p^6\ 3s^2\ 3p^3$	3	5
16	S	[↑↓]	[↑↓]	[↑↓][↑↓][↑↓]	[↑↓]	[↑↓][↑][↑]		$1s^2\ 2s^2\ 2p^6\ 3s^2\ 3p^4$	2	6
17	Cl	[↑↓]	[↑↓]	[↑↓][↑↓][↑↓]	[↑↓]	[↑↓][↑↓][↑]		$1s^2\ 2s^2\ 2p^6\ 3s^2\ 3p^5$	1	7
18	Ar	[↑↓]	[↑↓]	[↑↓][↑↓][↑↓]	[↑↓]	[↑↓][↑↓][↑↓]		$1s^2\ 2s^2\ 2p^6\ 3s^2\ 3p^6$	0	0
19	K	[↑↓]	[↑↓]	[↑↓][↑↓][↑↓]	[↑↓]	[↑↓][↑↓][↑↓]	[↑]	$1s^2\ 2s^2\ 2p^6\ 3s^2\ 3p^6\ 4s^1$	1	1
20	Ca	[↑↓]	[↑↓]	[↑↓][↑↓][↑↓]	[↑↓]	[↑↓][↑↓][↑↓]	[↑↓]	$1s^2\ 2s^2\ 2p^6\ 3s^2\ 3p^6\ 4s^2$	0	2

▲ **원자 번호 1~20번 원자의 바닥상태 전자 배치**

이온의 전자 배치

원자가 안정한 이온이 될 때는 비활성 기체의 전자 배치와 같은 전자 배치를 이루는데, 이것은 가장 바깥 전자 껍질에 전자 8개(단, He은 2개)를 채우려는 경향이 있기 때문이다.

1. 양이온의 전자 배치

원자가 전자를 잃고 양이온이 될 때에는 에너지 준위가 가장 높은 오비탈의 전자(원자가 전자)를 잃는다.

원자 번호	원자 / 양이온	$1s$	$2s$	$2p_x\ 2p_y\ 2p_z$	$3s$	$3p_x\ 3p_y\ 3p_z$	$4s$	전자 배치
1	H	↑						$1s^1$
	H^+	□						$1s^0$
3	Li	↑↓	↑					$1s^2\ 2s^1$
	Li^+	↑↓	□					$1s^2$
11	Na	↑↓	↑↓	↑↓ ↑↓ ↑↓	↑			$1s^2\ 2s^2\ 2p^6\ 3s^1$
	Na^+	↑↓	↑↓	↑↓ ↑↓ ↑↓	□			$1s^2\ 2s^2\ 2p^6$
19	K	↑↓	↑↓	↑↓ ↑↓ ↑↓	↑↓	↑↓ ↑↓ ↑↓	↑	$1s^2\ 2s^2\ 2p^6\ 3s^2\ 3p^6\ 4s^1$
	K^+	↑↓	↑↓	↑↓ ↑↓ ↑↓	↑↓	↑↓ ↑↓ ↑↓	□	$1s^2\ 2s^2\ 2p^6\ 3s^2\ 3p^6$

2. 음이온의 전자 배치

원자가 전자를 얻어 음이온이 될 때에는 비어 있는 오비탈 중에서 에너지 준위가 가장 낮은 오비탈부터 전자가 들어간다.

원자 번호	원자 / 음이온	$1s$	$2s$	$2p_x\ 2p_y\ 2p_z$	$3s$	$3p_x\ 3p_y\ 3p_z$	$4s$	전자 배치
8	O	↑↓	↑↓	↑↓ ↑ ↑				$1s^2\ 2s^2\ 2p^4$
	O^{2-}	↑↓	↑↓	↑↓ ↑↓ ↑↓				$1s^2\ 2s^2\ 2p^6$
9	F	↑↓	↑↓	↑↓ ↑↓ ↑				$1s^2\ 2s^2\ 2p^5$
	F^-	↑↓	↑↓	↑↓ ↑↓ ↑↓				$1s^2\ 2s^2\ 2p^6$
16	S	↑↓	↑↓	↑↓ ↑↓ ↑↓	↑↓	↑↓ ↑ ↑		$1s^2\ 2s^2\ 2p^6\ 3s^2\ 3p^4$
	S^{2-}	↑↓	↑↓	↑↓ ↑↓ ↑↓	↑↓	↑↓ ↑↓ ↑↓		$1s^2\ 2s^2\ 2p^6\ 3s^2\ 3p^6$
17	Cl	↑↓	↑↓	↑↓ ↑↓ ↑↓	↑↓	↑↓ ↑↓ ↑		$1s^2\ 2s^2\ 2p^6\ 3s^2\ 3p^5$
	Cl^-	↑↓	↑↓	↑↓ ↑↓ ↑↓	↑↓	↑↓ ↑↓ ↑↓		$1s^2\ 2s^2\ 2p^6\ 3s^2\ 3p^6$

예제

다음 원자나 이온들의 바닥상태 전자 배치를 오비탈 기호를 사용하여 나타내시오.

(1) Na (2) Na^+ (3) S (4) S^{2-}

정답 (1) Na: $1s^2 2s^2 2p^6 3s^1$ (2) Na^+: $1s^2 2s^2 2p^6$ (3) S: $1s^2 2s^2 2p^6 3s^2 3p^4$ (4) S^{2-}: $1s^2 2s^2 2p^6 3s^2 3p^6$

원자가 전자

바닥상태의 전자 배치에서 화학 결합에 관여하는 가장 바깥 전자 껍질에 있는 전자이다. (단, He, Ne, Ar 등의 비활성 기체는 화학 결합을 거의 하지 않으므로 원자가 전자 수가 0이다.)

정답과 해설 33쪽

03 전자 배치

1 보어의 원자 모형과 전자 배치

1. **전자 껍질의 최대 허용 전자 수** 전자 껍질에 전자가 채워질 때에는 에너지 준위가 낮은 전자 껍질부터 차례로 채워지며, 각 전자 껍질에 채워질 수 있는 최대 허용 전자 수는 $2n^2$이다.

전자 껍질(n)	K(1)	L(2)	M(3)	N(4)
최대 허용 전자 수($2n^2$)	2	(❶)	18	32

2. **옥텟 규칙** 가장 바깥 전자 껍질에 전자가 8개(단, He은 2개)일 때 가장 안정하다.
3. **원자가 전자** 바닥상태 전자 배치에서 가장 바깥 전자 껍질에 존재하는 전자로, 그 원소의 화학적 성질을 결정한다.

2 오비탈의 에너지 준위

1. **수소 원자의 에너지 준위** 수소 원자에서 오비탈의 에너지 준위는 주 양자수 n에 의해서만 결정된다.

$1s<2s$(❷)$2p<3s$(❸)$3p=3d$(❹)$4s$ ⋯

2. **다전자 원자의 에너지 준위** 다전자 원자에서 오비탈의 에너지 준위는 주 양자수 n 뿐만 아니라 방위 양자수 l에 의해서도 영향을 받는다.

$1s<2s$(❺)$2p<3s$(❻)$3p<4s<3d<4p$ ⋯

3 오비탈을 이용한 전자 배치

1. **쌓음 원리** 다전자 원자에서 오비탈에 전자가 채워질 때에는 에너지 준위가 (❼) 오비탈부터 차례대로 채워진다.
2. (❽) 한 원자에서 n, l, m_l, m_s의 4가지 양자수가 똑같은 전자는 존재할 수 없다. 즉, n, l, m_l에 따라 결정되는 각각의 오비탈에는 스핀 방향이 반대인 전자가 2개(1개의 m_s가 $+\frac{1}{2}$이면 다른 1개는 $-\frac{1}{2}$)까지만 들어갈 수 있다.
3. (❾) 에너지 준위가 같은 여러 개의 오비탈에 전자가 들어갈 때에는 홀전자 수가 많을수록 안정하다.

4 이온의 전자 배치

1. **양이온의 전자 배치** 원자가 전자를 잃고 양이온이 될 때에는 에너지 준위가 가장 높은 오비탈의 전자를 잃는다.

$$\text{Na}: 1s^2 2s^2 2p_x^2 2p_y^2 2p_z^2 3s^1 \xrightarrow{\text{전자 1개를 잃는다.}} \text{Na}^+: (❿\quad)$$

2. **음이온의 전자 배치** 원자가 전자를 얻어 음이온이 될 때에는 비어 있는 오비탈 중에서 에너지 준위가 가장 낮은 오비탈부터 전자가 들어간다.

$$\text{F}: 1s^2 2s^2 2p_x^2 2p_y^2 2p_z^1 \xrightarrow{\text{전자 1개를 얻는다.}} \text{F}^-: (⓫\quad)$$

01 다음은 원자 A～C의 바닥상태 전자 배치를 나타낸 것이다.

A: K(2) L(1)
B: K(2) L(8)
C: K(2) L(8) M(1)

이에 대한 설명으로 옳은 것만을 보기에서 있는 대로 고르시오. (단, A～C는 임의의 원소 기호이다.)

보기
ㄱ. $_{3}$Li의 바닥상태 전자 배치는 A와 같다.
ㄴ. B와 C의 화학적 성질은 비슷하다.
ㄷ. 전자 껍질의 에너지 준위는 K<L<M이다.
ㄹ. L 전자 껍질에는 최대 8개의 전자가 채워진다.

02 수소 원자에서 다음 오비탈들의 에너지 준위를 등호 또는 부등호로 비교하시오.

$1s$ $2s$ $2p$ $3s$ $3p$ $3d$ $4s$

03 다전자 원자에서 다음 오비탈들의 에너지 준위를 등호 또는 부등호로 비교하시오.

(1) $4d$, $3p$, $2p$, $5s$

(2) $2s$, $4s$, $3d$, $4p$

(3) $6s$, $5p$, $3d$, $4p$

04 다음은 어떤 원자의 전자 배치를 나타낸 것이다.

$1s^2\ 2s^2\ 2p^6\ 3s^2\ 3p^5$

이에 대한 설명으로 옳은 것만을 보기에서 있는 대로 고르시오.

보기
ㄱ. 홀전자는 1개이다.
ㄴ. 원자가 전자는 5개이다.
ㄷ. 바닥상태의 전자 배치이다.
ㄹ. 전자가 들어 있는 전자 껍질은 3개이다.

05 그림은 몇 가지 원자의 전자를 오비탈에 임의로 배치한 것을 나타낸 것이다. (단, A～E는 임의의 원소 기호이다.)

	$1s$	$2s$	$2p$		
A	↑↓	↑	↑	↑	
B	↑↓	↑↓	↑	↑	
C	↑↓	↑↑	↑	↑	↑
D	↑↓	↑↓	↑↓	↑↓	
E	↑↓	↑↓	↑	↑↓	↑↓

(1) 쌓음 원리에 위배되는 전자 배치를 고르시오.

(2) 파울리 배타 원리에 위배되는 전자 배치를 고르시오.

(3) 훈트 규칙에 위배되는 전자 배치를 고르시오.

(4) 바닥상태의 전자 배치를 있는 대로 고르시오.

06 다음 원자 또는 이온의 바닥상태 전자 배치를 오비탈 기호를 이용하여 나타내시오.

(1) $_{8}O^{2-}$ (2) $_{12}Mg^{2+}$
(3) $_{18}Ar$ (4) $_{19}K^{+}$

› 정답과 해설 35쪽

01

› 보어 모형과 전자 배치

그림은 원자 A～D의 바닥상태 전자 배치를 기록한 내용의 일부가 지워진 모습이다.

<원자의 바닥상태 전자 배치>

원자 A: K(1)

원자 B: L(7)

원자 C: M(1)

원자 D: M(7)

이에 대한 설명으로 옳은 것만을 보기에서 있는 대로 고른 것은? (단, A～D는 임의의 원소 기호이다.)

보기

ㄱ. A의 양성자수는 2이다.

ㄴ. C의 총 전자 수는 9이다.

ㄷ. B와 D의 화학적 성질은 비슷하다.

① ㄱ ② ㄴ ③ ㄷ ④ ㄱ, ㄴ ⑤ ㄴ, ㄷ

• 보어 모형에서 전자 껍질은 원자핵에서 가장 가까운 것부터 K 전자 껍질, L 전자 껍질, M 전자 껍질, N 전자 껍질 순이다.

02

› 전자 배치와 원자가 전자

그림은 들뜬상태의 원자 A, B의 전자 배치를 나타낸 것이다.

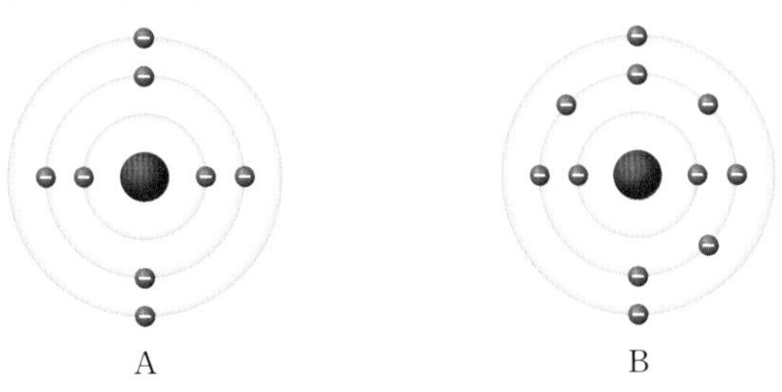

바닥상태의 원자 A, B에 대한 설명으로 옳은 것만을 보기에서 있는 대로 고른 것은? (단, A, B는 임의의 원소 기호이다.)

보기

ㄱ. 원자가 전자 수가 같다.

ㄴ. 홀전자 수가 같다.

ㄷ. 전자가 들어 있는 p 오비탈의 수가 같다.

① ㄱ ② ㄴ ③ ㄷ ④ ㄱ, ㄴ ⑤ ㄱ, ㄷ

• 원자가 전자는 가장 바깥 전자 껍질에 존재하며 화학 결합에 관여하는 전자이고, 홀전자는 오비탈에서 쌍을 이루지 않는 전자이다.

03

> 전자 배치와 원자가 전자 수

표는 4가지 이온의 바닥상태 전자 배치를 나타낸 것이다.

이온	전자 배치
A^{2-}	$1s^2\ 2s^2\ 2p^6$
B^{+}	$1s^2\ 2s^2\ 2p^6$
C^{-}	$1s^2\ 2s^2\ 2p^6\ 3s^2\ 3p^6$
D^{2+}	$1s^2\ 2s^2\ 2p^6\ 3s^2\ 3p^6$

이에 대한 설명으로 옳은 것만을 보기에서 있는 대로 고른 것은? (단, A~D는 임의의 원소 기호이다.)

보기
ㄱ. 원자 A와 B의 원자가 전자 수는 같다.
ㄴ. 바닥상태의 원자 B와 C의 홀전자 수는 같다.
ㄷ. 바닥상태의 원자 C와 D에서 전자가 들어 있는 오비탈의 수는 같다.

① ㄱ ② ㄴ ③ ㄱ, ㄴ ④ ㄱ, ㄷ ⑤ ㄴ, ㄷ

• 원자가 전자를 잃고 양이온이 될 때에는 에너지 준위가 가장 높은 오비탈의 전자를 잃는다. 반대로, 원자가 전자를 얻어 음이온이 될 때에는 비어 있는 오비탈 중에서 에너지가 가장 낮은 오비탈부터 전자가 들어간다.

04

> 바닥상태 원자의 전자 배치

그림은 바닥상태의 원자 (가)~(라)의 전자가 들어 있는 오비탈 수와 홀전자 수를 나타낸 것이다.

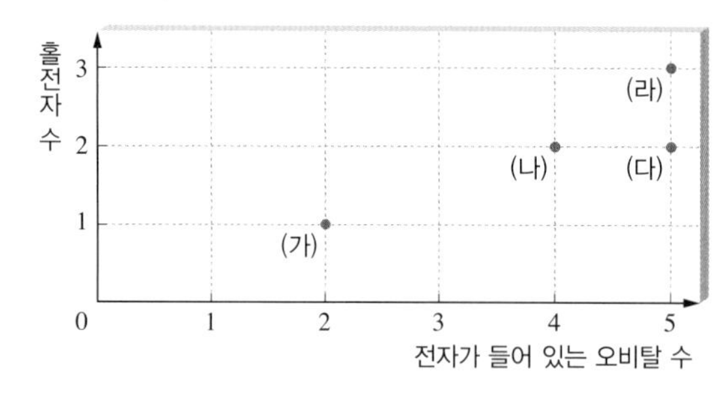

이에 대한 설명으로 옳은 것만을 보기에서 있는 대로 고른 것은?

보기
ㄱ. (가)의 원자가 전자 수는 1이다.
ㄴ. (나)와 (다)는 원자가 전자 수가 같다.
ㄷ. 양성자수가 가장 큰 원소는 (라)이다.

① ㄱ ② ㄴ ③ ㄱ, ㄴ ④ ㄱ, ㄷ ⑤ ㄴ, ㄷ

• 오비탈에 전자가 채워질 때에는 쌓음 원리에 따라 에너지 준위가 낮은 오비탈부터 차례대로 채워지고, 파울리 배타 원리와 훈트 규칙에 따라 채워진다. 이렇게 얻어진 최저 에너지 상태의 전자 배치를 바닥상태의 전자 배치라고 한다.

05

> 전자 배치 원리

그림은 원자 A~D의 전자 배치를 나타낸 것이다.

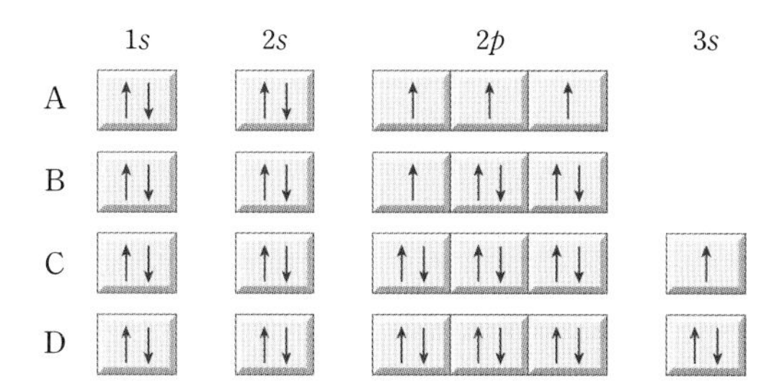

이에 대한 설명으로 옳은 것만을 보기에서 있는 대로 고른 것은? (단, A~D는 임의의 원소 기호이다.)

보기

ㄱ. 들뜬상태의 전자 배치는 1가지이다.
ㄴ. 가장 바깥 전자 껍질에 존재하는 전자 수는 D가 C의 2배이다.
ㄷ. 홀전자 수는 A가 B의 3배이다.

① ㄱ ② ㄴ ③ ㄱ, ㄴ ④ ㄱ, ㄷ ⑤ ㄴ, ㄷ

• 바닥상태의 전자 배치는 쌓음 원리, 파울리 배타 원리, 훈트 규칙을 모두 만족한다.

06

> 전자 배치와 오비탈의 에너지

다음은 질소 원자의 바닥상태 전자 배치에서 전자가 들어 있는 오비탈 A, B, C에 대한 자료이다.

• A와 C의 모양은 다르다.
• B와 C에는 원자가 전자가 들어 있다.

이에 대한 설명으로 옳은 것만을 보기에서 있는 대로 고른 것은? (단, A, B, C는 각각 1*s*, 2*s*, 2*p* 중 하나이다.)

보기

ㄱ. 오비탈의 크기는 A<B이다.
ㄴ. 오비탈의 에너지 준위는 A>B>C이다.
ㄷ. C에 들어 있는 홀전자 수는 3이다.

① ㄱ ② ㄴ ③ ㄱ, ㄴ ④ ㄱ, ㄷ ⑤ ㄴ, ㄷ

• 질소는 원자 번호가 7인 원소이며, 질소 원자의 바닥상태 전자 배치는 $1s^2 2s^2 2p^3$이다.

07

> 전자 배치와 홀전자 수

다음은 바닥상태의 원자 X, Y, Z에 대한 자료이다.

- 전자가 들어 있는 전자 껍질 수는 X와 Y가 같다.
- p 오비탈에 들어 있는 전자 수는 X가 Y의 5배이다.
- X^-과 Z^{2+}의 전자 수가 같다.

이에 대한 설명으로 옳은 것만을 보기에서 있는 대로 고른 것은? (단, X~Z는 임의의 원소 기호이다.)

보기

ㄱ. X의 원자가 전자 수는 5이다.
ㄴ. Y는 홀전자 수가 0이다.
ㄷ. Z에서 전자가 들어 있는 오비탈 수는 6이다.

① ㄱ　② ㄷ　③ ㄱ, ㄴ　④ ㄱ, ㄷ　⑤ ㄴ, ㄷ

• p 오비탈에는 최대 6개의 전자가 채워질 수 있다. 원자가 전자를 잃으면 양이온, 원자가 전자를 얻으면 음이온이 된다.

고난도

08

> 전자 배치와 오비탈

다음은 2, 3주기에 속하는 원자 A~D의 바닥상태 전자 배치이다.

- 전자가 들어 있는 전자 껍질 수: B>A, D>C
- 전체 s 오비탈의 전자 수에 대한 전체 p 오비탈의 전자 수비

원자	A	B	C	D
$\frac{\text{전체 } p \text{ 오비탈의 전자 수}}{\text{전체 } s \text{ 오비탈의 전자 수}}$	1	1	1.5	1.5

이에 대한 설명으로 옳은 것만을 보기에서 있는 대로 고른 것은? (단, A~D는 임의의 원소 기호이다.)

보기

ㄱ. A는 C보다 원자 번호가 크다.
ㄴ. 홀전자 수가 가장 큰 원자는 D이다.
ㄷ. B가 안정한 이온이 될 때 전자가 들어 있는 오비탈 수는 감소한다.

① ㄱ　② ㄴ　③ ㄱ, ㄴ　④ ㄱ, ㄷ　⑤ ㄴ, ㄷ

• s 오비탈에는 최대 2개의 전자가 채워질 수 있고, p 오비탈에는 최대 6개의 전자가 채워질 수 있다.

방사성 동위 원소의 이용

방사성 동위 원소에는 천연 방사성 동위 원소와 인공 방사성 동위 원소가 있다. 천연 방사성 동위 원소들의 대부분은 원자 번호 81 이상의 원소들이고, 인공 방사성 동위 원소들은 입자 가속기나 원자로에서 만들어진 원소들이다. 인공 방사성 동위 원소는 천연 방사성 동위 원소보다 수명이 짧아서 비교적 단시간에 방사선을 모두 방출하고 안정한 원소로 전환된다. 방사성 동위 원소 중에서 자연계에 존재하는 것은 40여 종으로 대부분 탈륨($_{81}Tl$)보다 원자 번호가 크다. 오늘날에는 원자로나 입자 가속기에서 만들어지는 인공 방사성 동위 원소가 더 많이 알려져 있으며, 이들은 여러 분야에서 다양하게 이용되고 있다.

방사성 동위 원소를 보통의 원소와 섞어 반응물이나 생물체 내에 넣으면 화학 반응이나 생물체 내에서 그 원소의 움직임을 쉽게 알아낼 수 있다. 이러한 방사성 동위 원소를 추적자라고 한다. 또, 바닷속에 잠겨 있어 육안으로 볼 수 없는 배의 밑바닥에 이상이 있는지를 조사할 때에도 방사성 동위 원소를 이용한다. 그리고 방사선을 쪼인 식품은 오랫동안 변질되지 않으므로 식품을 보관하는 데 이용하기도 한다. 현재에는 암을 치료하는 의학 분야에서도 많이 이용되고 있다.

분야	이용
연구	식물·동물 생리 연구, 물성 변화 연구, 고고학 연구
농업	식품 보존, 농작품 품종 개발, 지질, 지하수 조사
첨단 기술 개발	우주 개발, 해양 개발, 방사성 동위 원소 전지
조사 분석	공해 조사, 유해 물질 분해, 범죄 수사, 미술품 검사
의료	병의 진단 및 치료, 인공 장기, 의료 기구 멸균
공업	공업용 측정, 비파괴 검사, 화학 반응 촉진, 화학 물질 검출

▲ **방사성 동위 원소가 이용되는 분야**

방사성 동위 원소를 이용하는 또 다른 경우는 어떤 생물체의 죽은 연대를 측정하는 것이다. 대기권에서는 질소가 우주선에 의해 방사성 탄소를 생성하고, 방사성 탄소는 불안정하여 다시 붕괴되는데, 그 양이 일정하며 다른 동위 원소에 비해 일정한 비율을 차지한다. 방사성 탄소는 대기 중에서 이산화 탄소(CO_2)를 생성하며, 모든 생명체는 호흡을 통해 계속적으로 CO_2를 받아들이므로 대기 중의 방사성 탄소의 농도와 평형을 이룬다. 그러나 죽은 생물체는 호흡을 멈추기 때문에 방사성 탄소의 교환이 중단되므로, 내부에 축적된 방사성 탄소가 β선을 방출하면서 그 수가 줄어든다. 방사성 탄소의 반감기는 5730년이므로 5730년 전에 죽은 생물체는 살아 있는 생물체에 비해 방사성 탄소의 양이 절반밖에 되지 않는다. 따라서 남아 있는 방사성 탄소의 농도를 측정하면 어떤 생물체의 죽은 연대를 측정할 수 있다.

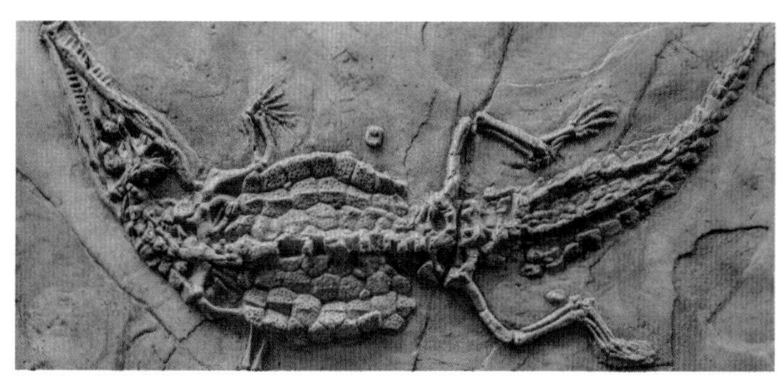

◀ **화석이 된 악어의 모습** 나무, 뼈, 조개껍데기 등 살아 있던 생명체는 ^{14}C를 이용하여 그 연대를 측정할 수 있다.

01

> 원자의 구성 입자

표는 3가지 이온에 대한 자료이다. A~C 이온의 전자 배치는 Ar과 같다.

이온	양성자수	중성자수	전자 수	질량수
A^{a+}	x		$x-2$	$2x+1$
B^{b-}		y	$y+2$	$2y$
C^{c+}		x		$2x-1$

이에 대한 설명으로 옳은 것만을 보기에서 있는 대로 고른 것은? (단, A~C는 임의의 원소 기호이다.)

보기
ㄱ. 원자 번호는 A>B>C이다.
ㄴ. 질량수는 A>C>B이다.
ㄷ. a+b+c=5이다.

① ㄱ ② ㄴ ③ ㄱ, ㄴ ④ ㄱ, ㄷ ⑤ ㄴ, ㄷ

- 원자는 양성자수와 전자 수가 같지만, 이온은 양성자수와 전자 수가 달라 전하를 띤다. 질량수는 양성자수와 중성자수를 합한 값이다.

02

> 원자의 구성 입자

그림은 원자 A~D의 양성자수와 질량수를 나타낸 것이다.

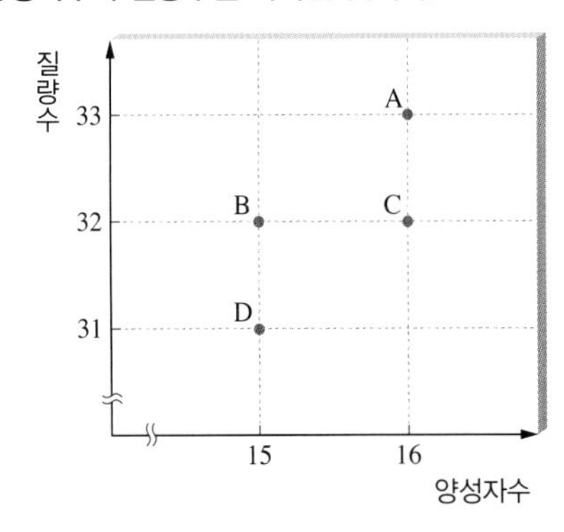

이에 대한 설명으로 옳은 것만을 보기에서 있는 대로 고른 것은? (단, A~D는 임의의 원소 기호이다.)

보기
ㄱ. A와 C는 동위 원소 관계이다.
ㄴ. B와 C의 전자 수는 같다.
ㄷ. C와 D의 중성자수는 같다.

① ㄱ ② ㄴ ③ ㄱ, ㄴ ④ ㄱ, ㄷ ⑤ ㄴ, ㄷ

- 질량수는 양성자수와 중성자수를 합한 값이다.

03

> 평균 원자량과 동위 원소

그림은 X_2 분자의 분자량에 따른 자연계에서의 존재 비율을 나타낸 것이다.

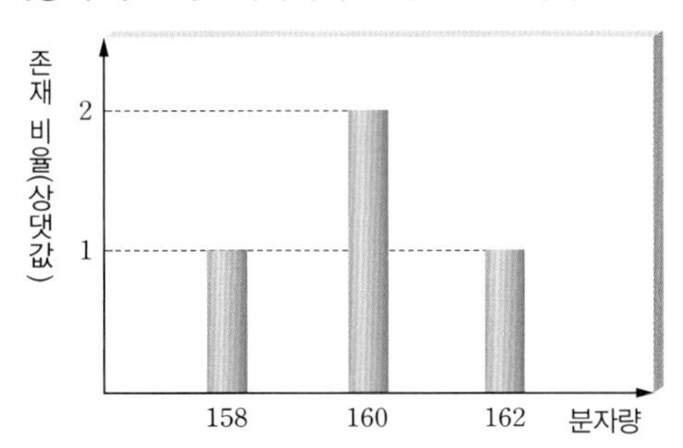

이에 대한 설명으로 옳은 것만을 보기에서 있는 대로 고른 것은? (단, X는 임의의 원소 기호이며, 마그네슘은 원자량이 24, 25인 2가지 동위 원소가 존재한다.)

보기

ㄱ. X의 동위 원소는 2가지이다.

ㄴ. X의 동위 원소들의 존재비는 모두 같다.

ㄷ. X가 Mg과 결합하여 생성된 화학식량이 다른 MgX_2은 5가지이다.

① ㄱ ② ㄴ ③ ㄱ, ㄴ ④ ㄱ, ㄷ ⑤ ㄴ, ㄷ

동위 원소는 양성자수가 같고 질량수가 다른 원소로, X_2의 분자량이 158, 160, 162 세 가지이므로 X는 원자량이 79, 81인 것이 존재한다.

04

> 원자 모형 변천

그림은 러더퍼드, 보어, 현대 원자 모형을 나타낸 것이다.

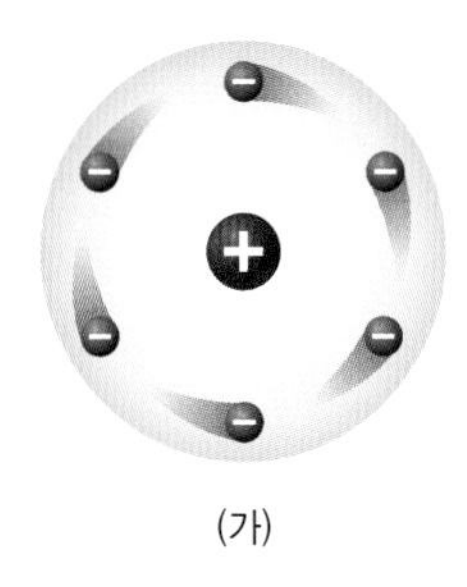
(가)

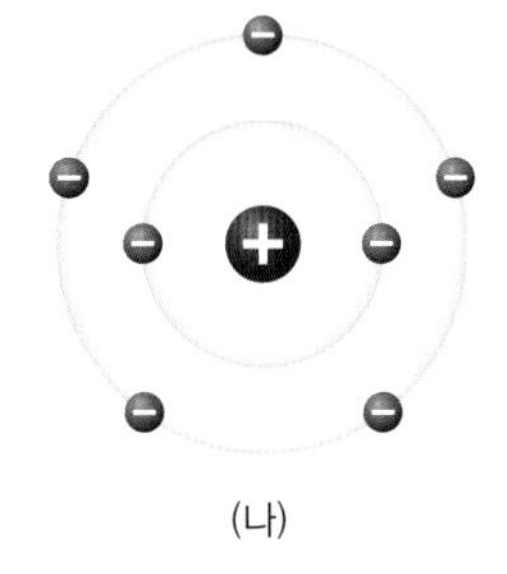
(나)

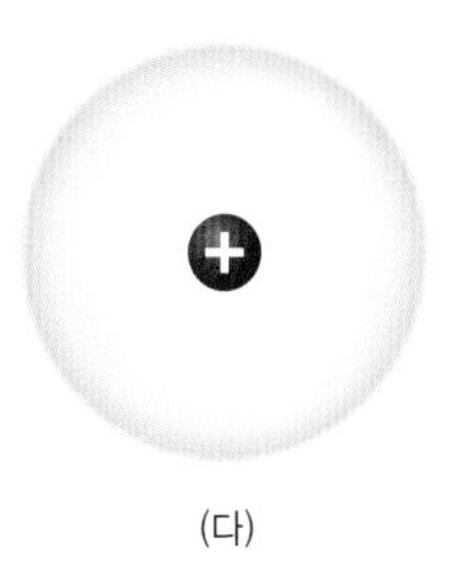
(다)

이에 대한 설명으로 옳은 것만을 보기에서 있는 대로 고른 것은?

보기

ㄱ. (가)는 알파(α) 입자 산란 실험 결과에 근거하여 제시된 모형이다.

ㄴ. (나)는 Li의 선 스펙트럼을 설명할 수 있다.

ㄷ. (다)의 모형에서 전자는 궤도를 따라 원운동한다.

① ㄱ ② ㄴ ③ ㄱ, ㄴ ④ ㄱ, ㄷ ⑤ ㄴ, ㄷ

알파(α) 입자 산란 실험을 통해 원자의 대부분은 빈 공간이며, 원자의 중심에 원자핵이 위치함을 발견하였다. 보어의 원자 모형은 러더퍼드의 원자 모형으로 설명할 수 없었던 수소 원자의 선 스펙트럼을 에너지의 양자화라는 개념을 도입하여 설명하였다.

05

> 수소 원자의 선 스펙트럼

표는 몇 가지 수소 원자의 전자 전이에 대한 자료이다.

전자 전이	주 양자수(n)		파장
	전이 전	전이 후	
(가)	x	1	a
(나)	$x+1$	2	b
(다)	$x+2$	x	c

이에 대한 설명으로 옳은 것만을 보기에서 있는 대로 고른 것은? (단, 수소 원자에서 주 양자수 n에 따른 에너지 준위는 $E_n=-\frac{1312}{n^2}$ kJ/mol이고, (다)는 파셴 계열에 속한다.)

보기

ㄱ. 파장의 크기는 a<b<c이다.
ㄴ. (가)와 (다)의 에너지의 비는 27 : 5이다.
ㄷ. (나)에서 가시광선 영역의 에너지가 방출된다.

① ㄱ ② ㄴ ③ ㄱ, ㄷ ④ ㄴ, ㄷ ⑤ ㄱ, ㄴ, ㄷ

- 수소 원자의 선 스펙트럼에서 라이먼 계열은 전자가 $n=1$인 전자 껍질로 전이할 때 방출되며, 발머 계열은 전자가 $n=2$인 전자 껍질로 전이할 때 방출된다. 파셴 계열은 전자가 $n=3$인 전자 껍질로 전이할 때 방출된다.

06

> 전자 배치

표는 원자 A～D의 바닥상태 전자 배치에서 전자가 채워진 오비탈 수와 홀전자 수를 나타낸 것이다.

원자	A	B	C	D
s 오비탈 수	2	2	3	3
p 오비탈 수	2	3	6	6
홀전자 수	2	0	2	3

이에 대한 설명으로 옳은 것만을 보기에서 있는 대로 고른 것은? (단, A～D는 임의의 원소 기호이다.)

보기

ㄱ. 원자가 전자 수가 가장 큰 원자는 D이다.
ㄴ. 양성자수가 가장 큰 원자는 C이다.
ㄷ. 전자 껍질 수는 A와 B가 같다.

① ㄱ ② ㄴ ③ ㄱ, ㄴ ④ ㄱ, ㄷ ⑤ ㄴ, ㄷ

- 주 양자수 $n=1$인 전자 껍질에는 $1s$ 오비탈, $n=2$인 전자 껍질에는 $2s$, $2p$ 오비탈, $n=3$인 전자 껍질에는 $3s$, $3p$, $3d$ 오비탈, $n=4$인 전자 껍질에는 $4s$, $4p$, $4d$, $4f$ 오비탈이 존재한다.

07

> 전자 배치와 원자가 전자 수

다음은 2, 3주기에 속하는 원소 A~C의 바닥상태 전자 배치에 대한 자료이다.

- 전자가 들어 있는 오비탈 수비는 A : B=1 : 4이다.
- s 오비탈의 총 전자 수비는 A : C=2 : 3이다.
- C의 $\dfrac{p \text{ 오비탈의 총 전자 수}}{s \text{ 오비탈의 총 전자 수}}$=2이다.

이에 대한 설명으로 옳은 것만을 보기에서 있는 대로 고른 것은? (단, A~C는 임의의 원소 기호이다.)

보기

ㄱ. 원자 번호는 B가 가장 크다.
ㄴ. A와 C의 원자가 전자 수가 같다.
ㄷ. p 오비탈의 총 전자 수는 B : C=2 : 3이다.

① ㄱ ② ㄷ ③ ㄱ, ㄴ ④ ㄱ, ㄷ ⑤ ㄴ, ㄷ

2주기와 3주기 원소 중 오비탈 수가 가장 작은 경우는 1s, 2s 오비탈만 있을 때이고, 오비탈 수가 가장 많은 경우는 1s, 2s, 2p, 3s, 3p 오비탈이 있을 때이다.

08

> 전자 배치와 오비탈

표는 원자 X~Z의 가장 바깥 전자 껍질의 종류와 전자 수를, 그림은 X~Z의 s 오비탈과 p 오비탈에 들어 있는 전자 수를 나타낸 것이다.

원자	가장 바깥 전자 껍질	
	종류	전자 수
X	L	4
Y	L	㉠
Z	M	2

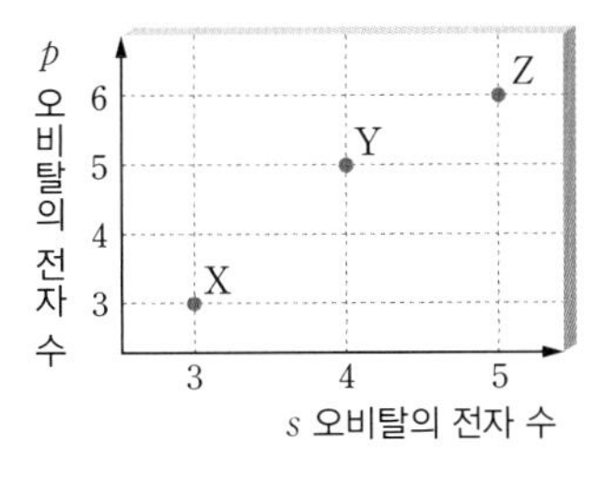

이에 대한 설명으로 옳은 것만을 보기에서 있는 대로 고른 것은? (단, X~Z는 임의의 원소 기호이다.)

보기

ㄱ. ㉠은 7이다.
ㄴ. Y의 홀전자 수는 2이다.
ㄷ. Z는 바닥상태의 전자 배치이다.

① ㄱ ② ㄴ ③ ㄱ, ㄴ ④ ㄱ, ㄷ ⑤ ㄴ, ㄷ

원자핵에서 가까운 전자 껍질부터 차례로 K, L, M 순으로 불린다. K 전자 껍질에는 1s 오비탈, L 전자 껍질에는 2s, 2p 오비탈, M 전자 껍질에는 3s, 3p, 3d 오비탈에 존재한다.

01

그림은 과학자들이 제안한 원자 모형을 제안된 시대 순으로 배열하여 나타낸 것이다.

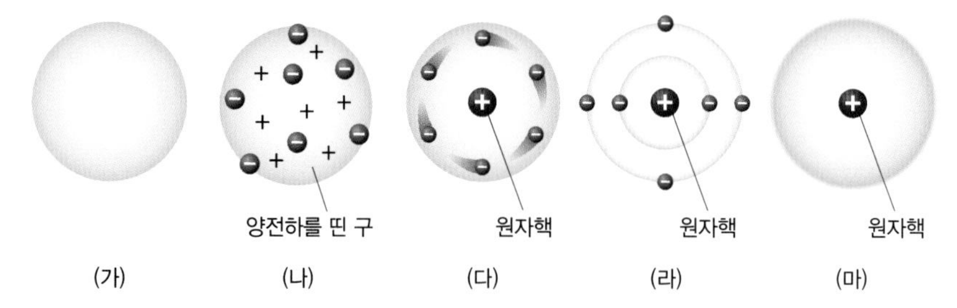

(1) 각 모형의 이름을 쓰시오.

(2) 각 모형의 특징과 한계점을 서술하시오.

KEY WORDS
• 돌턴, 톰슨, 보어, 러더퍼드, 현대 원자 모형

02

다음은 현대 원자 모형에서 적용하는 양자수 규칙과 어떤 가상의 우주에서 적용하는 양자수 규칙을 나타낸 것이다.

구분	현대 원자 모형	가상 우주
주 양자수(n)	1, 2, 3, 4	1, 2, 3, 4
방위 양자수(l)	$0 \sim (n-1)$	$0 \sim (n-1)$
자기 양자수(m_l)	$-l \sim +l$	$-l \sim +l$
스핀 자기 양자수(m_s)	$+\frac{1}{2}, -\frac{1}{2}$	$+\frac{1}{4}, +\frac{1}{2}, -\frac{1}{2}, -\frac{1}{4}$
전자 배치 규칙	파울리 배타 원리, 훈트 규칙	파울리 배타 원리, 훈트 규칙

(1) 가상의 우주에서 한 개의 오비탈에 최대로 채워질 수 있는 전자 수를 구하시오.

(2) 가상의 우주에서 각 K, L, M, N 전자 껍질이 수용할 수 있는 최대 전자 수를 구하시오.

KEY WORDS
• 전자 배치, 에너지 준위

03 그림은 방사성 동위 원소의 반감기를 나타낸 것이다.

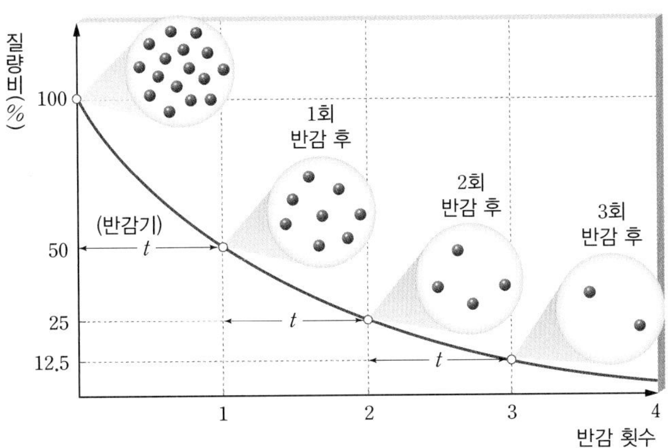

KEY WORDS
(2) 반감기, ^{14}C의 양

(1) 우리 주변에서 방사성 동위 원소를 활용하는 사례를 서술하시오.

(2) 고대 유적지에서 유물의 일부로 추정되는 나무조각이 발견되었으며, 이 나무조각에 남아 있는 ^{14}C의 양이 현재 대기 중의 ^{14}C의 양의 12.5 %였다. 이 유물의 연대를 구하고, 풀이 과정도 함께 서술하시오. (단, ^{14}C의 반감기는 5700년이다.)

04 그림 (가)는 염소의 동위 원소 A, B의 존재 비율을 나타낸 것이고, (나)는 브로민의 동위 원소 C, D의 존재 비율을 나타낸 것이다. (단, 원자량은 질량수와 같다고 가정한다.)

KEY WORDS
• 동위 원소, 존재 비율

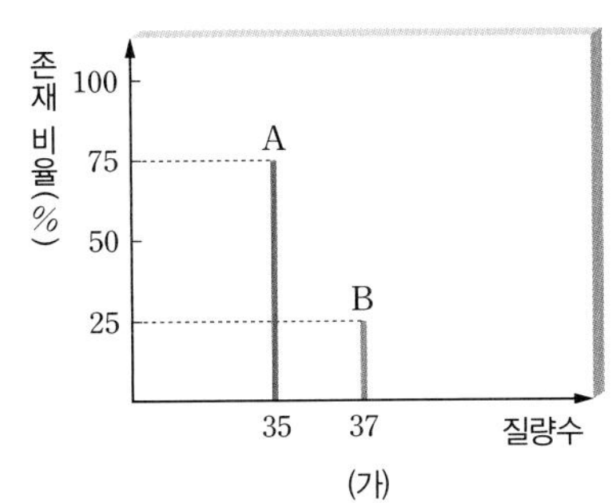

(가)

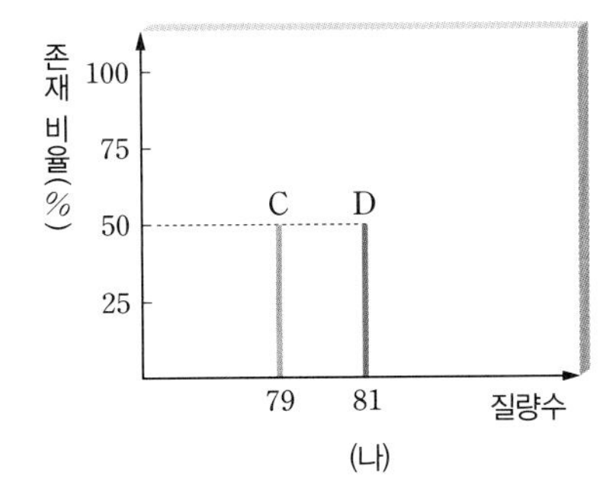

(나)

(1) 염소와 브로민의 평균 원자량을 각각 구하고, 풀이 과정도 함께 서술하시오.

(2) 자연계에 존재하는 염화 브로민의 분자량과 이에 따른 존재 비율을 각각 구하시오.

05 진공에 가까운 상태(10^{-6} 기압)로 만든 유리관에 큰 전압(10^{4} V)을 걸어 주면 (−)극에서 음극선이 나와 직진하다가 유리관에 부딪치는 부분에서 빛을 내면서 전류가 흐르게 된다. 다음은 이러한 음극선의 성질을 알아보는 몇 가지 실험 장치와 현상을 나타낸 것이다.

KEY WORDS
• 질량, 직진, 전하

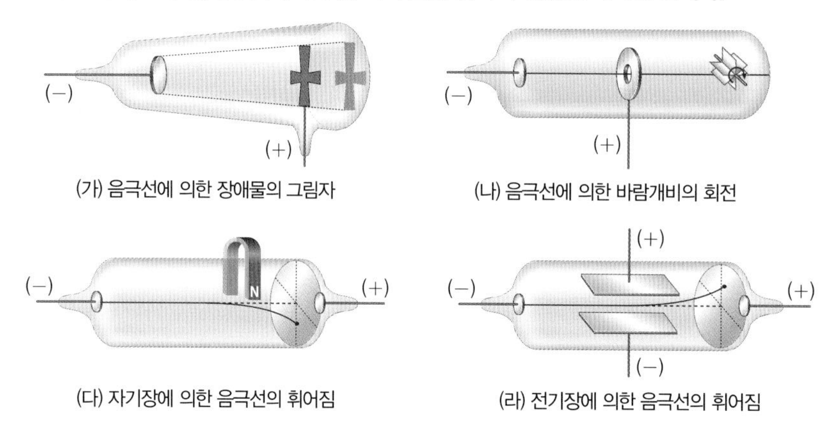

(가) 음극선에 의한 장애물의 그림자　　(나) 음극선에 의한 바람개비의 회전

(다) 자기장에 의한 음극선의 휘어짐　　(라) 전기장에 의한 음극선의 휘어짐

실험 (가)~(라)의 결과로 알 수 있는 음극선의 성질을 각각 서술하시오.

---

06 그림은 자연계에 존재하는 수소의 동위 원소들을 모형으로 나타낸 것이다.

KEY WORDS
• 질량, 양성자수

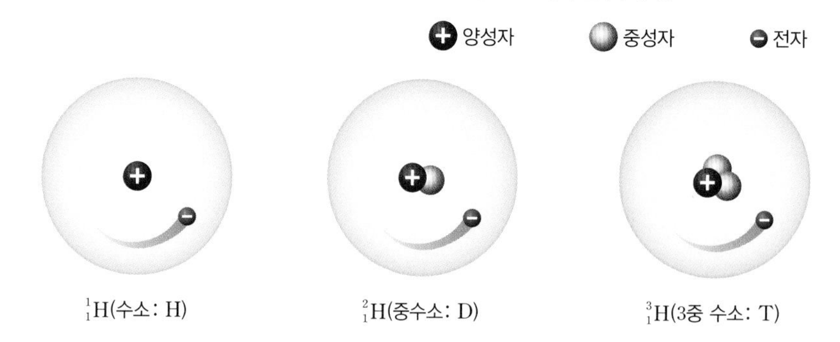

$^{1}_{1}$H(수소: H)　　$^{2}_{1}$H(중수소: D)　　$^{3}_{1}$H(3중 수소: T)

(1) 수소, 중수소, 3중 수소의 양성자수, 중성자수, 전자 수를 각각 비교하시오.

---

(2) 수소, 중수소, 3중 수소의 물리적 성질과 화학적 성질을 각각 설명하시오.

07

그림은 수소 원자의 에너지 준위에서 전자 전이 A ~ C를 나타낸 것이다. (단, 주 양자수 n에서 수소 원자의 에너지 준위는 $E_n = -\frac{1312}{n^2}$ kJ/mol이다.)

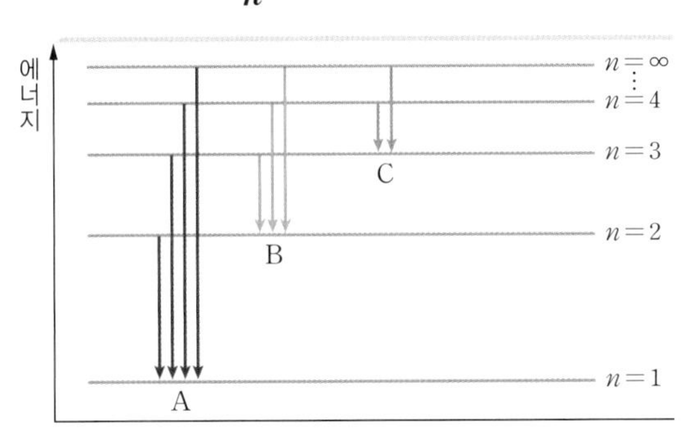

(1) $n=1$로 전이되어 방출되는 에너지 중 가장 큰 에너지는 가장 작은 에너지의 몇 배인지 쓰시오.

(2) B에서 방출되는 전자기파 중 파장이 가장 긴 것과 C에서 방출되는 전자기파 중 파장이 가장 짧은 것의 파장의 비를 구하시오.

KEY WORDS
- 라이먼 계열, 발머 계열

08

그림은 수소 기체를 전기 방전시켜 수소 분자가 원자들로 분해되면서 방출되는 스펙트럼을 나타낸 것이다.

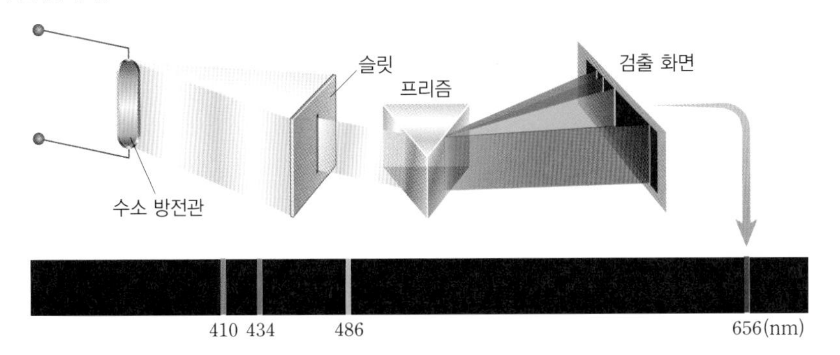

(1) 수소의 스펙트럼과 태양의 스펙트럼과의 차이점을 서술하시오.

(2) 수소 기체를 방전시켰을 때 햇빛과는 다르게 위와 같은 스펙트럼이 나타나는 이유를 서술하시오.

KEY WORDS
(1) 선 스펙트럼, 연속 스펙트럼
(2) 에너지 준위, 불연속적

HighTop

2
원소의 주기적 성질

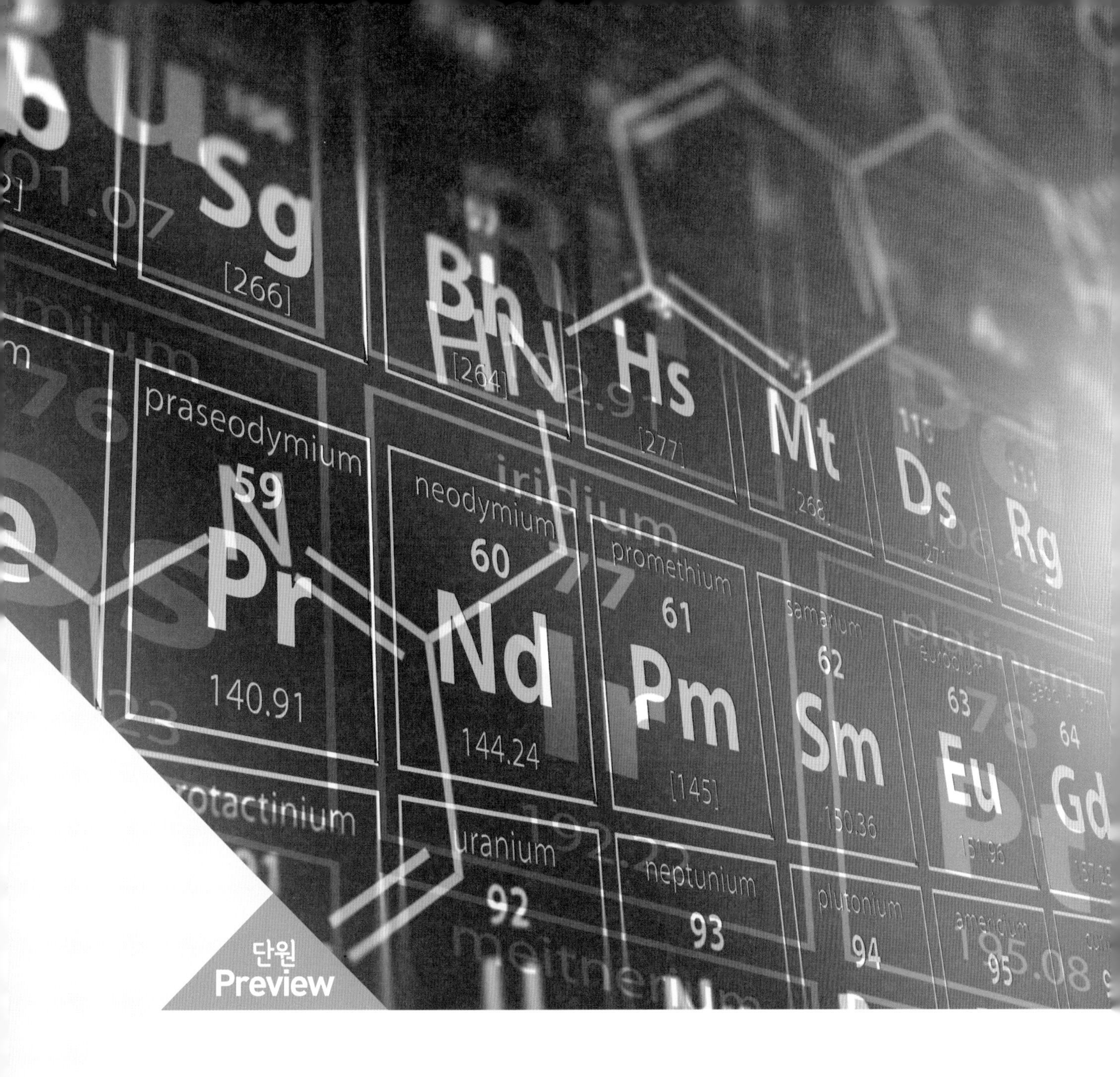

단원
Preview

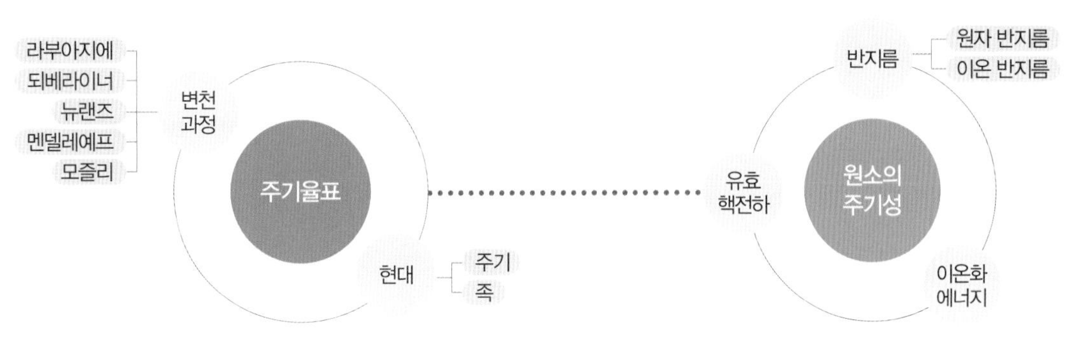

주기율표

원소의 주기적 성질

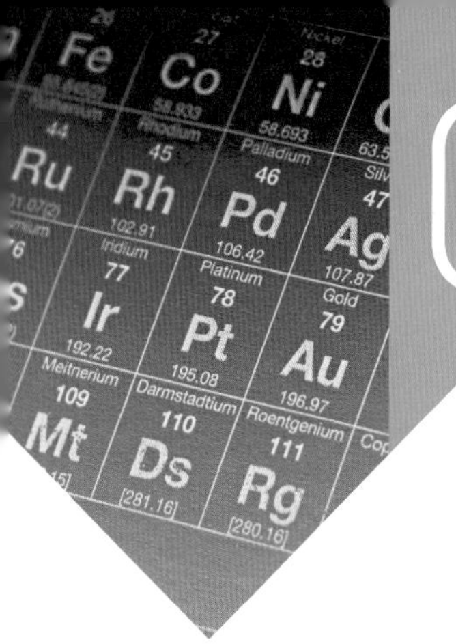

01 주기율표

학습 Point 원소의 주기율 발견 > 주기율표의 변천 과정 > 현대 주기율표의 구성

1 주기율의 발견

18세기 초반까지 발견된 원소는 20여 가지에 불과했으나, 18세기 후반 많은 원소가 발견되면서 원소의 분류에 대한 관심이 높아져 갔다. 근대 들어 최초의 원소 분류는 라부아지에(Lavoisier, A. L., 1743~1794)에 의해 시작되었고, 19세기 중반에 이르러 대부분의 원소들의 물리적·화학적 성질에 대한 연구 결과가 발표되자, 화학자들은 원소의 유사성을 찾으려는 연구에 집중하였다.

1. 라부아지에의 원소 분류

라부아지에는 그 당시에 원소로 알려진 33가지의 물질을 4그룹으로 분류하였다.

제1 그룹: 산소, 질소, 수소, 빛, 열
제2 그룹: 황, 인, 탄소, 염소, 플루오린
제3 그룹: 은, 코발트, 구리, 납, 수은, 니켈
제4 그룹: 생석회, 산화 바륨, 알루미나, 마그네시아, 실리카

제1 그룹은 동물, 식물, 광물에 포함된 원소, 제2 그룹은 산을 만드는 원소, 제3 그룹은 염기를 만드는 원소, 제4 그룹은 염을 만드는 원소로 분류하였다. 그 당시의 기술로는 생석회(CaO), 마그네시아(MgO), 알루미나(Al_2O_3), 실리카(SiO_2) 등의 화합물을 각각의 성분 원소로 분리할 수 없었으므로 원소로 분류하였으며, 빛과 열도 원소로 분류하였다. 라부아지에가 원소를 분류한 기준은 현재의 시각에서 볼 때 큰 의미가 없으나, 원소를 처음으로 분류하였다는 데 의의가 있다.

라부아지에
라부아지에는 질량 보존 법칙을 발견하였고 연소 이론을 확립하였으며, 원소와 화합물을 구분한 화학자이다. 라부아지에가 수많은 업적을 남기는 데에는 아내의 도움이 매우 컸다고 알려져 있다.

2. 되베라이너의 세 쌍 원소

독일의 천재 시인이자 과학자인 괴테의 화학 선생이었던 되베라이너(Döbereiner, J. W., 1780~1849)는 3개의 원소로 이루어진 어떤 원소의 무리에서 첫 번째 원소와 세 번째 원소의 물리량의 평균값이 두 번째 원소의 물리량이 비슷하다는 것을 발견하였고, 이들을 세 쌍 원소라고 하였다.

원소	Ca(칼슘)	Sr(스트론튬)	Ba(바륨)
원자량	40.1	87.6	137.3
밀도(g/mL)	1.54	2.60	3.66
녹는점(℃)	842	777	727

▲ 되베라이너의 세 쌍 원소 예

되베라이너
독일의 화학자로, 세 쌍 원소의 분류로 원소의 계통적 분류를 밝혀 주기율 발견의 중요한 계기를 마련하였다.

되베라이너가 주장한 세 쌍 원소 관계에 있는 칼슘(Ca), 스트론튬(Sr), 바륨(Ba) 원소에서 Sr의 물리량은 Ca과 Ba의 물리량을 합해 2로 나눈 평균값과 비슷하거나 같다.

$$\text{Sr의 원자량} = \frac{\text{Ca의 원자량} + \text{Ba의 원자량}}{2} = \frac{40.1 + 137.3}{2} = 88.7$$

$$\text{Sr의 밀도(g/mL)} = \frac{\text{Ca의 밀도} + \text{Ba의 밀도}}{2} = \frac{1.54 + 3.66}{2} = 2.60$$

Ca, Sr, Ba 이외에도 리튬(Li), 나트륨(Na), 칼륨(K) 그리고 염소(Cl), 브로민(Br), 아이오딘(I)이 되베라이너의 세 쌍 원소설을 만족하였다.

원소	Li(리튬)	Na(나트륨)	K(칼륨)
원자량	7.0	23.0	39.1
원소	Cl(염소)	Br(브로민)	I(아이오딘)
원자량	35.5	79.9	126.9

3. 뉴랜즈의 옥타브설

영국의 뉴랜즈(Newlands, J. A. R., 1838~1898)는 원소를 원자량이 증가하는 순서로 배열하면 음악의 옥타브처럼 8번째 원소마다 물리적·화학적 성질이 비슷한 원소가 나타나는 것을 발견하였다. 이를 토대로 그는 '원소들은 여덟 번째마다 성질이 비슷한 원소가 나타난다.'라는 옥타브설을 발표하였다.

뉴랜즈
영국의 화학자로, 1864년 발표한 원자량 사이의 규칙성에 관한 논문에서 옥타브설을 발표하였다.

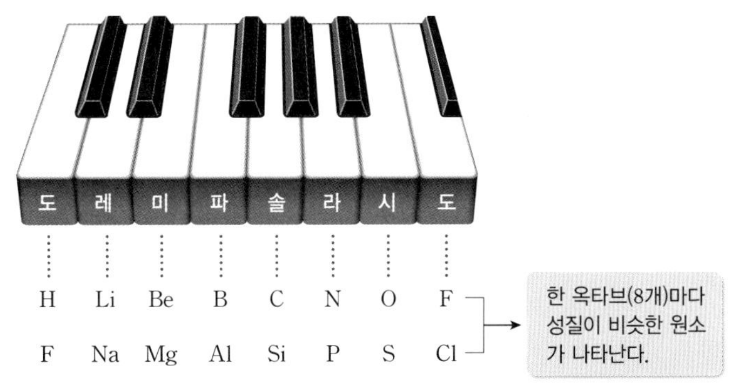

▲ **옥타브설** 원소들을 원자량 순서로 배열하면 음계의 옥타브처럼 여덟 번째 원소마다 성질이 비슷한 원소가 나타난다.

옥타브설
당시에는 18족 원소가 발견되기 전이므로 옥타브설이 성립하였다. 현재에는 18족 원소가 존재하므로 9번째마다 비슷한 성질이 나타난다.

당시에는 18족 비활성 기체가 발견되지 않았기 때문에 옥타브설이 성립할 수 있었다.
1864년 뉴랜즈가 이 논문을 런던화학회 모임에서 발표하였을 때 그는 학회의 웃음거리가 되었다. 그러나 옥타브설은 멘델레예프의 주기율표가 등장하기에 앞서 매우 중요한 논문이었다. 이 논문이 발표된 지 22년이 지난 1887년 영국왕립화학회는 그 중요성을 인정하여 뉴랜즈에게 데비 메달을 수여하였다.

4. 멘델레예프의 주기율표

(1) **원소의 주기율 발견:** 1869년 러시아의 화학자 멘델레예프(Mendeleev, D. I., 1834~1907)는 당시에 알려진 63가지 원소들을 원자량이 증가하는 순서로 배열하면 비슷한 성질을 가지는 원소가 주기적으로 나타나는 것을 발견하였다. 멘델레예프는 이러한 발견을 토대로 가로줄을 몇 개의 주기로 나누고, 세로줄을 8개의 족으로 분류한 주기율표를 발표하였다.

멘델레예프
페테르부르크 대학의 교수인 멘델레예프는 당시에 알려진 63가지 원소들의 원자량과 여러 가지 물리적·화학적 성질을 기록한 원소 카드를 만들고, 이 카드들을 이리저리 배열하면서 규칙성을 찾았다. 끈질긴 시도 끝에 그는 원소를 원자량 순서로 배열할 때 여덟 번째 카드마다 화학적 성질이 비슷한 원소가 나타나는 것을 발견하였다.

(2) **멘델레예프의 주기율표:** 멘델레예프는 원소의 물리적·화학적 성질을 조사하여, 원소를 원자량이 증가하는 순서로 가로로 배열하면서 앞서 배열된 원소와 비슷한 성질의 원소가 나타나면 같은 열에 배치하고, 원소의 성질이 주기율을 따르지 않는 곳은 빈칸으로 남겨 놓고 주기성에 맞게 원소를 나열하였다. 예를 들면 당시에 아연(Zn) 다음으로 원자량이 큰 원소는 비소(As)였으나, 그 성질이 알루미늄(Al)이나 규소(Si)와 비슷하지 않았기 때문에 두 칸을 빈칸으로 남겨 두고 다음 칸에 비소(As)를 배치하였다. 멘델레예프는 원소의 주기율을 "원소들의 화학적 성질은 그 원자량에 대한 주기적인 함수이다."라고 설명하였다. 즉, 원소들의 화학적 성질은 원자량이 증가함에 따라 규칙적으로 변한다는 것이다.

주기 \ 족	1	2	3	4	5	6	7	8
1	H=1							
2	Li=7	Be=9.4	B=11	C=12	N=14	O=16	F=19	
3	Na=23	Mg=24	Al=27.3	Si=28	P=31	S=32	Cl=35.5	
4	K=39	Ca=40	?=44	Ti=48	V=51	Cr=52	Mn=55	Fe=56, Co=59 Ni=59, Cu=63
5	Cu=63	Zn=65	?=68	?=72	As=75	Se=78	Br=80	
6	Rb=85	Sr=87	?Yt=88	Zr=90	Nb=94	Mo=96	?=100	Ru=104, Rh=104 Pd=106, Ag=108
7	Ag=108	Cd=112	In=113	Sn=118	Sb=122	Te=125	J=127	
8	Cs=133	Ba=137	?Di=138	?Ce=140				
9								
10			?Er=178	?La=180	Ta=182	W=184		Os=195, Ir=197 Pt=198, Au=199
11	Au=199	Hg=200	Tl=204	Pb=207	Bi=208			
12				Th=231		U=240		

▲ **멘델레예프가 발견한 주기율표** 그 당시 발견되지 않은 원소인 Ga(갈륨)과 Ge(저마늄)의 자리가 비어 있다. 원소 기호 옆의 숫자는 그 원소의 원자량을 나타낸 것이다.

(3) **원자량 순서와 주기율이 맞지 않는 부분:** 1894년 영국의 레일리(Rayleigh, J. W. S., 1842~1919)와 램지(Ramsay, W., 1852~1916)가 비활성 기체인 아르곤(Ar)을 발견하면서 멘델레예프의 주기율표는 도전에 직면하였다. 이것은 발견된 아르곤의 원자량이 칼륨(K)보다 커서 원자량 순서로 원소를 배열할 때 원소의 주기적 성질 변화와 원자량 순서가 맞지 않는 부분이 존재하였기 때문이다. 멘델레예프는 이유는 모르겠지만 이 부분은 예외적으로 원자량 순서에 맞지 않게 원소의 배열 순서를 바꾸어야 한다고 인정하였다.

원소	Ar(아르곤)	K(칼륨)	Co(코발트)	Ni(니켈)	Te(텔루륨)	I(아이오딘)
원자 번호	18	19	27	28	52	53
원자량	39.95	39.10	58.93	58.69	127.6	126.9

▲ **원소의 주기율과 원자량 순서가 맞지 않는 원소들**

시야 확장 ⊕ **멘델레예프의 예언**

멘델레예프는 당시에 알려져 있던 63가지 원소를 원자량 순서로 배열하여 성질이 비슷한 원소가 주기적으로 나타나는 것을 발견하였다. 이때 규칙성에 맞지 않는 경우는 자리를 바꾸거나 빈칸으로 남겨 두었다. 이 빈칸에 해당하는 원소는 당시에는 발견되지 않은 원소였으며, 멘델레예프는 그 원소들이 발견될 것으로 예언하고 그 성질까지 예측하였다. 이처럼 멘델레예프는 주기율표를 만들어 당시에 알려져 있던 원소들을 족으로 분류하여 족과 원소 성질과의 관계를 정립하였으며, 되베라이너의 세 쌍 원소 관계 등 당시에 알려진 원소 간의 관계를 잘 나타냈을 뿐만 아니라 알려지지 않은 원소들의 성질도 예측하였다.

멘델레예프가 주기율표에서 빈칸으로 남겨 두어 예언한 원소인 에카알루미늄에 해당하는 갈륨(Ga)과 에카규소에 해당하는 저마늄(Ge)이 각각 1875년과 1886년에 실제로 발견되었고, 그 성질이 예상대로 적중하면서 화학자들은 원소의 주기율에 더 큰 관심을 갖게 되었다. 멘델레예프는 주기율표를 토대로 새로운 원소와의 화학 반응을 예측함으로써 화학의 발전에 크게 기여하였다.

예언한 원소	발견된 원소	성질	예상	실제
에카알루미늄 (Ea)	갈륨(Ga) 1875년에 발견	원자량	68	69.7
		밀도(g/mL)	5.9	5.9
		녹는점(℃)	낮다	29.8
		산화물의 화학식	Ea_2O_3	Ga_2O_3
		염화물의 화학식	$EaCl_3$	$GaCl_3$
에카규소(Es)	저마늄(Ge) 1886년에 발견	원자량	72	72.6
		밀도(g/mL)	5.5	5.5
		녹는점(℃)	높다	958
		산화물의 화학식	EsO_2	GeO_2
		염화물의 화학식	$EsCl_4$	$GeCl_4$

▲ 멘델레예프가 예언한 원소와 실제 원소의 비교

멘델레예프가 예언한 원소
'에카－'는 산스크리트어로 '~의 다음'이라는 의미이며, 에카규소는 규소 아래에 들어갈 원소를 뜻한다. 멘델레예프는 규소와 주석의 성질을 바탕으로, 그 가운데 원소인 에카규소의 성질을 예측하였다. 또, 멘델레예프는 갈륨(Ga)인 에카알루미늄(Ea)을 포함하여 6개 원소의 대략적인 성질을 예측하였다.

5. 모즐리의 주기율표

원자량 순서와 주기율이 맞지 않는 문제는 1913년 러더퍼드의 제자 모즐리(Moseley, H. G. J., 1887~1915)에 의해 해결되었다. 모즐리는 음극선관 속에서 큰 운동 에너지를 가지는 전자를 금속판에 충돌시켰을 때 생성되는 X선의 파장이 금속 원자의 양성자수(원자 번호)가 증가함에 따라 짧아지는 것을 발견하였다. 이것을 토대로 모즐리는 원소들의 양성자수로 원자 번호를 정하고, 원소들의 주기적 성질은 원자 번호가 증가함에 따라 규칙적으로 변한다는 것을 알아냈다. 이렇게 하여 모즐리는 원소를 원자 번호 순서로 배열한 주기율표를 만들었고, 오늘날에도 모즐리의 주기율표가 사용되고 있다.

모즐리
영국의 물리학자로, 1910년 맨체스터 대학의 강사로 있으면서 러더퍼드의 지도로 X선 연구를 하였으며, X선 산란 연구 결과 '모즐리 법칙'을 발견하였다. 1915년 노벨상 수상이 확실했으나, 제1차 세계 대전 중에 사망하면서 노벨상을 받지 못하였다.

2 현대의 주기율표

주기율표는 원소들을 원자 번호 순서로 배열하여 주기율에 따라 화학적 성질이 비슷한 원소가 같은 세로줄에 위치하게 만들어 놓은 원소 분류표이다. 원소가 주기율표에 나타나는 것과 같은 규칙성을 보이는 것은 원자 내부에 주기율과 관련된 어떤 규칙이 존재한다는 것을 의미한다. 즉 원자 내부에 어떤 중요한 정보가 있어 원소들의 화학적 성질에 주기성이 나타난다.

주기 \ 족	1	2	3	4	5	6	7	8	9	10	11	12	13	14	15	16	17	18
1	1 H 수소																	2 He 헬륨
2	3 Li 리튬	4 Be 베릴륨											5 B 붕소	6 C 탄소	7 N 질소	8 O 산소	9 F 플루오린	10 Ne 네온
3	11 Na 나트륨	12 Mg 마그네슘											13 Al 알루미늄	14 Si 규소	15 P 인	16 S 황	17 Cl 염소	18 Ar 아르곤
4	19 K 칼륨	20 Ca 칼슘	21 Sc 스칸듐	22 Ti 타이타늄	23 V 바나듐	24 Cr 크로뮴	25 Mn 망가니즈	26 Fe 철	27 Co 코발트	28 Ni 니켈	29 Cu 구리	30 Zn 아연	31 Ga 갈륨	32 Ge 저마늄	33 As 비소	34 Se 셀레늄	35 Br 브로민	36 Kr 크립톤
5	37 Rb 루비듐	38 Sr 스트론튬	39 Y 이트륨	40 Zr 지르코늄	41 Nb 나이오븀	42 Mo 몰리브데넘	43 Tc 테크네튬	44 Ru 루테늄	45 Rh 로듐	46 Pd 팔라듐	47 Ag 은	48 Cd 카드뮴	49 In 인듐	50 Sn 주석	51 Sb 안티모니	52 Te 텔루륨	53 I 아이오딘	54 Xe 제논
6	55 Cs 세슘	56 Ba 바륨	57~71 *란타넘족	72 Hf 하프늄	73 Ta 탄탈럼	74 W 텅스텐	75 Re 레늄	76 Os 오스뮴	77 Ir 이리듐	78 Pt 백금	79 Au 금	80 Hg 수은	81 Tl 탈륨	82 Pb 납	83 Bi 비스무트	84 Po 폴로늄	85 At 아스타틴	86 Rn 라돈
7	87 Fr 프랑슘	88 Ra 라듐	89~103 **악티늄족	104 Rf 러더포듐	105 Db 더브늄	106 Sg 시보귬	107 Bh 보륨	108 Hs 하슘	109 Mt 마이트너륨	110 Ds 다름슈타튬	111 Rg 뢴트게늄	112 Cn 코페르니슘	113 Nh 니호늄	114 Fl 플레로븀	115 Mc 모스코븀	116 Lv 리버모륨	117 Ts 테네신	118 Og 오가네손

*란타넘족	57 La 란타넘	58 Ce 세륨	59 Pr 프라세오디뮴	60 Nd 네오디뮴	61 Pm 프로메튬	62 Sm 사마륨	63 Eu 유로퓸	64 Gd 가돌리늄	65 Tb 터븀	66 Dy 디스프로슘	67 Ho 홀뮴	68 Er 어븀	69 Tm 툴륨	70 Yb 이터븀	71 Lu 루테튬
**악티늄족	89 Ac 악티늄	90 Th 토륨	91 Pa 프로트악티늄	92 U 우라늄	93 Np 넵투늄	94 Pu 플루토늄	95 Am 아메리슘	96 Cm 퀴륨	97 Bk 버클륨	98 Cf 캘리포늄	99 Es 아인슈타이늄	100 Fm 페르뮴	101 Md 멘델레븀	102 No 노벨륨	103 Lr 로렌슘

1 — 원자 번호
H — 원소 기호
수소 — 원소 이름

금속 원소
비금속 원소
준금속 원소
2016년에 추가된 원소

검정색 원소 기호 ➡ 고체(상온)
파란색 원소 기호 ➡ 액체(상온)
빨간색 원소 기호 ➡ 기체(상온)

▲ 현대 주기율표

1. 주기

주기율표의 가로줄을 주기라고 하며, 현재 1주기부터 7주기 원소까지 알려져 있다. 주기는 한 원소에서 전자가 배치되어 있는 전자 껍질 수와 같으며, 같은 주기에 속한 원소는 바닥상태에서 전자가 들어 있는 전자 껍질 수가 같다. 주기율표를 보면 1주기에는 수소(H)와 헬륨(He) 두 원소만 있고, 2주기에는 리튬(Li)에서 네온(Ne)까지 8개의 원소가 있으며, 3주기에는 나트륨(Na)에서 아르곤(Ar)까지 8개의 원소가 있다. 그리고 4주기와 5주기에는 18개의 원소가 있고, 6주기와 7주기에는 32개의 원소가 있다. 주기율표에서 6주기와 7주기 원소 중 *f* 오비탈에 전자가 부분적으로 채워지는 원소는 가로행이 너무 길어지는 것을 방지하기 위해 따로 떼어 내어 분류하는데, 이들을 각각 란타넘족, 악티늄족이라고 한다.

(1) **란타넘족(6주기):** $_{57}$La~$_{71}$Lu까지의 15개 원소로, 4*f* 오비탈에 전자가 채워지는 원소

(2) **악티늄족(7주기):** $_{89}$Ac~$_{103}$Lr까지의 15개 원소로, 5*f* 오비탈에 전자가 채워지는 원소

주기(=전자 껍질 수)	1	2	3	4	5	6	7
가장 바깥 전자 껍질	K	L	M	N	O	P	Q
원소 수	2	8	8	18	18	32	32
구분	단주기			장주기			

▲ 주기와 전자 껍질 및 원소 수

인공 원소

원자 번호 1인 수소부터 원자 번호 92인 우라늄까지의 원소는 대부분 자연계에 존재하며, 원자 번호 93 이후의 원소는 모두 핵반응으로 만든 인공 원소이다. 이들 새로운 원소들은 대부분 방사성 원소로, 수명이 매우 짧아 수십만 분의 1초 정도만 존재할 뿐이다. 예외적으로 수명이 긴 경우에도 수십 초를 넘지 않는다.

(3) **단주기형 주기율표와 장주기형 주기율표:** 2주기와 3주기를 기준으로 만든 주기율표를 단주기형 주기율표라고 하며, 멘델레예프가 처음 만들었을 때의 주기율표가 단주기형이었으므로 멘델레예프형 주기율표라고도 한다. 반면, 4주기와 5주기의 18개 원소를 기준으로 만든 주기율표를 장주기형 주기율표라고 하며, 현재 사용되는 주기율표이고 원자의 성질과 그 변화를 알기 쉽게 되어 있다.

2. 족

주기율표의 세로줄을 족이라고 하며, 1족부터 18족까지 있다. 같은 족에 속하는 원소들을 동족 원소라고 하는데, 동족 원소들은 화학적 성질이 비슷하다.

수소(H)
수소는 1족의 가장 위에 놓여 있으나, 나머지 1족 원소인 알칼리 금속과는 전혀 다른 성질을 나타낸다.

족	1	2	13	14	15	16	17	18
이름	알칼리 금속	알칼리 토금속	알루미늄 족	탄소족	질소족	산소족	할로젠 원소	비활성 기체

3. 원자가 전자

원소의 화학적 성질은 바닥상태의 전자 배치에서 가장 바깥 전자 껍질에 채워지는 전자 수에 의해서 결정된다. 바닥상태의 전자 배치에서 가장 바깥 전자 껍질에 있으며, 화학 결합에 관여하는 전자를 원자가 전자라고 한다.

(1) **원소들의 바닥상태에서의 전자 배치:** 같은 족 원소들은 원자가 전자 수가 같으며, 원자의 원자가 전자 수가 주기성을 나타내므로 원소의 주기율이 나타난다.

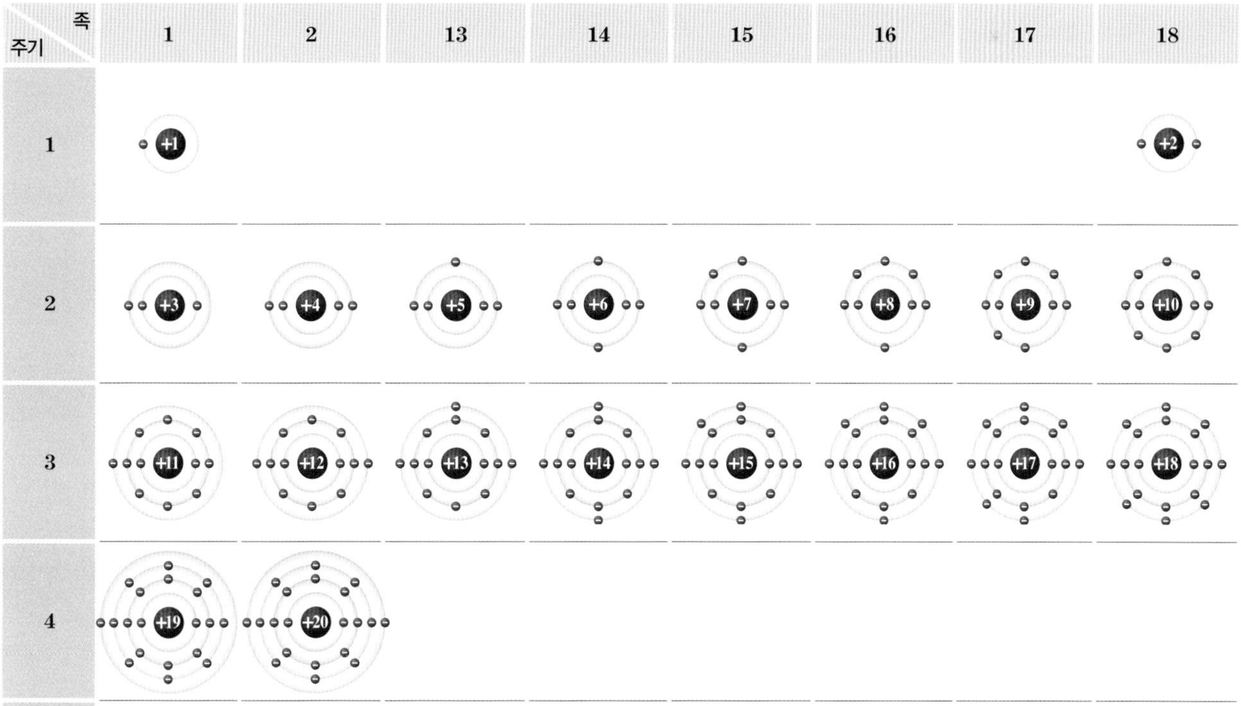

주기 \ 족	1	2	13	14	15	16	17	18
1	+1							+2
2	+3	+4	+5	+6	+7	+8	+9	+10
3	+11	+12	+13	+14	+15	+16	+17	+18
4	+19	+20						
원자가 전자 수	1	2	3	4	5	6	7	0

▲ 주기율표에 따른 원소의 전자 배치 모형과 족에 따른 원자가 전자 수

(2) **원자가 전자 수의 주기성:** 원자가 전자는 그 원소에서 에너지가 가장 높은 상태에 있는 전자이므로 원자가 이온이 되거나 다른 원자와 결합할 때는 원자가 전자가 관여한다. 따라서 원자가 전자 수가 같으면 원소의 화학적 성질이 비슷하다. 18족 원소는 반응성이 거의 없는 기체이므로 비활성 기체라고 하는데, 원자가 전자는 화학 결합에 관여하는 전자를 의미하므로 18족 원소의 원자가 전자 수는 0으로 한다.

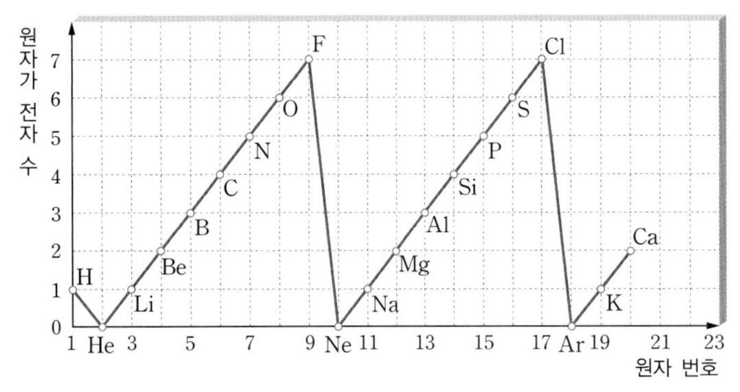

▲ 원자 번호 1~20인 원소들의 원자가 전자 수의 주기성

4. 주기율표와 전자 배치

1주기 원소들은 $1s$ 오비탈에 전자가 배치되고, 2주기 원소들은 $2s$, $2p$ 오비탈까지 전자가 배치되며, 3주기 원소들은 $3s$, $3p$ 오비탈까지 전자가 배치된다. 그런데 4주기와 5주기에서는 d 오비탈에 전자가 배치되는 원소가 나타나며, 6주기와 7주기에서는 f 오비탈에 전자가 배치되는 원소가 나타난다.

6주기와 7주기에서 f 오비탈에 전자가 배치되는 원소들은 모두 화학적 성질이 비슷하기 때문에 주기율표 아래쪽에 따로 떼어 내어 나타낸다.

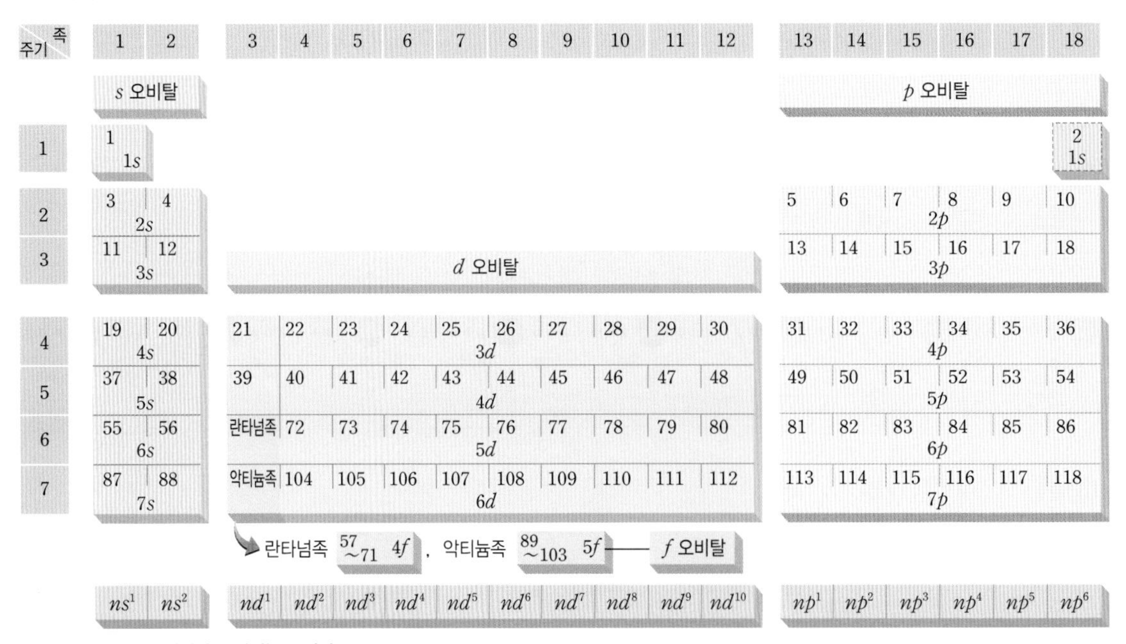

▲ 주기율표 상에서 전자가 배치되는 오비탈

5. 전형 원소와 전이 원소

(1) **전형 원소:** 주기율표의 1족, 2족 원소와 12~18족 원소들로, 가장 바깥 전자 껍질의 s 오비탈이나 p 오비탈에 전자가 배치되는 원소이다. 18족(원자가 전자 수=0)을 제외하고는 원자가 전자 수가 족 번호의 끝자리 수와 일치한다.

(2) **전이 원소:** 주기율표의 3~11족 원소들로, d 오비탈이나 f 오비탈에 전자가 부분적으로 배치되는 원소이다. 전이 원소는 족에 관계없이 원자가 전자가 1개나 2개로 일정하므로 화학적 성질이 비슷하며, d 오비탈에 있는 전자도 반응에 참여하므로 여러 가지 산화수를 가진다. 또한 색깔을 띠는 이온이 많다.

구분	전형 원소	전이 원소
주기율표에서의 위치	1족, 2족, 12~18족	3~11족
원자가 전자 수	족 번호의 끝자리 수 (단, 18족은 0)	1 또는 2
산화수	일정하다.	여러 가지 산화수를 갖는다.
전자 배치	가장 바깥 전자 껍질의 s 오비탈이나 p 오비탈에 전자가 채워진다.	d 오비탈, f 오비탈에 전자가 부분적으로 채워진다.
특징	• 금속 원소와 비금속 원소가 있다. • 같은 족 원소들은 화학적 성질이 비슷하다. • 이온이 되었을 때 수용액에서 색깔을 띠지 않는다.	• 대부분 밀도가 큰 중금속이다. • 화학적 성질이 비슷하다. • 이온이 되었을 때 수용액에서 색깔을 띠는 것이 많다.

▲ 전형 원소와 전이 원소의 비교

주기율표에서 전형 원소와 전이 원소

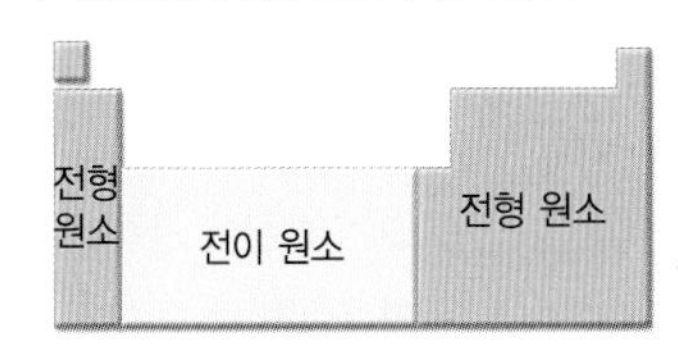

6. 금속 원소와 비금속 원소

(1) **금속 원소:** 전자를 잃어 양이온이 되기 쉬운 원소이며, 금속성이 크다는 것은 전자를 잃기 쉽다는 것을 의미한다.

(2) **비금속 원소:** 전자를 얻어 음이온이 되기 쉬운 원소이며, 비금속성이 크다는 것은 전자를 얻기 쉽다는 것을 의미한다.

구분	금속 원소	비금속 원소
주기율표에서의 위치	왼쪽과 가운데	오른쪽(단, 수소는 왼쪽)
열과 전기 전도성	크다.	작다.
산화물의 특징	물에 녹아 염기성을 나타낸다.	물에 녹아 산성을 나타낸다.
실온에서의 상태	고체(단, 수은은 액체)	기체, 고체(단, 브로민은 액체)
특징	• 산과 반응하면 수소 기체가 발생한다. • 다른 물질과 반응할 때 산화되기 쉽다.	• 실온에서 기체로 존재하는 것이 많다. • 다른 물질과 반응할 때 환원되기 쉽다.

▲ 금속 원소와 비금속 원소의 비교

(3) **준금속과 양쪽성 원소:** 보통의 금속보다는 전기 전도도가 작고, 비금속보다는 전기 전도도가 커서 금속과 비금속의 구분이 명확하지 않은 B, Si, Ge, As 등의 원소를 준금속이라고 하는데, 이 중 특히 Si와 Ge은 반도체 칩을 만드는 데 이용된다.

또한 금속 중에서 Al, Zn, Pb, Sn은 산, 염기와 모두 반응하여 수소 기체를 발생시키므로 양쪽성 원소라고 한다.

알칼리 금속과 할로젠 원소

• 알칼리 금속: 주기율표의 1족에 속하는 원소 중 수소(H)를 제외한 리튬, 나트륨, 칼륨 등을 알칼리 금속이라고 한다. 알칼리 금속은 공기 중의 산소나 물과 격렬히 반응한다.

• 할로젠 원소: 주기율표의 17족에 속하는 플루오린, 염소, 브로민, 아이오딘 등을 할로젠이라고 한다. 할로젠은 비금속 원소 중 반응성이 크므로 대체로 순수한 원소 상태보다 다른 원소와 결합한 상태로 존재한다.

주기율표에서 금속 원소와 비금속 원소

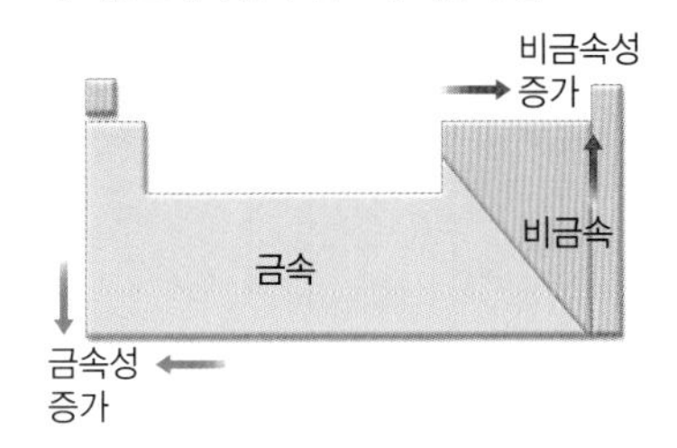

차이를 만드는

심화

모즐리의 원자 번호 결정

멘델레예프의 주기율표는 아르곤이 발견되면서 원자량 순서와 주기율이 맞지 않는 문제에 직면하였다. 이후 모즐리가 X선 방출 스펙트럼을 이용하여 원소들의 원자 번호를 결정하였고, 원자 번호 순서로 배열된 현대의 주기율표를 사용하기 시작하였다.

음극선관 속에서 고에너지의 전자 빔이 금속판과 충돌하면 X선이 방출된다. 이러한 X선의 생성 원리는 다음과 같다. 음극선에 있는 전자 중 금속 원자의 안쪽 전자 껍질에 있는 전자를 떼어 낼 정도의 큰 에너지를 가지고 있는 전자가 금속판과 충돌하면 안쪽 전자 껍질에 있는 전자가 떨어져 나가고 금속의 양이온이 생성된다. 그런데 이때 생성된 양이온은 불안정하므로 에너지 준위가 높은 오비탈에 존재하던 전자가 안쪽 전자 껍질로 떨어지면서 전자기파를 방출하게 된다. 이때 방출되는 전자기파는 수소에서와는 달리 X선이다. 왜냐하면 금속의 경우 원자핵의 전하가 수소보다 크기 때문에 안쪽 전자 껍질의 에너지 준위가 훨씬 낮아 더 큰 에너지의 전자기파가 발생하기 때문이다.

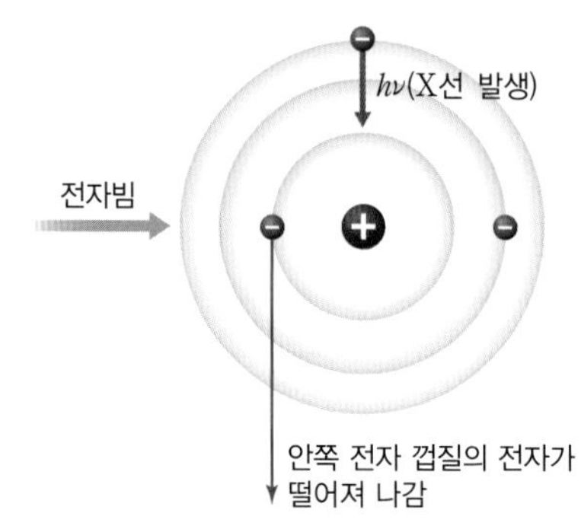

원자에서 안쪽 전자 껍질의 에너지 준위는 핵의 전하량에 의해 결정된다. 따라서 방출되는 X선의 파장은 금속 원자의 핵전하량, 즉 원자 번호에 따라 달라진다. 원자핵의 전하량이 클수록 더 큰 에너지의 전자기파가 발생하기 때문에 방출되는 X선의 파장은 더 짧아지는 것이다.

다음 그림은 원자 번호 22에서 30까지 원소들이 방출하는 X선 스펙트럼의 모양을 나타낸 것으로, 빨간 선은 주어진 파장에서의 발광을 의미한다. 그림에서 원자 번호가 커질수록 관측된 빛의 파장이 점점 짧아지는 것을 알 수 있다. 아연의 경우는 구리 - 아연 합금으로 만들어서 스펙트럼을 얻었으므로 구리 - 아연 합금에는 구리와 아연의 선 스펙트럼이 모두 포함되어 있다.

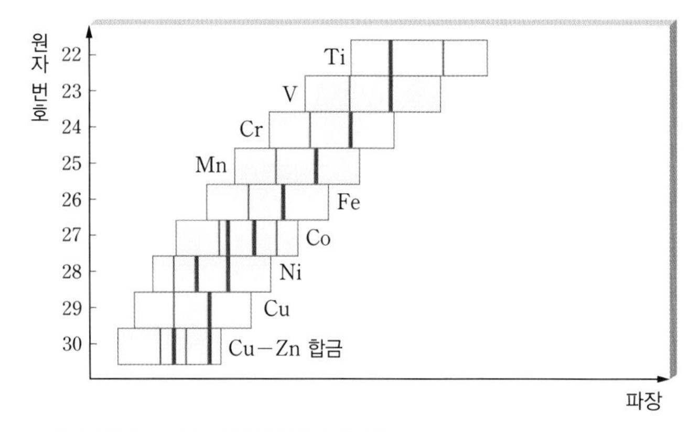

▲ 원자 번호 22~30인 원소의 X선 스펙트럼

양성자수를 알아내는 방법
고에너지의 전자빔이 금속판과 충돌할 때 방출된 X선의 진동수는 양성자수 Z와 다음과 같은 상관관계가 있다.
$v=a(Z-b)^2$ (단, a, b는 상수)

01 주기율표

1 주기율의 발견

과학자	원소를 분류하거나 나열한 방법
라부아지에	당시까지 알려진 33가지의 물질을 4그룹으로 분류하였다.
되베라이너	3개의 원소로 이루어진 어떤 원소 무리에서 첫 번째 원소와 세 번째 원소의 물리량의 평균값이 두 번째 원소의 물리량과 비슷하거나 같다는 것을 발견하였고, 이들 원소를 (❶)라고 하였다.
뉴랜즈	당시까지 발견된 원소들을 (❷) 순서로 배열하면 음악의 옥타브처럼 여덟 번째 원소마다 물리적·화학적 성질이 비슷한 원소가 나타난다는 옥타브설을 발표하였다.
(❸)	당시까지 알려진 63가지 원소를 원자량이 증가하는 순서로 배열하면 비슷한 성질의 원소들이 주기적으로 나타나는 것을 발견하였다. 이를 토대로 가로줄을 몇 개의 주기로 하고, 세로줄을 8개의 족으로 분류한 최초의 주기율표를 발표하였다.
모즐리	원소를 (❹) 순서로 배열한 현대의 주기율표를 제안하였다.

2 현대의 주기율표

1. 주기율표 원소들을 원자 번호 순서로 배열하였을 때 비슷한 성질의 원소가 같은 (❺)에 오도록 배열한 원소의 분류표이다.

• 주기: 주기율표의 가로줄을 의미하며, 1주기에서 7주기까지 존재한다.

• 족: 주기율표의 세로줄을 의미하며, 같은 족 원소는 화학적 성질이 비슷하다.

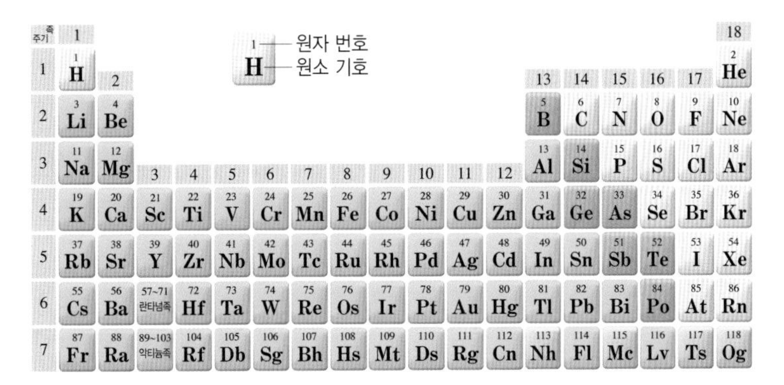

2. 주기율표와 전자 배치 전자 배치에 따라 원자가 전자 수가 같은 원소들이 주기적으로 나타나므로 (❻) 성질이 비슷한 원소들이 주기적으로 나타난다.

족	1	2	13	14	15	16	17	18
원자가 전자 수	1	2	3	4	5	6	7	0

3. 금속 원소와 비금속 원소 금속 원소는 전자를 잃고 (❼)이 되기 쉽고, 비금속 원소는 전자를 얻어 (❽)이 되기 쉽다. 따라서 금속성이 크다는 것은 전자를 잃기 쉽다는 것을 의미하며, 비금속성이 크다는 것은 전자를 얻기 쉽다는 것을 의미한다.

4. 준금속과 양쪽성 원소 금속과 비금속의 구분이 명확하지 않은 B, Si, Ge, As 등의 원소를 (❾)이라 하고, 금속 중에서 Al, Zn, Pb, Sn 등 산, 염기와 모두 반응하여 수소 기체를 발생시키는 원소를 (❿)라고 한다.

01 표는 세 쌍 원소인 리튬(Li), 나트륨(Na), 칼륨(K)의 성질을 나타낸 것이다.

원소	원자 번호	물과의 반응	염화물	산화물
Li	3	빠르다.	LiCl	Li_2O
Na	11	격렬하다.	(가)	Na_2O
K	(나)	(다)	KCl	(라)

(가)~(라)에 알맞은 내용을 각각 쓰시오.

02 그림은 주기율표의 일부를 나타낸 것이다.

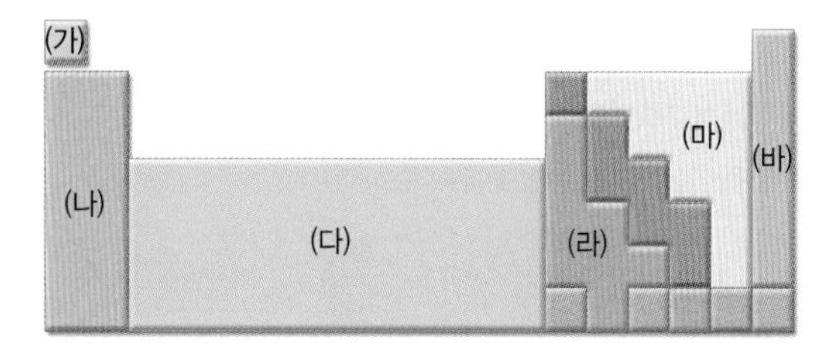

(1) (가)~(바) 중 금속 원소가 속하는 영역을 있는 대로 고르시오.

(2) (가)~(바) 중 다음과 같은 전자 배치를 가지는 원소가 속한 영역을 고르시오.

$1s^22s^22p^63s^23p^6$

03 다음은 바닥상태 원자 A~E의 전자 배치를 나타낸 것이다.

- A: $1s^2$
- B: $1s^22s^22p^2$
- C: $1s^22s^22p^6$
- D: $1s^22s^22p^63s^2$
- E: $1s^22s^22p^63s^23p^64s^23d^{10}4p^1$

원자 A~E의 족과 주기를 각각 쓰시오. (단, A~E는 임의의 원소 기호이다.)

04 그림 (가)는 주기율표를, (나)는 주기율표에서 원자 번호 1~20까지 원소의 전자 배치를 나타낸 것이다.

(가)

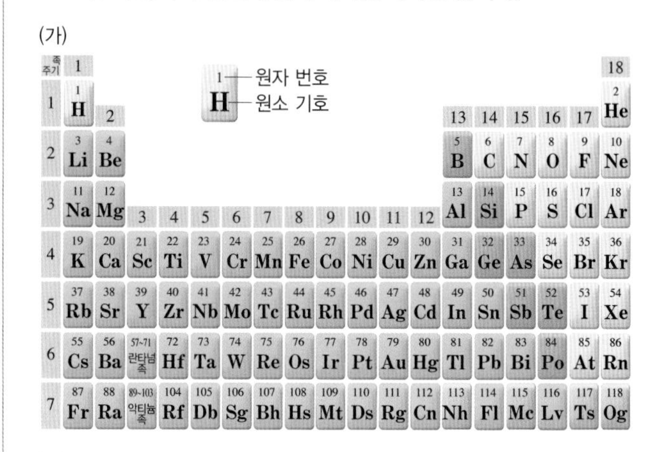

(나)

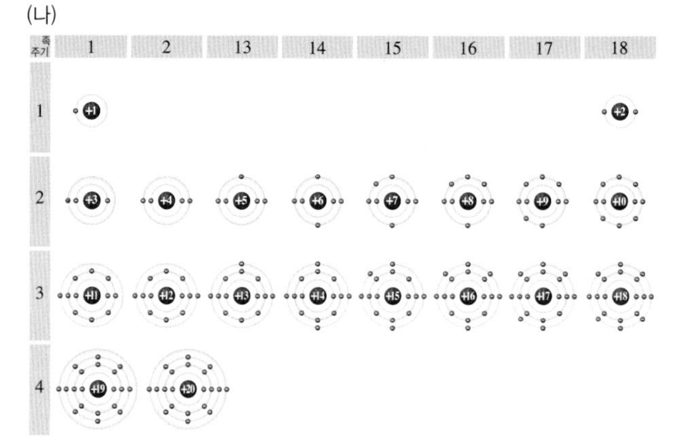

(1) 어떤 원소의 족은 그 원자의 무엇에 의해 결정되는지 쓰시오.

(2) 주기율표의 주기 수는 그 주기에 속한 원소의 무엇과 같은지 쓰시오.

(3) 주기율표의 오른쪽에 위치하는 원소들은 금속 원소인지, 비금속 원소인지 쓰시오.

(4) 4주기부터 주기율표의 가로줄이 길어지는 것은 어떤 원소 때문인지 쓰시오.

(5) 실온, 1기압에서 액체로 존재하는 원소를 모두 쓰시오.

(6) 실온, 1기압에서 기체로 존재하는 원소들은 금속 원소인지, 비금속 원소인지 쓰시오.

정답과 해설 41쪽

01

주기율표

다음은 주기율표가 만들어지기까지의 과정에 대한 학생들의 의견이다.

- 학생 A: 되베라이너는 당시까지 발견된 33가지 원소를 4그룹으로 분류했어.
- 학생 B: 뉴랜즈는 원소들을 원자량이 증가하는 순서로 배열하면 8번째마다 성질이 비슷한 원소가 나타난다고 주장했어.
- 학생 C: 멘델레예프는 원소들을 원자 번호 순서로 배열했을 때 비슷한 성질을 가지는 원소가 주기적으로 나타나는 것을 발견했어.
- 학생 D: 모즐리의 주기율표는 오늘날에도 사용되고 있어.

제시한 의견이 옳은 학생만으로 짝 지은 것은?

① 학생 A, 학생 B ② 학생 A, 학생 C ③ 학생 B, 학생 C
④ 학생 B, 학생 D ⑤ 학생 C, 학생 D

주기율은 성질이 비슷한 원소가 주기적으로 나타나는 현상으로, 현재의 주기율표는 수많은 과학자들의 주장을 거쳐 만들어졌다.

02

주기율표

그림은 주기율표의 일부를 나타낸 것이다.

주기 \ 족	1	2	13	14	15	16	17	18
1								
2	A	B					C	
3	D					E		

이에 대한 설명으로 옳지 않은 것은? (단, A~E는 임의의 원소 기호이다.)

① A는 금속 원소이다.
② B의 양성자수는 2이다.
③ 원자가 전자 수는 C가 가장 크다.
④ E의 원자 번호는 16이다.
⑤ D의 화학적 성질은 A와 비슷하다.

주기율표는 원소들을 원자 번호 순서로 배열하여 주기율에 따라 화학적 성질이 비슷한 원소가 같은 세로줄에 위치하게 만들어 놓은 원소 분류표이다. 주기율표를 통해 원소의 특징을 예측할 수 있다.

고난도

03

> 주기율표

다음은 주기율표의 빗금 친 부분에 위치하는 원소 A~E에 대한 자료이다.

주기 \ 족	1	2	13	14	15	16	17	18
2	▨					▨	▨	
3	▨						▨	

- A의 바닥상태 전자 배치에서 전자가 들어 있는 오비탈 수가 6이다.
- A와 B는 같은 족 원소이고, B와 C는 같은 주기 원소이다.
- 바닥상태 원자의 홀전자 수는 D가 E보다 크다.

이에 대한 설명으로 옳은 것만을 보기에서 있는 대로 고른 것은? (단, A~E는 임의의 원소 기호이다.)

보기

ㄱ. E는 17족 원소이다.
ㄴ. C의 원자 번호는 7이다.
ㄷ. B와 D는 같은 주기 원소이다.

① ㄱ ② ㄴ ③ ㄱ, ㄴ ④ ㄱ, ㄷ ⑤ ㄴ, ㄷ

- 바닥상태 전자 배치에서 전자가 들어 있는 오비탈 수가 6인 경우는 $1s^2 2s^2 2p^6 3s^1$ 또는 $1s^2 2s^2 2p^6 3s^2$이다.

고난도

04

> 주기율표

다음은 2, 3주기 원소 X~Z에 대한 자료이다.

- X~Z 중 3주기 원소는 1가지이다.
- Y의 원자가 전자 수는 4이다.
- X와 Z는 바닥상태 전자 배치에서 $\frac{s \text{ 오비탈의 전자 수}}{p \text{ 오비탈의 전자 수}}$가 모두 1이다.
- Z는 Y보다 족의 번호가 2가 크다.

이에 대한 설명으로 옳은 것만을 보기에서 있는 대로 고른 것은? (단, X~Z는 임의의 원소 기호이다.)

보기

ㄱ. Y는 2주기 원소이다.
ㄴ. X는 금속 원소이다.
ㄷ. Z의 원자가 전자 수는 6이다.

① ㄱ ② ㄷ ③ ㄱ, ㄴ ④ ㄱ, ㄷ ⑤ ㄱ, ㄴ, ㄷ

- 2, 3주기 원소 중 s 오비탈에 존재하는 전자 수와 p 오비탈에 존재하는 전자 수가 같은 원소는 O, Mg이다.

05

> 족과 주기

다음은 질량수가 각각 a, b, c인 원자 X~Z에 대한 자료이다.

- ${}^{a}X$, ${}^{b}Y$, ${}^{c}Z$ 각각에서 $\frac{\text{중성자수}}{\text{양성자수}}=1$이다.
- X에서 $2s$ 오비탈과 $2p$ 오비탈의 에너지 준위는 같다.
- X와 Y는 같은 주기 원소이다.
- $a+b=c$이다.

X~Z에 대한 설명으로 옳은 것만을 보기에서 있는 대로 고른 것은? (단, X~Z는 임의의 원소 기호이다.)

보기

ㄱ. X는 2주기 원소이다.

ㄴ. Y와 Z는 같은 족 원소이다.

ㄷ. 비금속 원소는 2가지이다.

① ㄱ ② ㄷ ③ ㄱ, ㄴ ④ ㄱ, ㄷ ⑤ ㄴ, ㄷ

• 수소 원자의 오비탈 에너지 준위는 주 양자수가 같으면 같다. 한편, 다전자 원자에서 오비탈의 에너지 준위는 주 양자수가 같은 경우 s 오비탈이 p 오비탈보다 작다.

06

> 족과 주기

다음은 주기율표의 일부와 원소 X~Z에 대한 자료이다. 원소 X, Y, Z는 순서대로 (가), (나), (다) 영역에 속한다.

주기 \ 족	2	13	14	15	16	17
2						
3						

(가) (나) (다)

- 원자 번호는 X>Z>Y이다.
- X, Y, Z의 원자가 전자 수는 각각 2, 5, 6이다.

이에 대한 설명으로 옳은 것만을 보기에서 있는 대로 고른 것은? (단, X~Z는 임의의 원소 기호이다.)

보기

ㄱ. X는 3주기 2족 원소이다.

ㄴ. 바닥상태 원자의 홀전자 수는 Y와 Z가 같다.

ㄷ. 안정한 이온이 될 때 원자가 잃거나 얻은 전자 수는 X와 Z가 같다.

① ㄱ ② ㄴ ③ ㄱ, ㄴ ④ ㄱ, ㄷ ⑤ ㄴ, ㄷ

• 원자 번호가 X>Z>Y이기 위해서는 X가 3주기 원소이어야 한다.

02 원소의 주기적 성질

학습 Point 유효 핵전하의 주기성 > 원자 반지름의 주기성 > 이온 반지름의 주기성 > 이온화 에너지의 주기성

1 유효 핵전하

원자 번호는 양성자수와 같으므로 원자 번호가 커질수록 원자핵의 전하량이 증가한다. 하지만 수소를 제외한 다전자 원자에서 전자에 실제로 작용하는 핵전하의 크기는 원자핵의 전하보다 작다.

1. 가려막기 효과와 유효 핵전하

수소에서는 원자핵과 전자 사이의 인력만 존재하므로 주 양자수에 의해 핵과 전자 사이의 평균 거리가 정해지면 전자의 에너지 상태가 결정된다. 그러나 다전자 원자에서는 핵과 전자 사이의 인력뿐만 아니라 전자 상호간의 반발력도 작용한다.

다전자 원자에서 전자와 핵 사이의 인력은 전자 사이의 반발력에 의해 감소하는데, 이것을 가려막기 효과라고 한다. 다전자 원자에서 전자가 느끼는 핵전하는 가려막기 효과가 반영된 값으로, 이러한 핵전하를 유효 핵전하라고 한다.

$$Z_{eff}(\text{유효 핵전하}) = Z(\text{핵전하}) - S(\text{가려막기 상수})$$

가려막기 상수(S)는 모든 전자에 의한 가려막기 효과를 합한 값으로, 안쪽 전자 껍질에 있는 전자에 의한 가려막기 효과는 같은 전자 껍질에 있는 전자에 의한 가려막기 효과보다 크다.

가려막기 효과

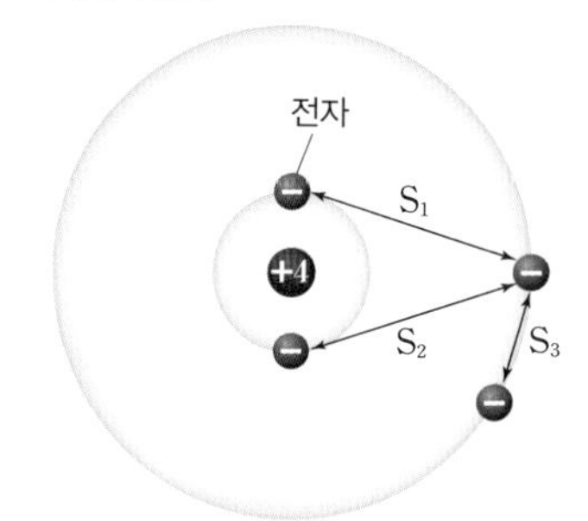

- S_1, S_2: 안쪽 전자 껍질에 존재하는 전자에 의한 가려막기 효과
- S_3: 같은 전자 껍질에 존재하는 전자에 의한 가려막기 효과

➡ $S_1 = S_2 > S_3$

2. 2*s* 오비탈과 2*p* 오비탈에서의 가려막기 효과

다전자 원자에서는 2*s* 오비탈보다 2*p* 오비탈의 에너지 준위가 더 높다. 이것은 2*s* 오비탈과 2*p* 오비탈의 모양이 서로 달라 가려막기 효과가 다르기 때문이다. 2*s* 오비탈은 구형이므로 핵 근처에서의 전자 존재 확률이 크다. 반면에 2*p* 오비탈은 아령형이며, 핵에서의 전자 존재 확률이 0이다. 따라서 2*s* 오비탈의 전자들은 핵 가까이에 침투할 확률이 2*p* 오비탈의 전자보다 높으므로 1*s* 오비탈의 전자들에 의한 가려막기 효과는 작아지고 유효 핵전하는 더 커지게 되는 것이다. 일반적으로 주 양자수(*n*)가 같은 오비탈의 에너지 준위는 방위 양자수(*l*)가 커질수록 커진다.

오비탈의 에너지 준위 순서 ➡ $ns < np < nd < nf \cdots$

2*s* 오비탈과 2*p* 오비탈에서의 가려막기 효과

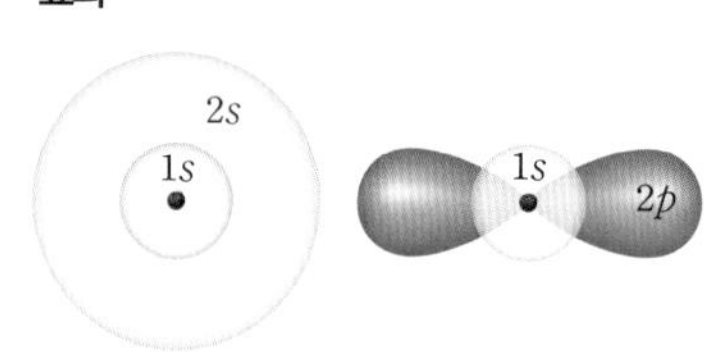

2*p* 오비탈의 전자들은 1*s* 오비탈의 전자 바깥쪽에 존재할 확률이 크므로, 1*s* 오비탈의 전자에 의한 가려막기 효과를 많이 받아 에너지 준위가 높다.

3. 유효 핵전하의 주기성

(1) **같은 주기에서 유효 핵전하의 변화:** 원자 번호가 증가할수록 양성자수도 증가하여 핵전하가 커지므로 원자가 전자가 느끼는 유효 핵전하도 커진다. ➡ 핵전하의 증가가 가려막기 효과의 증가보다 크기 때문이다.

(2) **같은 족에서 유효 핵전하의 변화:** 원자 번호가 증가할수록 원자가 전자가 느끼는 유효 핵전하가 커진다.

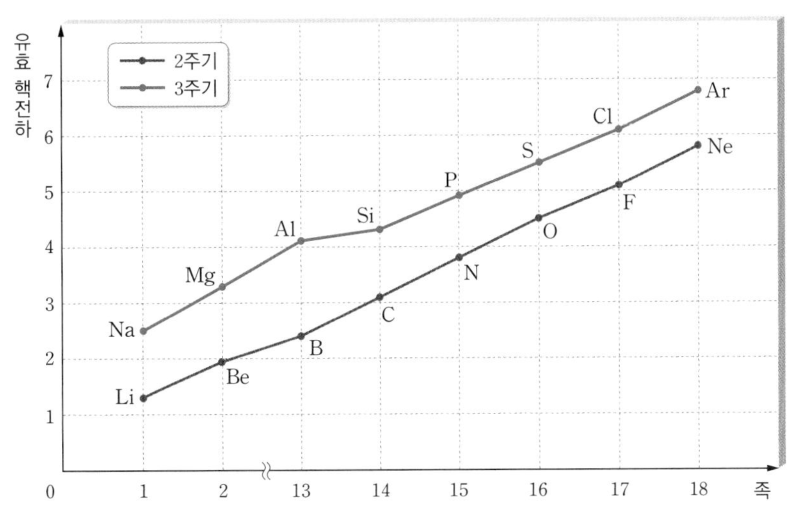

▲ **2주기, 3주기 원소의 유효 핵전하**

2 원자 반지름

현대 원자 모형에서 알아본 바와 같이 핵 근처에서의 전자 존재 확률은 핵으로부터 멀어질수록 작아지지만 0이 되는 것은 아니므로, 원자의 크기를 당구공이나 구슬의 크기처럼 명확하게 측정할 수 없다. 따라서 원자 반지름을 정하는 기준이 필요하며, 그 기준에는 여러 가지가 있다.

1. 원자 반지름

비금속 원자에서 원자 반지름을 구할 때에는 같은 원자로 이루어진 이원자 분자의 원자핵 사이의 거리를 측정하여 그 거리의 절반을 공유 결합 반지름으로 정한다. 금속 원자의 반지름은 금속 결정 상태에서 원자핵 사이의 거리의 절반으로 정한다.

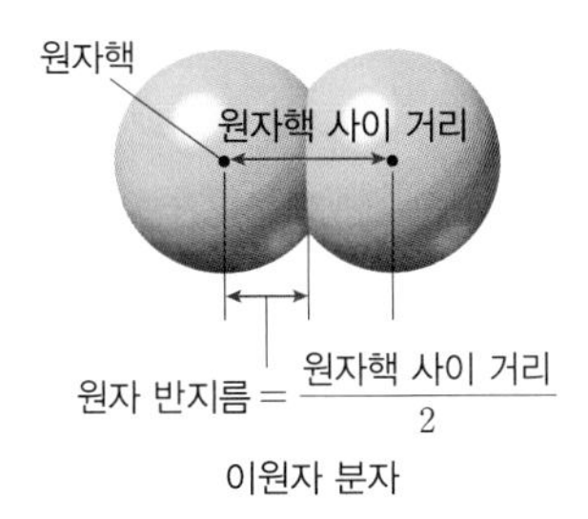

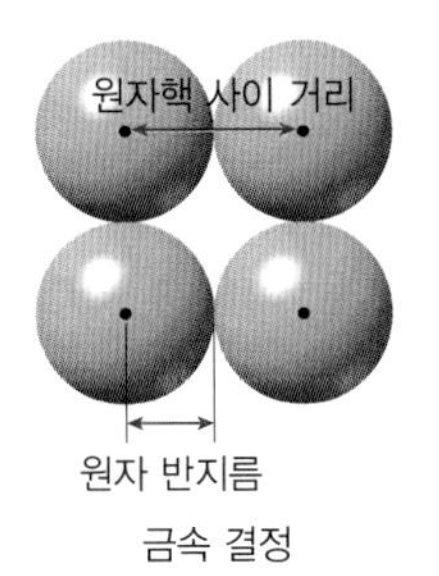

▲ **비금속 원자의 반지름과 금속 원자의 반지름**

금속 원자의 반지름

금속 원자는 금속 결정 중의 원자들 사이의 거리로부터 금속 결합 반지름을 얻을 수 있으며, 이 반지름은 단일 결합 반지름보다 상당히 크다. 예를 들어 기체 상태의 나트륨 분자에서 원자 반지름은 157 pm인 반면, 금속 결합 반지름은 186 pm이다.

• 염소(Cl_2) 분자에서 원자핵 사이 거리를 X선 회절 실험을 이용하여 측정하면 198 pm이다. 따라서 염소 원자의 원자 반지름은 $\frac{198}{2}$ pm=99 pm이다.

• 사염화 탄소(CCl_4)와 같이 서로 다른 원자로 이루어진 무극성 분자에서 C－Cl의 원자핵 사이 거리는 C와 Cl의 원자 반지름의 합과 같다. 따라서 사염화 탄소에서 C 원자핵과 Cl 원자핵 사이의 거리가 176 pm인 것을 이용하면 C의 원자 반지름을 구할 수 있다.
C의 원자 반지름
=C 원자핵과 Cl 원자핵 사이의 거리－Cl 원자의 원자 반지름
=176 pm－99 pm=77 pm

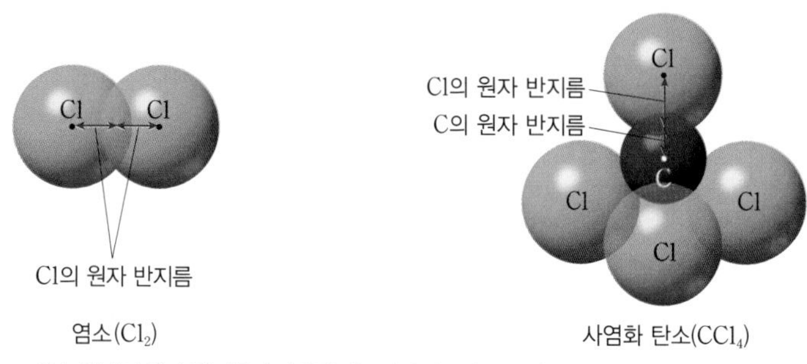

▲ **염소 원자의 원자 반지름과 사염화 탄소에서 탄소 원자의 원자 반지름**

예제

H_2의 원자핵 사이의 거리는 74 pm이고, F_2의 원자핵 사이의 거리는 144 pm이다. H와 F의 원자 반지름을 각각 구하시오.

해설 H의 원자 반지름은 $\frac{74}{2}$ pm=37 pm, F의 원자 반지름은 $\frac{144}{2}$ pm=72 pm

정답 H의 원자 반지름: 37 pm, F의 원자 반지름: 72 pm

시야 확장 ⊕ 반데르발스 반지름

다른 분자에 속해 있는 두 원자가 접근할 수 있는 최소 거리로 정한 원자의 반지름을 반데르발스 반지름이라고 한다. 반데르발스 반지름은 공유 결합 반지름과 달리 온도를 낮추어 분자를 결정 상태로 만든 후, 두 원자의 원자핵 사이 거리를 측정하여 그 거리의 절반으로 정의한다. 염소 분자의 공유 결합 반지름과 반데르발스 반지름을 비교하여 나타내면 다음과 같다.

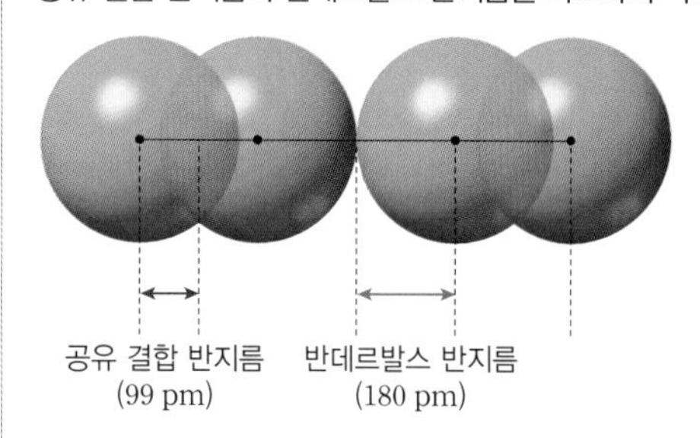

동일한 분자에서 반데르발스 반지름은 공유 결합 반지름보다 훨씬 큰 값을 나타낸다. 또한 헬륨, 네온, 아르곤과 같은 비활성 기체들은 염소와는 달리, 다른 원자와 공유 결합을 하지 않으므로 공유 결합 반지름을 측정할 수 없고, 반데르발스 반지름만 측정이 가능하다. 따라서 비활성 기체의 경우는 원자 반지름의 주기성에서 제외된다.

pm(피코미터)
1 pm=10^{-12} m

극성 분자에서 원자핵 사이의 거리
염화 수소(HCl)와 같은 극성 분자의 경우, 두 원자의 원자핵 사이 거리는 각 원자의 원자 반지름의 합보다 작다.
H－Cl의 원자핵 사이 거리
<(H 원자 반지름+Cl 원자 반지름)

반데르발스 반지름
공유 결합을 할 때에는 전자 구름이 겹쳐지는데 반해 반데르발스 반지름은 전자 구름이 반발하므로 원자들이 약간 떨어지게 되어 반데르발스 반지름이 공유 결합 반지름보다 크게 측정된다.

2. 원자 반지름의 주기성

원소들의 원자 반지름 크기는 일반적으로 주기와 족에 따라 비슷한 경향성을 보인다. 이와 같이 주기적으로 비슷한 경향으로 변하는 것을 주기성이라고 한다. 다음 그림에서와 같이 같은 주기에서는 원자 번호가 큰 원소일수록 원자 반지름이 작으며, 같은 족에서는 원자 번호가 큰 원소일수록 원자 반지름이 크다.

18족 원소의 원자 반지름
비활성 기체인 He, Ne, Ar의 경우는 화합물이 존재하지 않기 때문에 이웃 자료에서 예측하여 공유 결합 반지름을 구하여 제시하기도 한다.

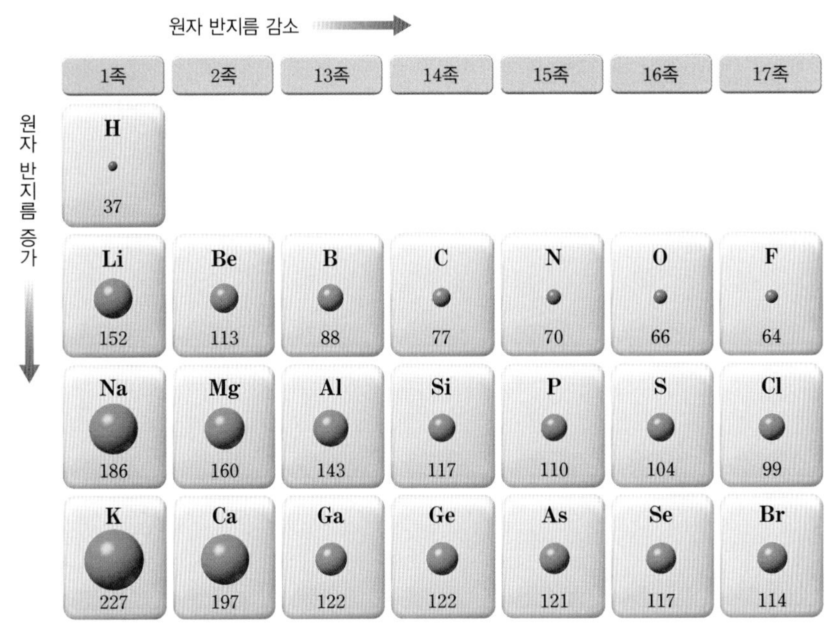

▲ 몇 가지 원자의 원자 반지름(pm)

(1) **같은 주기에서 원자 반지름의 변화:** 원자 번호가 큰 원소일수록 원자 반지름이 작다. 이것은 같은 주기 원소의 원자들은 전자 껍질 수가 같은데, 원자 번호가 큰 원소일수록 양성자수가 많아서 원자가 전자가 느끼는 유효 핵전하가 커지기 때문이다. 원자가 전자가 느끼는 유효 핵전하가 커지면 원자핵과 전자 사이의 정전기적 인력이 증가하여 전자 구름이 수축되므로 원자 반지름이 작아진다.

리튬과 베릴륨은 모두 전자 껍질이 2개인데, 4개의 양성자를 가진 베릴륨의 원자핵이 3개의 양성자를 가진 리튬의 원자핵보다 전자를 세게 끌어당기므로 베릴륨의 원자 반지름이 리튬의 원자 반지름보다 작다. 마찬가지로 같은 주기에서 오른쪽에 있는 원소일수록 원자핵이 전자를 세게 끌어당기므로 원자 번호가 큰 원소일수록 원자 반지름이 점차 작아진다.

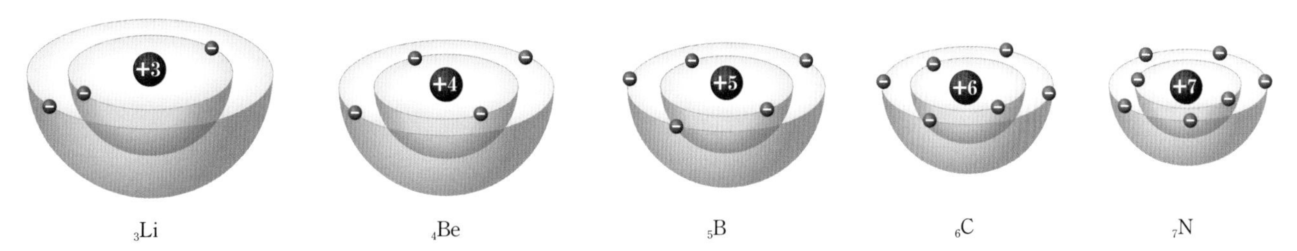

▲ 같은 주기 원소의 원자 반지름 변화

다음 표는 2주기 원소들의 유효 핵전하와 원자 반지름(공유 결합 반지름)을 나타낸 것이고, 그래프는 3주기 원소들의 원자 번호에 따른 유효 핵전하와 원자 반지름의 관계를 나타낸 것이다.

원자 번호	3	4	5	6	7	8	9
원소	Li	Be	B	C	N	O	F
양성자수	3	4	5	6	7	8	9
유효 핵전하	1.3	1.95	2.4	3.1	3.8	4.5	5.1
원자 반지름 (pm)	152	113	88	77	70	66	64

▲ 2주기 원소들의 유효 핵전하와 원자 반지름(공유 결합 반지름)

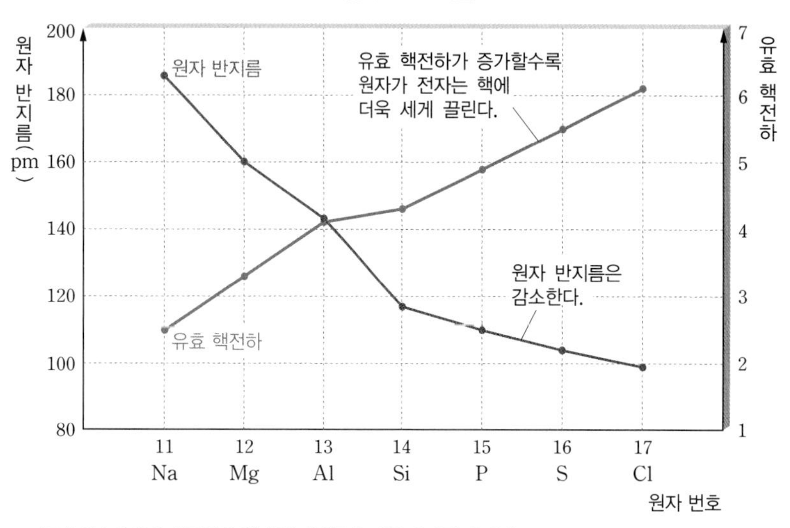

▲ 3주기 원소의 유효 핵전하와 원자 반지름(공유 결합 반지름)의 관계

(2) **같은 족에서 원자 반지름의 변화:** 같은 족에서는 원자 번호가 큰 원소일수록 원자 반지름이 크다. 이는 원자 번호가 클수록 전자 껍질 수가 많아져서 원자핵과 가장 바깥 전자 껍질에 있는 전자와의 거리가 멀어지기 때문이다.

리튬과 나트륨의 경우, 원자가 전자 수는 같으나 리튬은 전자 껍질 수가 2이고, 나트륨은 전자 껍질 수가 3이므로 나트륨의 원자 반지름이 더 크다. 같은 이유로 칼륨의 원자 반지름은 나트륨의 원자 반지름보다 크다.

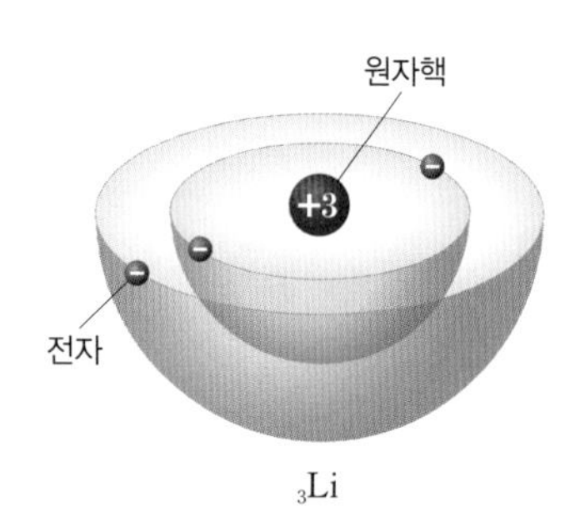

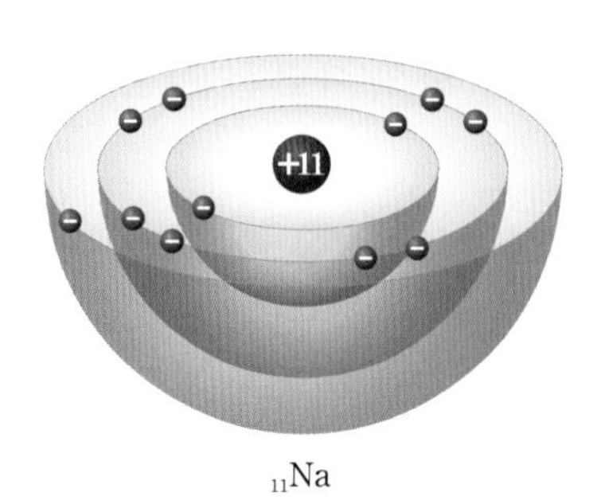

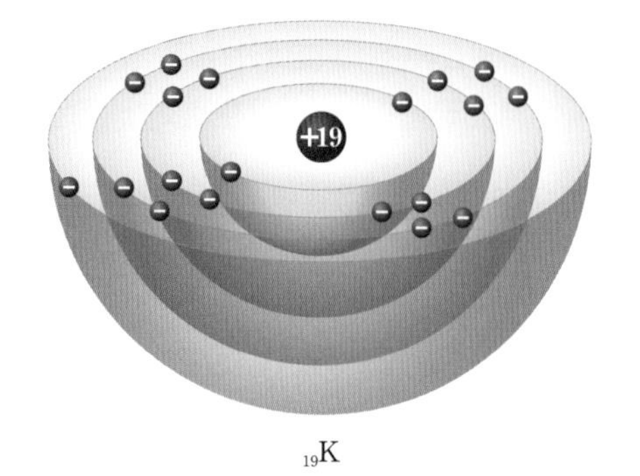

▲ 같은 족 원소의 원자 반지름 변화

다음 표는 1족 원소들의 전자 껍질에 따른 원자 반지름을 나타낸 것이다.

원자 번호	원소	주기	전자 배치		전자 껍질 수	원자 반지름 (pm)
			오비탈	전자 껍질		
3	Li	2주기	$1s^2 2s^1$	K(2)L(1)	2	152
11	Na	3주기	$1s^2 2s^2 2p^6 3s^1$	K(2)L(8)M(1)	3	186
19	K	4주기	$1s^2 2s^2 2p^6 3s^2 3p^6 4s^1$	K(2)L(8)M(8)N(1)	4	227

▲ **1족 원소의 전자 배치와 원자 반지름의 변화**

(3) **원자 반지름의 주기성:** 주기율표에서 같은 주기 원소들의 원자 반지름의 크기를 그래프에 나타내면 다음 그림과 같이 주기별로 변하는 모양이 비슷하다.

원자 반지름의 주기성
주기율표에서 여러 가지 원소의 원자 반지름을 비교하면 비교적 규칙적으로 변하는 것을 알 수 있다. 원자 반지름은 전자 껍질 수와 유효 핵전하의 영향을 받는다.

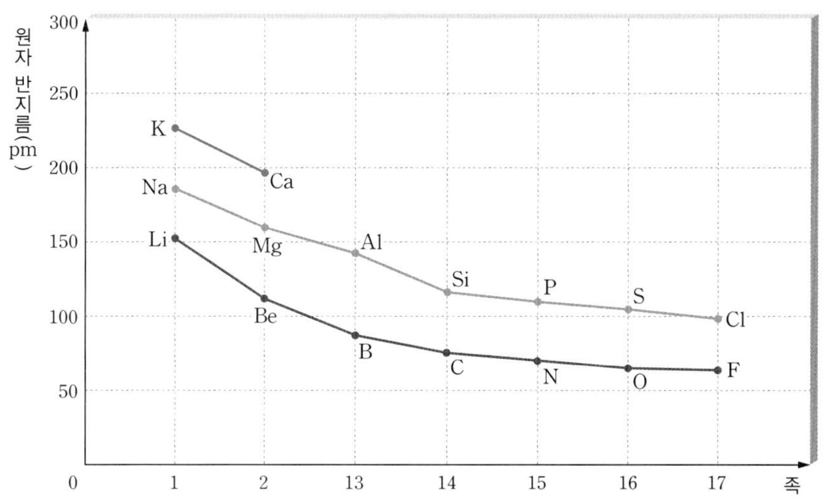

▲ **원자 번호 3~20인 원소들의 원자 반지름(18족 제외)**

예제

원소 기호로 나타낸 다음의 원소들 중에서 원자 반지름이 가장 큰 것을 쓰시오.

$_{11}Na$ $_{17}Cl$ $_{8}O$

해설 Na은 3주기 1족 원소이고, Cl는 3주기 17족 원소이며, O는 2주기 16족 원소이다. 주기율표의 오른쪽 위에 있는 원소일수록 원자 반지름이 작고, 왼쪽 아래에 있는 원소일수록 원자 반지름이 크므로 원자 반지름이 가장 큰 원소는 Na이다.

정답 $_{11}Na$

3. 이온 반지름

(1) **양이온 반지름:** 일반적으로 금속 원소는 원자가 전자를 잃고 양이온이 되기 쉽다. 금속 원자가 원자가 전자를 잃고 양이온이 될 때는 전자 껍질 수가 감소하고 유효 핵전하가 증가하므로 양이온 반지름은 원자 반지름보다 작아진다.

• 나트륨 이온(Na^+)의 형성과 반지름의 변화 : 나트륨 원자(Na)가 전자를 1개 잃고 양이온이 될 때 전자 껍질 수가 감소하므로 Na^+의 반지름이 Na의 반지름보다 작다.

양이온 반지름
금속 원자가 전자를 잃고 양이온이 될 때 전자 껍질 수가 감소하므로 원자 반지름보다 양이온 반지름이 작다.

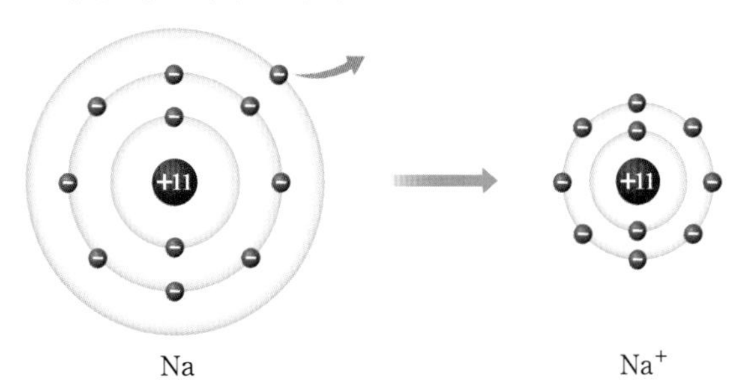

구분	Na	Na^+
양성자수	11	11
전자 수	11	10
전자 배치	K(2)L(8)M(1)	K(2)L(8)
전자 껍질 수	3	2
유효 핵전하	2.5	6.8
반지름(pm)	186	95

▲ 나트륨 원자(Na)와 나트륨 이온(Na^+)의 비교

▲ 금속 원자와 이온의 반지름 비교

(2) **음이온 반지름:** 일반적으로 비금속 원소는 전자를 얻어 음이온이 되기 쉽다. 이때 전자 껍질 수는 변하지 않으나 들어온 전자에 의해 전자 사이의 반발력이 증가하여 유효 핵전하는 감소하고 전자 구름이 커지므로 이온 반지름이 원자 반지름보다 커진다.

• 염화 이온(Cl^-)의 형성과 반지름의 변화: 염소 원자(Cl)가 전자를 1개 얻어 음이온이 될 때 전자 사이의 반발력이 증가하여 전자 구름이 커지므로 Cl의 반지름보다 Cl^-의 반지름이 더 크다.

음이온 반지름
비금속 원자가 전자를 얻어 음이온이 될 때 전자 사이의 반발력이 증가하므로 원자 반지름보다 음이온 반지름이 크다.

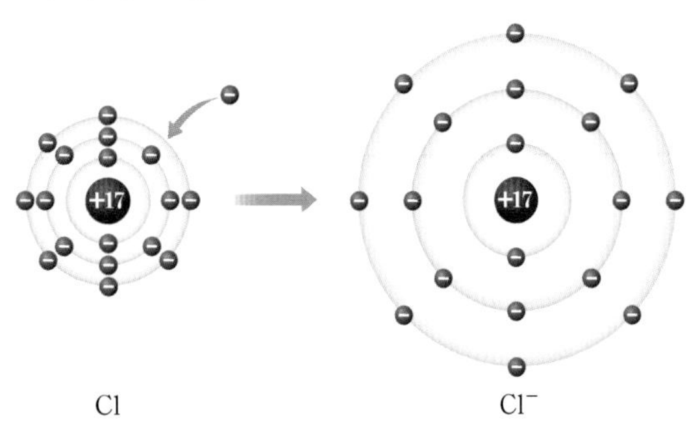

구분	Cl	Cl^-
양성자수	17	17
전자 수	17	18
전자 배치	K(2)L(8)M(7)	K(2)L(8)M(8)
전자 껍질 수	3	3
유효 핵전하	6.1	5.8
반지름(pm)	99	181

▲ 염소 원자(Cl)와 염화 이온(Cl^-)의 비교

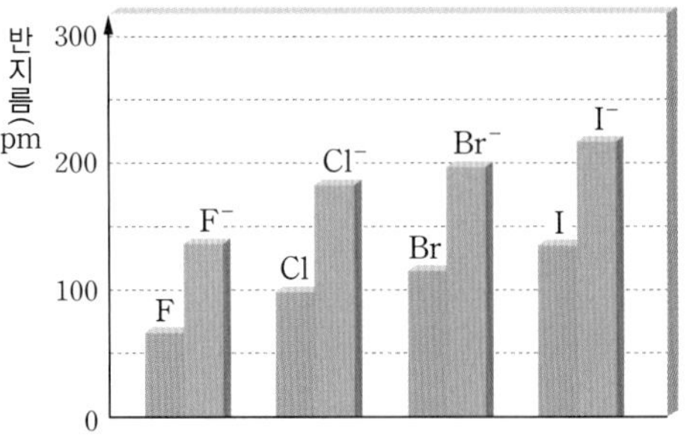

▲ 비금속 원자와 이온의 반지름 비교

(3) **이온 반지름의 주기성:** 같은 주기에는 금속의 양이온과 비금속의 음이온이 함께 존재하지만, 주기에 따른 이온 반지름의 변화는 규칙성이 있으므로 주기성이 나타난다.

① 같은 주기에서 이온 반지름의 변화: 원소의 원자 번호가 클수록 양이온 반지름은 작다. 또한 같은 주기 원소의 원자 번호가 클수록 음이온 반지름도 작다. 하지만 같은 주기에 속한 원소의 양이온 반지름보다 음이온 반지름이 크다.

② 같은 족에서 이온 반지름의 변화: 원소의 원자 번호가 클수록 양이온 반지름이나 음이온 반지름은 크다. 이는 원자 반지름과 같이 원자 번호가 클수록 이온의 전자 껍질 수가 증가하기 때문이다.

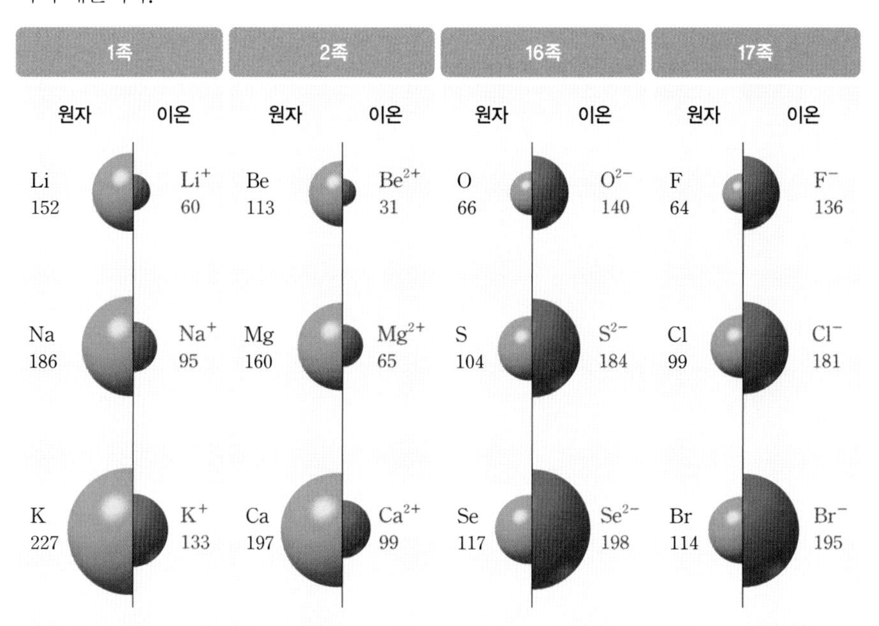

▲ 몇 가지 원소의 반지름과 이온 반지름(pm)

원자 반지름과 이온 반지름

같은 주기에서 원자 번호가 클수록 이온 반지름은 작아지는데, 양이온 반지름보다 음이온 반지름이 항상 크다. 같은 족에서는 원자 번호가 클수록 이온 반지름이 크다.

(4) **등전자 이온 반지름:** 전하의 종류와 관계없이 같은 수의 전자를 지니고 있는 이온을 등전자 이온이라고 한다. 등전자 이온은 전자 수가 같으므로 이온의 핵전하가 클수록, 즉 원자 번호가 클수록 핵이 전자를 끌어당기는 힘이 강하므로 이온 반지름이 작아진다.

다음 표는 등전자 이온인 S^{2-}, Cl^{-}, K^{+}, Ca^{2+}의 전자 수와 전자 배치, 양성자수와 이온 반지름을 비교하여 나타낸 것이다.

등전자 이온	S^{2-}	Cl^{-}	K^{+}	Ca^{2+}
전자 수	18	18	18	18
전자 배치	K(2)L(8)M(8)	K(2)L(8)M(8)	K(2)L(8)M(8)	K(2)L(8)M(8)
이온 모형	+16	+17	+19	+20
양성자수	16	17	19	20
이온 반지름(pm)	184	181	133	99

▲ 몇 가지 등전자 이온의 비교

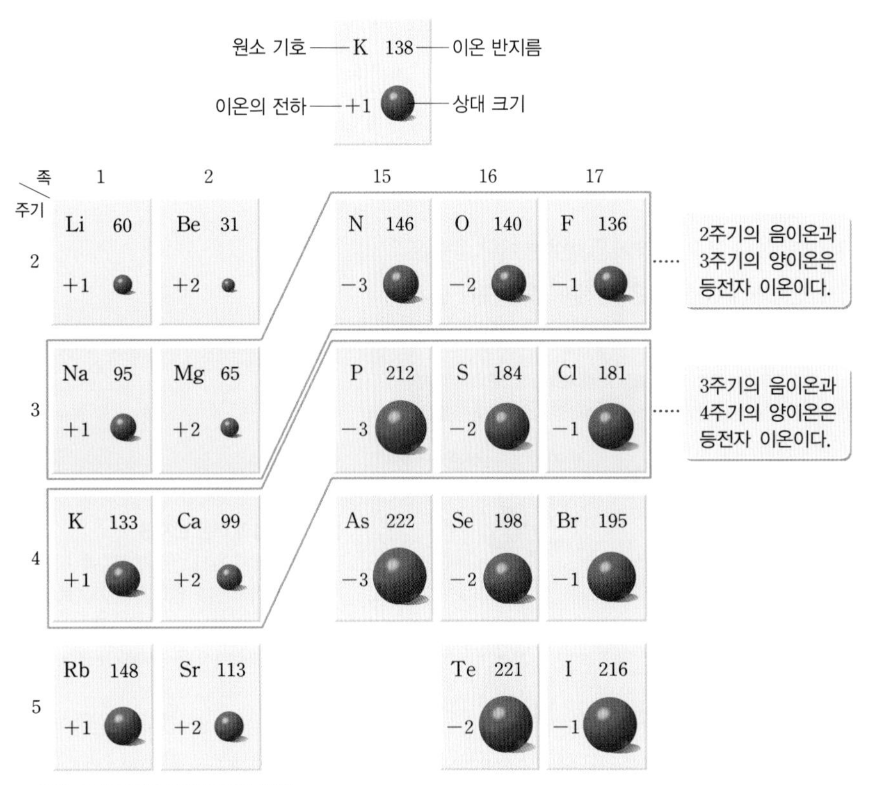

▲ **족과 주기에 따른 이온 반지름 변화**

3 이온화 에너지

바닥상태에 있는 원자가 에너지를 흡수하면 전자가 에너지 준위가 높은 오비탈로 이동하면서 들뜬상태가 된다. 여기서 더 많은 에너지를 흡수하면 원자에서 전자가 완전히 떨어져 나가 양이온이 형성될 수 있다.

1. 이온화 에너지

기체 상태의 원자 1몰로부터 전자 1몰을 떼어 내는 데 필요한 에너지(kJ/mol)를 의미한다.

$$M(g) + E \longrightarrow M^+(g) + e^-\ (E\text{: 이온화 에너지})$$

액체 상태나 고체 상태에서는 인접한 원자들의 영향으로 양이온이 되는 데 필요한 에너지가 달라지기 때문에 이온화 에너지는 기체 상태에서 정의한다.

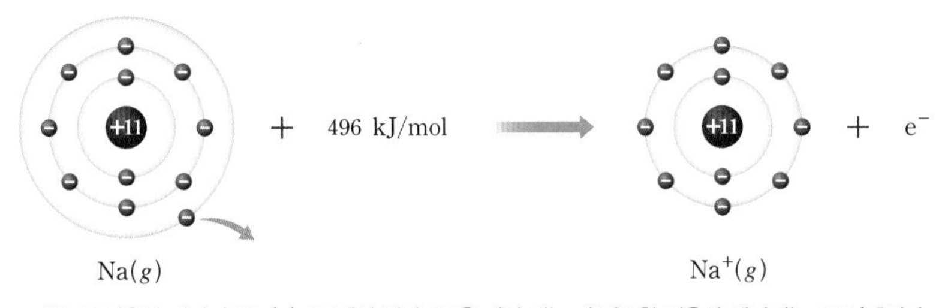

▲ **Na의 이온화 에너지** $Na(g)$ 1몰에서 전자 1몰을 떼어 내는 데 필요한 이온화 에너지는 496 kJ이다.

이온화 에너지의 의미

기체 상태의 원자 1몰로부터 전자 1몰을 떼어 내는 데 필요한 에너지가 이온화 에너지이다.

시야 확장 ⊕ 이온화 에너지의 측정

이온화 에너지는 기체 상태의 원자에서 바닥상태의 가장 바깥 전자 껍질의 전자를 원자핵과 분리시키는 데 필요한 에너지이다. 그런데 원자핵과 전자가 분리된 상태일 때에는 $n=\infty$이고, 이때의 에너지는 0이다. 따라서 전자가 $n=\infty$인 상태에서 바닥상태로 전이할 때 방출되는 스펙트럼의 진동수를 측정하여 다음과 같은 식을 이용하면 이온화 에너지를 구할 수 있다.

$$\Delta E = E_{\infty} - E_{\text{바닥}} = 0 - E_{\text{바닥}} = h\nu$$

(h: 플랑크 상수, ν: 진동수, $E_{\text{바닥}}$: 바닥상태의 에너지)

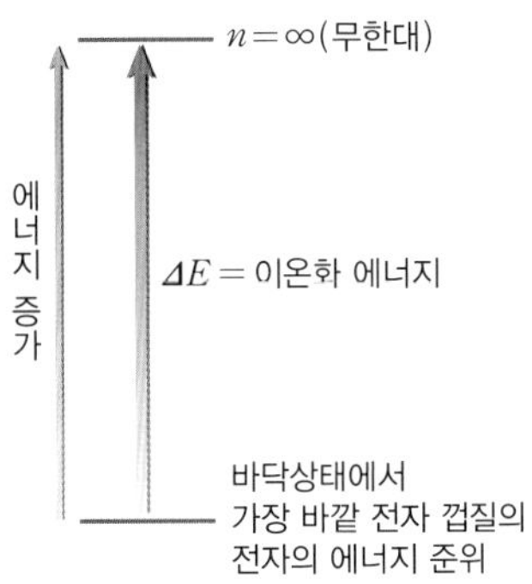

수소 원자에서 바닥상태는 $n=1$이고, 이때의 에너지는 $E_1=-1312$ kJ/mol이다. 또 핵과 전자가 완전히 분리된 상태는 $n=\infty$이고, 이때의 에너지는 0이다. 따라서 수소 원자의 이온화 에너지 $\Delta E = E_{\infty} - E_1 = 0-(-1312 \text{ kJ/mol}) = 1312$ kJ/mol이다.

2. 이온화 에너지의 주기성

일반적으로 같은 주기의 원소에서는 원자 번호가 증가할수록 이온화 에너지가 대체로 커지며, 같은 족의 원소에서는 원자 번호가 증가할수록 이온화 에너지가 작아진다.

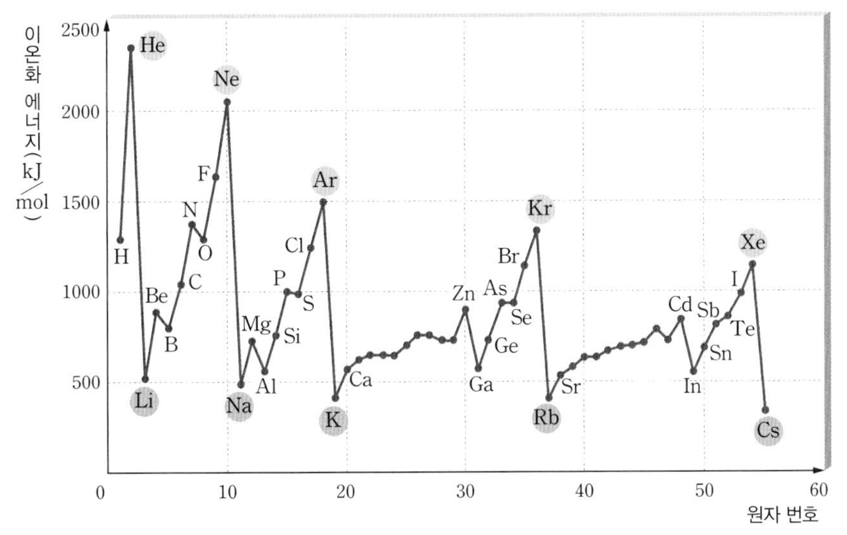

▲ 이온화 에너지의 주기성

주기율표에서 이온화 에너지의 변화 경향

이온화 에너지 증가 →

이온화 에너지 감소 ↓

(1) **같은 주기에서 이온화 에너지의 변화:** 같은 주기에서는 원자 번호가 큰 원소일수록 이온화 에너지가 커지는 경향이 있다. 이것은 원자 번호가 큰 원소일수록 양성자수가 많아져서 원자가 전자가 느끼는 유효 핵전하가 커지기 때문이다.

원자가 전자가 느끼는 유효 핵전하가 커지면 원자핵과 전자 사이의 정전기적 인력이 증가하여 전자가 원자핵에 강하게 결합되므로 전자를 떼어 내기가 어렵게 된다.

$$Li(g) + 520 \text{ kJ} \longrightarrow Li^{+}(g) + e^{-}$$

$$Be(g) + 900 \text{ kJ} \longrightarrow Be^{+}(g) + e^{-}$$

핵전하와 이온화 에너지(같은 주기)

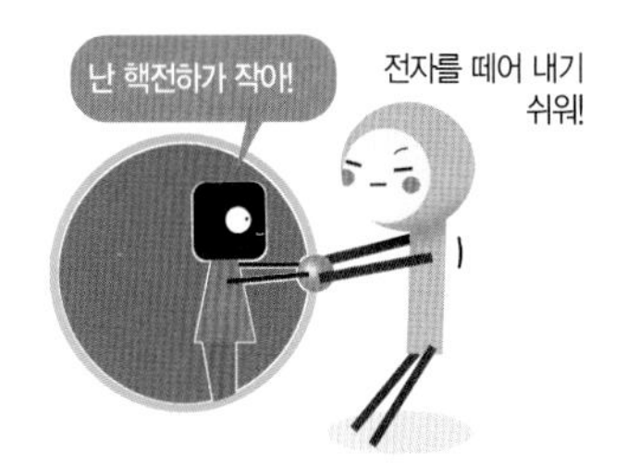

난 핵전하가 작아!
전자를 떼어 내기 쉬워!

난 핵전하가 크지!
전자를 떼어 내기 어려워!

핵전하가 클수록 전자를 떼어 내기 어렵다.

다음 표는 2주기 원소 중 리튬(Li)과 베릴륨(Be)의 성질과 이온화 에너지를 비교한 것이다.

2주기 원소	Li	Be
양성자수	3	4
전자 배치	K(2)L(1)	K(2)L(2)
전자 껍질 수	2	2
유효 핵전하	1.3	1.9
이온화 에너지(kJ/mol)	520	900

(2) **같은 족에서 이온화 에너지의 변화:** 같은 족에서는 원자 번호가 큰 원소일수록 이온화 에너지가 작아진다. 이것은 원자 번호가 큰 원소일수록 전자 껍질 수가 증가하여 원자핵과 전자 사이의 정전기적 인력이 약해지기 때문이다.

$$\mathrm{Li}(g) + 520\ \mathrm{kJ} \longrightarrow \mathrm{Li}^+(g) + \mathrm{e}^-$$
$$\mathrm{Na}(g) + 496\ \mathrm{kJ} \longrightarrow \mathrm{Na}^+(g) + \mathrm{e}^-$$

다음 표는 1족 원소의 성질과 이온화 에너지를 비교한 것이다.

1족 원소	Li	Na	K
양성자수	3	11	19
전자 배치	K(2)L(1)	K(2)L(8)M(1)	K(2)L(8)M(8)N(1)
전자 껍질 수	2	3	4
유효 핵전하	1.3	2.5	3.5
이온화 에너지(kJ/mol)	520	496	419

Li → Na → K으로 갈수록 원자가 전자가 느끼는 유효 핵전하는 조금 증가하지만, 전자 껍질 수가 증가함에 따라 원자핵과 전자 사이의 거리가 멀어져 정전기적 인력이 작아진다. 따라서 같은 족 원소에서는 원자 번호가 클수록 이온화 에너지가 작아진다.

3. 순차 이온화 에너지

기체 상태의 중성 원자 1몰로부터 전자를 1몰씩 차례로 떼어 내는 데 필요한 에너지를 순차 이온화 에너지라고 한다. 전자 1몰을 떼어 내는 데 필요한 에너지를 제1 이온화 에너지(E_1)라고 하며, 전자 2몰, 3몰, …을 떼어 내는 데 필요한 에너지를 제2 이온화 에너지(E_2), 제3 이온화 에너지(E_3)라고 한다.

$\mathrm{M}(g) + E_1 \longrightarrow \mathrm{M}^+(g) + \mathrm{e}^-$ (E_1: 제1 이온화 에너지)
$\mathrm{M}^+(g) + E_2 \longrightarrow \mathrm{M}^{2+}(g) + \mathrm{e}^-$ (E_2: 제2 이온화 에너지)
$\mathrm{M}^{2+}(g) + E_3 \longrightarrow \mathrm{M}^{3+}(g) + \mathrm{e}^-$ (E_3: 제3 이온화 에너지)

(1) **순차 이온화 에너지의 크기:** 차수가 진행될수록 순차 이온화 에너지가 증가한다. 이는 이온화가 진행될수록 전자 사이의 반발력은 감소하고, 전자와 원자핵 사이의 인력이 증가하기 때문이다.

순차 이온화 에너지의 크기: $E_1 < E_2 < E_3 < E_4 \cdots$

전자 껍질 수와 이온화 에너지(같은 족)

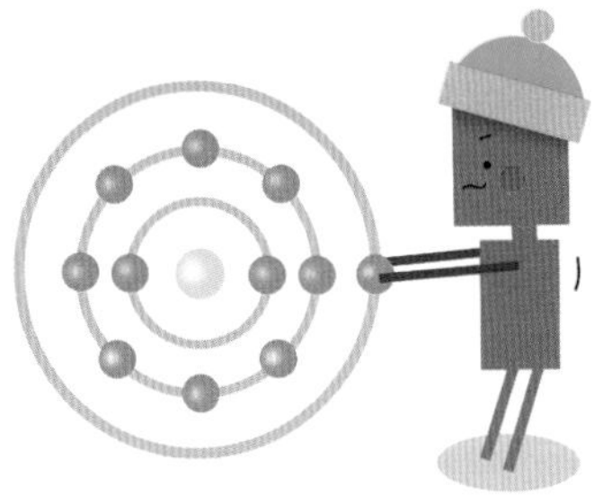

전자 껍질 수가 증가할수록 전자를 떼어 내기 쉽다.

원자핵과 전자 사이의 정전기적 인력

원자핵과 전자 사이의 정전기적 인력(F)은 전하량(Q)의 곱에 비례하고 원자핵과 전자 사이의 거리(r)의 제곱에 반비례한다.

$F = k\dfrac{Q_1Q_2}{r^2}$ (k는 상수)

원자핵과 전자 사이의 거리가 멀어지면 원자핵과 전자 사이 거리의 제곱에 반비례하여 정전기적 인력이 작아진다.

이온화 에너지

보통은 이온화 에너지라고 하면 제1 이온화 에너지를 의미한다.

(2) **순차 이온화 에너지와 원자가 전자:** 한 원소에 대한 순차 이온화 에너지는 차수가 커질수록 점차 증가하다가 전자 껍질이 바뀔 때 급격하게 증가한다. 이는 전자 껍질이 바뀔 때 원자핵과 전자 사이의 평균 거리가 매우 가까워지고 유효 핵전하가 크게 증가하여 원자핵과 전자 사이의 인력이 크게 증가하기 때문이다. 따라서 원자로부터 원자가 전자 수만큼까지는 전자를 떼어 내기가 비교적 쉽다가 안쪽 전자 껍질에 존재하는 그 이상의 전자를 떼어 낼 때에는 매우 큰 에너지가 필요해진다. 이것을 이용하면 원소의 순차 이온화 에너지로부터 원자가 전자 수를 예측할 수 있다. 예를 들어, 베릴륨(Be)의 경우 제3 이온화 에너지가 급격하게 증가하므로 Be의 원자가 전자 수는 2라는 것을 예측할 수 있다.

족에 따른 원소의 순차 이온화 에너지
- 1족: $E_1 \ll E_2 < \cdots$
- 2족: $E_1 < E_2 \ll E_3 < \cdots$
- 13족: $E_1 < E_2 < E_3 \ll E_4 < \cdots$

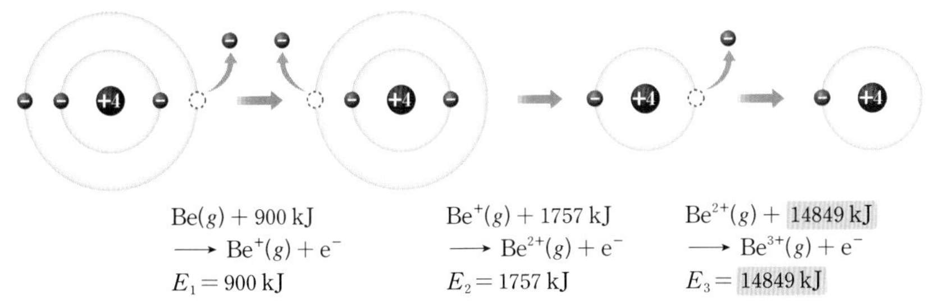

▲ **Be의 순차 이온화 에너지**

다음 표는 원자 번호 1에서 20까지 원소들의 순차 이온화 에너지를 나타낸 것이다. 표를 보면 각 원소가 속한 족에 따라 순차 이온화 에너지가 급격하게 변하는 부분이 각각 다른 것을 볼 수 있다.

원소	전자 껍질				순차 이온화 에너지(kJ/mol)								
	K	L	M	N	E_1	E_2	E_3	E_4	E_5	E_6	E_7	E_8	E_9
$_{1}H$	1				1312								
$_{2}He$	2				2372	5250							
$_{3}Li$	2	1			520	7298	11815						
$_{4}Be$	2	2			900	1757	14849	21007					
$_{5}B$	2	3			801	2427	3660	25026	32827				
$_{6}C$	2	4			1086	2353	4620	6223	37831	47277			
$_{7}N$	2	5			1402	2856	4578	7475	9445	53267	64360		
$_{8}O$	2	6			1314	3388	5300	7469	10989	13326	71330	84078	
$_{9}F$	2	7			1681	3374	6050	8408	11023	15164	17868	92038	106434
$_{10}Ne$	2	8			2081	3952	6122	9371	12177	15238	19999	23069	115379
$_{11}Na$	2	8	1		496	4562	6912	9544	13353	16610	20115	25496	28932
$_{12}Mg$	2	8	2		738	1451	7733	10540	13628	17995	21704	25661	31653
$_{13}Al$	2	8	3		578	1817	2745	11578	14831	18378	23295	27465	31853
$_{14}Si$	2	8	4		787	1577	3232	4356	16091	19785	23786	29287	33878
$_{15}P$	2	8	5		1012	1903	2912	4957	6274	21267	25397	29872	35905
$_{16}S$	2	8	6		1000	2251	3361	4564	7013	8496	27106	31719	36621
$_{17}Cl$	2	8	7		1251	2297	3822	5158	6540	9362	11018	33604	38600
$_{18}Ar$	2	8	8		1521	2666	3931	5771	7238	8781	11995	13842	40760
$_{19}K$	2	8	8	1	419	3052	4420	5877	7975	9590	11343	14944	16964
$_{20}Ca$	2	8	8	2	590	1145	4912	6491	8153	10496	12270	14206	18191

▲ **원자 번호 1에서 20까지 원소들의 순차 이온화 에너지**

차이를 만드는

심화

이온화 에너지의 예외적인 경향

같은 주기에서 원자 번호가 커질수록 이온화 에너지가 증가하지만 예외적으로 감소하는 구간이 있다. 같은 주기에서 이온화 에너지가 감소하는 구간이 나타나는 이유를 알아보자.

원자 번호 1에서 20까지 원소들의 이온화 에너지를 그래프에 나타내 보면 같은 주기에서는 원자 번호가 큰 원소일수록 이온화 에너지가 증가하지만 감소하는 구간이 주기별로 2군데가 있다는 것을 알 수 있다.

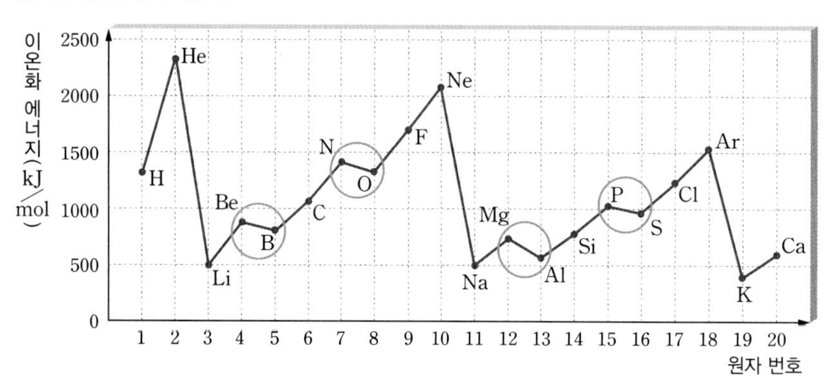

(1) $_4$Be과 $_5$B의 비교: 2족 원소인 Be보다 13족 원소인 B의 이온화 에너지가 작은 이유는 전자 배치와 관련이 있다. 전자 1개를 떼어 낼 때 Be에서는 에너지 준위가 낮은 2*s* 오비탈에서 전자가 떨어져 나오는데, B에서는 에너지 준위가 높은 2*p* 오비탈에서 전자가 떨어져 나오기 때문에 더 쉽게 떨어져 나온다. 따라서 B의 이온화 에너지가 Be의 이온화 에너지보다 작다.

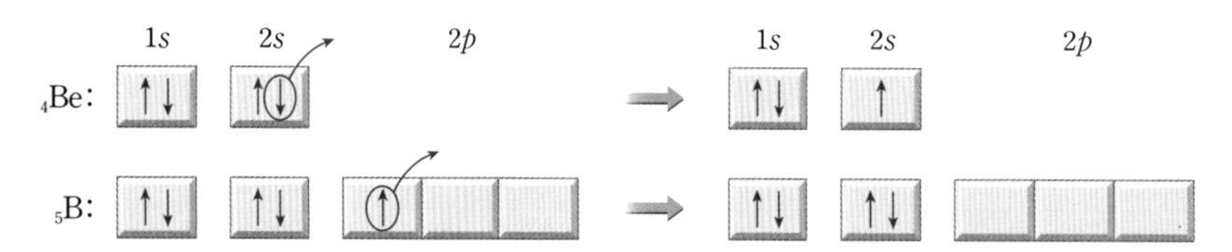

(2) $_7$N와 $_8$O의 비교: 15족 원소인 N보다 16족 원소인 O의 이온화 에너지가 작은 이유는 전자 배치와 관련이 있다. N의 경우 *p* 오비탈에 각각 1개씩의 홀전자 3개가 들어 있으므로 매우 안정한 상태이다. 그런데 O의 경우 *p* 오비탈 중 1개의 오비탈에 전자 2개가 짝 지어진 상태로 들어 있어서 짝 지어진 전자 사이의 반발력이 작용하므로 이 전자가 더 잘 떨어져 나온다. 따라서 O의 이온화 에너지가 N의 이온화 에너지보다 작다.

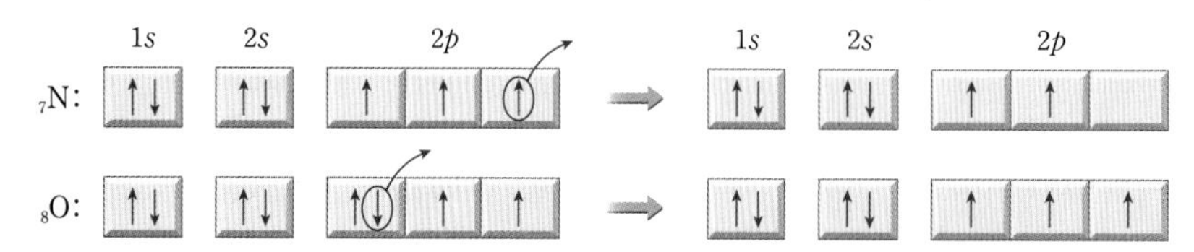

2주기 원소의 제2 이온화 에너지
제2 이온화 에너지의 경우에도 예외적인 경향은 똑같이 적용된다.

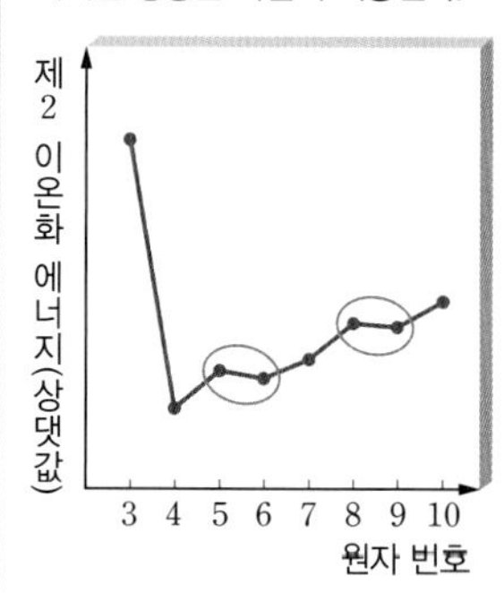

02 원소의 주기적 성질

① 유효 핵전하

1. 가려막기 효과 다전자 원자에서 전자와 핵 사이의 인력은 전자 사이의 반발력에 의해 원자핵의 전하보다 (❶)하는데, 이러한 효과를 가려막기 효과라고 한다.

2. 유효 핵전하의 주기성 같은 주기, 같은 족에서 원자 번호가 커질수록 원자가 전자가 느끼는 유효 핵전하는 (❷)한다.

② 원자 반지름

1. 원자 반지름 비금속 원자의 경우 같은 원자로 이루어진 이원자 분자의 원자핵 사이의 거리를 측정하여 그 거리의 절반을 원자 반지름이라 하며, 금속 원자의 반지름은 금속 결정 상태에서 원자핵 사이의 거리의 절반으로 정한다.

• 같은 주기에서는 원자 번호가 커질수록 유효 핵전하가 증가하므로 원자 반지름이 (❸)한다.
• 같은 족에서는 원자 번호가 커질수록 전자 껍질 수가 증가하므로 원자 반지름이 (❹)한다.

2. 이온 반지름

• 양이온: 양이온 반지름 < 원자 반지름 ➡ 원자가 원자가 전자를 잃어 전자 껍질 수가 (❺)하기 때문
• 음이온: 음이온 반지름 > 원자 반지름 ➡ 원자가 전자를 얻어 전자 사이의 반발력이 (❻)하기 때문

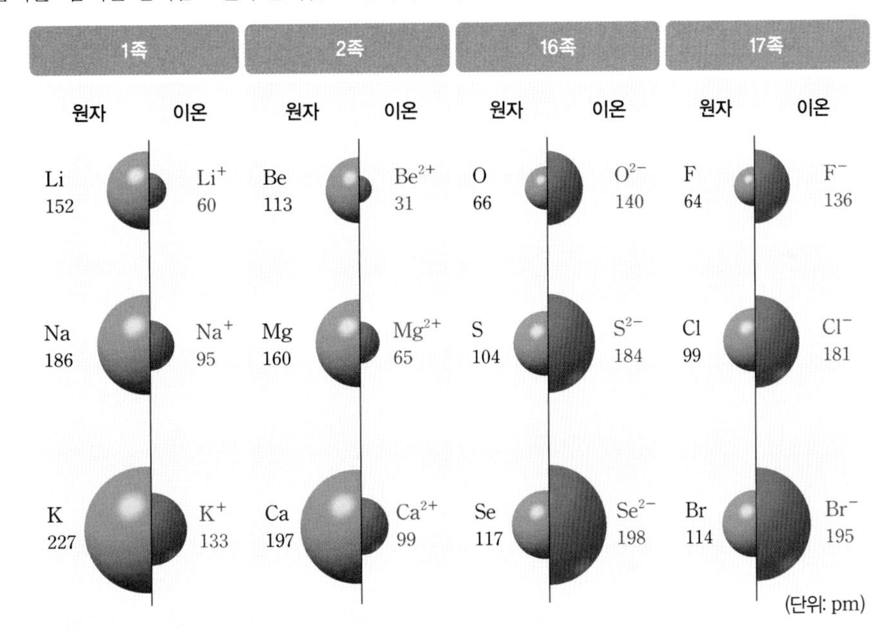

③ 이온화 에너지

1. 이온화 에너지 기체 상태의 중성 원자 1몰로부터 전자 1몰을 떼어 내는 데 필요한 에너지이다.

• 같은 주기에서는 원자 번호가 클수록 대체로 이온화 에너지가 (❼)한다.
• 같은 족에서는 원자 번호가 클수록 이온화 에너지가 (❽)한다.

2. 순차 이온화 에너지 기체 상태의 원자 1몰에서 전자 1몰씩을 차례로 떼어 내는 데 필요한 이온화 에너지이다. 차수가 증가할수록 순차 이온화 에너지가 (❾)하며, 안쪽 전자 껍질의 전자를 떼어 낼 때 순차 이온화 에너지가 급격하게 증가하므로 이로부터 각 원자의 원자가 전자 수를 예측할 수 있다.

01 유효 핵전하에 대한 설명으로 옳은 것은 ○, 옳지 않은 것은 ×로 표시하시오.

(1) $_{1}H$의 원자가 전자가 느끼는 유효 핵전하는 +1이다. ( )

(2) 원자가 전자가 느끼는 유효 핵전하의 크기는 $_{9}F$이 $_{17}Cl$보다 크다. ( )

(3) 원자가 전자가 느끼는 유효 핵전하의 크기는 $_{6}C$가 $_{8}O$보다 작다. ( )

02 그림은 리튬(Li) 원자와 베릴륨(Be) 원자의 전자 배치를 모형으로 나타낸 것이다.

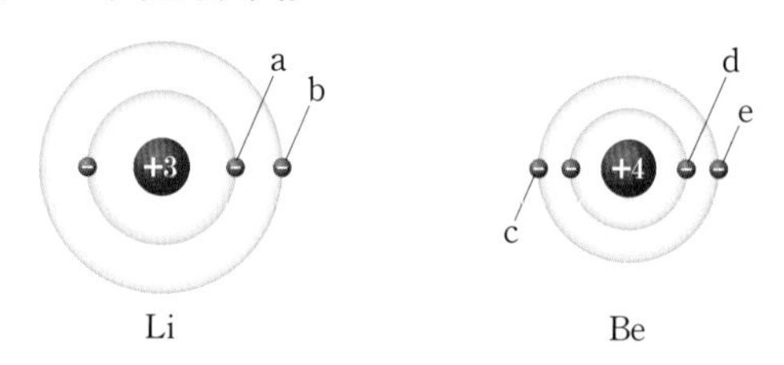

이에 대한 설명으로 옳은 것만을 보기에서 있는 대로 고르시오.

보기

ㄱ. a가 느끼는 유효 핵전하는 +3이다.

ㄴ. b와 e가 느끼는 유효 핵전하의 크기는 b>e이다.

ㄷ. e에 영향을 미치는 가려막기 효과는 d가 c보다 크다.

03 그림은 원자 A~D의 바닥상태 전자 배치를 나타낸 것이다.

	1s	2s	2p			3s
A	↑↓	↑				
B	↑↓	↑↓	↑	↑	↑	
C	↑↓	↑↓	↑↓	↑↓	↑	
D	↑↓	↑↓	↑↓	↑↓	↑↓	↑

원자 반지름이나 이온 반지름을 옳게 비교한 것만을 보기에서 있는 대로 고르시오. (단, A~D는 임의의 원소 기호이다.)

보기

ㄱ. A>B　　ㄴ. $A^{+}>C^{-}$

ㄷ. $B^{3-}>C^{-}$　　ㄹ. $C^{-}>D^{+}$

04 다음 원소들의 제1 이온화 에너지를 부등호를 이용하여 비교하시오.

(1) $_{3}Li$, $_{11}Na$, $_{19}K$

(2) $_{7}N$, $_{8}O$, $_{9}F$

05 다음은 원소 X의 순차 이온화 에너지를 나타낸 것이다. (단, X는 임의의 원소 기호이다.)

• E_1=578 kJ/mol　• E_2=1817 kJ/mol

• E_3=2745 kJ/mol　• E_4=11578 kJ/mol

(1) X의 원자가 전자 수를 쓰시오.

(2) X의 족을 쓰시오.

06 그림은 주기율표의 일부를 나타낸 것이다.

주기＼족	1	2	13	14	15	16	17
2	Li	Be	B	C	N	O	F
3	Na	Mg	Al	Si	P	S	Cl

(1) 원자 반지름이 가장 작은 원소와 가장 큰 원소의 원소 기호를 차례로 쓰시오.

(2) 이온 반지름이 가장 작은 이온과 가장 큰 이온의 이온식을 차례로 쓰시오. (단, 1~14족 원소는 양이온을, 15~17족 원소는 음이온을 형성한다.)

(3) 제1 이온화 에너지가 가장 작은 원소와 가장 큰 원소의 원소 기호를 차례로 쓰시오.

(4) 제2 이온화 에너지가 가장 큰 원소와 가장 작은 원소의 원소 기호를 차례로 쓰시오.

(5) Al의 순차 이온화 에너지 E_1~E_{13}의 크기를 부등호로 나타내시오. (단, 급격한 차이는 ≫로 나타내시오.)

01 > 등전자 이온의 이온 반지름

그림은 원소 A～D가 Ar과 같은 전자 배치를 이루는 이온이 되었을 때의 이온 반지름을 나타낸 것이다. A～D는 각각 S, Cl, K, Ca 중 하나이다.

이에 대한 설명으로 옳은 것만을 보기에서 있는 대로 고른 것은?

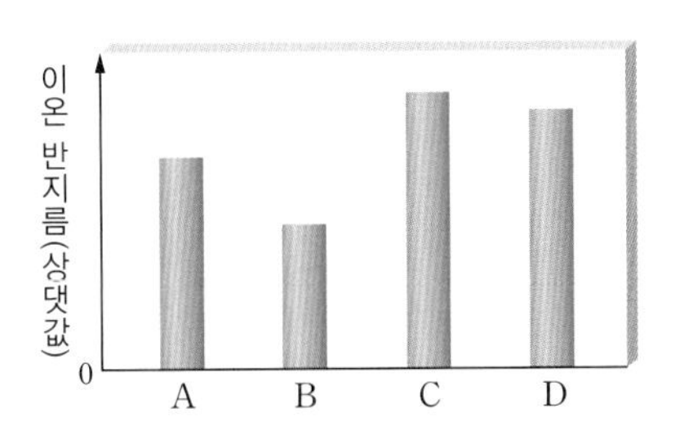

보기

ㄱ. C는 K이다.

ㄴ. 원자가 전자가 느끼는 유효 핵전하는 A>B이다.

ㄷ. C와 D는 같은 주기 원소이다.

① ㄱ ② ㄷ ③ ㄱ, ㄴ ④ ㄱ, ㄷ ⑤ ㄴ, ㄷ

• 등전자 이온의 경우 핵전하가 커질수록 이온 반지름이 작아진다.

고난도

02 > 유효 핵전하

그림 (가)는 2주기 원소의 핵전하(Z)와 원자가 전자가 느끼는 유효 핵전하(Z^*)를 나타낸 것이고, 그림 (나)는 2주기 원소 A～E의 바닥상태 원자의 전자 배치에서 홀전자 수에 따른 Z와 Z^*의 차($Z-Z^*$)를 나타낸 것이다.

(가)

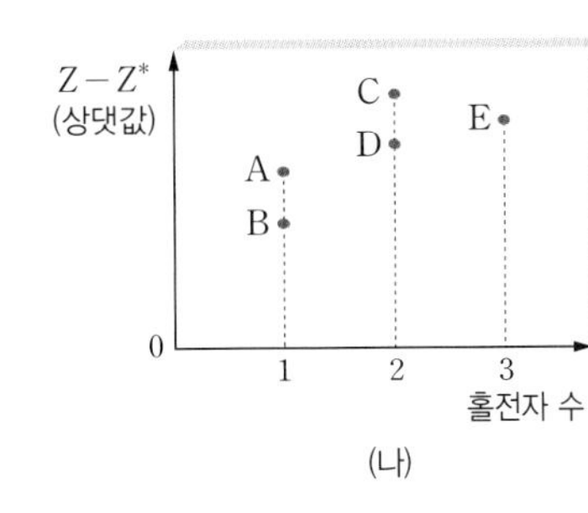

(나)

이에 대한 설명으로 옳은 것만을 보기에서 있는 대로 고른 것은? (단, A～E는 임의의 원소 기호이다.)

보기

ㄱ. A～E의 핵전하(Z)를 모두 합한 값은 28이다.

ㄴ. A～E 중 원자 반지름이 가장 큰 것은 B이다.

ㄷ. A～E 중 제1 이온화 에너지가 가장 큰 것은 C이다.

① ㄱ ② ㄴ ③ ㄱ, ㄴ ④ ㄱ, ㄷ ⑤ ㄴ, ㄷ

• 같은 주기에서 원자 번호가 커질수록 핵전하와 유효 핵전하의 차($Z-Z^*$)도 커진다.

03

> 전자 배치와 이온화 에너지

그림은 바닥상태에서 전자가 들어 있는 오비탈 수에 따른 2주기 원소의 제1 이온화 에너지를 나타낸 것이다.

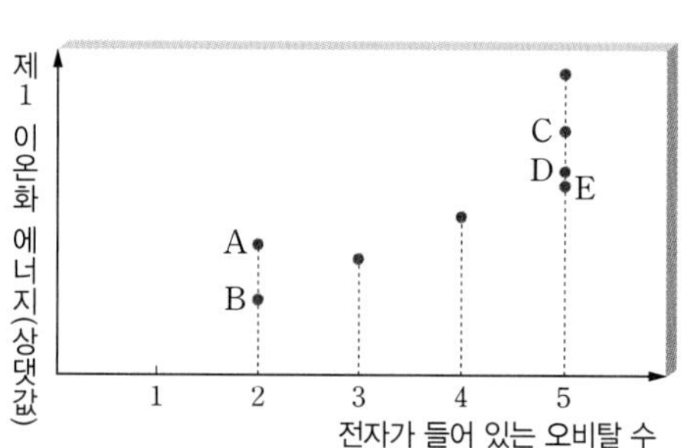

원소 A~E에 대한 설명으로 옳은 것만을 보기에서 있는 대로 고른 것은? (단, A~E는 임의의 원소 기호이다.)

보기

ㄱ. 양성자수가 가장 큰 원소는 C이다.

ㄴ. 원자가 전자가 느끼는 유효 핵전하가 가장 큰 원소는 E이다.

ㄷ. $\dfrac{\text{제2 이온화 에너지}}{\text{제1 이온화 에너지}}$ 값은 A가 가장 크다.

① ㄱ ② ㄴ ③ ㄱ, ㄴ ④ ㄱ, ㄷ ⑤ ㄴ, ㄷ

• 같은 주기에서 이온화 에너지는 원자 번호가 커질수록 대체로 커진다.

04

> 원소의 주기적 성질

다음은 2, 3주기 바닥상태의 원자 A~C에 대한 자료이다.

- A는 주기와 원자가 전자 수가 같다.
- A와 B는 같은 족 원소이고, 이온화 에너지는 A>B이다.
- B와 C는 같은 주기 원소이고, 원자가 전자가 느끼는 유효 핵전하는 B>C이다.

이에 대한 설명으로 옳은 것만을 보기에서 있는 대로 고른 것은? (단, A~C는 임의의 원소 기호이다.)

보기

ㄱ. 원자 반지름은 C>B>A이다.

ㄴ. 이온화 에너지는 A>B>C이다.

ㄷ. 원자가 전자가 느끼는 유효 핵전하는 A>B>C이다.

① ㄱ ② ㄴ ③ ㄱ, ㄴ ④ ㄱ, ㄷ ⑤ ㄱ, ㄴ, ㄷ

• 2, 3주기 원소 중 주기와 원자가 전자 수가 같은 것은 2주기 2족 원소와 3주기 13족 원소이다.

05

> 순차 이온화 에너지

표는 원자 A~C의 이온화 에너지에 대한 자료이다. A~C는 Na, Al, Si 중 하나이다.

원자	A	B	C
$\frac{\text{제2 이온화 에너지}}{\text{제1 이온화 에너지}}$	3.14	2.00	9.20

이에 대한 설명으로 옳은 것만을 보기에서 있는 대로 고른 것은?

보기

ㄱ. 원자가 전자가 느끼는 유효 핵전하는 A>B이다.
ㄴ. Ne과 같은 전자 배치가 되었을 때의 이온 반지름은 C>A이다.
ㄷ. 제1 이온화 에너지는 A>B>C이다.

① ㄱ ② ㄴ ③ ㄱ, ㄴ ④ ㄱ, ㄷ ⑤ ㄴ, ㄷ

- 제2 이온화 에너지는 Si<Al이고, 제1 이온화 에너지는 Si>Al이다.

06

> 2, 3주기 원소들의 순차 이온화 에너지

표는 2, 3주기에 속하는 원소 A~C의 순차 이온화 에너지를 나타낸 것이다.

원소	순차 이온화 에너지(E_n, $\times 10^3$ kJ/mol)			
	E_1	E_2	E_3	E_4
A	0.58	1.82	2.75	11.58
B	0.74	1.45	7.73	10.54
C	0.80	2.43	3.66	25.03

이에 대한 설명으로 옳은 것만을 보기에서 있는 대로 고른 것은? (단, A~C는 임의의 원소 기호이다.)

보기

ㄱ. C는 13족 원소이다.
ㄴ. A와 B는 같은 주기 원소이다.
ㄷ. 원자가 전자가 느끼는 유효 핵전하는 C가 A보다 크다.

① ㄱ ② ㄴ ③ ㄱ, ㄴ ④ ㄱ, ㄷ ⑤ ㄴ, ㄷ

- 한 원자에 대한 순차 이온화 에너지는 차수가 커질수록 증가하다가 전자 껍질이 바뀌는 부분에서 급격하게 증가한다. 이를 통해 원자가 전자 수를 예측할 수 있다.

고난도

07

> 3주기 원소들의 바닥상태 전자 배치와 주기적 성질

표는 3주기 바닥상태의 원자 X~Z에 대한 자료이다.

원자	X	Y	Z
홀전자 수	2	2	3
제2 이온화 에너지(kJ/mol)	1577	2251	1903

이에 대한 설명으로 옳은 것만을 보기에서 있는 대로 고른 것은? (단, X~Z는 임의의 원소 기호이다.)

보기

ㄱ. 원자가 전자가 느끼는 유효 핵전하는 Z>X>Y이다.
ㄴ. 원자 반지름은 X>Z>Y이다.
ㄷ. 제1 이온화 에너지는 Y>Z>X이다.

① ㄱ ② ㄴ ③ ㄱ, ㄴ ④ ㄱ, ㄷ ⑤ ㄴ, ㄷ

• 바닥상태의 전자 배치에서 한 오비탈에 배치된 쌍을 이루는 전자를 전자쌍이라고 하며, 오비탈에서 전자쌍을 이루지 않는 전자를 홀전자라고 한다.

고난도

08

> 제2 이온화 에너지의 주기성

그림은 원자 a~g의 제2 이온화 에너지를 나타낸 것으로, a~g는 각각 원자 번호 8~14인 원소 중 하나이다.

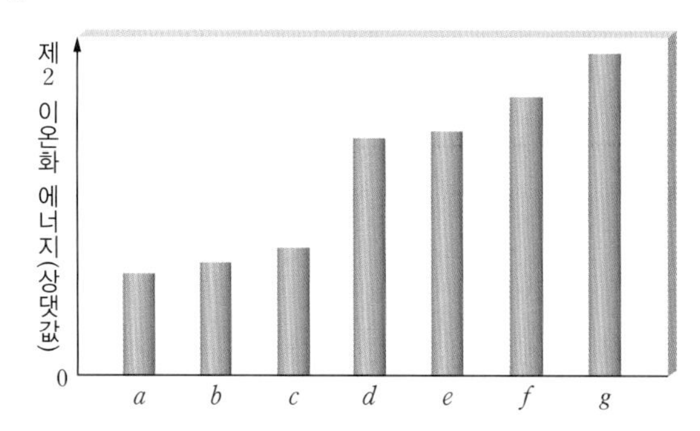

이에 대한 설명으로 옳은 것만을 보기에서 있는 대로 고른 것은? (단, a~g는 임의의 원소 기호이다.)

보기

ㄱ. 제1 이온화 에너지는 g가 가장 크다.
ㄴ. a, e, g가 안정한 이온이 되었을 때 반지름은 $g>e>a$이다.
ㄷ. 원자가 전자가 느끼는 유효 핵전하의 차이는 g와 b의 차가 a와 c의 차보다 크다.

① ㄱ ② ㄷ ③ ㄱ, ㄴ ④ ㄱ, ㄷ ⑤ ㄴ, ㄷ

• 원자 번호 8~14인 원소 중에서 3주기 1족 원소인 Na의 제2 이온화 에너지가 가장 크다.

읽을거리

18족 원소의 발견

영국의 과학자 레일리(Rayleigh, J. W. S., 1842~1919)는 암모니아를 열분해하여 얻은 질소 기체와 공기에서 산소, 이산화 탄소, 수증기를 제거하는 방식으로 얻은 질소 기체가 서로 다른 밀도를 나타내는 것을 발견하였고, 그 결과를 매우 의아하게 생각하였다. 실제로 레일리가 실험을 통해 공기로부터 분리한 질소 기체의 밀도는 암모니아로부터 얻은 질소 기체의 밀도보다 조금 컸다. 하지만 당시에는 공기를 구성하는 기체의 종류를 정확히 알지 못하였으므로 이러한 현상은 수수께끼 같은 결과였다. 레일리는 자신의 동료였던 램지(Ramsay, W., 1852~1916)에게 실험 결과를 설명하였고, 램지는 수수께끼 같은 실험 결과를 알아내기 위해 후속 실험을 준비하였다.

1898년 램지는 공기로부터 얻은 질소를 빨갛게 달구어진 마그네슘에 통과시켜 질화 마그네슘으로 바꾸는 실험을 수행하였다.

$$3Mg(s) + N_2(g) \longrightarrow Mg_3N_2(s)$$

실험 결과 램지는 모든 질소가 마그네슘과 반응한 이후 어떤 것과도 결합하지 않는 미지의 기체의 존재를 인지하고, 그 기체의 방출 스펙트럼을 측정하여 기존에 알려진 그 어떤 원소와도 스펙트럼이 일치하지 않음을 확인하였다. 그 기체의 발견은 곧 새로운 원소의 발견이었고, 현재 아르곤이라고 알려진 18족 원소의 첫 발견이었다.

아르곤을 발견한 해와 같은 해에 램지는 우라늄 광석에서 헬륨을 분리하였다. 램지는 헬륨과 아르곤 원자의 질량, 그들의 화학적 성질 등이 당시까지 알려진 주기율표의 특징으로 설명되기 부족한 점을 들어 또 다른 비활성 기체의 존재를 예상하였고, 이 기체들이 하나의 족임을 확신하였다.

이후 그는 냉동기기를 이용하여 액체 공기를 생산하였고, 분별 증류를 통해 액체 공기를 서서히 가열하면서 서로 다른 온도에서 끓는 성분을 각각 모았다. 이러한 방식으로 3달만에 네온, 크립톤, 제논 3가지 원소를 확인하였다. 단 3달 만에 3가지 원소를 발견한 것은 대단한 일이었다. 18족 원소의 발견은 주기율표를 완성해 가는 데 큰 도움이 되었다. 그리고 레일리와 램지는 아르곤을 발견한 공로를 인정받아 각각 노벨 물리학상과 노벨 화학상을 수상하였다.

▲ 아르곤

▲ 네온

▲ 크립톤

▲ 제논

01

> 주기율표와 원소의 성질

그림은 주기율표의 일부를 나타낸 것이다.

주기＼족	1	2	13	14	15	16	17	18
1	A							B
2							C	
3	D						E	

A～E에 대한 설명으로 옳은 것만을 보기에서 있는 대로 고른 것은? (단, A～E는 임의의 원소 기호이다.)

보기
ㄱ. A와 D는 화학적 성질이 비슷하다.
ㄴ. 실온, 1기압에서 기체인 것은 4가지이다.
ㄷ. D와 E는 물리적인 성질이 비슷하다.

① ㄴ ② ㄷ ③ ㄱ, ㄴ ④ ㄴ, ㄷ ⑤ ㄱ, ㄴ, ㄷ

- 주기율표는 원소들을 원자 번호 순서대로 배열하여 주기율에 따라 화학적 성질이 비슷한 원소들을 같은 세로줄에 위치하게 만들어 놓은 원소의 분류표이다.

02

> 주기율표

그림은 주기율표의 일부를 나타낸 것이다.

주기＼족	1	2	13	14	15	16	17	18
1	A							B
2	C						D	
3					E		F	
4	G							

원소 A～G에 대한 설명으로 옳지 않은 것은? (단, A～G는 임의의 원소 기호이다.)

① A, C, G는 금속 원소이다.
② B는 비활성 기체이다.
③ D와 F는 원자가 전자 수가 같다.
④ 원자 번호가 가장 큰 원소는 G이다.
⑤ E와 F에서 전자가 들어 있는 전자 껍질 수는 서로 같다.

- 주기율표에서 같은 주기의 원소는 전자가 들어 있는 전자 껍질 수가 같고, 같은 족의 원소는 원자가 전자 수가 같아서 화학적 성질이 비슷하다.

[03～04] 다음은 몇 가지 원자나 이온의 크기를 비교하기 위해 짝 지어 놓은 것이다.

(가) Na, Na^+　　(나) F, F^-　　(다) O^{2-}, Mg^{2+}

03

> 원자 반지름과 이온 반지름

(가), (나), (다)에서 입자의 크기를 비교한 것으로 옳은 것만을 보기에서 있는 대로 고른 것은?

보기
ㄱ. Na>Na^+
ㄴ. F>F^-
ㄷ. O^{2-}>Mg^{2+}

① ㄱ　② ㄷ　③ ㄱ, ㄷ　④ ㄴ, ㄷ　⑤ ㄱ, ㄴ, ㄷ

• 양이온 반지름은 원자 반지름보다 작고, 음이온 반지름은 원자 반지름보다 크다.

04

> 원자 반지름과 이온 반지름

(가), (나), (다)에 속한 입자의 크기가 각각 다른 것에 대한 주된 요인을 옳게 짝 지은 것만을 보기에서 있는 대로 고른 것은?

보기
ㄱ. (가) – 전자 껍질 수 차이
ㄴ. (나) – 전자 사이의 반발력 차이
ㄷ. (다) – 핵전하 차이

① ㄱ　② ㄷ　③ ㄱ, ㄴ　④ ㄴ, ㄷ　⑤ ㄱ, ㄴ, ㄷ

• 양이온이 형성될 때는 가장 바깥 전자 껍질이 없어지고, 음이온이 형성될 때는 전자 껍질 수는 변하지 않지만 전자 사이의 반발력이 커져 전자 구름이 커진다.

05

> 원자 반지름

다음은 원자 N, O, F, S, Cl 중 하나인 A～E를 구별하기 위한 자료이다.

홀전자 수 차	원자 반지름
$b-e=0$ $a-c=e$ $d-b=1$	B>E C>D

이에 대한 설명으로 옳은 것만을 보기에서 있는 대로 고른 것은? (단, a～e는 각각 A～E의 바닥상태 전자 배치의 홀전자 수이다.)

보기
ㄱ. $a+b+c=4$이다.
ㄴ. 제1 이온화 에너지는 A<D이다.
ㄷ. 원자가 전자가 느끼는 유효 핵전하는 B>E이다.

① ㄱ　② ㄷ　③ ㄱ, ㄴ　④ ㄱ, ㄷ　⑤ ㄴ, ㄷ

• N, O, F, S, Cl의 바닥상태 전자 배치에서 홀전자 수는 각각 3, 2, 1, 2, 1이다.

06

> 순차 이온화 에너지, 이온화 에너지의 주기성

그림은 2, 3주기에 속하는 원소 A~E의 순차 이온화 에너지를 상댓값으로 나타낸 것이다. A~E는 각각 F, Ne, Na, Mg, Al 중 하나이다.

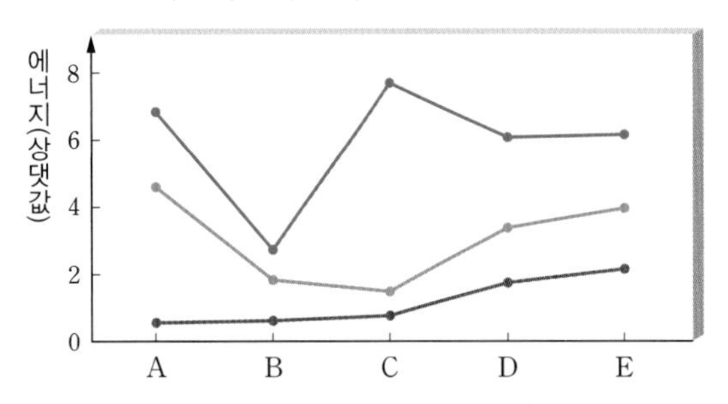

이에 대한 설명으로 옳은 것만을 보기에서 있는 대로 고른 것은?

보기

ㄱ. C, D, E의 주기를 합하면 7이다.
ㄴ. 원자가 전자가 느끼는 유효 핵전하는 C가 B보다 크다.
ㄷ. B는 2족 원소이다.

① ㄱ ② ㄴ ③ ㄱ, ㄴ ④ ㄱ, ㄷ ⑤ ㄴ, ㄷ

순차 이온화 에너지에서 에너지가 급격하게 증가하기 전까지의 전자 수가 원자가 전자 수이다. 예를 들어, $E_1 < E_2 \ll E_3 < E_4 \cdots$인 원소의 원자가 전자 수는 2이다.

07

> 순차 이온화 에너지

그림은 3주기 금속 원소 A~C에서 전자를 순차적으로 떼어 낼 때 n에 따른 $\frac{E_{n+1}}{E_n}$의 값을 나타낸 것이다. E_n은 n차 이온화 에너지를 나타낸 것이다.

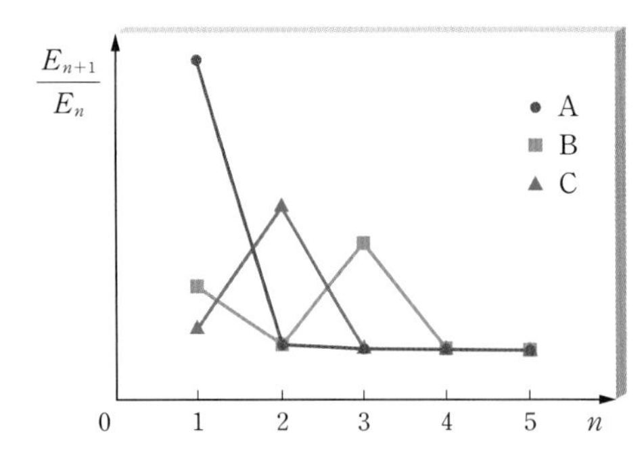

이에 대한 설명으로 옳은 것만을 보기에서 있는 대로 고른 것은? (단, A~C는 임의의 원소 기호이다.)

보기

ㄱ. A는 1족 원소이다.
ㄴ. 제1 이온화 에너지는 B가 C보다 크다.
ㄷ. C의 안정한 이온의 이온식은 C^{2+}이다.

① ㄱ ② ㄴ ③ ㄱ, ㄴ ④ ㄱ, ㄷ ⑤ ㄴ, ㄷ

$\frac{E_{n+1}}{E_n}$ 값이 급격하게 커진 경우 이 원자의 원자가 전자 수는 n이 된다.

08

> 이온화 에너지와 원자 반지름

그림은 원자 번호가 연속인 2주기 원자의 이온화 에너지와 원자 반지름을 상댓값으로 나타낸 것이다.

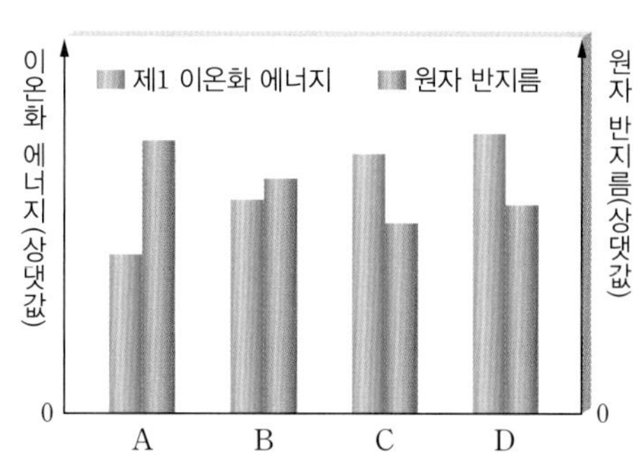

이에 대한 설명으로 옳은 것만을 보기에서 있는 대로 고른 것은? (단, A~D는 임의의 원소 기호이며, 원자 번호 순서는 아니다.)

보기

ㄱ. A와 B는 금속 원소이다.

ㄴ. 원자 번호는 D가 C보다 크다.

ㄷ. 원자가 전자가 느끼는 유효 핵전하는 C가 가장 크다.

① ㄱ ② ㄷ ③ ㄱ, ㄴ ④ ㄱ, ㄷ ⑤ ㄴ, ㄷ

• 같은 주기에서 원자 반지름은 원자 번호가 커질수록 감소하고, 이온화 에너지는 원자 번호가 커질수록 대체로 증가한다.

09

> 원자가 전자 수와 홀전자 수

표는 바닥상태인 원자 A~D의 원자가 전자 수(a)와 홀전자 수(b)의 차(a−b)를 나타낸 것이다. A~D는 각각 N, F, Na, S 중 하나이다.

구분	A	B	C	D
a−b	0	2	4	6

이에 대한 설명으로 옳은 것만을 보기에서 있는 대로 고른 것은?

보기

ㄱ. D는 플루오린(F)이다.

ㄴ. 전자가 들어 있는 오비탈 수는 C가 B의 2배이다.

ㄷ. 안정한 이온의 반지름은 A가 D보다 크다.

① ㄱ ② ㄴ ③ ㄱ, ㄷ ④ ㄴ, ㄷ ⑤ ㄱ, ㄴ, ㄷ

• 원자가 전자 수는 바닥상태의 전자 배치에서 가장 바깥 전자 껍질에 배치된 전자 수이다. 단, 18족은 원자가 전자 수가 0이다.

10

> 2주기 원소의 이온화 에너지와 홀전자 수

그림은 2주기 원소 A~D의 제1 이온화 에너지와 바닥상태 전자 배치에서 홀전자 수를 나타낸 것이다.

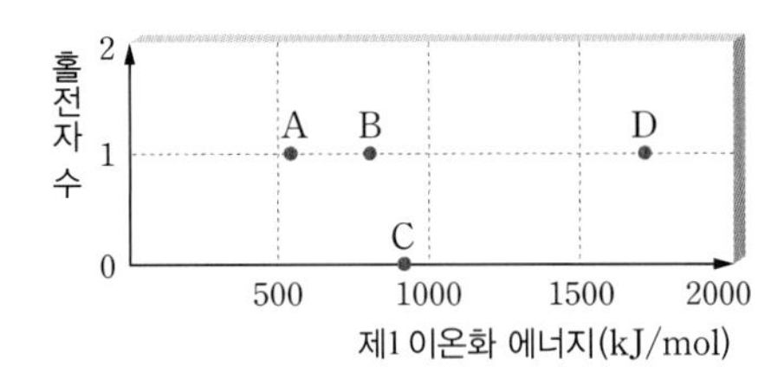

A~D에 대한 설명으로 옳은 것만을 보기에서 있는 대로 고른 것은? (단, A~D는 임의의 원소 기호이다.)

보기

ㄱ. A의 원자가 전자 수는 1이다.
ㄴ. 원자 반지름은 C>B이다.
ㄷ. 안정한 이온의 반지름은 C>D이다.

① ㄱ ② ㄴ ③ ㄱ, ㄴ ④ ㄴ, ㄷ ⑤ ㄱ, ㄴ, ㄷ

2주기 원소의 이온화 에너지 크기는 Li<B<Be<C<O<N<F<Ne이고, 바닥상태에서 홀전자 수는 다음과 같다.

Li	Be	B	C	N	O	F	Ne
1	0	1	2	3	2	1	0

11

> 같은 족 원소의 원자가 전자 수와 이온화 에너지

표는 2~3주기에 속하는 원소 A~D의 원자가 전자 수와 제1 이온화 에너지를 나타낸 것이다.

원소	A	B	C	D
원자가 전자 수	1	1	7	7
제1 이온화 에너지(kJ/mol)	496	520	1251	1681

이에 대한 설명으로 옳은 것만을 보기에서 있는 대로 고른 것은? (단, A~D는 임의의 원소 기호이다.)

보기

ㄱ. A와 C는 2주기 원소이다.
ㄴ. $\frac{\text{제2 이온화 에너지}}{\text{제1 이온화 에너지}}$는 B가 D보다 크다.
ㄷ. 안정한 이온의 전자 배치는 A와 D가 같다.

① ㄴ ② ㄷ ③ ㄱ, ㄴ ④ ㄱ, ㄷ ⑤ ㄴ, ㄷ

주기율표에서 같은 족 원소는 원자가 전자 수가 같고 화학적 성질이 비슷하다. 같은 족에서는 원자 번호가 클수록 이온화 에너지가 감소한다.

12 > 주기율과 원소의 주기적 성질

다음은 주기율표의 (가)~(라)에 해당하는 원소 A~D에 대한 설명이다.

주기＼족	1	2	13	14	15	16	17	18
2					(가)		(나)	
3	(다)							
4	(라)							

- 바닥상태의 전자 배치에서 전자 껍질 수는 A>D이다.
- 이온화 에너지는 B가 가장 작다.
- A와 C의 안정한 이온이 옥텟 규칙을 만족할 때 두 이온의 전하의 합은 0이다.

이에 대한 설명으로 옳은 것만을 보기에서 있는 대로 고른 것은? (단, A~D는 임의의 원소 기호이다.)

보기

ㄱ. (가)는 D이다.

ㄴ. 이온 반지름은 A<B이다.

ㄷ. 원자가 전자가 느끼는 유효 핵전하는 C<D이다.

① ㄱ ② ㄴ ③ ㄱ, ㄴ ④ ㄴ, ㄷ ⑤ ㄱ, ㄴ, ㄷ

주기는 그 주기에 속한 원소의 전자가 들어 있는 전자 껍질 수와 같고, 족의 일의 자리는 그 족에 속한 원소의 원자가 전자 수와 같다. (단, 18족 제외)

고난도

13 > 이온화 에너지의 주기성

표는 원자 번호가 연속인 2, 3주기 원소 A~E의 제2 이온화 에너지(E_2)와 제3 이온화 에너지(E_3)를 나타낸 것이다.

원소		A	B	C	D	E
순차 이온화 에너지 (E_n, $\times 10^3$ kJ/mol)	E_2	3.4	4.0	4.6	1.4	1.8
	E_3	6.0	6.1	6.9	7.7	2.7

이에 대한 설명으로 옳은 것만을 보기에서 있는 대로 고른 것은? (단, A~E는 원자 번호 순이며, 임의의 원소 기호이다.)

보기

ㄱ. 2주기 원소는 A와 B이다.

ㄴ. 제1 이온화 에너지는 C>D이다.

ㄷ. 기체 상태의 원자 E가 Ne의 전자 배치를 갖는 이온이 되기 위해 필요한 최소 에너지는 4.5×10^3 kJ/mol이다.

① ㄱ ② ㄴ ③ ㄷ ④ ㄱ, ㄴ ⑤ ㄴ, ㄷ

2, 3주기에서 제2 이온화 에너지와 제3 이온화 에너지의 경향은 제1 이온화 에너지가 각각 오른쪽으로 한 칸씩 이동한 형태로 생각한다.

01

그림은 원소 A~D의 원자 반지름과 이온 반지름을 상댓값으로 나타낸 것이다. (단, 이온의 전자 배치는 아르곤(Ar)의 전자 배치와 같다.)

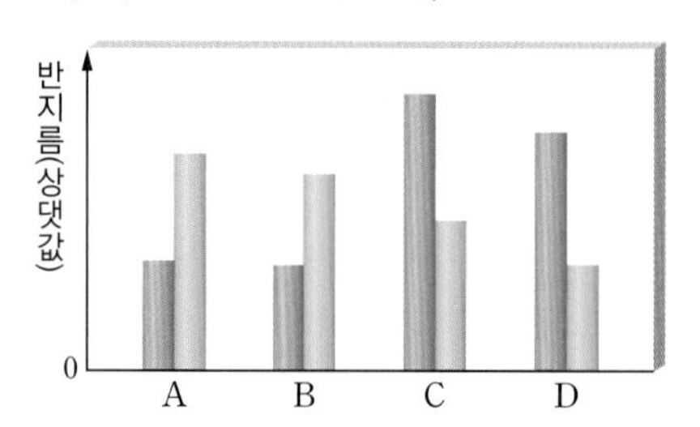

(1) A~D를 금속 원소와 비금속 원소로 분류하고, 그 이유를 서술하시오.

(2) A~D는 각각 몇 주기 원소인지를 서술하시오.

(3) A~D의 원자 번호를 부등호로 비교하시오.

(4) A~D의 원자가 전자가 느끼는 유효 핵전하를 부등호로 비교하시오.

KEY WORDS
(1) 원자 반지름, 이온 반지름
(2) 금속 원소, 비금속 원소, 전자 배치
(3) 등전자 이온의 이온 반지름
(4) 유효 핵전하의 주기성

02

표는 원소 A~D의 제1~제4 이온화 에너지를 각각 제1 이온화 에너지에 대한 비$\left(\frac{E_n}{E_1}\right)$로 나타낸 것이다. (단, E_1의 크기는 A>D이다.)

원소	$\frac{E_1}{E_1}$	$\frac{E_2}{E_1}$	$\frac{E_3}{E_1}$	$\frac{E_4}{E_1}$
A	1.0	9.2	13.9	19.2
B	1.0	2.0	10.5	14.3
C	1.0	3.1	4.7	20.0
D	1.0	7.3	10.5	14.0

(1) 원소 A~D가 각각 Na, Mg, Al, K 중의 하나라고 할 때 원소 A~D는 무엇인지 그 이유와 함께 서술하시오.

(2) 원소 D에서 E_2와 E_3의 크기를 비교하여 서술하시오.

KEY WORDS
• 순차 이온화 에너지
• 전자 사이의 반발력
• 원자핵과 전자 사이의 인력

03 다음 자료를 읽고 물음에 답하시오.

이온화 에너지는 전자가 핵으로부터 받는 정전기적 인력을 벗어나 자유 전자로 떨어져 나오는 데 필요한 에너지로 생각할 수 있으므로 이온화 에너지는 전자가 위치하는 오비탈의 에너지 준위에 해당하는 값과 크기가 같다.
보어 모형에서 전자가 위치한 오비탈에 대한 에너지 식은 다음과 같이 나타낼 수 있다.

$E_n = -1312\frac{Z^2}{n^2}$ (kJ/mol) (단, Z: 원자 번호, n: 주 양자수)

이 식을 이용하여 수소의 이온화 에너지를 계산하면 다음과 같다.

$E_n = -1312\frac{1^2}{1^2}$ kJ/mol에서 수소의 이온화 에너지는 1312 kJ/mol이다.

실제로 수소의 이온화 에너지는 1312 kJ/mol로 계산값과 실제값이 일치함을 알 수 있다.

(1) 위 식을 이용하여 **Be**의 이온화 에너지(**kJ/mol**)를 구하시오.

(2) **Be**의 이온화 에너지 실제값은 **899 kJ/mol**이다. **Be**의 이온화 에너지의 실제값과 계산값과의 차이를 비교하고, 차이가 나는 이유를 서술하시오.

KEY WORDS
- 유효 핵전하
- 전자 사이의 반발력
- 보어 모형의 한계점
- 가려막기 효과

04 그림은 $2s$ 오비탈과 $2p$ 오비탈의 핵으로부터 거리에 따른 전자 존재 확률을 나타낸 것이다.

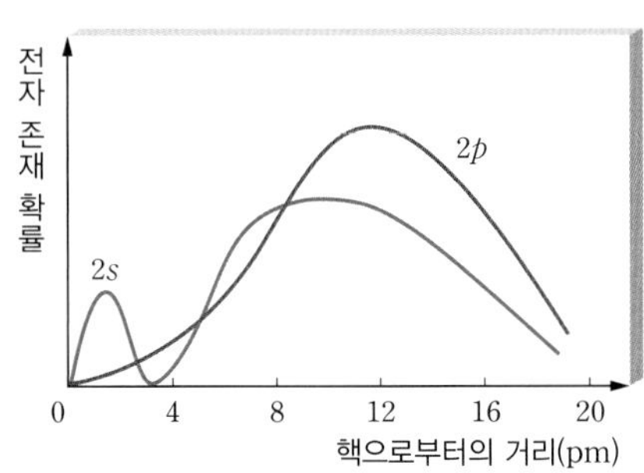

붕소(B)의 바닥상태 전자 배치는 $1s^2 2s^2 2p^1$로, 원자가 전자는 L 전자 껍질에 있는 3개이다. $2s$ 오비탈과 $2p$ 오비탈에 배치된 전자는 모두 원자가 전자이지만 원자가 전자가 느끼는 유효 핵전하는 $2s$ 오비탈에 배치된 전자가 $2p$ 오비탈에 배치된 전자보다 더 크다. 그 이유를 그림을 이용하여 서술하시오.

KEY WORDS
- 가려막기 효과
- 전자 존재 확률

예시 문제

다음은 물질의 용해 과정과 바이타민의 종류에 따른 특성을 설명한 자료이다.

(제시문 1) 한 물질(용질)이 어떤 물질(용매)에 섞이는 현상을 용해라고 한다. 이는 용질과 용매의 성질에 의존한다. 용해를 결정하는 여러 요인 중 하나는 물질들끼리 섞이려는 자연적 경향, 즉 더 무질서해지려는 경향이다. 만약 이것이 용해에 관여하는 유일한 요인이라면 물질들은 서로 완전히 섞일 것이다. 하지만 실제로는 그렇지 않다. 왜냐하면 용질과 용매 분자 간의 상대적 인력이 용해를 결정하는 데 매우 중요하기 때문이다. 일반적으로 용질과 용매가 비슷한 분자 간 인력을 가지면 서로 잘 섞인다. 아세톤과 물은 모든 비율로 섞일 수 있지만 가솔린과 물은 서로 섞이지 않는 현상을 예로 들 수 있다.

(제시문 2) 생체 내에서 중요한 역할을 하는 바이타민은 탄소 화합물로, 음식에 소량 함유되어 있으며 성장과 발달에 필수적이다. 인간을 비롯한 대부분의 동물들은 바이타민을 합성하는 능력이 없으므로 바이타민을 포함한 음식을 반드시 섭취하여야 한다. 바이타민은 물에 대한 용해도에 따라 수용성 바이타민과 지용성 바이타민으로 나뉘며, 수용성 바이타민 B, C 등은 과량으로 섭취하여도 크게 해롭지 않다. 반면에 지용성 바이타민 A, D, E, K 등은 과량으로 섭취하면 체내의 지질에 축적되어 부작용을 일으킬 수 있다.

1 그림의 Ⅰ과 Ⅱ는 각각 수용성 바이타민과 지용성 바이타민 중 하나이다. Ⅰ과 Ⅱ를 수용성 바이타민과 지용성 바이타민으로 구분하고 그 판단 근거를 서술하시오.

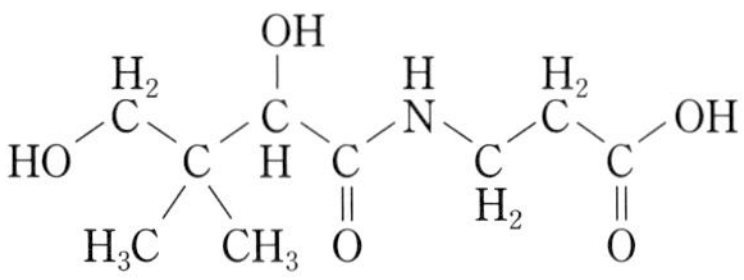

Ⅰ: $HO-CH_2-C(CH_3)_2-CH(OH)-C(=O)-NH-CH_2-CH_2-C(=O)-OH$

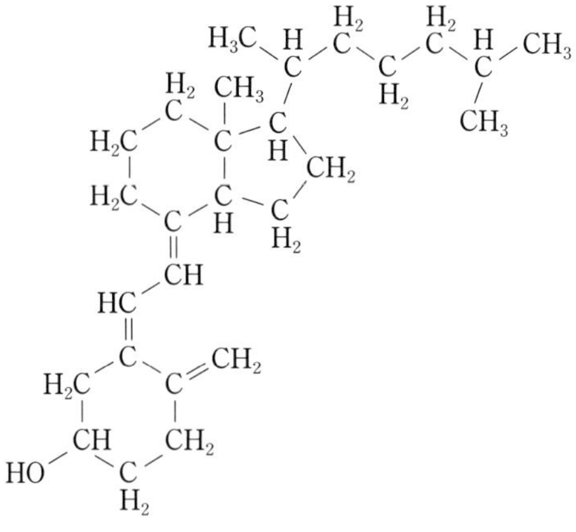

Ⅱ: (구조식: HO, CH_2, CH, HC, CH_3, H_3C 등으로 이루어진 고리 구조를 가진 탄소 화합물)

Ⅰ　　　　Ⅱ

2 수용성 바이타민은 과량 섭취하여도 일반적으로 해롭지 않지만, 지용성 바이타민은 과량 섭취할 경우 과잉증이 나타난다. 그 이유를 제시문의 내용을 근거로 서술하시오.

출제 의도
용매와 용질이 서로 섞이는 용해의 원리는 용매와 용질 사이의 인력이 용매 사이의 인력보다 크거나 비슷할 때 용해가 잘 일어난다는 용해 원리를 이해하고 적용할 수 있는지 평가한다.

문제 해결 과정

1 물은 극성 물질이므로 물과 잘 섞이려면 물과 상호 작용할 수 있는 극성 부분이 있어야 한다. 탄화수소 부분은 물과의 친화력이 거의 없는 부분이다. 분자 구조에서 물과 친화력이 있는 부분이 있는지 찾아 설명한다.

2 수용성 물질은 말 그대로 물에 잘 녹는 물질이다. 우리 몸속에서 영양 물질은 대사 과정을 거친 후 물에 녹아 몸 밖으로 배출된다. 물에 잘 녹지 않는 무극성 물질은 몸속에 있는 지방 성분에 녹아 체내에 축적된다는 점을 서술한다.

문제 해결을 위한 배경 지식

- **극성 물질:** 분자 내에서 부분적인 전하를 띠고 있는 물질
- **무극성 물질:** 분자 내에서 전하 분리가 없는 물질
- **용해:** 용매와 용질이 고르게 섞이는 현상
- **수용액:** 용매가 물인 용액

예시 답안

1 물 분자는 극성 분자로, 극성 부분이 있는 물질과 상호 작용하여 정전기적 인력이 작용한다. 바이타민 Ⅰ의 분자 구조를 보면 $-C=O$, $-COOH$, $-OH$, $-NH$ 등을 포함하고 있다. 이러한 작용기는 극성을 띠는데, 예를 들면 $-C=O$에서 산소 원자는 부분적인 음전하(δ^-)를 띠고, 탄소 원자는 부분적인 양전하(δ^+)를 띤다. 바이타민 Ⅰ을 물에 녹이면 물 분자에서 부분적인 양전하를 띠는 수소 원자 부분이 $-C=O$의 산소 원자를 둘러싸 수화하면서 안정화한다. 따라서 바이타민 Ⅰ은 물에 잘 녹을 것으로 예상된다. 반면 바이타민 Ⅱ의 분자 구조에서는 바이타민 Ⅰ과는 달리 $-C=O$, $-COOH$, $-NH$ 등을 포함하고 있지 않으며, 탄소 원자와 수소 원자로 이루어져 있다. 따라서 바이타민 Ⅱ는 극성 물질인 물과의 상호 작용보다는 무극성 물질과의 상호 작용이 클 것이다. 이로부터 바이타민 Ⅰ은 물에 잘 녹는 수용성 바이타민이고, 바이타민 Ⅱ는 기름에 잘 녹는 지용성 바이타민이다.

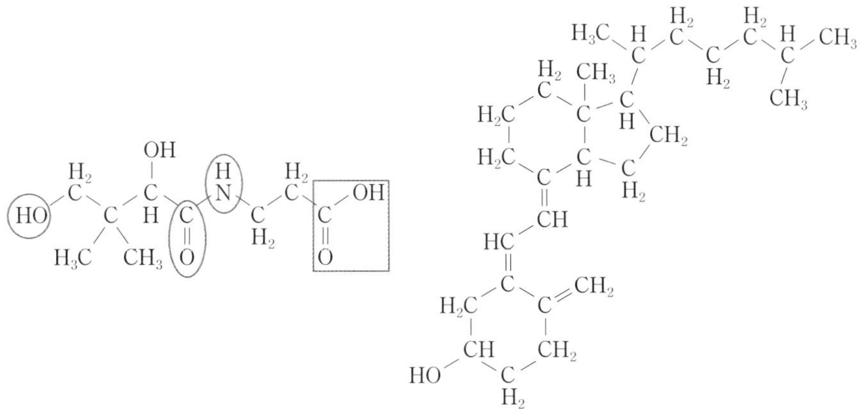

Ⅰ　　　　　　　　Ⅱ

2 수용성 바이타민은 물에 잘 녹는 물질이다. 수용성 바이타민을 과량으로 섭취한 경우 몸속에서 필요한 양만큼 이용된 후 나머지 양은 물에 녹은 상태로 존재한다. 이후 대사 과정에서 물에 녹은 상태로 몸 밖으로 배출되므로 몸속에서 과량 축적되지 않는다. 이런 까닭으로 수용성 바이타민은 과량으로 섭취해도 몸에 큰 이상이 없다. 반면 지용성 바이타민을 과량으로 섭취한 경우 몸속에서 필요한 양만큼 이용된 후 나머지 양은 물에 잘 녹지 않으므로 물에 녹아 몸 밖으로 배출되지 않고 몸속의 지방 성분에 녹아 축적된다. 따라서 지용성 바이타민을 과량으로 섭취할 경우 부작용이 생길 수 있다.

실전 문제

정답과 해설 48쪽

1 다음은 2가지 탄소 화합물 사이클로헥세인(C_6H_{12})과 포도당($C_6H_{12}O_6$)의 구조와 물에 대한 용해도를 설명한 것이다.

고리 모양 포화 탄화수소인 사이클로헥세인(C_6H_{12})은 각 탄소 사이의 결합각이 약 109.5°로 대칭성이 높은 입체 구조를 갖는다. 이 경우에 분자 내의 탄소 – 탄소 결합을 단지 뒤틀어 놓음으로써 여러 가지 입체 모양이 가능해진다. 이 중 대표적인 두 가지 모양은 의자 모양과 배 모양이다. 실온에서는 에너지면에서 더 안정한 의자 모양이 훨씬 많다. 모든 탄소 사이의 결합각은 약 109.5°이므로 고리는 평면 구조를 벗어나 입체 구조가 된다. 고리 모양 화합물인 포도당($C_6H_{12}O_6$)도 사이클로헥세인과 같이 입체 구조를 가지는 분자이다. 사이클로헥세인과 포도당은 다음 그림과 같이 기본 골격은 비슷하지만 물에 대한 용해도는 매우 다르다. 포도당은 물에 매우 잘 녹지만 사이클로헥세인은 물에 녹지 않는다.

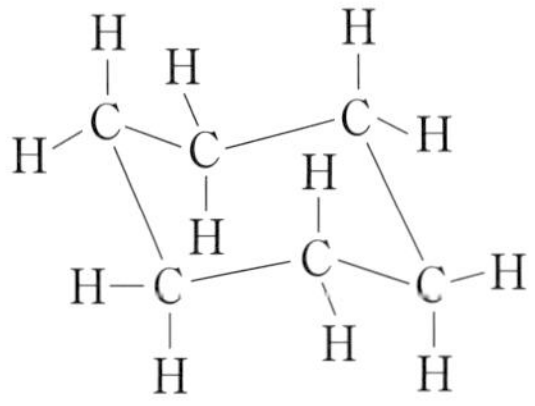

의자 모양의 사이클로헥세인

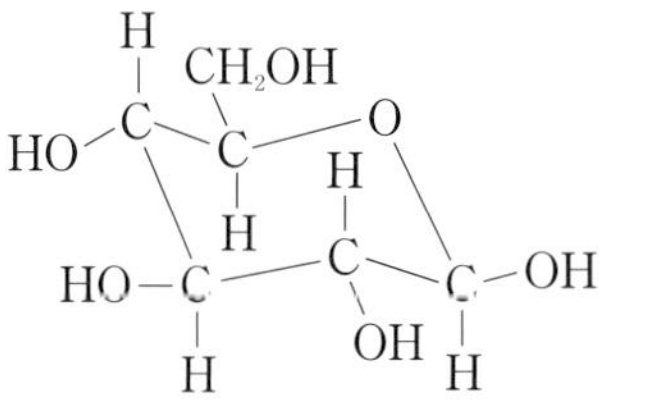

포도당

(1) 사이클로헥세인과 포도당은 기본 골격은 비슷하지만 물에 대한 용해도가 매우 다른 이유를 서술하시오.

(2) 포도당에서 모든 $-OH$의 H가 $-CH_3$로 치환되어 $-OCH_3$가 되고 기본 골격은 그대로 유지되는 분자가 있다고 가정할 때, 이 분자의 물에 대한 용해도는 포도당과 비교하여 어떻게 될지 예상하고 그 이유를 서술하시오.

답안

출제 의도

2가지 탄소 화합물의 분자 구조를 파악하여 물에 대한 용해도와 관련지어 설명할 수 있는지 평가한다.

문제 해결을 위한 배경 지식

- **사이클로헥세인:** 고리 모양 포화 탄화수소로, 탄소 원자 간 결합각이 약 109.5°를 이룬다.
- **포도당:** 탄소 원자 6개로 이루어진 탄수화물의 한 종류로, 녹말이나 셀룰로스의 단위체이다.

2 다음 제시문을 읽고 물음에 답하시오.

(가) 리튬(Li), 나트륨(Na), 칼륨(K) 등과 같은 1족 알칼리 금속의 산화물은 물에 녹아 강한 염기성을 나타낸다.

(나) 수용액에 들어 있는 H^+과 OH^-의 몰 농도의 곱은 일정한 값을 갖는다. 이들 몰 농도의 곱, 즉 $[H^+][OH^-]$은 25 ℃에서 1.0×10^{-14}이다. 실제로 이 값은 매우 작은 값이므로 덴마크의 화학자 쇠렌센은 수용액 속에 들어 있는 $[H^+]$를 쉽게 나타낼 수 있는 방법으로 pH를 다음과 같이 제안하였다.

$$pH = -\log[H^+]$$

(1) **0 ℃, 1기압에서 그림과 같이 실린더에 나트륨(Na) 23 g을 넣고 산소(O_2) 기체 44.8 L를 채웠다. 어느 한 반응물이 완전히 소모될 때까지 반응시켜 산화 나트륨(Na_2O)을 얻었다. 반응 후 실린더 내부의 부피를 구하시오. (단, 반응 전후 온도와 압력은 일정하고, 피스톤의 질량과 마찰 및 실린더 속 고체의 부피는 무시한다. 0 ℃, 1기압에서 기체 1몰의 부피는 22.4 L이고, Na과 O의 원자량은 각각 23, 16이다.)**

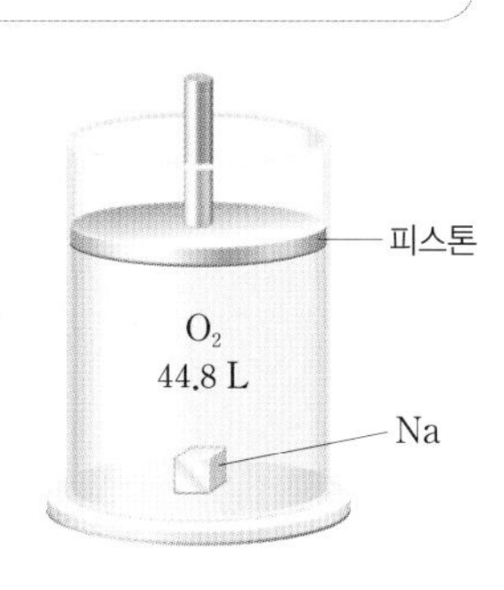

(2) (1)에서 얻어진 산화 나트륨(Na_2O)을 물에 녹여 전체 부피가 10 L가 되게 하였다. Na_2O의 용해 과정의 화학 반응식을 쓰고, 제시문 (나)를 근거로 하여 25 ℃에서 이 수용액의 pH를 구하시오.

답안

출제 의도

주어진 제시문을 읽고 화학 반응식을 완성한 후 반응의 양적 관계를 파악할 수 있는지 평가한다.

문제 해결을 위한 배경 지식

- 화학 반응식을 완성할 때 화살표의 왼쪽에는 반응물을, 오른쪽에는 생성물을 쓴 다음, 반응물과 생성물에서 원자의 종류와 수가 같도록 각 물질의 화학식의 계수를 맞춘다.
- 완성한 화학 반응식에서 계수비는 반응 몰비와 같다.
- 물질의 양(mol)은 질량(g)을 화학식량에 g을 붙인 값으로 나누어서 구할 수 있다.

예시 문제

다음 제시문을 읽고 물음에 답하시오.

그리스의 데모크리토스가 물질을 구성하는 기본 단위가 원자라고 주장한 이후, 이에 대한 탐구가 계속되어 약 100년 전에 톰슨, 러더퍼드, 보어 등에 의해 현재 우리에게 익숙한 원자 모형이 정착되었다. 그러나 뉴턴 이후 거시적인 세계를 설명하는 데 성공적이었던 고전역학 이론이 원자와 같은 미시 세계에는 적용되지 않는다는 사실이 밝혀지고, 이에 대한 해결책으로 전자, 원자핵 등 미시 세계의 물리적 현상을 설명할 수 있는 양자역학 이론이 제안되었다.

미시 세계의 자연 법칙을 설명하는 데 성공한 양자역학의 중요한 이론 중 하나가 1927년에 하이젠베르크가 발표한 '불확정성 원리'이다. 불확정성 원리에 따르면 물체의 위치와 속도를 동시에 정확하게 측정하는 것은 이론적으로 불가능하다. 여기서 중요한 것은 측정 도구가 정밀하지 않거나 측정 방법이 정확하지 않기 때문이 아니라, 측정하는 행위 자체가 측정 대상인 물체의 위치와 속도를 교란시킨다는 것이다. 즉 입자의 위치와 속도가 정확하게 측정될 수 없는 한계를 내포하고 있다는 것이다.

예를 들어 전자의 위치를 알고자 한다면 전자로부터 반사되어 나온 빛을 관측해야 하는데, 이때 파장이 짧을수록 보다 정확한 위치를 파악할 수 있으므로 전자와 같이 작은 입자를 확인하려면 파장이 매우 짧은 빛을 사용해야 한다. 그러나 파장이 짧은 빛은 그만큼 큰 에너지를 가지고 있으므로 전자와 충돌할 때 전자의 원래 속도를 크게 변화시킨다. 또한 전자의 속도를 보다 정확하게 측정하려면 속도에 미치는 영향이 작도록 낮은 에너지를 가진 긴 파장의 빛을 사용해야 하지만, 파장이 긴 빛으로는 전자의 정확한 위치를 알아낼 수 없다. 따라서 전자의 위치와 속도 중 어느 하나를 정확하게 측정하려고 하면 할수록 다른 것에 대한 측정은 더 부정확해질 수 밖에 없다.

이와 같은 내용을 하이젠베르크는 다음과 같은 방식으로 정리하였고, 이 공로를 인정받아 1932년에 노벨물리학상을 수상하였다.

$$(\text{속도의 불확정성})\times(\text{위치의 불확정성})\geq\frac{h}{4\pi}$$

(h는 플랑크 상수로, 그 크기가 $6.626\times10^{-34}\ \mathrm{kg\cdot m^2/s}$인 매우 작은 수이다.)

• **출제 의도**
미시 세계를 설명하는 불확정성 원리에 대하여 주어진 과학적 지식이 포함된 제시문과 자신이 가지고 있는 과학적 지식들을 바탕으로 추론하여 기술하는 능력을 평가한다.

문제 해결을 위한 배경 지식
- **양자역학:** 분자, 원자, 전자와 같은 작은 크기의 미시 세계의 물리학을 연구하는 분야로, 고전역학으로 설명되지 않는 미시 세계의 현상에 대한 정확한 설명을 제공한다.
- **야구공과 전자의 궤적:** 야구공과 같이 큰 입자는 빛에 의한 영향을 받지 않으나, 전자는 빛에 의한 영향을 받는다.

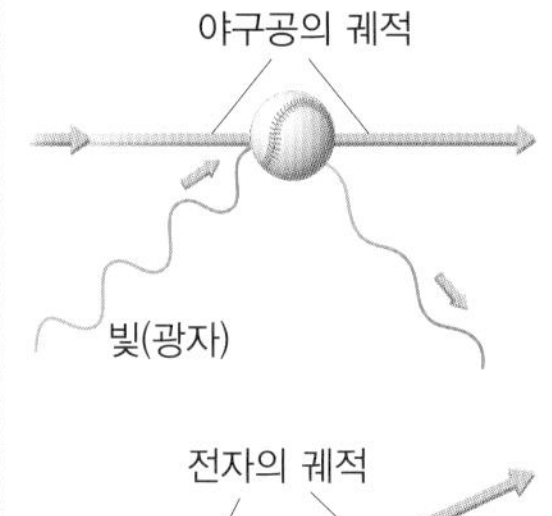

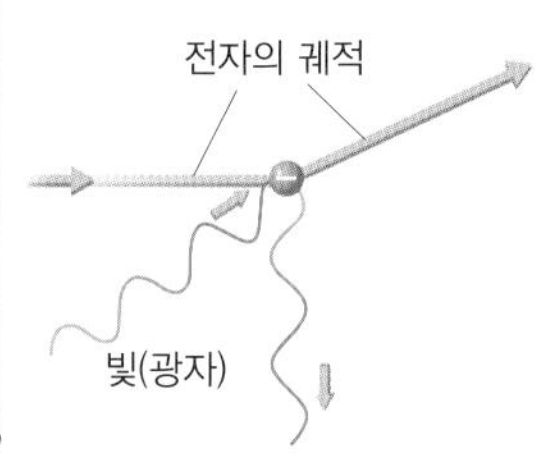

1 제시문에서는 하이젠베르크의 불확정성 원리를 전자의 위치와 속도를 가지고 설명하였다. 한편 불확정성 원리는 전자의 위치와 운동량을 가지고도 설명할 수 있다. 제시문을 참고하여 하이젠베르크의 불확정성 원리를 정의하고, 전자의 위치와 운동량을 가지고 불확정성 원리를 서술하시오. (150자 내외)

2 **제시문에서 설명한 바와 같이 전자의 위치와 속도의 측정값이 하이젠베르크의 불확정성 원리에 따라 확정적일 수 없다는 데에는 모두가 동의하면서도 고속도로에서 과속으로 달리다가 속도 측정기로 단속에 걸릴 경우 누구도 불확정성의 원리를 내세워 적발된 속도가 확정적이지 않다고 주장하지는 않는다. 그 이유를 서술하시오. (150자 내외)**

문제 해결을 위한 배경 지식

- **불확정성 원리:** 전자의 위치와 속도를 동시에 정확하게 측정할 수 없다.
- **현대적 원자 모형:** 전자가 어떤 운동을 하는지, 어디에 있는지 정확히 알 수 없으며, 단지 공간상에서 전자가 존재할 확률만 알 수 있다.

문제 해결 과정

1 하이젠베르크의 불확정성 원리는 물체의 속도와 위치는 동시에 정확하고 확정적으로 측정할 수 없고, 항상 0이 아닌 오차 범위가 있을 수밖에 없다는 내용이다. 우리가 전자의 위치를 파악하기 위해서는 빛(광자)이 전자와 부딪쳐서 우리 눈이 감지할 수 있도록 튕겨져 나와야 한다. 그러나 빛이 전자에 부딪치는 순간 빛의 에너지가 전자에 전달되어 전자의 운동량(전자의 질량과 속도를 곱한 양)이 변하게 되는 것이다.

2 자동차의 위치에 대한 불확정성 범위는 최소한 차 길이인 수 m는 될 것이다. 그런데 불확정성 원리를 나타내는 관계식에 의하면 위치의 불확정성과 속도의 불확정성의 곱은 $\frac{h}{4\pi}$ 정도이기 때문에 고속도로에서 달리는 자동차의 속도를 속도 측정기로 측정하였을 때 그 속도의 불확정성은 무시할 만큼 작을 것이다. 따라서 불확정성 원리를 내세워 적발된 속도가 확정적이지 않다고 주장하는 것은 의미가 없다. 이것은 속도 측정기가 달리는 자동차의 속도를 측정하기 위해 사용하는 전자파가 자동차에 충돌하여도 수백 kg인 자동차의 속도(또는 운동량)에는 무시할 만한 변화밖에 일으키지 못하기 때문이다.

예시 답안

1 물체의 속도와 위치는 동시에 정확히 측정할 수 없다는 하이젠베르크의 불확정성 원리에 의해 전자의 위치를 더 정확하게 측정하려고 한다면 더 짧은 파장의 빛을 사용해야 하고 빛의 파장이 짧을수록 빛의 에너지는 커지게 되므로 전자는 더 큰 에너지를 받아 운동량이 더 많이 변하게 된다. 즉 전자의 위치를 더 정확히 측정하려고 할수록 측정하는 순간의 운동량은 더 많이 변하게 되므로 전자의 운동량은 더 부정확해진다.

2 전자의 경우와는 달리 자동차의 경우 속도 측정기에서 발사된 전자파는 측정 대상인 자동차의 속도에는 무시할 만한 변화밖에 일으키지 못하기 때문이다. 미시 세계에서는 측정에 사용되는 전자기파가 측정 대상에 큰 변화를 일으키므로 불확정성 원리가 적용되지만, 거시 세계의 자동차에서는 이 변화가 매우 작기 때문에 불확정성을 무시할 수 있는 것이다.

실전 문제

정답과 해설 48쪽

1 **다음 제시문을 읽고 물음에 답하시오.**

(가) 1803년 돌턴은 물질은 더 이상 쪼개지지 않는 원자로 이루어져 있다는 원자설을 주장하였고, 1897년 톰슨은 음극선 실험을 통해 음극선이 입자의 흐름이라는 것을 알아냈다. 1911년 러더퍼드는 알파(α) 입자 산란 실험을 통해 원자 중심에 밀집된 입자의 존재를 발견하였다. 1932년 채드윅은 알파(α) 입자를 베릴륨의 중심 입자에 충돌시켜 전하를 띠지 않는 입자가 방출되는 것을 발견하였다.

(나) 원자량은 질량수가 12인 탄소 원자(^{12}C)의 질량을 12로 정하고 다른 원자의 질량을 이 값과 비교하여 상대적인 값으로 나타낸 것이다. 그리고 자연계에 동위 원소가 존재하는 경우의 원자량은 각 원소들의 존재 비율을 고려한 평균 원자량으로 나타낸다. 탄소의 경우 자연계에 존재하는 비율은 ^{12}C가 99 %이고, ^{13}C가 1 %이다. 따라서 C의 평균 원자량은 다음과 같이 계산된다.

$$\text{C의 평균 원자량} = \frac{12\times99+13\times1}{100} = 12.01$$

(다) 우주의 탄생을 설명하는 빅뱅 이론에 따르면 지금부터 137억 년 전 대폭발(빅뱅)로 인해 원소가 생성되기 시작하였다. 빅뱅 이후 우주가 급격히 팽창하면서 우주의 온도가 낮아져 우주를 구성하는 기본 입자, 양성자, 중성자가 생겨나고, 우주의 온도가 더 낮아지면서 가벼운 원자핵부터 생성되었다. 이때 다양한 원소의 동위 원소가 생성되었으며 수소의 경우 ^{1}H, ^{2}H, ^{3}H의 3가지 동위 원소가 존재한다.

(1) **톰슨, 러더퍼드, 채드윅의 실험 결과가 현대 원자 모형에 기여한 바를 서술하시오.**

(2) **어떤 별에서 수소의 동위 원소 ^{1}H, ^{2}H, ^{3}H가 존재하며, 이 별에서 ^{2}H의 존재 비율은 50 %이고 수소의 평균 원자량은 1.7이다. 이 별에서 ^{3}H만 모두 제거했을 때 수소 원자의 평균 원자량에 대해 서술하시오. (단, ^{1}H의 원자량은 1, ^{2}H의 원자량은 2, ^{3}H의 원자량은 3으로 계산하시오.)**

답안

출제 의도
원자의 구성 입자, 동위 원소 및 화학식량을 이해하고 종합할 수 있는지 평가한다.

문제 해결을 위한 배경 지식
- 톰슨은 전자를, 러더퍼드는 원자핵을, 채드윅은 중성자를 발견했다.
- 평균 원자량은 동위 원소의 존재 비율을 고려하여 가중치 평균을 구한다.

2 다음 제시문을 읽고 물음에 답하시오.

(가) 대부분의 방사성 동위 원소의 붕괴 반응은 1차 반응이며, 1차 반응의 반감기(반응물의 초기 농도가 절반이 되는 데 걸리는 시간)은 초기 농도와 관계없이 일정하다. 지구 대기 중에 존재하는 방사성 동위 원소인 ^{14}C는 우주선에 의해 끊임없이 생성되고 붕괴되어서 일정한 비율을 유지하므로 살아 있는 동식물은 체내의 ^{14}C의 비율이 일정하게 유지된다. 그러나 죽은 동식물에서는 ^{14}C의 비율이 반감기에 따라 감소하게 된다. 지구 대기 상층부의 $^{14}C/C$의 존재비는 10^{-12}, $^{81}Kr/Kr$의 존재비는 5×10^{-13}으로 일정하게 유지되고 있으며, ^{14}C와 ^{81}Kr의 반감기는 각각 5700년, 228000년이다. 이러한 원리를 이용한 연대 측정은 고고학이나 고대 지질학 연구에 중요한 도구로 이용되고 있다.

(나) 풀러렌은 매우 안정된 구조이기 때문에 높은 온도와 압력을 견딜 수 있고, 반응성이 작다. 이러한 풀러렌은 별에서 방출된 탄소 원자들이 결합되는 과정에서 만들어지며, 달의 암석이나 운석에서도 발견된다. 풀러렌의 내부 공간에 비활성 기체가 포함된 것이 발견되기도 하는데 이 기체들은 [그림 Ⅰ]과 같이 풀러렌의 생성 과정에서 유입되거나 [그림 Ⅱ]와 같이 높은 온도에서 풀러렌에 일시적으로 만들어지는 구멍을 통해 유입되기도 한다.

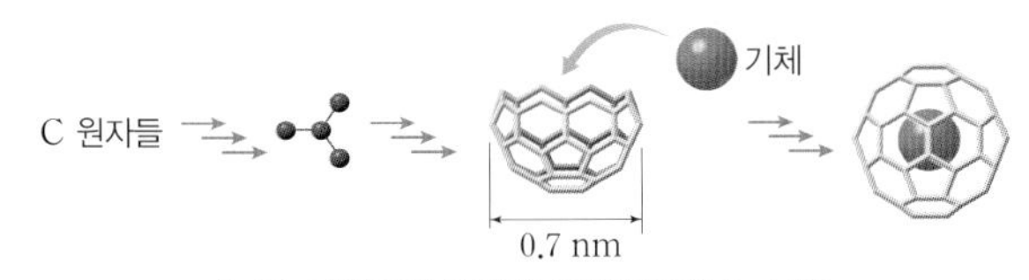

[그림 Ⅰ] 풀러렌 생성 중 기체가 유입되는 과정

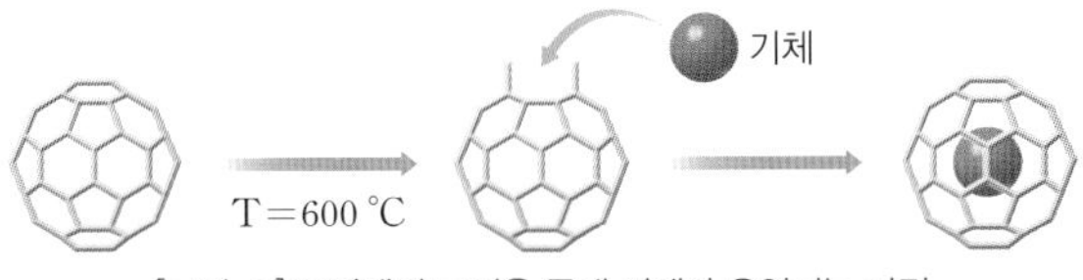

[그림 Ⅱ] 풀러렌의 구멍을 통해 기체가 유입되는 과정

어떤 도시에서 발견된 운석에서 크립톤이 포함된 풀러렌이 발견되었다. 그런데 풀러렌 내부에 있는 크립톤의 방사성 동위 원소의 존재비 $^{81}Kr/Kr$를 조사한 결과 2.5×10^{-13}이고, 풀러렌에 존재하는 탄소의 방사성 동위 원소의 존재비 $^{14}C/C$는 1×10^{-27}이었다. 만일 운석이 지구의 대기를 통과할 때 크립톤이 유입된 것이라고 가정하면 [그림 Ⅰ]과 [그림 Ⅱ] 중 어떤 과정을 통해 풀러렌에 크립톤이 유입되었는지 서술하시오. (단, 2^{10}은 10^3으로 계산하시오.)

답안

출제 의도
방사성 동위 원소의 붕괴 반응에서 반감기의 개념을 이용하여 연대 측정을 추론할 수 있는지 평가한다.

문제 해결을 위한 배경 지식
- **방사성 동위 원소:** 동위 원소 중에서 원자핵이 불안정하여 자발적으로 방사선을 방출하는 원소
- **풀러렌:** 풀러렌(C_{60})은 축구공 모양의 분자 구조를 갖는 물질로, 탄소 원자들이 12개의 정오각형과 20개의 정육각형 모양이 반복되어 만나는 꼭짓점에 배치된 형태를 이루고 있는 분자성 물질이다.

memo

과학 고수들의 필독서

HIGH TOP